#교재검토 #선생님들 #감사합니다

강원우(인천) 강희용(충남 천안) 고수환(서울) 김경미(강원 춘천) 김경화(부산) 김금화(서울) 김기영(경기 화성)
김미정(광주) 김민정(경기 화성) 김병철(경남 창원) 김봉조(울산) 김상윤(경기 광명) 김선경(서울) 김선미(경남 김해)
김영준(경기 성남) 김은희(강원 원주) 김인범(광주) 김정식(울산) 김제득(울산) 김주현(서울) 김준(인천)
김지윤(경기 수원) 김치욱(부산) 김현희(서울) 김희연(서울) 나원균(인천) 나종학(서울) 나혜림(경기 안양)
류미진(부산) 민동건(경기 광명) 박미영(경기 안양) 박미옥(전남 목포) 박산성(대구) 박연실(대전) 박영지(대구)
박은하(서울) 박종현(경기) 박지연(세종) 박해석(인천) 배재형(서울) 백은화(서울) 봉우리(경기 남양주)
서영호(경기 의정부) 성은수(서울) 소효진(경북 김천) 송경희(대전) 송언지(경북 김천) 안연수(경기 남양주) 안은옥(인천)
안현지(강원 강릉) 유미리(경기 김포) 윤상완(경기 용인) 윤석주(대전) 윤주성(경기 광명) 윤희(경기 성남) 이경미(세종)
이관우(경기 안산) 이근영(경남 창원) 이남희(대구) 이수동(경기 부천) 이신영(세종) 이아람(충남 홍성) 이애희(인천)
이은지(경기 고양) 이정희(서울) 이지은(대구) 이현희(경기 양주) 이화연(경기 의정부) 임성국(서울) 임송란(경기 양평)
전경진(경기 용인) 전성호(충남 아산) 전은술(인천) 전지영(대구) 정하윤(서울) 정황우(경기 파주) 조욱(경기 용인)
진현정(경기 용인) 차효순(광주) 최근혁(경기 부천) 최소영(충남 당진) 최수남(강원 강릉) 최재현(강원 원주) 최준옥(경기 양주)
하윤석(경남 거제) 한미정(경기 수원) 한수민(경기 의왕) 한웅희(서울) 허윤정(부산)

Chunjae
Maketh
Chunjae

저자	최용준, 해법수학연구회
편집개발	박유영, 조영옥, 민지영, 정광혜, 원진희, 민경아, 김주리, 김근희, 서진원, 마영희
디자인총괄	김희정
표지디자인	윤순미, 장미
내지디자인	박희춘, 우혜림
제작	황성진, 조규영

발행일	2021년 4월 15일 초판 2021년 4월 15일 1쇄
발행인	(주)천재교육
주소	서울시 금천구 가산로9길 54
신고번호	제2001-000018호
고객센터	1577-0902
교재 내용문의	(02)3282-1721

※ 정답 분실 시에는 천재교육 교재 홈페이지에서 내려받으세요.

중2-2

시작은

하루 수학

하루 수학의 구성과 특징

시작하며

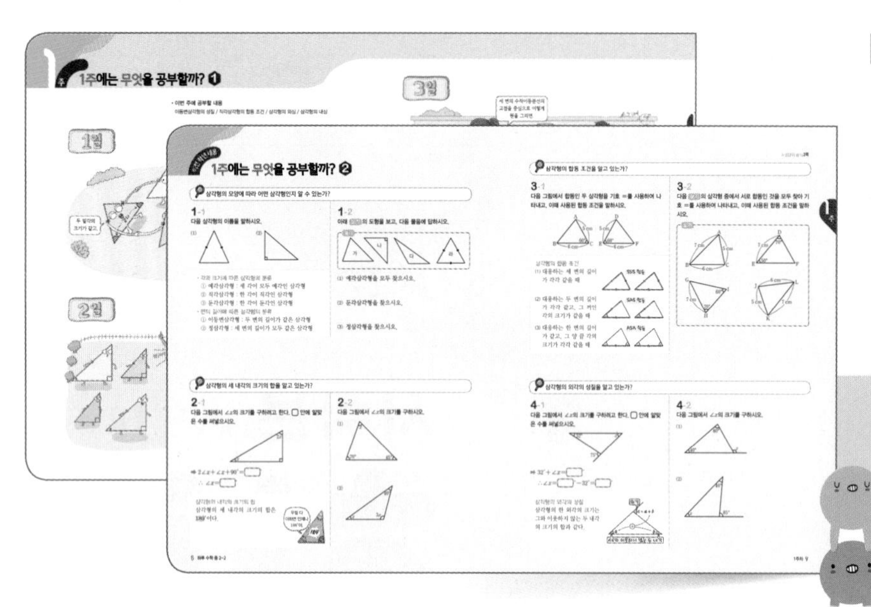

이번 주에는 무엇을 공부할까? ❶, ❷

- 한 주에 공부할 내용을 삽화로 재미있게 구성하였습니다.
- 한 주의 공부를 시작하기 전에 꼭 알아야 할 이전 학년 내용을 짚고 넘어갈 수 있도록 구성하였습니다.

1일 공부를 하기 전에 잠깐 시간을 내서 공부해 봐.

한 주를 마무리 하며

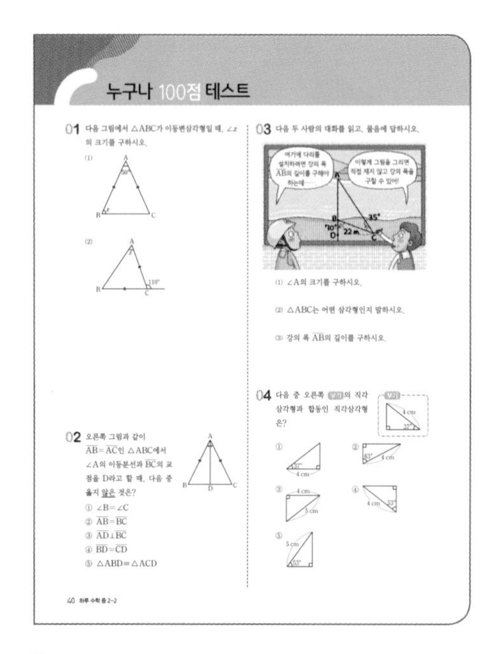

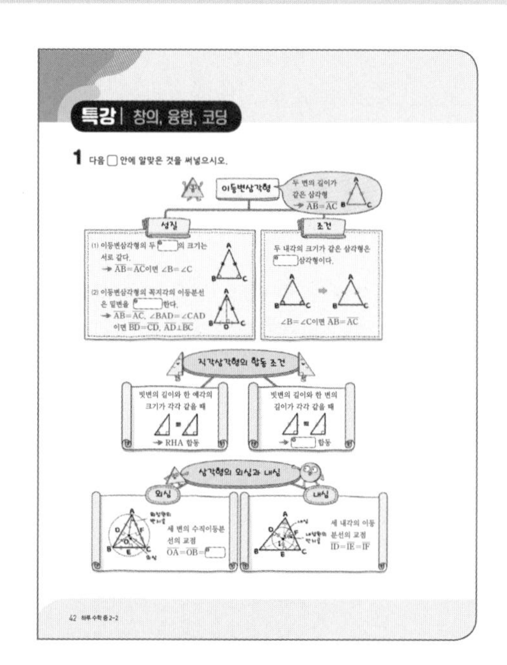

누구나 100점 테스트

한 주를 마무리하며 한 주 동안 공부한 개념을 얼마나 잘 이해했는지 테스트할 수 있도록 하였습니다.

특강 창의, 융합, 코딩

창의, 융합, 코딩 문제를 풀면서 한 주 동안 공부한 내용이 어떻게 이용되는지 알고 문제 해결력을 기를 수 있도록 하였습니다.

5일 동안

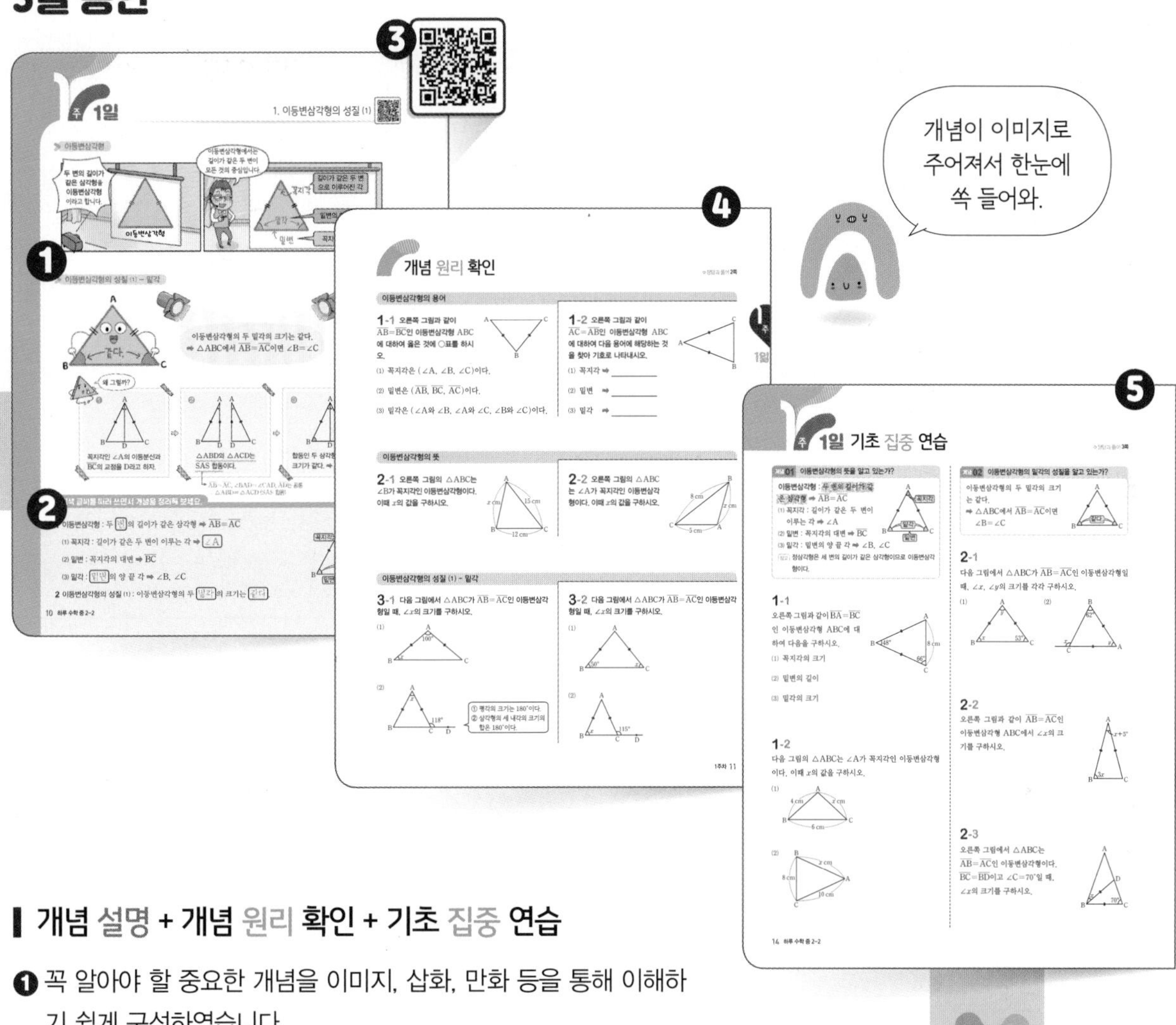

개념 설명 + 개념 원리 확인 + 기초 집중 연습

❶ 꼭 알아야 할 중요한 개념을 이미지, 삽화, 만화 등을 통해 이해하기 쉽게 구성하였습니다.

❷ 개념을 한 번 더 따라쓰면서 개념을 정리할 수 있도록 하였습니다.

❸ 개념 페이지마다 개념 동영상을 볼 수 있는 QR 코드를 넣어 혼자 공부하기 힘들 때 QR 코드를 찍어 볼 수 있도록 하였습니다.

❹ 문제를 통해 개념을 확실하게 이해할 수 있도록 하였습니다.

❺ 매일 배운 개념을 문제를 통해 연습할 수 있도록 구성하였습니다.

하루 수학의 **차례** 중 2-2

1주

2주

개념		쪽수	공부한 날
3주에는 무엇을 공부할까?		p 90~p 93	월 일
1일	1. 닮음과 닮은 도형	p 94~p 99	월 일
	2. 닮음의 성질		
2일	3. 닮은 도형의 넓이의 비와 부피의 비	p 100~p 105	월 일
	4. 삼각형의 닮음 조건		
3일	5. 삼각형에서 평행선과 선분의 길이의 비 (1)	p 106~p 111	월 일
	6. 삼각형에서 평행선과 선분의 길이의 비 (2)		
4일	7. 삼각형의 두 변의 중점을 연결한 선분의 성질	p 112~p 117	월 일
	8. 평행선 사이의 선분의 길이의 비		
5일	9. 삼각형의 무게중심	p 118~p 123	월 일
	10. 삼각형의 무게중심과 넓이		
누구나 100점 테스트		p 124~p 125	월 일
특강 창의 , 융합, 코딩		p 126~p 131	월 일

개념		쪽수	공부한 날
4주에는 무엇을 공부할까?		p 132~p 135	월 일
1일	1. 피타고라스 정리	p 136~p 141	월 일
	2. 직각삼각형이 되는 조건		
2일	3. 사건과 경우의 수	p 142~p 147	월 일
	4. 경우의 수의 계산		
3일	5. 한 줄로 세우는 경우의 수	p 148~p 153	월 일
	6. 자연수의 개수와 대표를 뽑는 경우의 수		
4일	7. 확률의 뜻	p 154~p 159	월 일
	8. 확률의 성질		
5일	9. 사건 A 또는 사건 B가 일어날 확률	p 160~p 165	월 일
	10. 사건 A와 사건 B가 동시에 일어날 확률		
누구나 100점 테스트		p 166~p 167	월 일
특강 창의 , 융합, 코딩		p 168~p 173	월 일

1주에는 무엇을 공부할까? ①

• 이번 주에 공부할 내용

이등변삼각형의 성질 / 직각삼각형의 합동 조건 / 삼각형의 외심 / 삼각형의 내심

1일

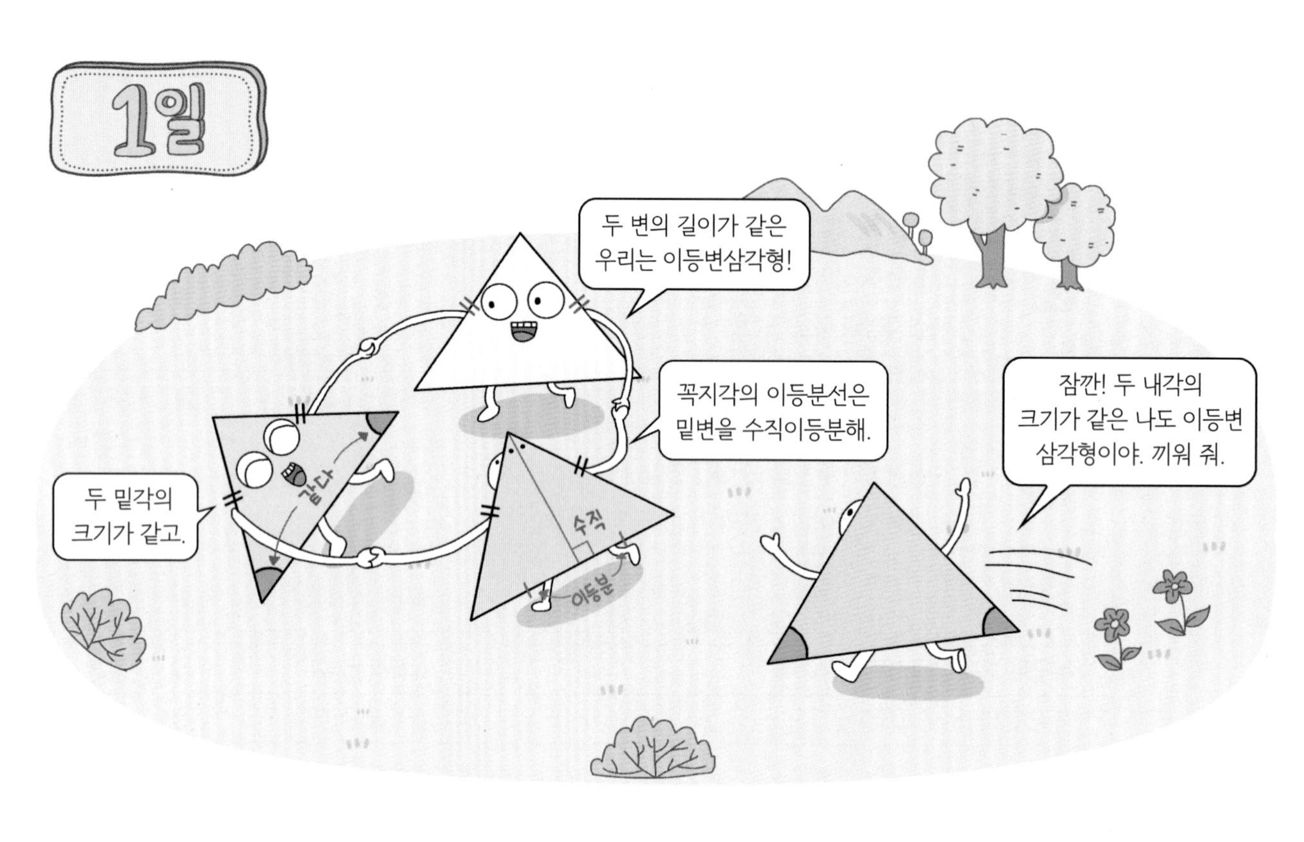

2일

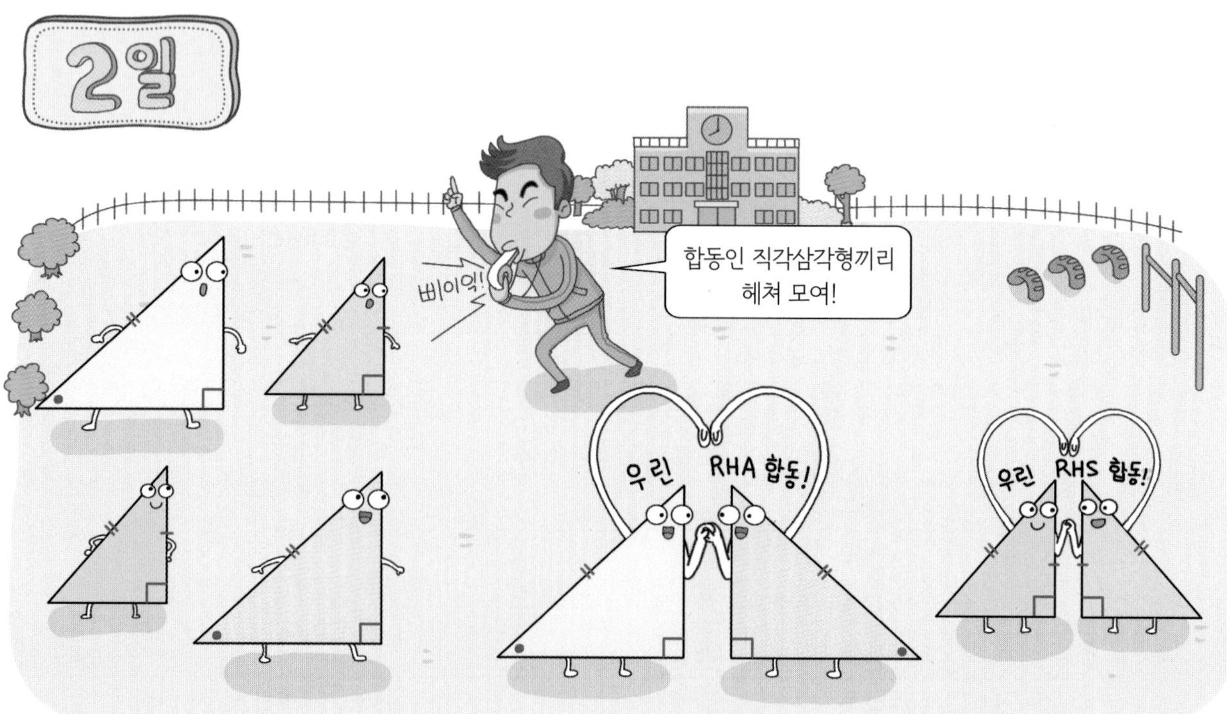

3일
세 변의 수직이등분선의
교점을 중심으로 이렇게
원을 그리면.
외접원
외심
외접원이 생기고,
외접원의 중심이
외심이지.
A
B
C
O

4일
우리 셋의 각의 크기를
더하면 90°야.
외심
90°
나, ∠BOC는
∠A의 2배야!
외심
A
B
C
O
5일
세 내각의 이등분선의 교점을
중심으로 이렇게 원을 그리면.
내접원이 생기고,
내접원의 중심이
내심이지.
내접원
내심
A
B
C
D
E
F
I

이전 학년 내용

1주에는 무엇을 공부할까? ②

삼각형의 모양에 따라 어떤 삼각형인지 알 수 있는가?

1-1

다음 삼각형의 이름을 말하시오.

(1)

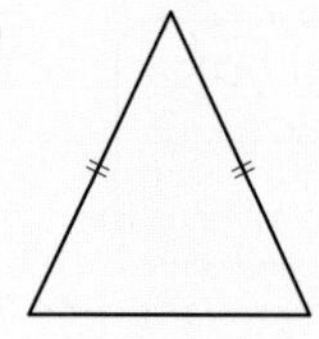

(2)

- 각의 크기에 따른 삼각형의 분류
  ① 예각삼각형 : 세 각이 모두 예각인 삼각형
  ② 직각삼각형 : 한 각이 직각인 삼각형
  ③ 둔각삼각형 : 한 각이 둔각인 삼각형
- 변의 길이에 따른 삼각형의 분류
  ① 이등변삼각형 : 두 변의 길이가 같은 삼각형
  ② 정삼각형 : 세 변의 길이가 모두 같은 삼각형

1-2

아래 보기 의 도형을 보고, 다음 물음에 답하시오.

보기

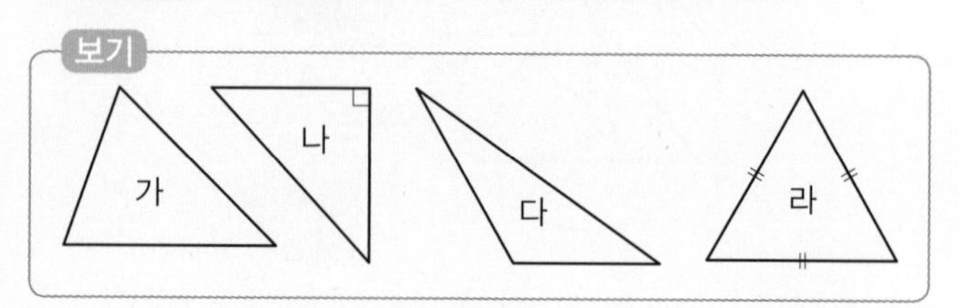

(1) 예각삼각형을 모두 찾으시오.

(2) 둔각삼각형을 찾으시오.

(3) 정삼각형을 찾으시오.

삼각형의 세 내각의 크기의 합을 알고 있는가?

2-1

다음 그림에서 $\angle x$의 크기를 구하려고 한다. □ 안에 알맞은 수를 써넣으시오.

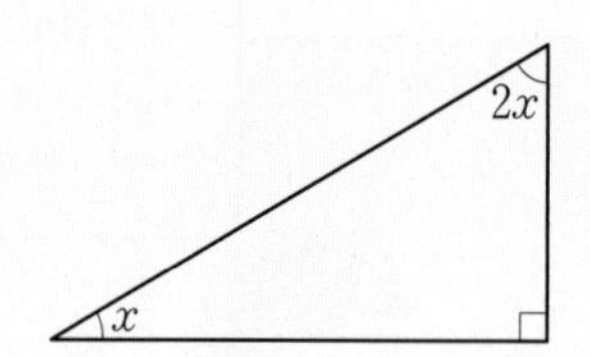

➡ $2\angle x+\angle x+90^\circ=$ □$^\circ$

$\therefore \angle x=$ □$^\circ$

삼각형의 내각의 크기의 합

삼각형의 세 내각의 크기의 합은 180°이다.

2-2

다음 그림에서 $\angle x$의 크기를 구하시오.

(1)

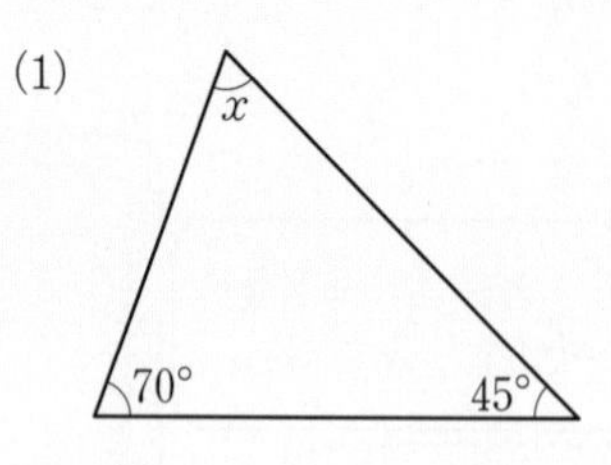

(2)

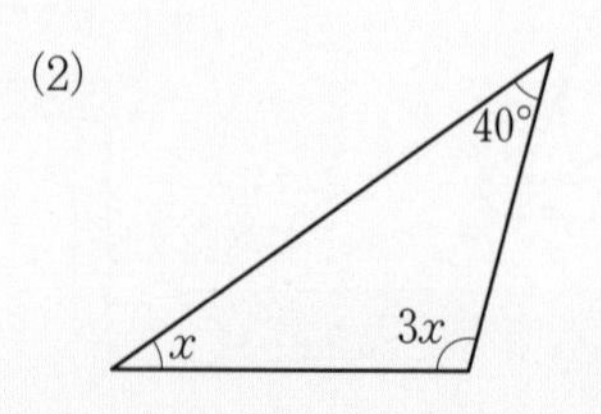

○ 정답과 풀이 2쪽

삼각형의 합동 조건을 알고 있는가?

3-1

다음 그림에서 합동인 두 삼각형을 기호 ≡를 사용하여 나타내고, 이때 사용된 합동 조건을 말하시오.

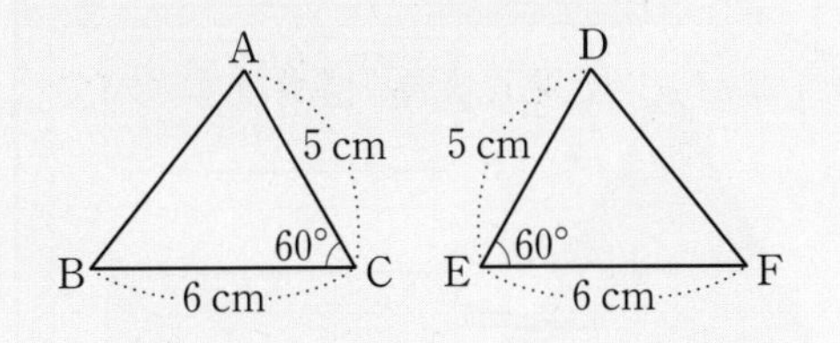

삼각형의 합동 조건

(1) 대응하는 세 변의 길이가 각각 같을 때

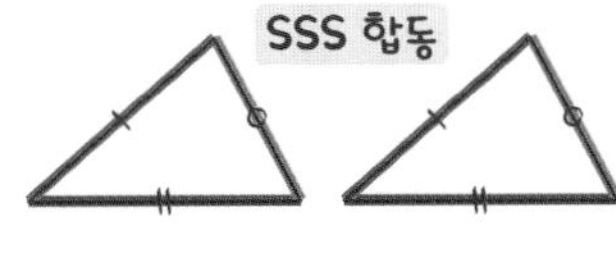

(2) 대응하는 두 변의 길이가 각각 같고, 그 끼인 각의 크기가 같을 때

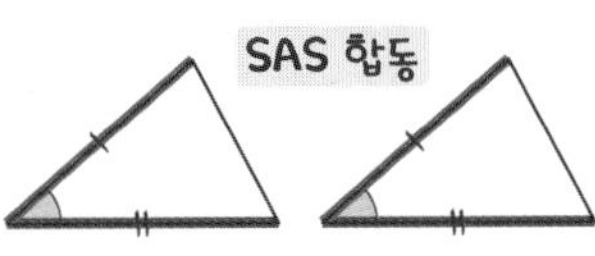

(3) 대응하는 한 변의 길이가 같고, 그 양 끝 각의 크기가 각각 같을 때

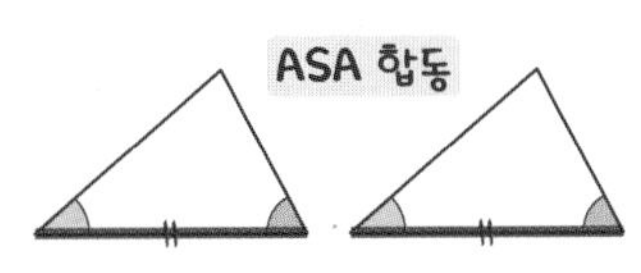

3-2

다음 보기 의 삼각형 중에서 서로 합동인 것을 모두 찾아 기호 ≡를 사용하여 나타내고, 이때 사용된 합동 조건을 말하시오.

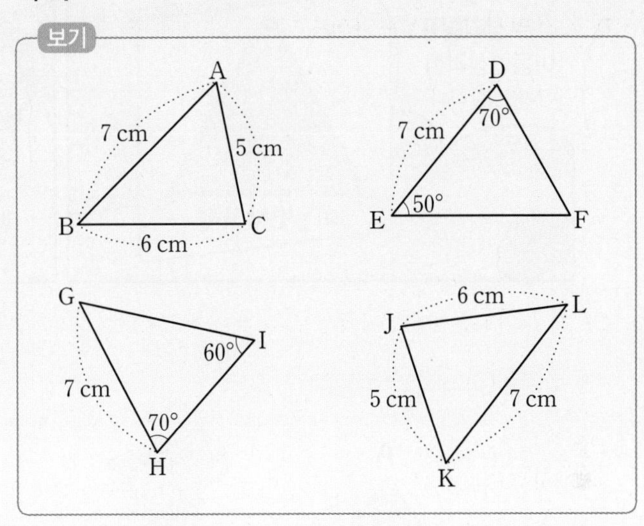

삼각형의 외각의 성질을 알고 있는가?

4-1

다음 그림에서 $\angle x$의 크기를 구하려고 한다. □ 안에 알맞은 수를 써넣으시오.

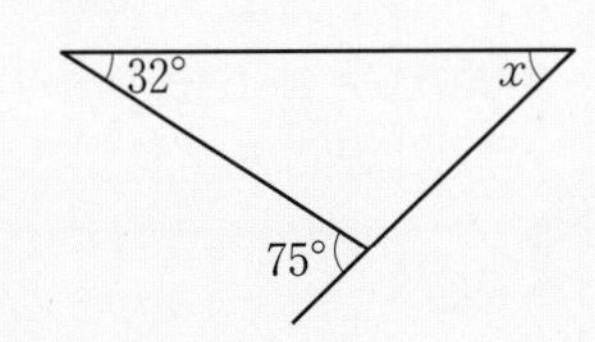

➡ $32^\circ + \angle x =$ □$^\circ$

$\therefore \angle x =$ □$^\circ - 32^\circ =$ □$^\circ$

삼각형의 외각의 성질
삼각형의 한 외각의 크기는 그와 이웃하지 않는 두 내각의 크기의 합과 같다.

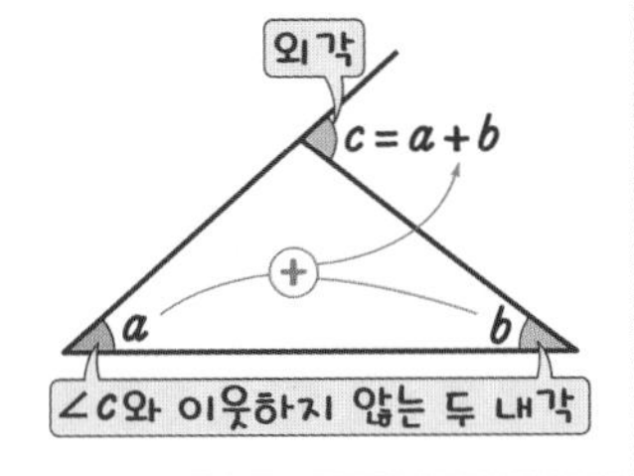

4-2

다음 그림에서 $\angle x$의 크기를 구하시오.

(1)

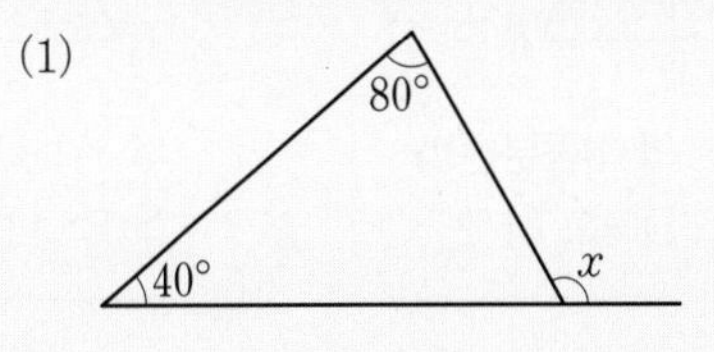

(2)

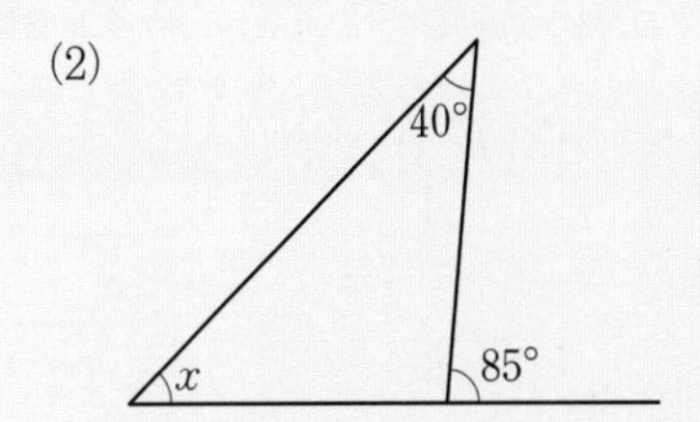

이등변삼각형

이등변삼각형의 성질 (1) – 밑각

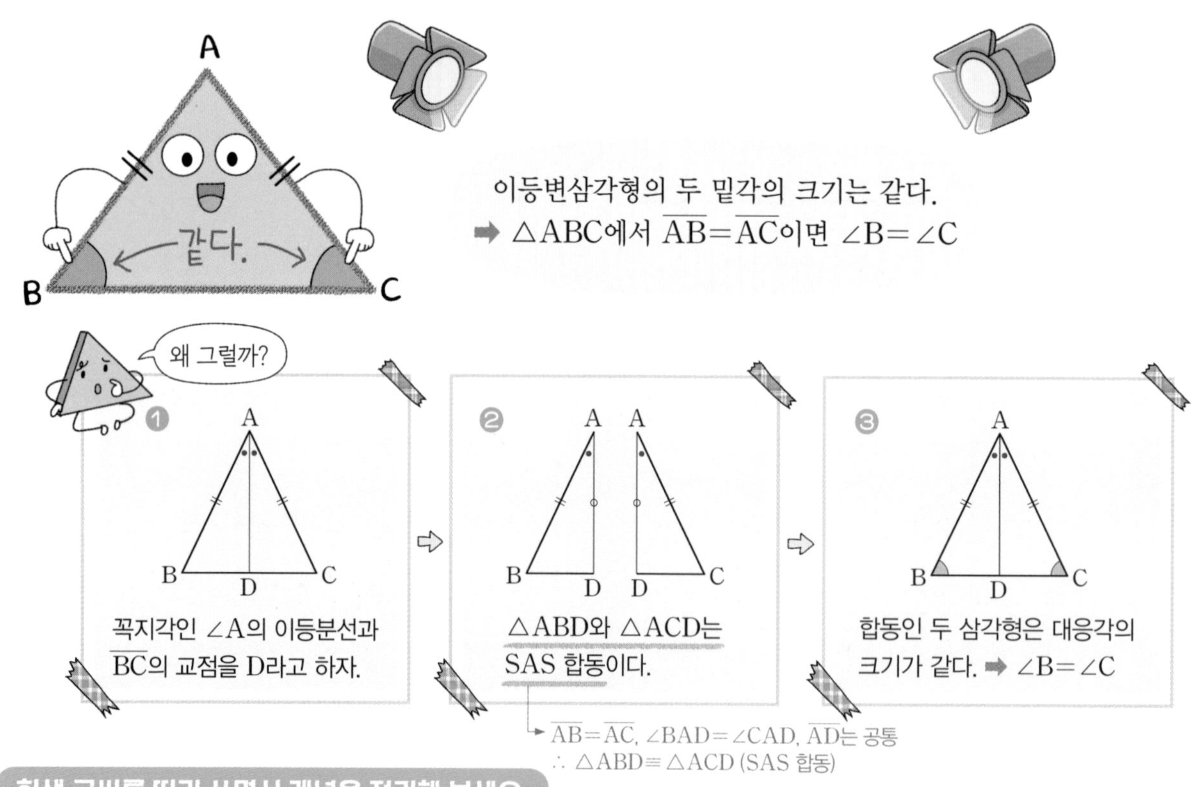

회색 글씨를 따라 쓰면서 개념을 정리해 보세요.

1 이등변삼각형 : 두 변의 길이가 같은 삼각형 ➡ $\overline{AB}=\overline{AC}$

(1) 꼭지각 : 길이가 같은 두 변이 이루는 각 ➡ $\angle A$

(2) 밑변 : 꼭지각의 대변 ➡ $\overline{BC}$

(3) 밑각 : 밑변의 양 끝 각 ➡ $\angle B$, $\angle C$

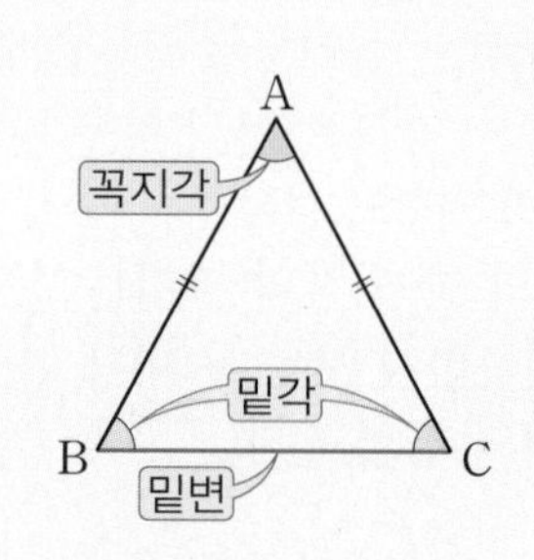

2 이등변삼각형의 성질 (1) : 이등변삼각형의 두 밑각의 크기는 같다.

개념 원리 확인

○ 정답과 풀이 2쪽

이등변삼각형의 용어

1-1 오른쪽 그림과 같이 $\overline{AB}=\overline{BC}$인 이등변삼각형 ABC에 대하여 옳은 것에 ○표를 하시오.

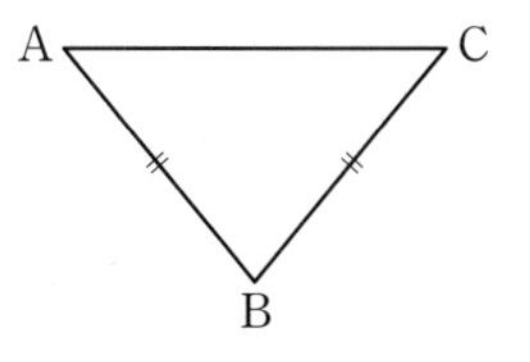

(1) 꼭지각은 (∠A, ∠B, ∠C)이다.

(2) 밑변은 ($\overline{AB}$, $\overline{BC}$, $\overline{AC}$)이다.

(3) 밑각은 (∠A와 ∠B, ∠A와 ∠C, ∠B와 ∠C)이다.

1-2 오른쪽 그림과 같이 $\overline{AC}=\overline{AB}$인 이등변삼각형 ABC에 대하여 다음 용어에 해당하는 것을 찾아 기호로 나타내시오.

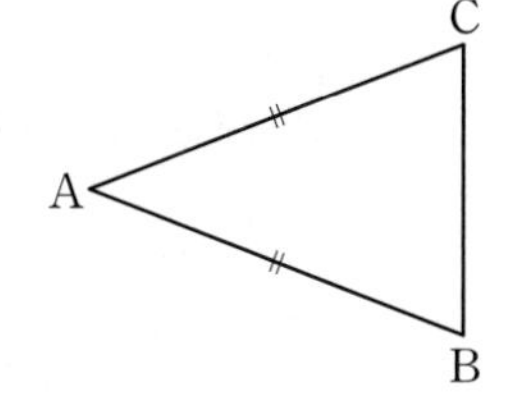

(1) 꼭지각 ➡ ________

(2) 밑변 ➡ ________

(3) 밑각 ➡ ________

이등변삼각형의 뜻

2-1 오른쪽 그림의 △ABC는 ∠B가 꼭지각인 이등변삼각형이다. 이때 x의 값을 구하시오.

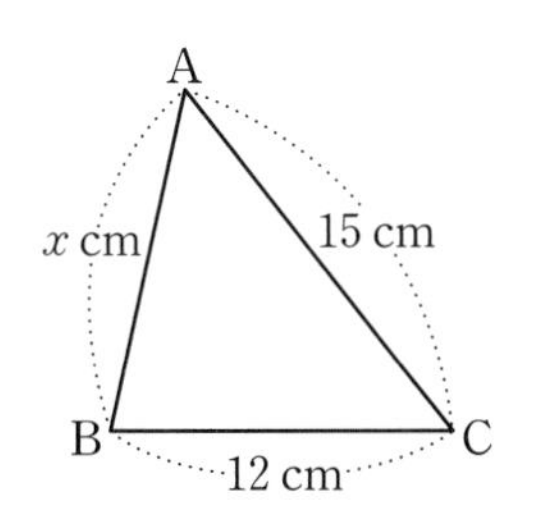

2-2 오른쪽 그림의 △ABC는 ∠A가 꼭지각인 이등변삼각형이다. 이때 x의 값을 구하시오.

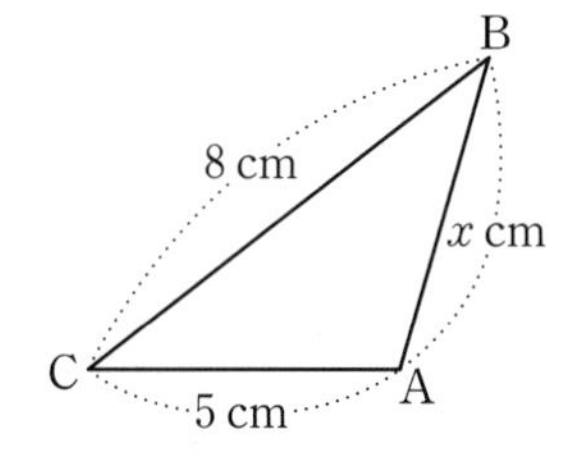

이등변삼각형의 성질 (1) - 밑각

3-1 다음 그림에서 △ABC가 $\overline{AB}=\overline{AC}$인 이등변삼각형일 때, ∠$x$의 크기를 구하시오.

(1)

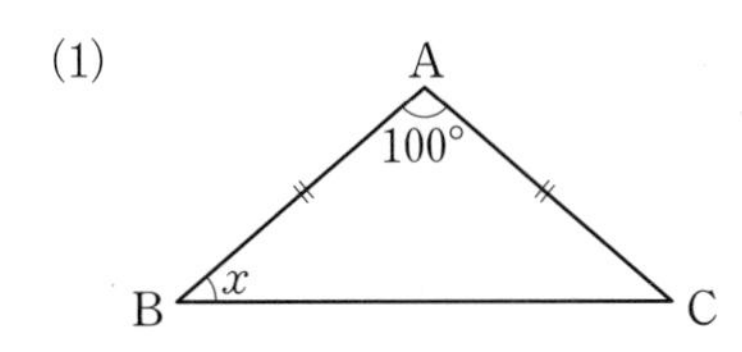

(2)

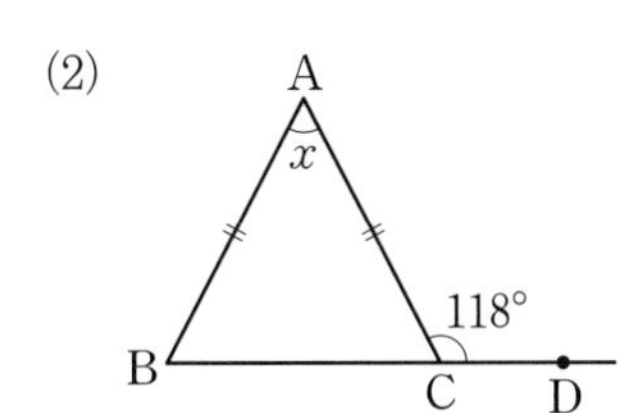

① 평각의 크기는 180°이다.
② 삼각형의 세 내각의 크기의 합은 180°이다.

3-2 다음 그림에서 △ABC가 $\overline{AB}=\overline{AC}$인 이등변삼각형일 때, ∠$x$의 크기를 구하시오.

(1)

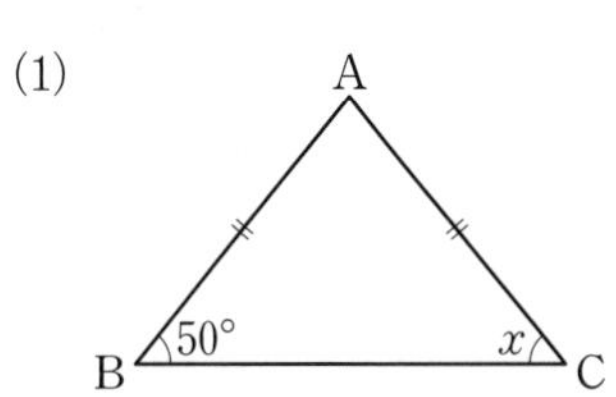

(2)

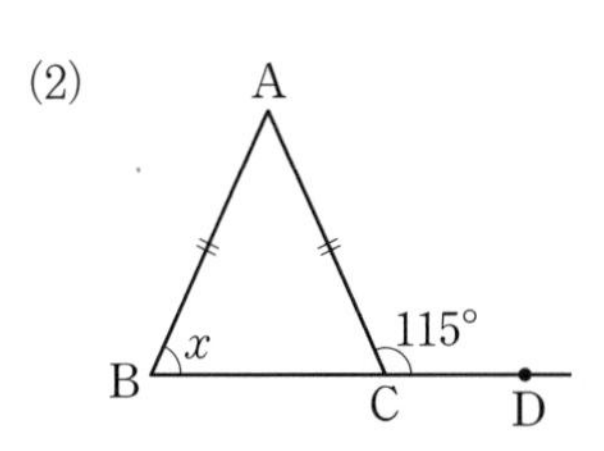

2. 이등변삼각형의 성질 (2)와 이등변삼각형이 되는 조건

이등변삼각형의 성질 (2) – 꼭지각의 이등분선

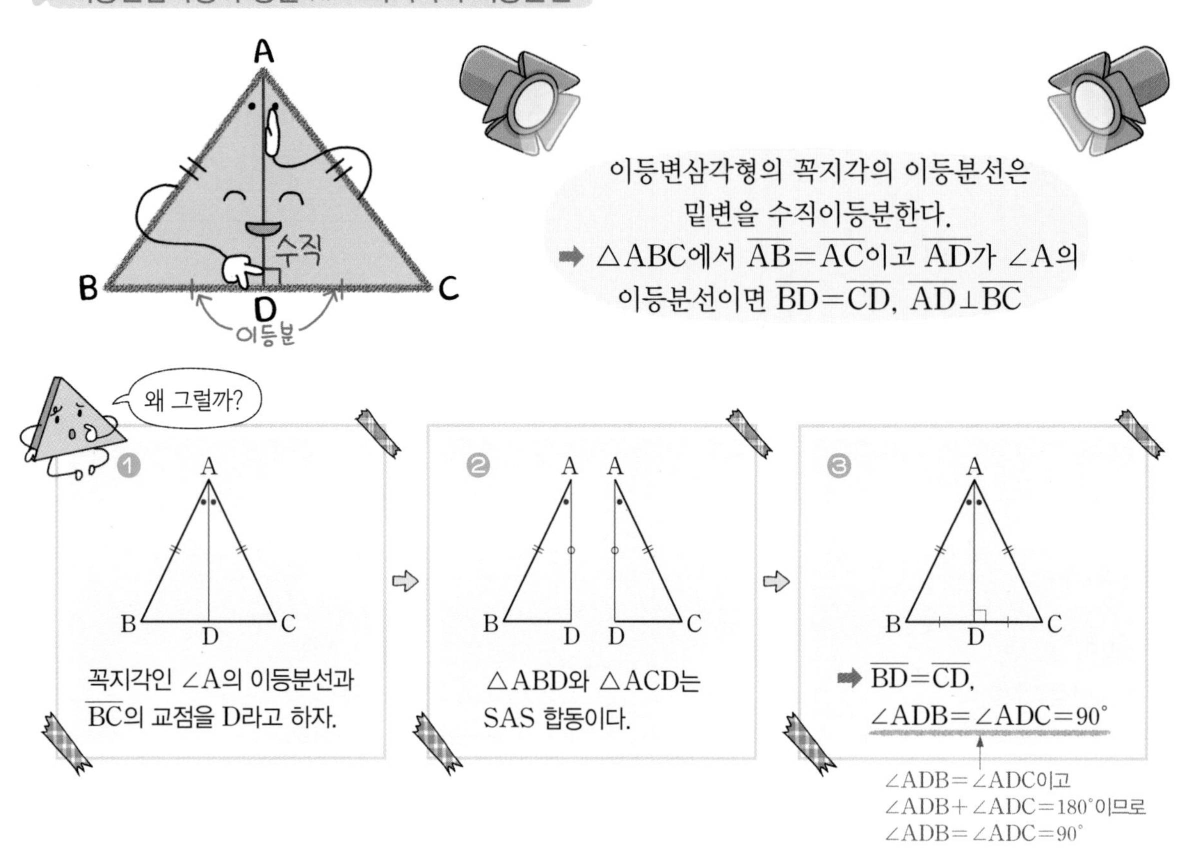

이등변삼각형이 되는 조건

회색 글씨를 따라 쓰면서 개념을 정리해 보세요.

1 이등변삼각형의 성질 (2) : 이등변삼각형의 [꼭지각의 이등분선]은 밑변을 [수직이등분]한다.

2 이등변삼각형이 되는 조건 : (1) 두 변의 길이가 같은 삼각형은 [이등변삼각형]이다. ← 이등변삼각형의 뜻

(2) 두 [내각]의 크기가 같은 삼각형은 [이등변삼각형]이다.

개념 원리 확인

정답과 풀이 3쪽

이등변삼각형의 성질 (2) - 꼭지각의 이등분선

4-1 오른쪽 그림과 같이 $\overline{AB}=\overline{AC}$인 이등변삼각형 ABC에서 $\angle A$의 이등분선과 밑변 BC의 교점을 D라고 하자. $\angle BAD=35°$, $\overline{BC}=8$ cm일 때, 다음을 구하시오.

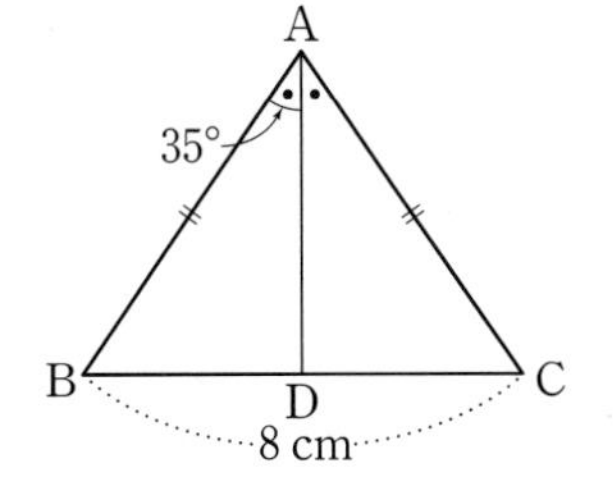

(1) $\angle ADC$의 크기

(2) $\angle C$의 크기

(3) $\overline{BD}$의 길이

4-2 다음 그림에서 $\triangle ABC$가 $\overline{AB}=\overline{AC}$인 이등변삼각형일 때, x, y의 값을 각각 구하시오.

(1)

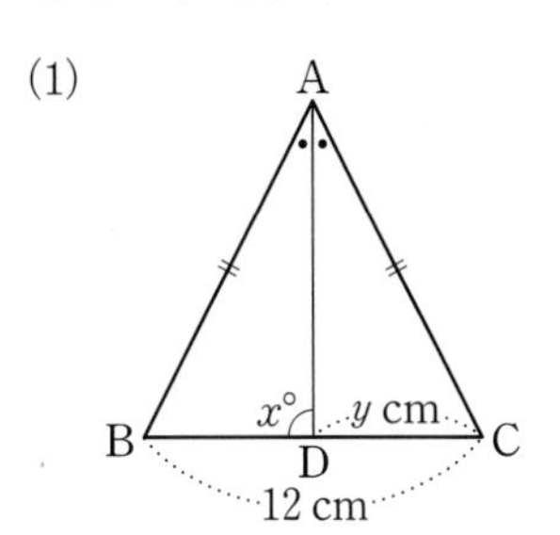

(2)

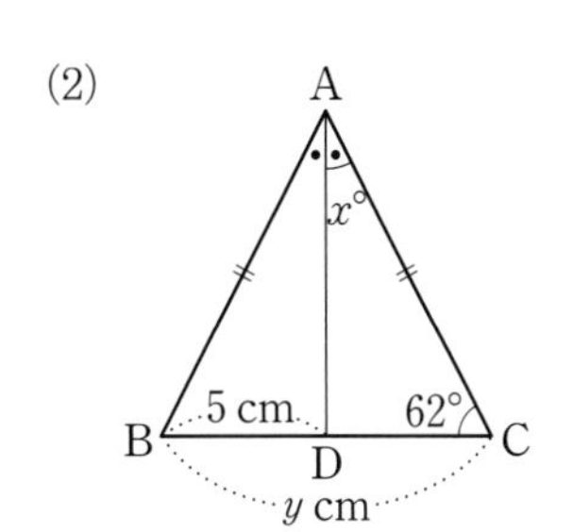

이등변삼각형이 되는 조건

5-1 다음은 두 내각의 크기가 같은 삼각형은 이등변삼각형임을 설명하는 과정이다. ㈎~㈑에 알맞은 것을 써넣으시오.

$\angle B=\angle C$인 $\triangle ABC$에서 $\angle A$의 이등분선과 $\overline{BC}$의 교점을 D라고 하자.

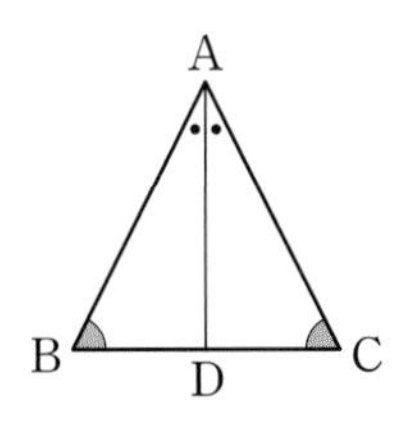

$\triangle ABD$와 $\triangle ACD$에서
$\angle BAD=\angle CAD$ ······ ㉠
$\overline{AD}$는 공통 ······ ㉡
$\angle ADB=180°-(\angle BAD+\angle B)$
$=180°-(\angle CAD+\angle$ ㈎ $)$
$=\angle$ ㈏ ······ ㉢
㉠, ㉡, ㉢에서 $\triangle ABD\equiv\triangle ACD$ (㈐ 합동)
$\therefore \overline{AB}=$ ㈑

5-2 다음 그림의 $\triangle ABC$에서 x의 값을 구하시오.

(1)

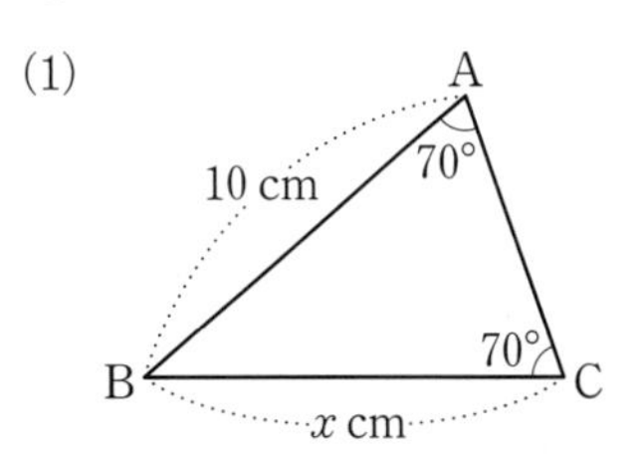

(2)

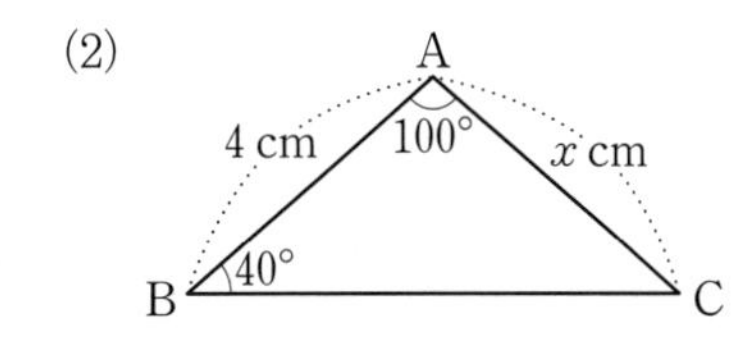

정답과 풀이 3쪽

개념 01 이등변삼각형의 뜻을 알고 있는가?

이등변삼각형 : 두 변의 길이가 같은 삼각형 ➡ $\overline{AB}=\overline{AC}$

(1) 꼭지각 : 길이가 같은 두 변이 이루는 각 ➡ $\angle A$

(2) 밑변 : 꼭지각의 대변 ➡ $\overline{BC}$

(3) 밑각 : 밑변의 양 끝 각 ➡ $\angle B$, $\angle C$

참고 정삼각형은 세 변의 길이가 같은 삼각형이므로 이등변삼각형이다.

1-1

오른쪽 그림과 같이 $\overline{BA}=\overline{BC}$인 이등변삼각형 ABC에 대하여 다음을 구하시오.

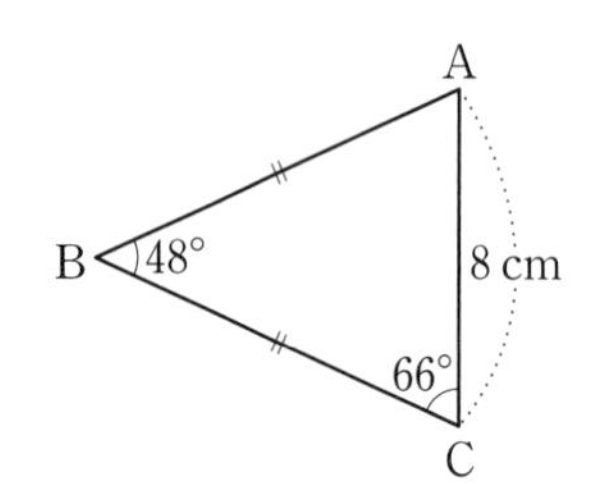

(1) 꼭지각의 크기

(2) 밑변의 길이

(3) 밑각의 크기

1-2

다음 그림의 △ABC는 ∠A가 꼭지각인 이등변삼각형이다. 이때 x의 값을 구하시오.

(1)

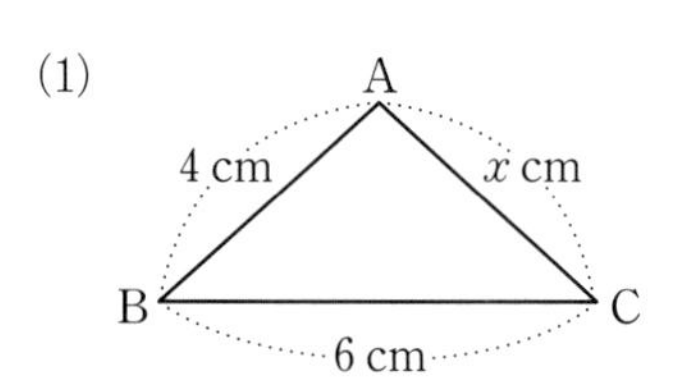

(2)

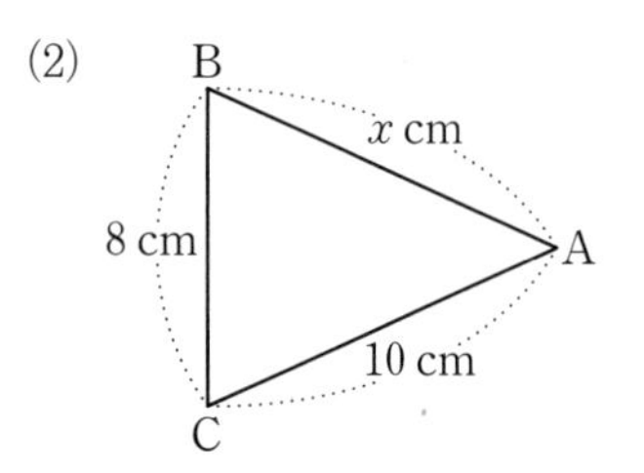

개념 02 이등변삼각형의 밑각의 성질을 알고 있는가?

이등변삼각형의 두 밑각의 크기는 같다.

➡ △ABC에서 $\overline{AB}=\overline{AC}$이면 $\angle B=\angle C$

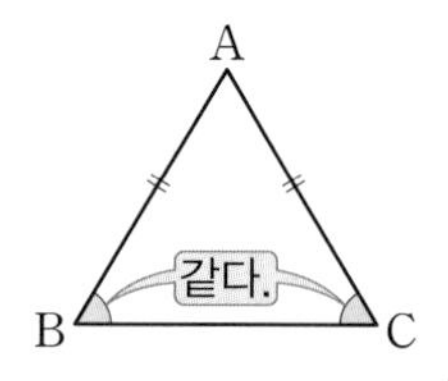

2-1

다음 그림에서 △ABC가 $\overline{AB}=\overline{AC}$인 이등변삼각형일 때, $\angle x$, $\angle y$의 크기를 각각 구하시오.

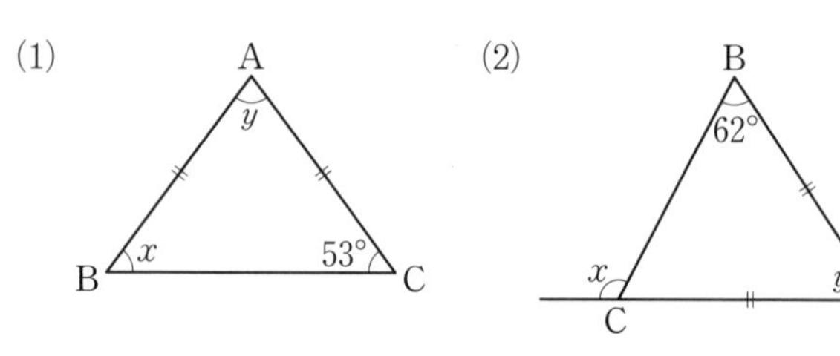

2-2

오른쪽 그림과 같이 $\overline{AB}=\overline{AC}$인 이등변삼각형 ABC에서 $\angle x$의 크기를 구하시오.

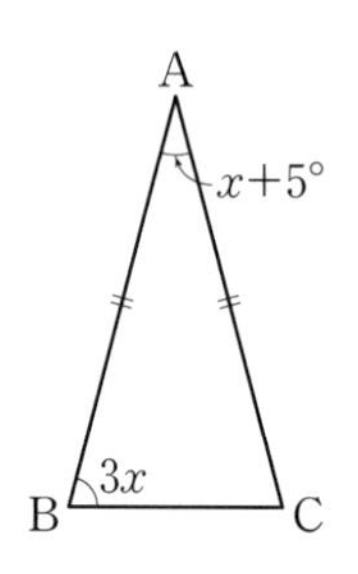

2-3

오른쪽 그림에서 △ABC는 $\overline{AB}=\overline{AC}$인 이등변삼각형이다. $\overline{BC}=\overline{BD}$이고 $\angle C=70°$일 때, $\angle x$의 크기를 구하시오.

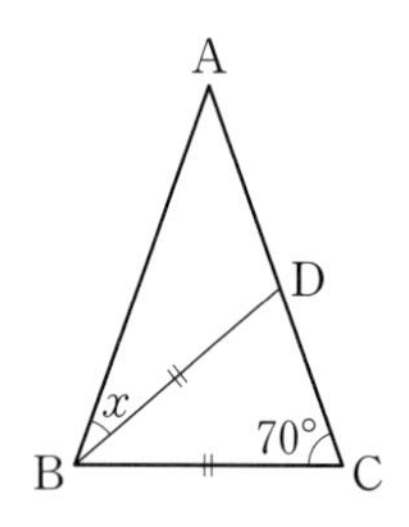

개념 03 이등변삼각형의 꼭지각의 이등분선의 성질을 알고 있는가?

이등변삼각형의 꼭지각의 이등분선은 밑변을 수직이등분한다.

➡ △ABC에서 $\overline{AB}=\overline{AC}$이고 ∠BAD=∠CAD이면

(1) $\overline{BD}=\overline{CD}=\frac{1}{2}\overline{BC}$

(2) $\overline{AD}\perp\overline{BC}$ → ∠ADB=∠ADC=90°

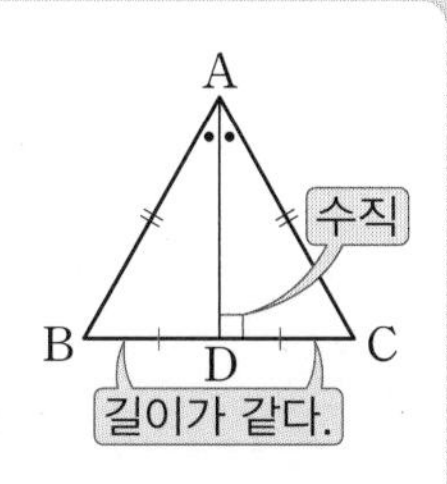

3-1

오른쪽 그림과 같이 $\overline{AB}=\overline{AC}$인 이등변삼각형 ABC에서 ∠A의 이등분선과 $\overline{BC}$의 교점을 D라고 할 때, x, y의 값을 각각 구하시오.

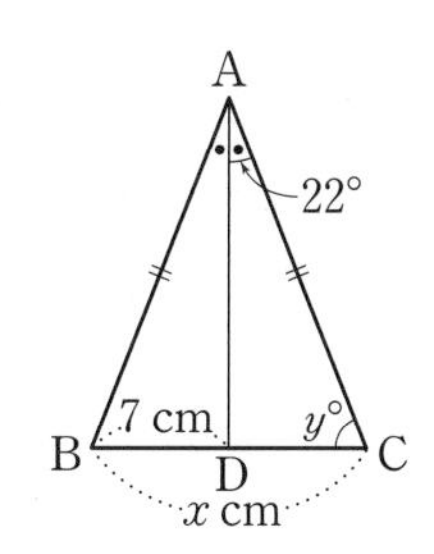

3-2

다음은 오른쪽 그림과 같은 △ABC에 대하여 4명의 학생들이 나누는 대화이다. 잘못 설명한 학생을 모두 말하시오.

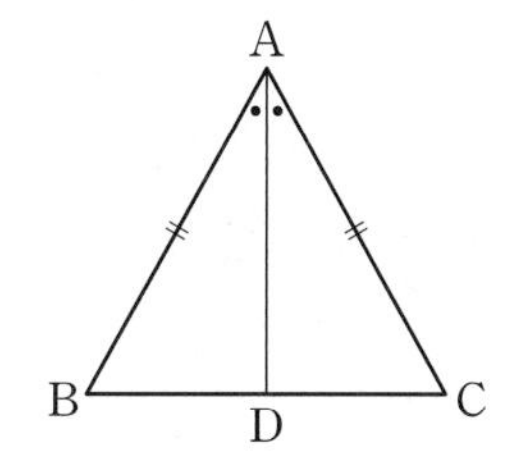

개념 04 이등변삼각형이 되는 조건을 알고 있는가?

두 내각의 크기가 같은 삼각형은 이등변삼각형이다.

➡ △ABC에서 ∠B=∠C이면 $\overline{AB}=\overline{AC}$

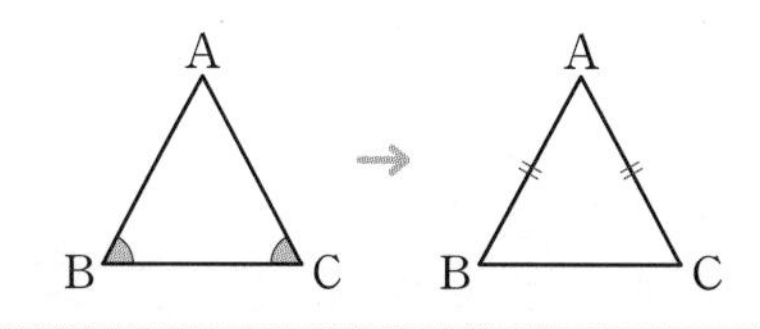

4-1

다음 중 △ABC가 이등변삼각형이 아닌 것은?

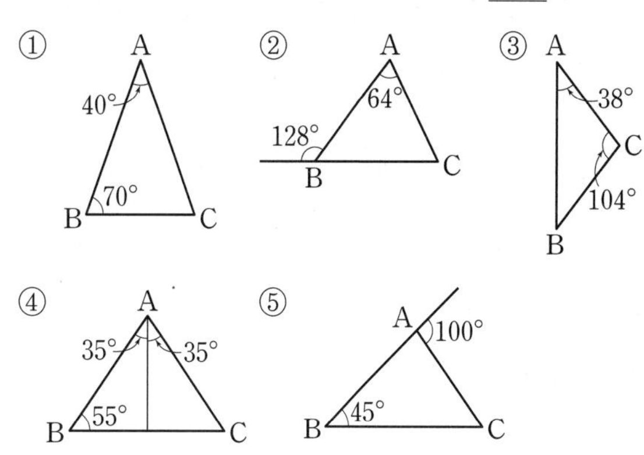

4-2

오른쪽 그림과 같은 △ABC에서 x, y의 값을 각각 구하시오.

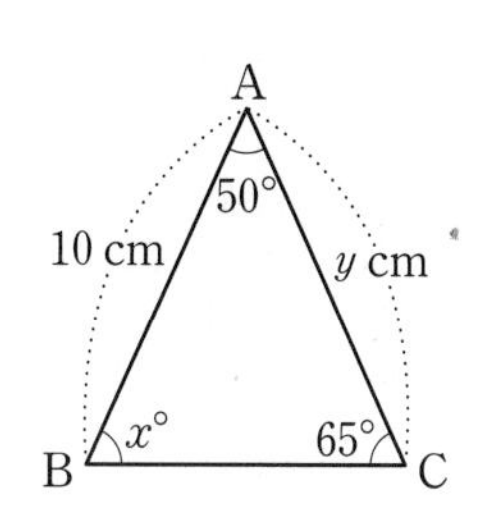

4-3

오른쪽 그림과 같은 △ABC에서 x, y의 값을 각각 구하시오.

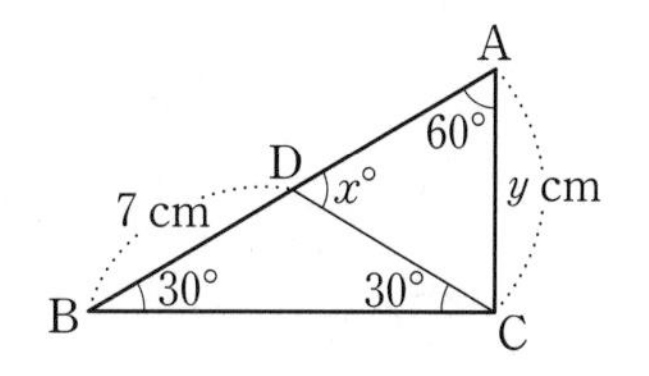

3. 직각삼각형의 합동 조건 (1) - RHA 합동

직각삼각형

한 내각의 크기가 직각인 삼각형

직각삼각형의 합동 조건 (1) - RHA 합동

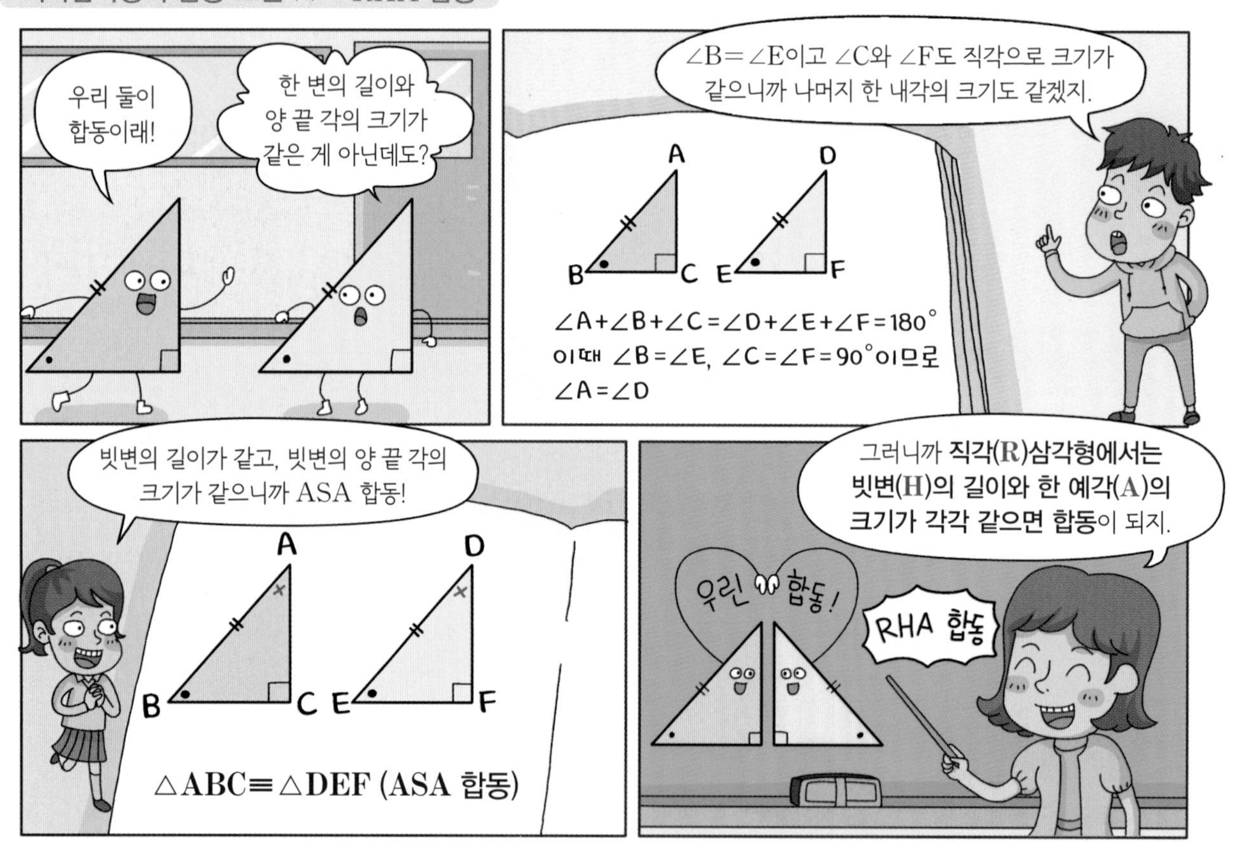

회색 글씨를 따라 쓰면서 개념을 정리해 보세요.

❖ 직각삼각형의 합동 조건 (1) – RHA 합동

두 직각(R)삼각형에서 빗변(H)의 길이와 한 예각(A)의 크기가 각각 같으면 두 직각삼각형은 합동이다.

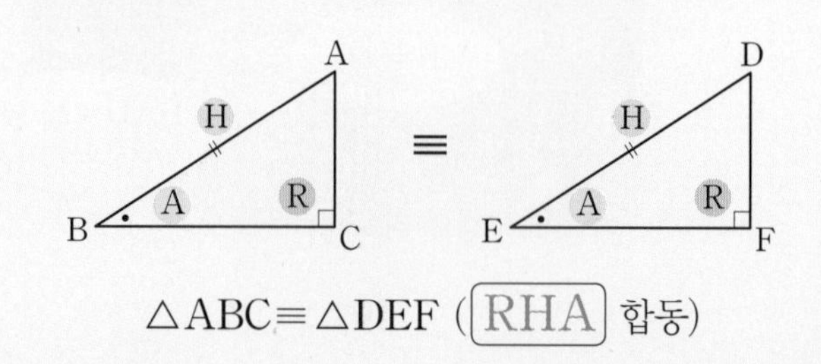

△ABC≡△DEF (RHA 합동)

개념 원리 확인

정답과 풀이 4쪽

직각삼각형의 합동 조건 (1) 이해하기

1-1 다음은 두 직각삼각형이 합동임을 설명하는 과정이다. ▢ 안에 알맞은 것을 써넣으시오.

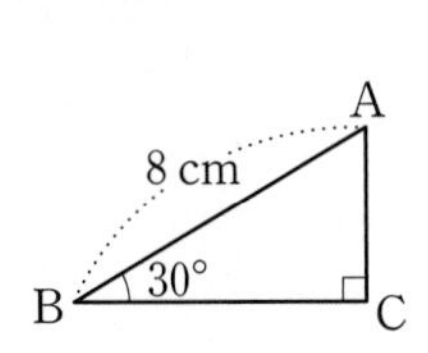

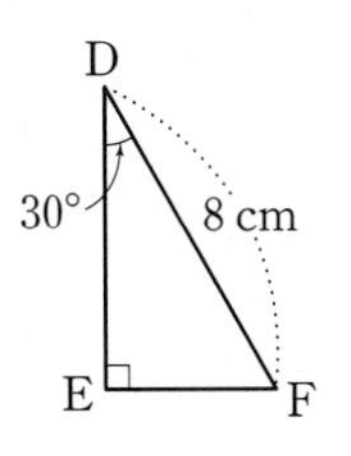

△ABC와 △FDE에서
∠C=∠▢=90° → R
$\overline{AB}$=▢=8 cm → H
∠B=∠▢=30° → A
즉 두 직각삼각형의 빗변의 길이와 한 예각의 크기가 각각 같으므로
△ABC≡△FDE (▢ 합동)

두 도형의 합동을 나타낼 때는 대응하는 점을 순서대로 써야 해.

1-2 다음 두 직각삼각형이 합동임을 기호 ≡를 사용하여 나타내고, 이때 사용된 합동 조건을 말하시오.

(1)

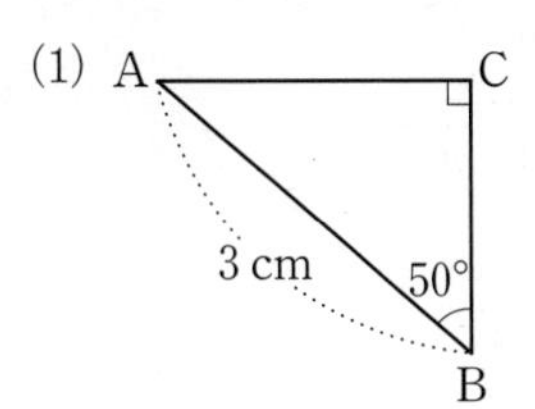

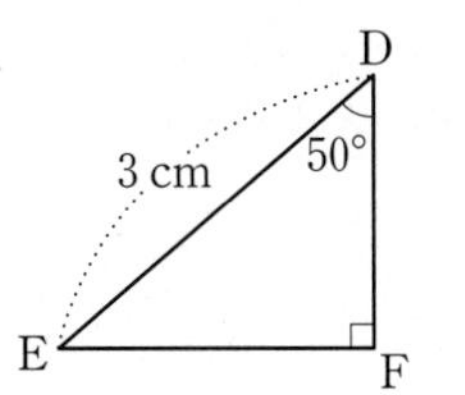

(2)

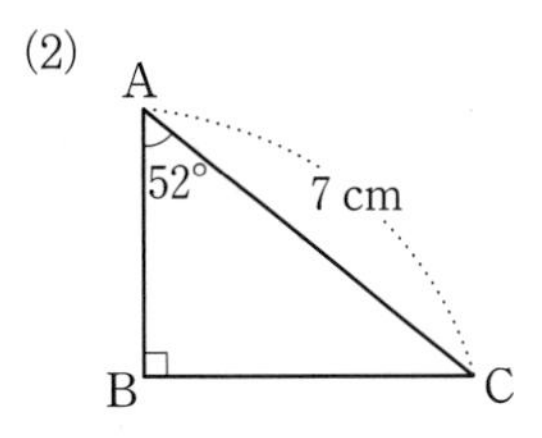

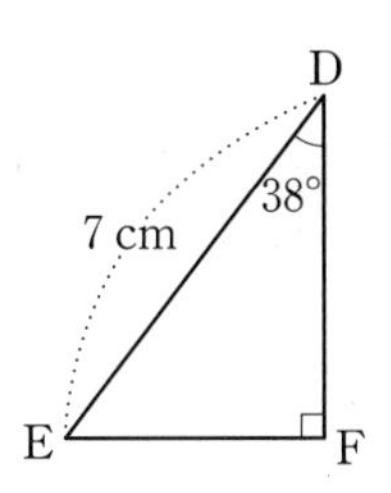

직각삼각형의 합동 조건 (1) – 변의 길이 구하기

2-1 다음은 두 직각삼각형이 합동임을 이용하여 $\overline{DF}$의 길이를 구하는 과정이다. ▢ 안에 알맞은 것을 써넣으시오.

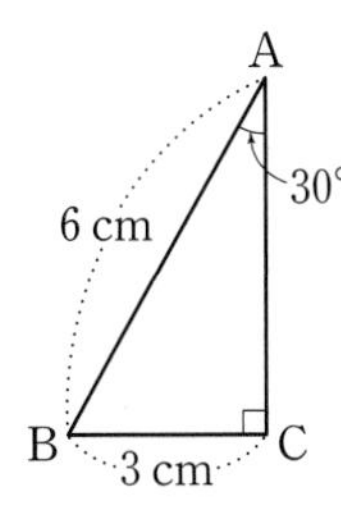

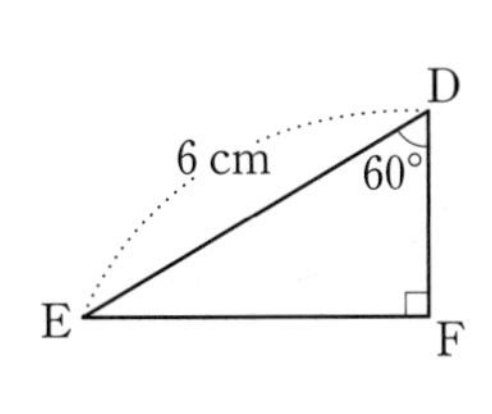

△ABC와 △EDF에서
∠C=∠F=90°, $\overline{AB}=\overline{ED}$=6 cm,
∠B=90°−30°=60°=∠▢이므로
△ABC≡△EDF (▢ 합동)
∴ $\overline{DF}=\overline{BC}$=▢ cm

2-2 다음 그림에서 x의 값을 구하시오.

(1)

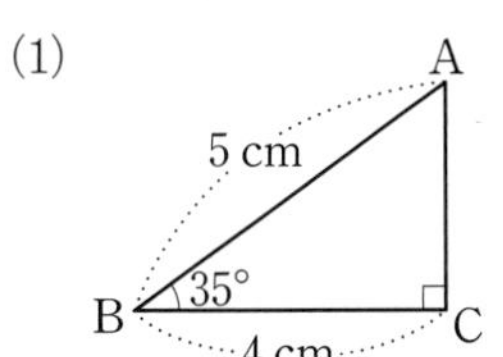

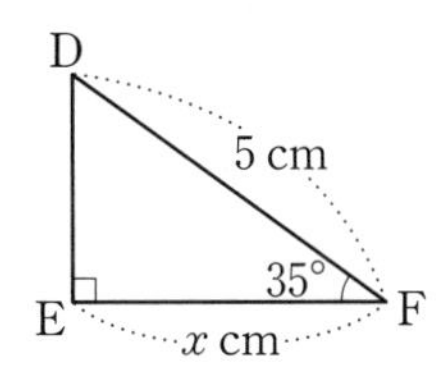

(2)

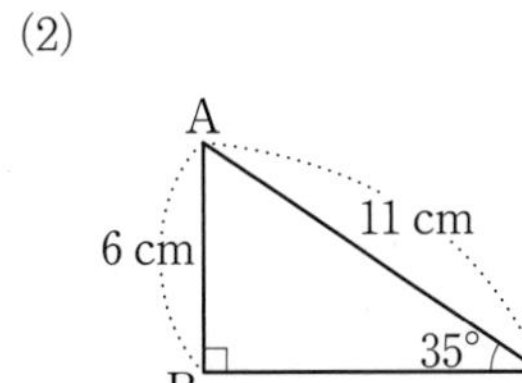

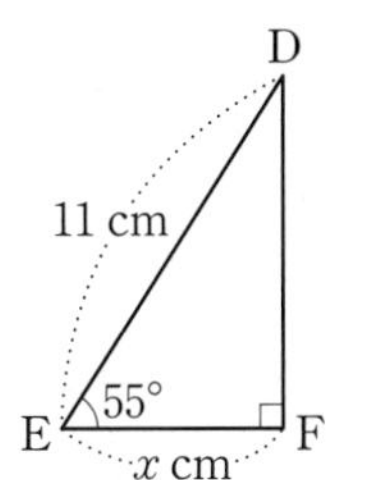

회색 글씨를 따라 쓰면서 개념을 정리해 보세요.

❖ 직각삼각형의 합동 조건 (2) – RHS 합동

두 직각(R)삼각형에서 빗변(H)의 길이와 다른 한 변(S)의 길이가 각각 같으면 두 직각삼각형은 서로 합동이다.

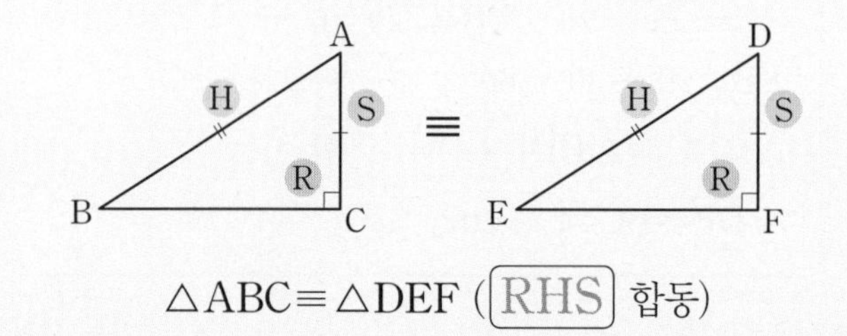

개념 원리 확인

○ 정답과 풀이 5쪽

직각삼각형의 합동 조건 (2) 이해하기

3-1 다음은 두 직각삼각형이 합동임을 설명하는 과정이다. ☐ 안에 알맞은 것을 써넣으시오.

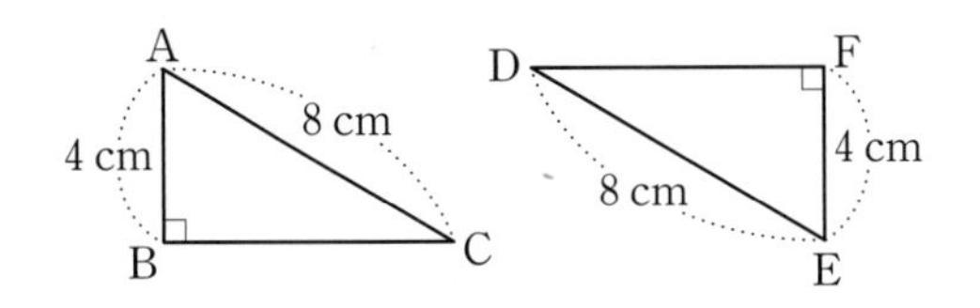

△ABC와 △EFD에서
∠B=∠☐=90° → R
$\overline{AC}$=☐=8 cm → H
$\overline{AB}$=☐=4 cm → S
즉 두 직각삼각형의 빗변의 길이와 다른 한 변의 길이가 각각 같으므로
△ABC≡△EFD (☐ 합동)

3-2 다음 두 직각삼각형이 합동임을 기호 ≡를 사용하여 나타내고, 이때 사용된 합동 조건을 말하시오.

(1)

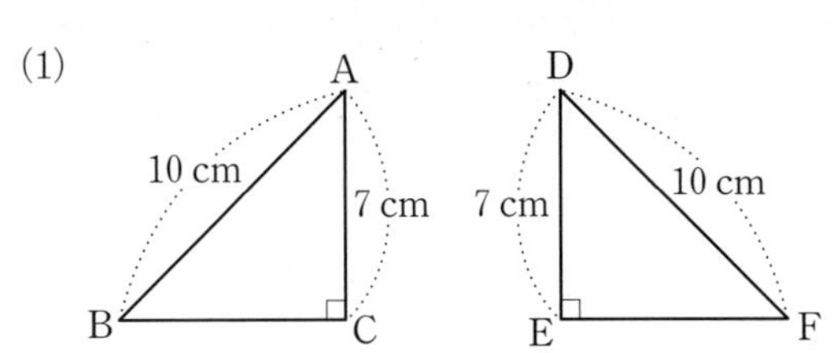

(2)

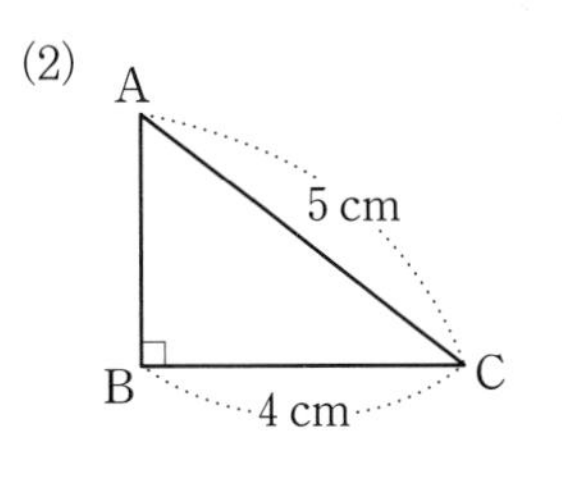

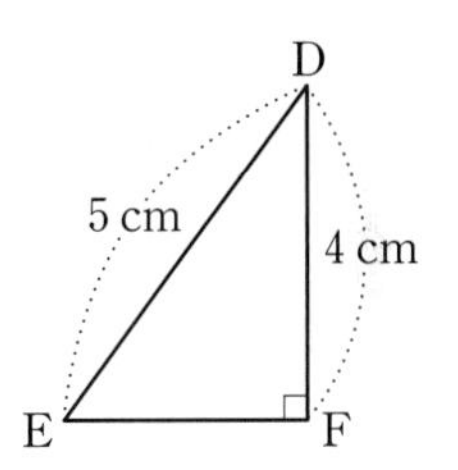

직각삼각형의 합동 조건 (2) – 변의 길이 구하기

4-1 다음은 직각삼각형의 합동을 이용하여 $\overline{EC}$의 길이를 구하는 과정이다. ☐ 안에 알맞은 것을 써넣으시오.

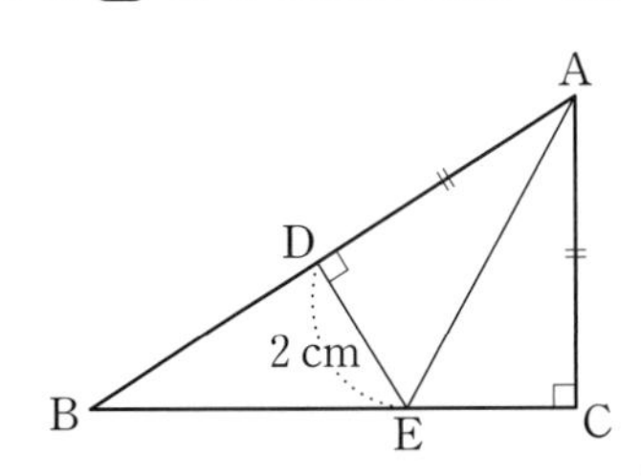

△ADE와 △ACE에서
∠ADE=∠C=90°, $\overline{AE}$(빗변)는 공통, $\overline{AD}$=☐
이므로 △ADE≡△ACE (☐ 합동)
∴ $\overline{EC}$=$\overline{ED}$=☐ cm

4-2 다음 그림에서 x의 값을 구하시오.

(1)

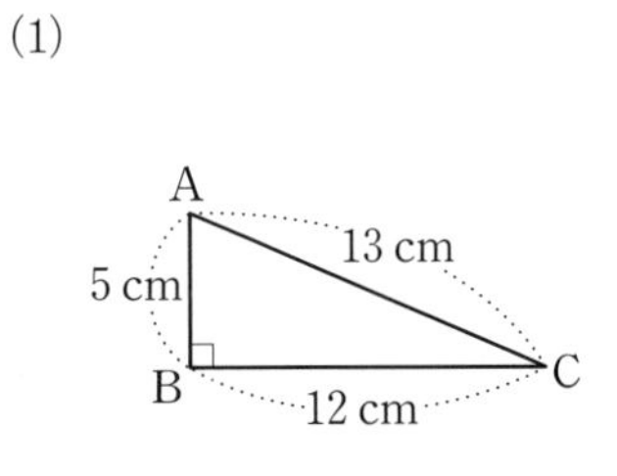

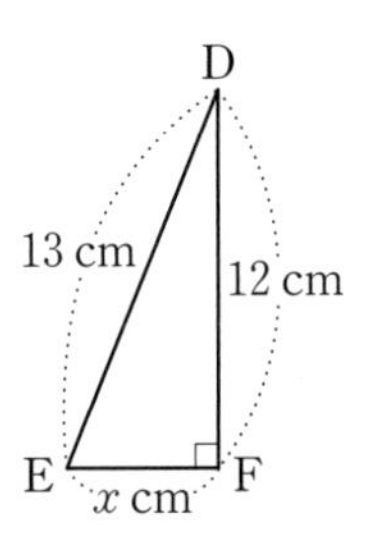

(2)

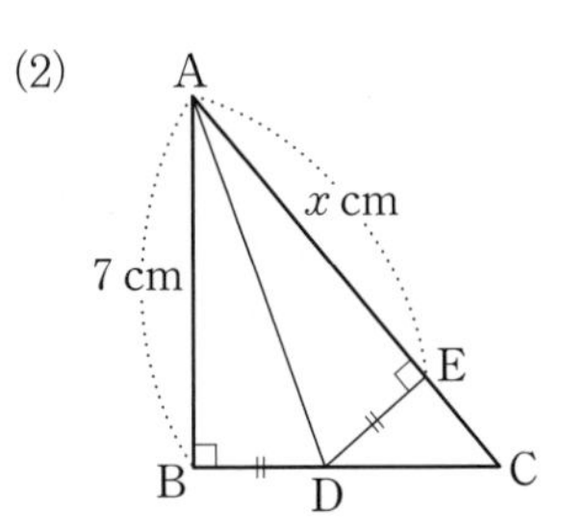

○ 정답과 풀이 5쪽

개념 01 직각삼각형의 합동 조건을 설명할 수 있는가?

(1) 두 직각삼각형의 빗변의 길이와 한 예각의 크기가 각각 같을 때 ➡ RHA 합동
(R: 직각, H: 빗변, A: 각)

(2) 두 직각삼각형의 빗변의 길이와 다른 한 변의 길이가 각각 같을 때 ➡ RHS 합동
(R: 직각, H: 빗변, S: 변)

1-1

다음은 빗변의 길이와 한 예각의 크기가 각각 같은 두 직각삼각형은 합동임을 설명하는 과정이다. ㈎, ㈏에 알맞은 것을 써넣으시오.

두 직각삼각형 ABC와 DEF에서
$\overline{AB}=\overline{DE}$, $\angle B=\angle E$,
$\angle A=90°-\angle B$
$=90°-\angle E=\angle$ ㈎
$\therefore \triangle ABC \equiv \triangle DEF$ (㈏ 합동)

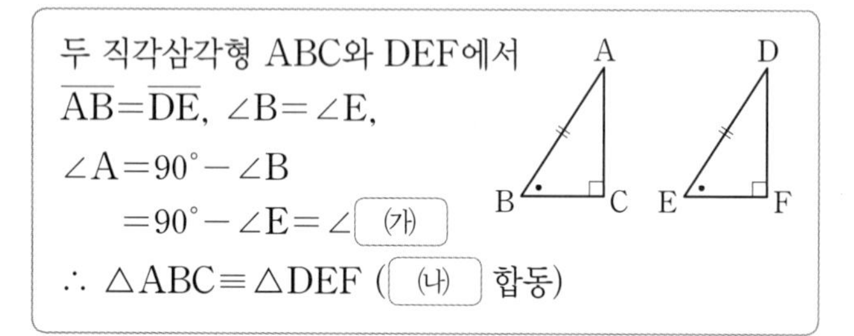

1-2

다음은 빗변의 길이와 다른 한 변의 길이가 각각 같은 두 직각삼각형은 합동임을 설명하는 과정이다. ㈎, ㈏, ㈐에 알맞은 것을 써넣으시오.

$\angle C=\angle F=90°$인 두 직각삼각형 ABC와 DEF에서 길이가 같은 두 변 AC와 DF를 겹치도록 놓으면

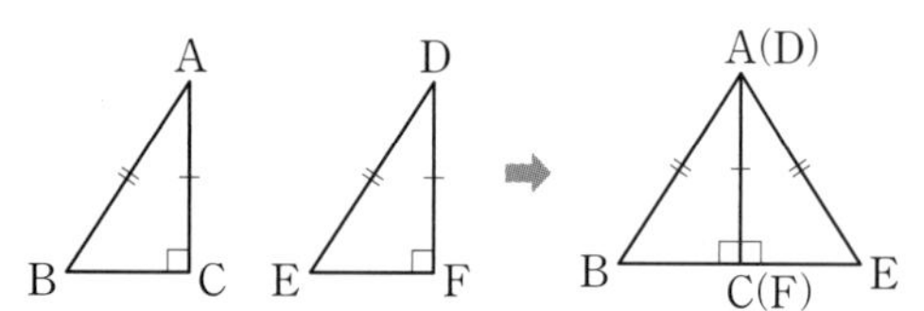

$\angle ACB+\angle$ ㈎ $=180°$이므로 세 점 B, C(F), E는 한 직선 위에 있다. 이때 △ABE는 $\overline{AB}=\overline{AE}$인 이등변삼각형이므로 $\angle B=\angle$ ㈏
$\therefore \triangle ABC \equiv \triangle DEF$ (㈐ 합동)

개념 02 직각삼각형의 합동 조건을 이해하고 있는가?

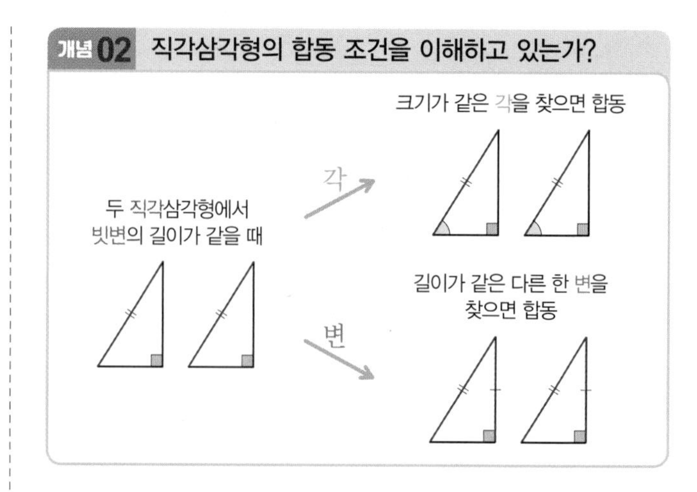

2-1

다음은 보기의 직각삼각형 중에서 서로 합동인 것을 짝 지은 것이다. ( ) 안에 알맞은 기호를 써넣으시오.

보기

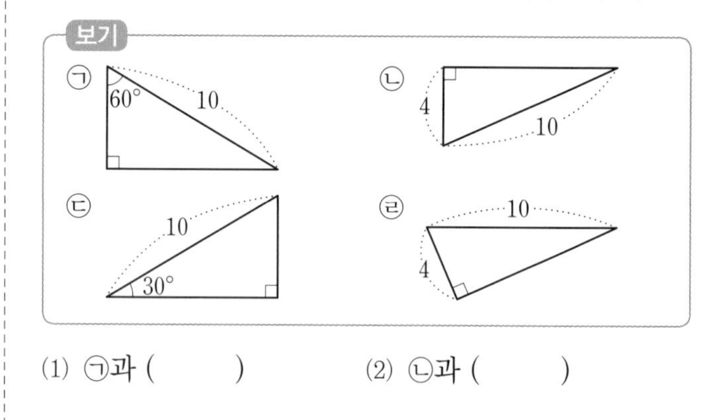

(1) ㉠과 ( ) (2) ㉡과 ( )

2-2

다음 중 오른쪽 보기의 △ABC와 합동인 삼각형을 찾아 기호 ≡를 사용하여 나타내고, 직각삼각형의 합동 조건을 말하시오.

보기

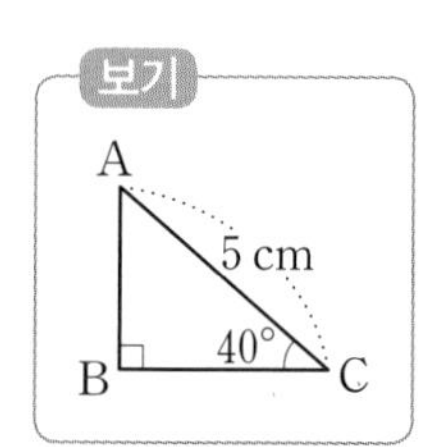

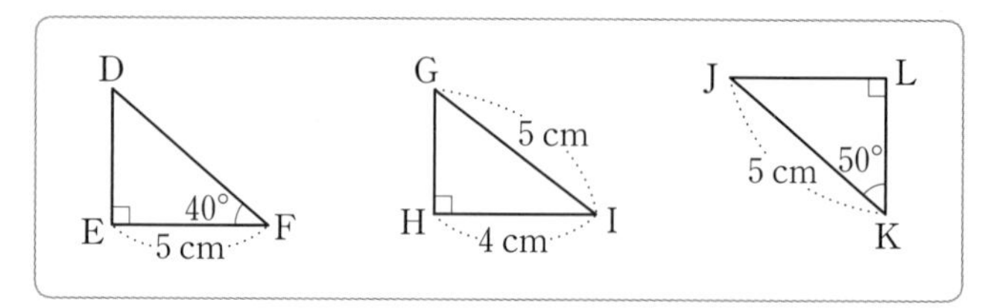

2-3

오른쪽 그림과 같은 두 직각삼각형이 합동이 되는 조건을 잘못 들고 있는 학생을 찾으시오.

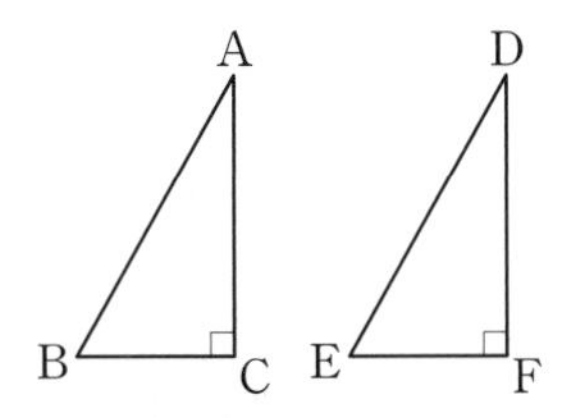

2-4

다음 그림과 같은 두 직각삼각형에서 x의 값을 구하시오.

(1)

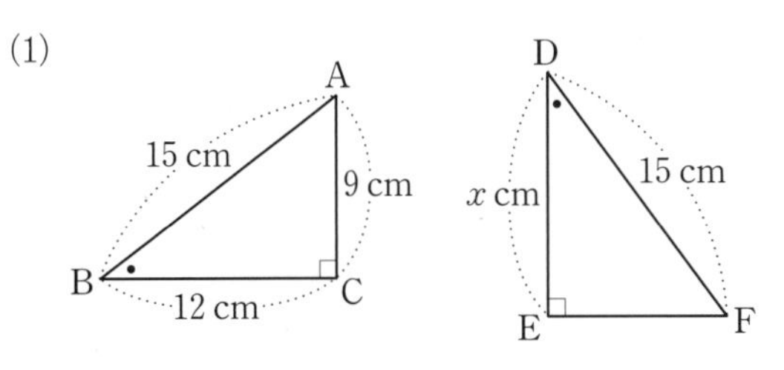

(2)

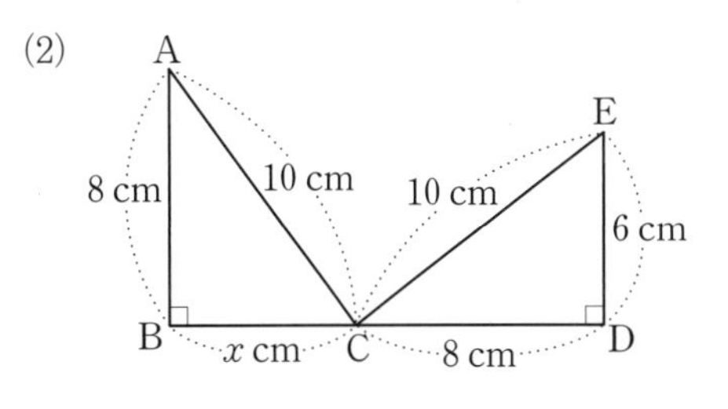

(3)

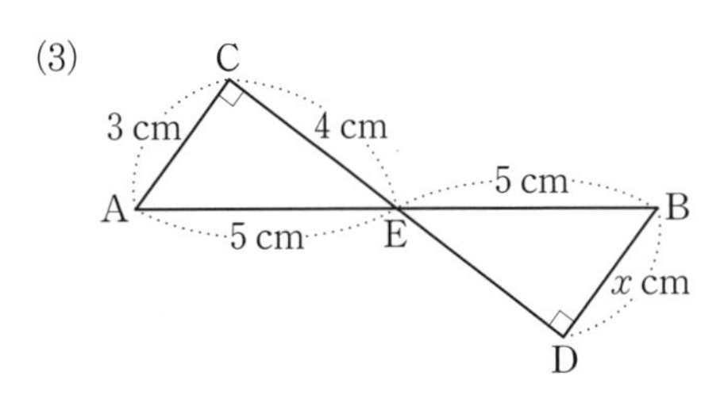

(단, 점 E는 $\overline{AB}$, $\overline{CD}$의 교점이다.)

2-5

오른쪽 그림에서 $\angle POA=\angle POB$일 때, x의 값을 구하시오.

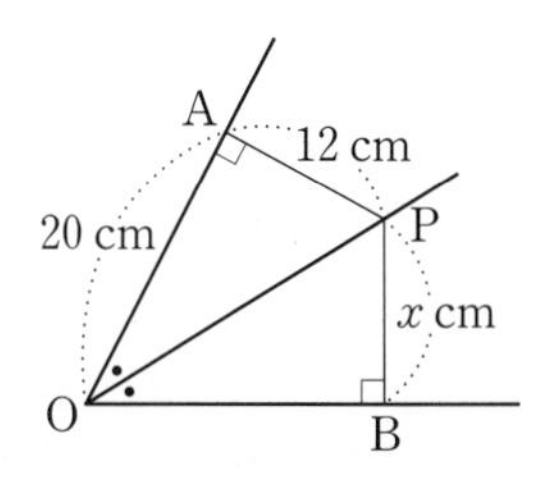

2-6

오른쪽 그림과 같이 $\angle C=90°$인 $\triangle ABC$에서 $\overline{AC}=\overline{AE}$, $\overline{AB}\perp\overline{DE}$일 때, 다음을 구하시오.

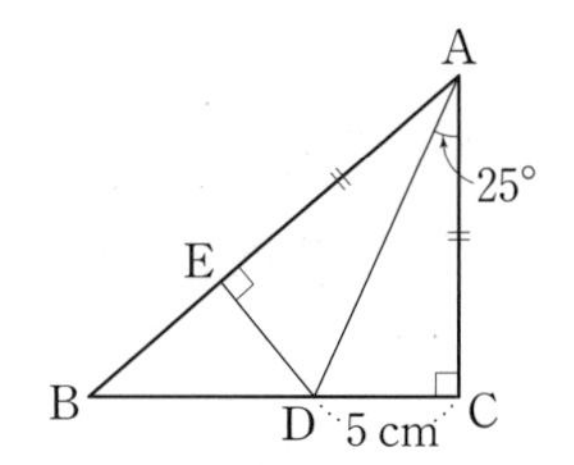

(1) $\overline{DE}$의 길이

(2) $\angle B$의 크기

2-7

오른쪽 그림과 같이 $\angle B=90°$이고 $\overline{AB}=\overline{BC}$인 직각이등변삼각형 ABC의 두 꼭짓점 A, C에서 꼭짓점 B를 지나는 직선에 내린 수선의 발을 각각 D, E라고 할 때, 물음에 답하시오.

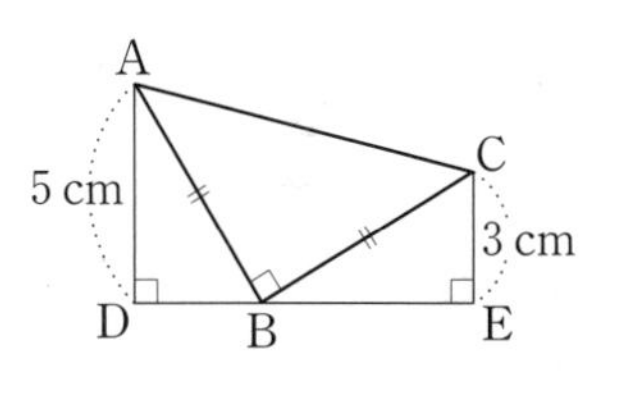

(1) 다음은 $\triangle ADB$와 $\triangle BEC$가 합동임을 보이는 과정이다. ☐ 안에 알맞은 것을 써넣으시오.

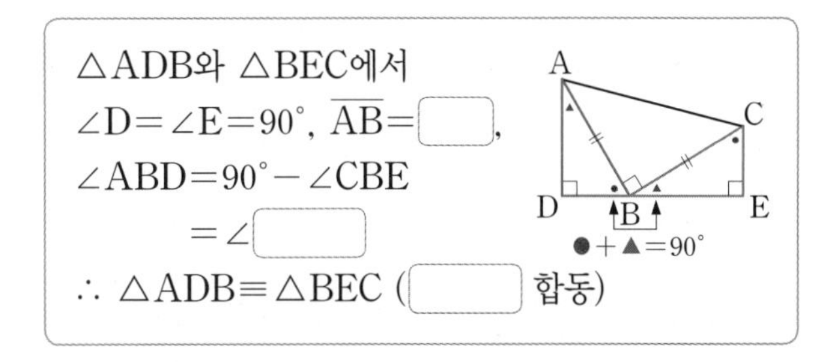
$\triangle ADB$와 $\triangle BEC$에서
$\angle D=\angle E=90°$, $\overline{AB}=$ ☐,
$\angle ABD=90°-\angle CBE$
$=\angle$ ☐
$\therefore$ $\triangle ADB\equiv\triangle BEC$ (☐ 합동)

(2) $\overline{DE}$의 길이를 구하시오.

수직이등분선의 성질

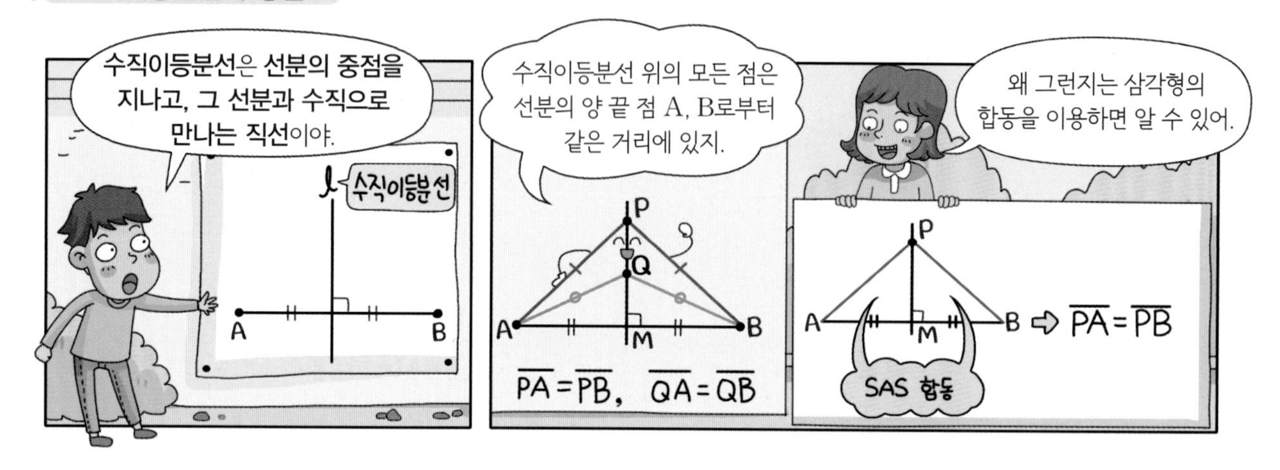

삼각형과 수직이등분선

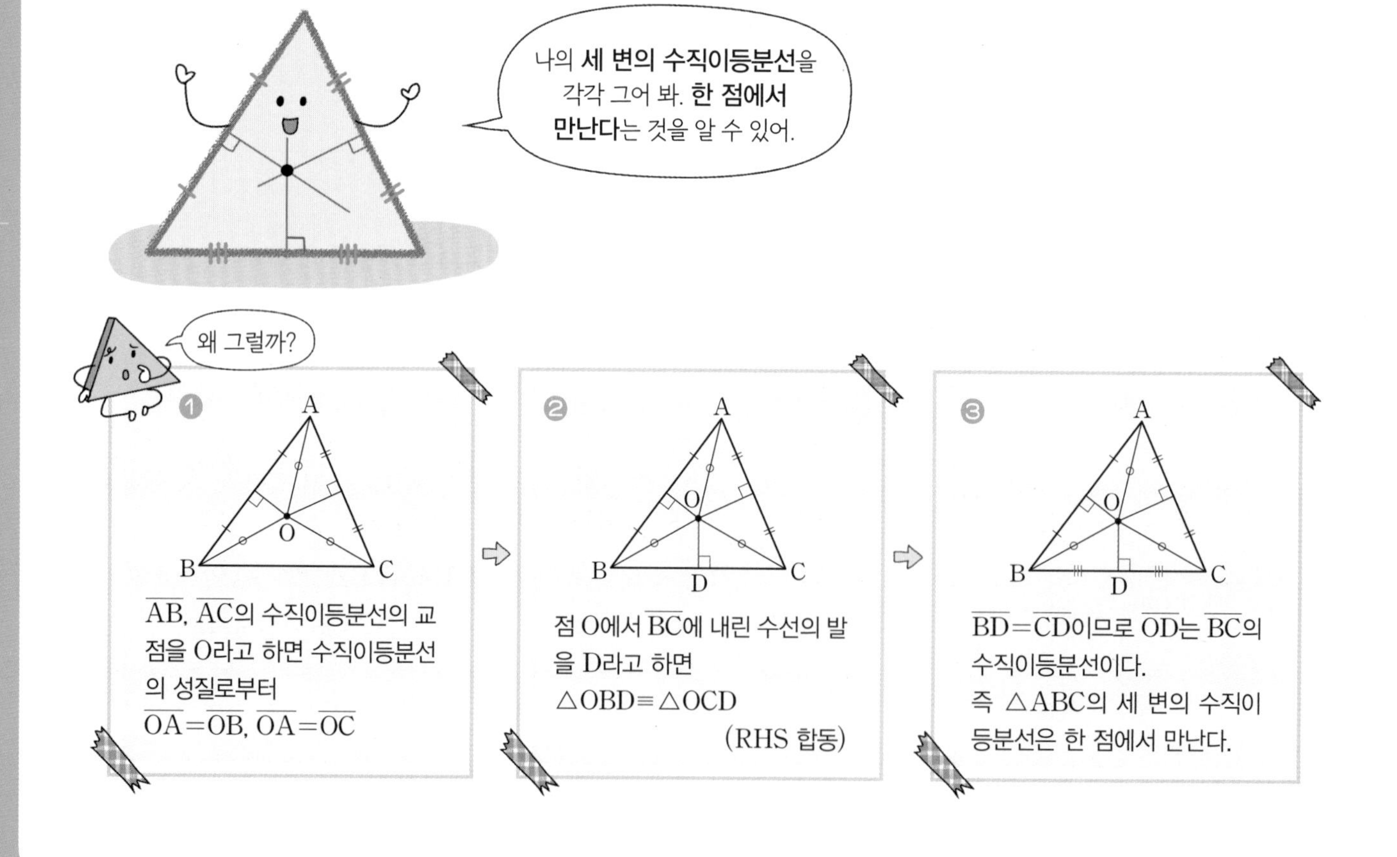

❶ $\overline{AB}$, $\overline{AC}$의 수직이등분선의 교점을 O라고 하면 수직이등분선의 성질로부터
$\overline{OA}=\overline{OB}$, $\overline{OA}=\overline{OC}$

❷ 점 O에서 $\overline{BC}$에 내린 수선의 발을 D라고 하면
$\triangle OBD \equiv \triangle OCD$ (RHS 합동)

❸ $\overline{BD}=\overline{CD}$이므로 $\overline{OD}$는 $\overline{BC}$의 수직이등분선이다.
즉 $\triangle ABC$의 세 변의 수직이등분선은 한 점에서 만난다.

회색 글씨를 따라 쓰면서 개념을 정리해 보세요.

1 수직이등분선의 성질 : 선분의 수직이등분선 위의 한 점에서 그 선분의 양 끝 점에 이르는 거리는 같다.

2 삼각형과 수직이등분선 : 삼각형의 세 변의 수직이등분선은 한 점에서 만난다.

개념 원리 확인

○ 정답과 풀이 6쪽

수직이등분선의 성질

1-1 다음은 선분의 수직이등분선 위의 한 점에서 그 선분의 양 끝 점에 이르는 거리는 같음을 설명하는 과정이다. (가)~(다)에 알맞은 것을 써넣으시오.

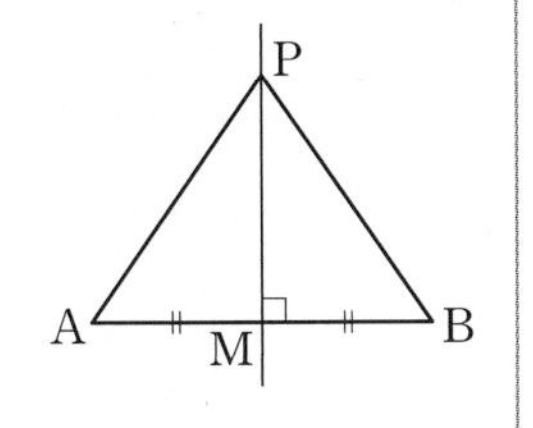

오른쪽 그림과 같이 선분 AB의 수직이등분선 위에 한 점 P를 잡자.
$\triangle PAM$과 $\triangle PBM$에서
$\overline{AM}=\overline{BM}$,
$\angle PMA=\angle PMB=90^\circ$, (가) 은 공통
이므로 $\triangle PAM\equiv\triangle PBM$ ((나) 합동)
$\therefore\ \overline{PA}=$ (다)

1-2 오른쪽 그림에서 직선 l은 선분 AB의 수직이등분선이다. 직선 l 위의 한 점 P에 대하여 다음을 구하시오.

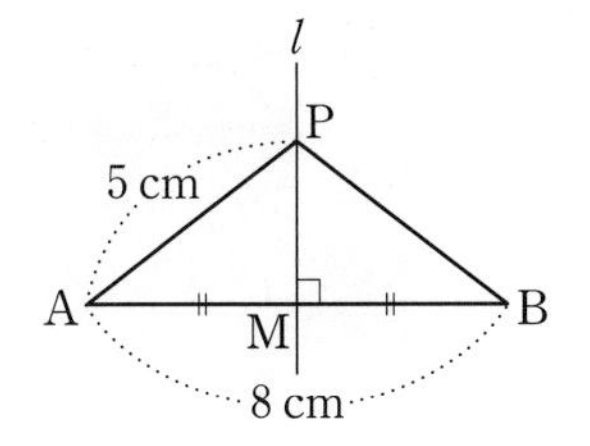

(1) $\overline{AM}$의 길이

(2) $\overline{PB}$의 길이

삼각형과 수직이등분선

2-1 다음은 삼각형의 세 변의 수직이등분선은 한 점에서 만남을 설명하는 과정이다. (가)~(라)에 알맞은 것을 써넣으시오.

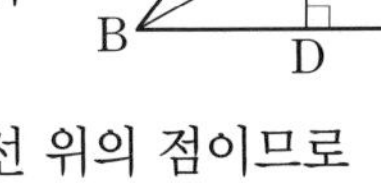

오른쪽 그림과 같이 $\triangle ABC$에서 $\overline{AB}$와 $\overline{AC}$의 수직이등분선의 교점을 O라고 하자.
점 O는 $\overline{AB}$의 수직이등분선 위의 점이므로 $\overline{OA}=\overline{OB}$
또 점 O는 $\overline{AC}$의 수직이등분선 위의 점이므로
$\overline{OA}=$ (가)
이때 점 O에서 $\overline{BC}$에 내린 수선의 발을 D라고 하면 두 직각삼각형 OBD와 OCD에서
$\overline{OB}=$ (가), (나) 는 공통이므로
$\triangle OBD\equiv\triangle OCD$ ((다) 합동) $\quad\therefore\ \overline{BD}=$ (라)
즉 $\overline{OD}$는 $\overline{BC}$의 수직이등분선이므로 $\triangle ABC$의 세 변의 수직이등분선은 한 점 O에서 만난다.

2-2 오른쪽 그림의 $\triangle ABC$에서 두 변 AB, BC의 중점을 각각 D, E라 하고, 두 변 AB, BC의 수직이등분선의 교점을 O라고 하자. 점 O에서 $\overline{AC}$에 내린 수선의 발을 F라고 할 때, 다음 중 옳은 것에는 '○'를, 옳지 않은 것에는 '×'를 ( ) 안에 써넣으시오.

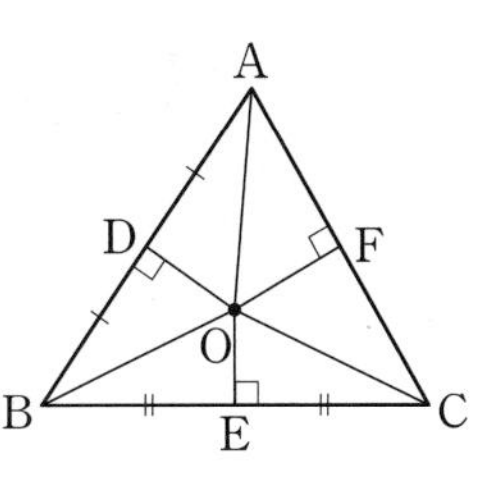

(1) $\overline{OA}=\overline{OB}=\overline{OC}$ ( )

(2) $\overline{OD}=\overline{OE}$ ( )

(3) $\overline{AF}=\overline{CF}$ ( )

(4) $\triangle OBD\equiv\triangle OBE$ ( )

삼각형의 외접원과 외심

삼각형의 외심의 성질

(1) 삼각형의 세 변의 수직이등분선은 한 점(외심)에서 만난다.

(2) 삼각형의 외심에서 세 꼭짓점에 이르는 거리는 모두 같다.

➡ $\overline{OA}=\overline{OB}=\overline{OC}$=(외접원의 반지름의 길이)

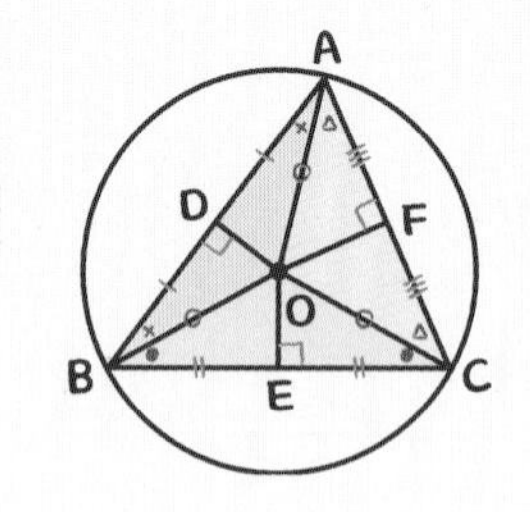

△OAD≡△OBD,
△OBE≡△OCE,
△OAF≡△OCF야.

회색 글씨를 따라 쓰면서 개념을 정리해 보세요.

❖ 삼각형의 외심의 성질

(1) 삼각형의 세 변의 수직이등분선은 한 점(외심)에서 만난다.

(2) 삼각형의 외심 에서 세 꼭짓점에 이르는 거리는 모두 같다 .

➡ $\overline{OA}=\overline{OB}=\overline{OC}$=(외접원의 반지름 의 길이)

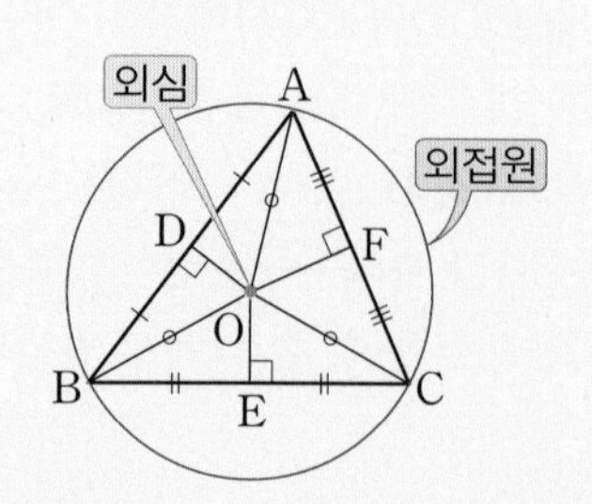

개념 원리 확인

○ 정답과 풀이 6쪽

1주 3일

삼각형의 외심 이해하기

3-1 오른쪽 그림에서 점 O가 $\triangle ABC$의 외심일 때, 다음 ☐ 안에 알맞은 것을 써넣으시오.

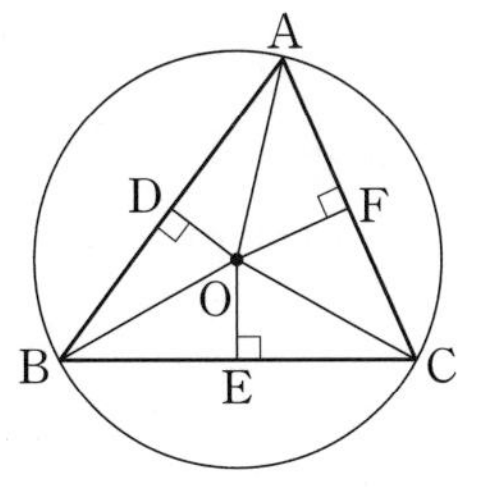

(1) $\overline{OA}=$ ☐ $=$ ☐

(2) $\overline{AD}=$ ☐, $\overline{BE}=$ ☐, $\overline{AF}=$ ☐

(3) $\angle OAD=$ ☐, $\angle OBE=$ ☐, $\angle OAF=$ ☐

3-2 오른쪽 그림에서 점 O가 $\triangle ABC$의 외심일 때, 다음 중 옳은 것에는 '○'를, 옳지 않은 것에는 '×'를 ( ) 안에 써넣으시오.

(1) $\overline{OA}=\overline{OB}=\overline{OC}$ ( )

(2) $\overline{OD}=\overline{OE}=\overline{OF}$ ( )

(3) $\angle OBE=\angle OCE$ ( )

(4) $\angle OAD=\angle OAF$ ( )

삼각형의 외심을 이용하여 변의 길이, 각의 크기 구하기

4-1 다음 그림에서 점 O가 $\triangle ABC$의 외심일 때, x의 값을 구하시오.

(1)

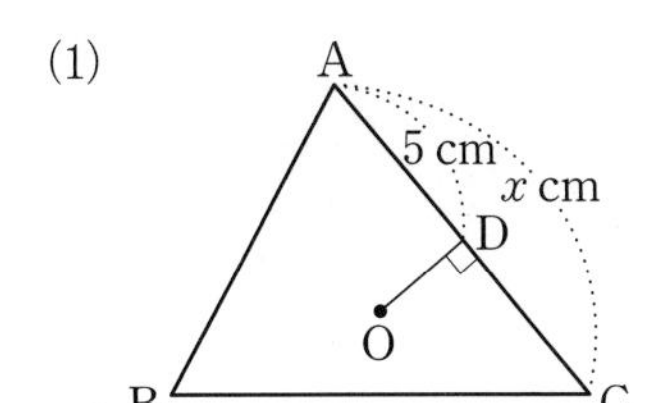

➡ 삼각형의 외심은 삼각형의 세 변의 ☐의 교점이므로 $\overline{AD}=$ ☐ $=$ ☐ cm

(2)

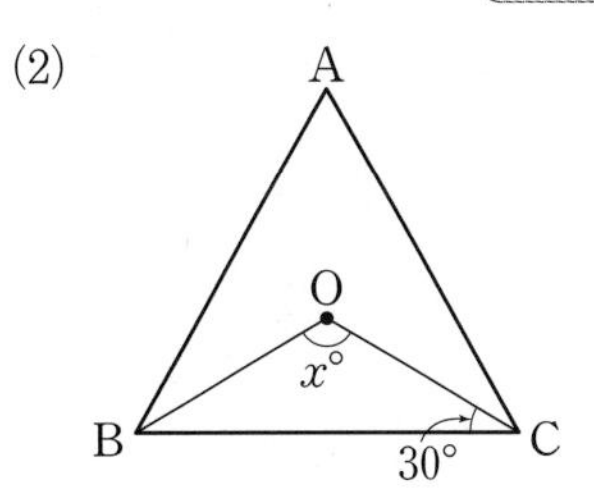

➡ $\triangle OBC$는 $\overline{OB}=$ ☐인 이등변삼각형이므로 $\angle OBC=\angle OCB=$ ☐°

4-2 다음 그림에서 점 O가 $\triangle ABC$의 외심일 때, x의 값을 구하시오.

(1)

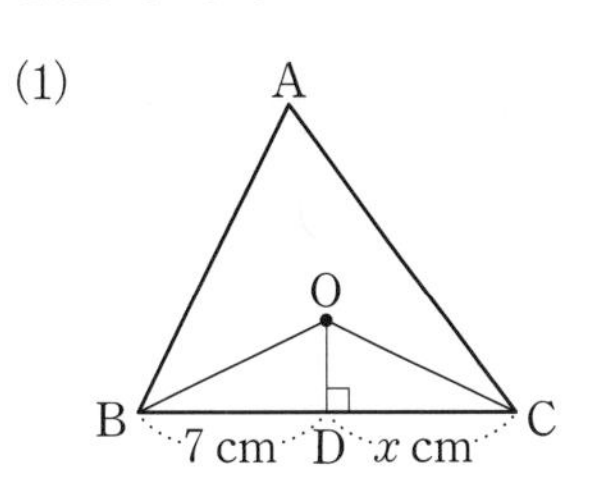

(2)

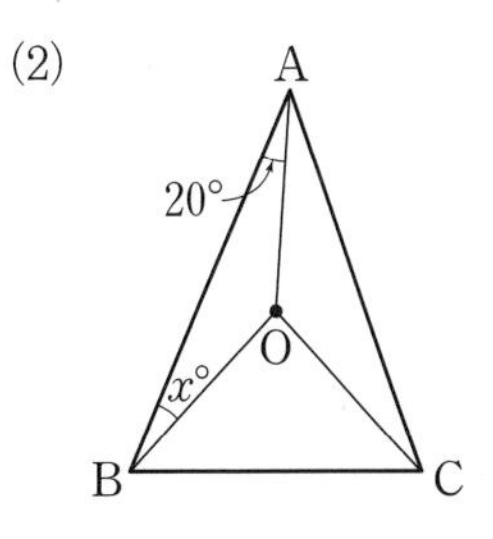

1주 3일 기초 집중 연습

○ 정답과 풀이 7쪽

개념 01 선분의 수직이등분선의 성질을 알고 있는가?

선분의 수직이등분선 위의 한 점에서 그 선분의 양 끝 점에 이르는 거리는 같다.

➡ $\overline{AM}=\overline{BM}$, $\overline{PM}\perp\overline{AB}$이면 $\overline{PA}=\overline{PB}$

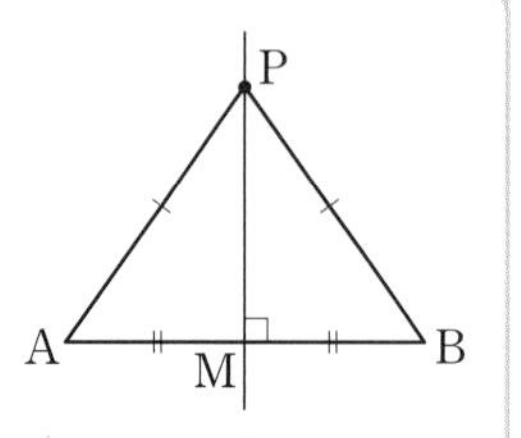

1-1

오른쪽 그림에서 $\overline{CD}$는 선분 AB의 수직이등분선이다. 다음을 구하시오.

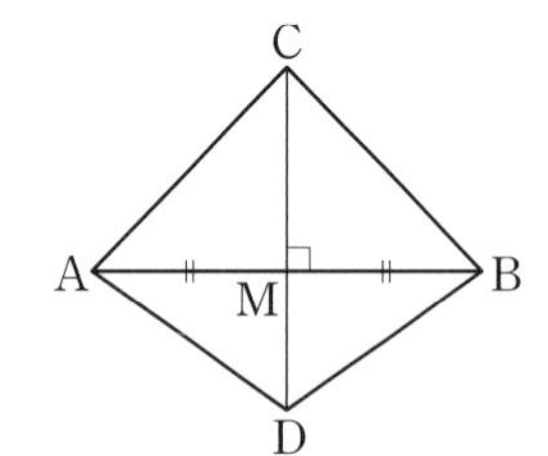

(1) $\overline{AC}$와 길이가 같은 선분

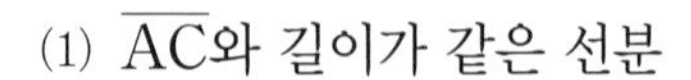

(2) $\overline{BD}$와 길이가 같은 선분

1-2

오른쪽 그림에서 점 P가 선분 AB의 수직이등분선 위의 한 점일 때, 다음 중 옳지 않은 것은?

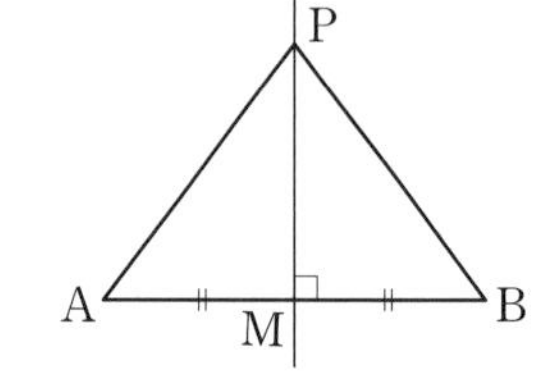

① $\angle PMA=\angle PMB$

② $\overline{PA}=\overline{PB}$　　③ $\angle A=\angle B$

④ $\angle APM=\angle BPM$　　⑤ $\overline{AM}=\overline{PM}$

1-3

오른쪽 그림에서 직선 l은 선분 AB의 수직이등분선이다. 직선 l 위의 한 점 P에 대하여 $\overline{AM}+\overline{PB}$의 길이를 구하시오.

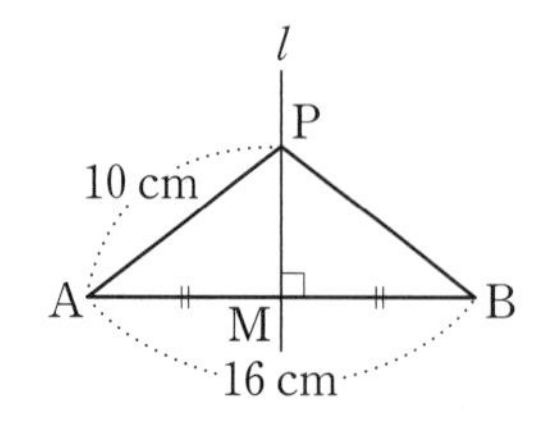

개념 02 삼각형의 외심을 이해하고 있는가?

점 O가 △ABC의 외심일 때

(1) 외심 O는 △ABC의 외접원의 중심이다.

(2) 외심 O는 △ABC의 세 변의 수직이등분선의 교점이다.

(3) 외심 O에서 △ABC의 세 꼭짓점에 이르는 거리는 모두 같다.

➡ $\overline{OA}=\overline{OB}=\overline{OC}=$(외접원의 반지름의 길이)

(4) $\triangle OAD\equiv\triangle OBD$, $\triangle OBE\equiv\triangle OCE$, $\triangle OAF\equiv\triangle OCF$

2-1

다음은 학생들이 수업 시간에 삼각형의 외심을 그리는 활동을 한 것이다. 삼각형의 외심 O를 바르게 나타낸 학생을 모두 찾으시오.

2-2

다음 그림에서 점 O가 △ABC의 외심일 때, x의 값을 구하시오.

(1)

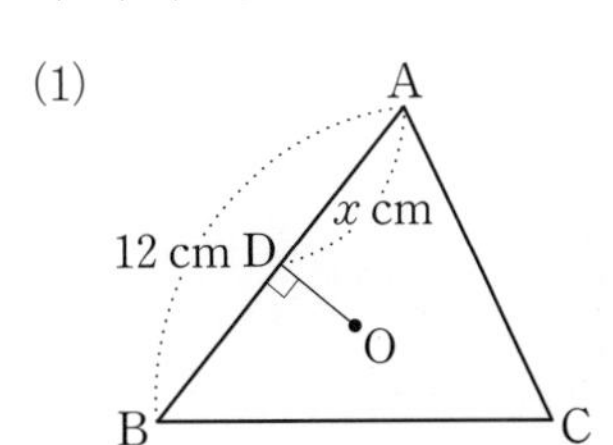

(2)

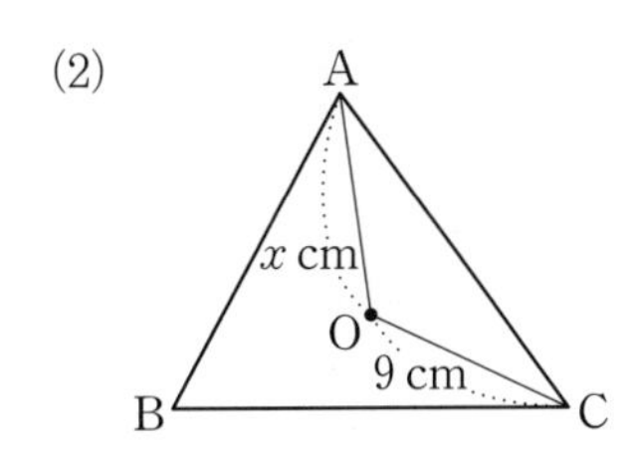

(3)

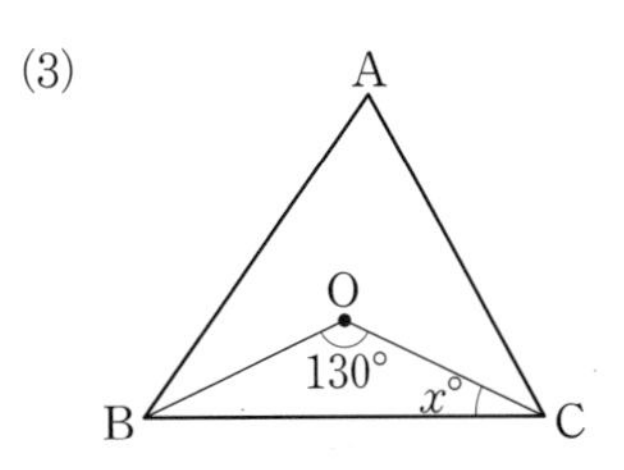

2-3

오른쪽 그림에서 점 O가 △ABC의 외심일 때, 다음 중 옳지 않은 것은?

① $\overline{AF}=\overline{CF}$

② $\overline{OB}=\overline{OC}$

③ $\overline{OD}=\overline{OF}$

④ ∠OAD=∠OBD

⑤ △OBE≡△OCE

2-4

오른쪽 그림에서 점 O는 △ABC의 외심이고 ∠OAC=16°, ∠OBC=24°일 때, ∠C의 크기를 구하시오.

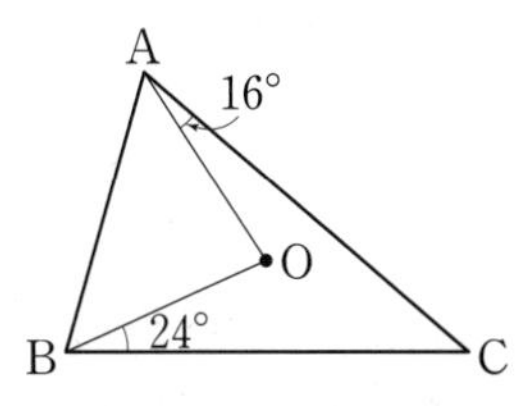

2-5

오른쪽 그림에서 점 O는 △ABC의 외심이다. $\overline{AD}$=7 cm, $\overline{AF}$=6 cm, $\overline{BE}$=8 cm일 때, △ABC의 둘레의 길이를 구하시오.

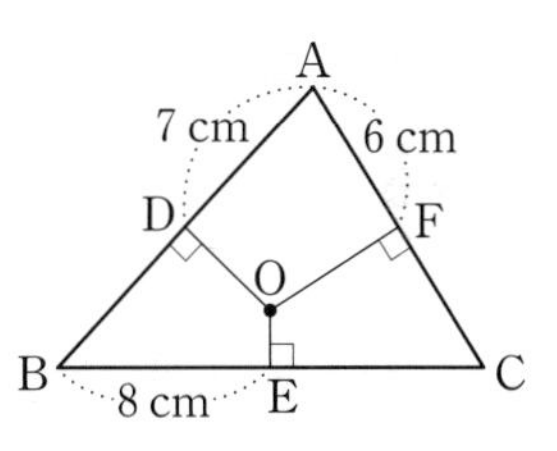

2-6

오른쪽 그림에서 점 O는 △ABC의 외심이다. $\overline{AB}$=14 cm, $\overline{OB}$=8 cm일 때, △OAB의 둘레의 길이를 구하시오.

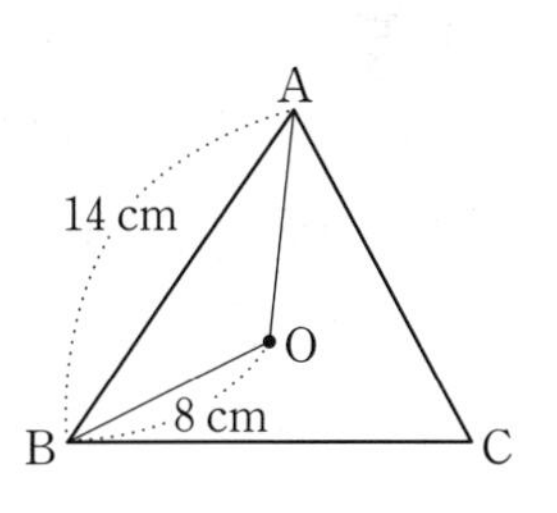

2-7

오른쪽 그림에서 점 O는 △ABC의 외심이다. $\overline{AB}$=5 cm이고 △OAB의 둘레의 길이가 13 cm일 때, △ABC의 외접원의 반지름의 길이를 구하시오.

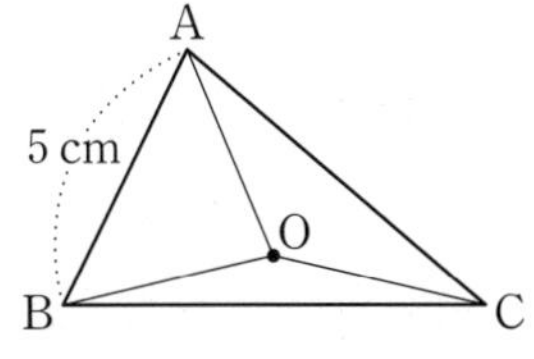
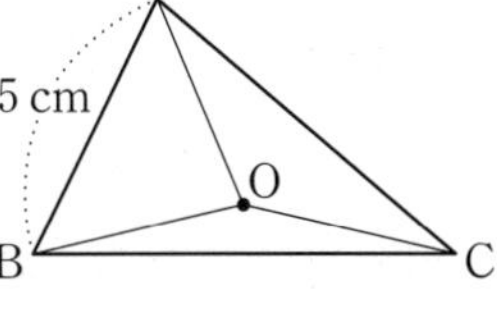

회색 글씨를 따라 쓰면서 개념을 정리해 보세요.

1 삼각형의 모양에 따른 외심의 위치

예각삼각형	직각삼각형	둔각삼각형
O	O	O
삼각형의 내부	빗변의 중점	삼각형의 외부

2 직각삼각형의 외심

직각삼각형 ABC의 외심 O는 빗변의 중점이다.

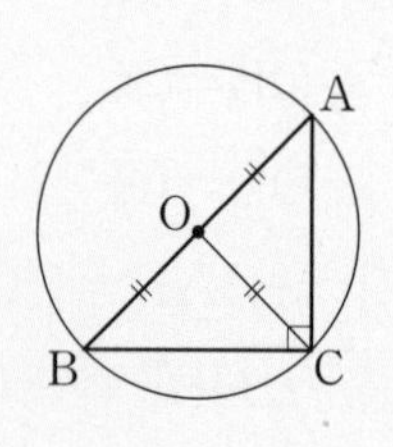

➡ (외접원 O의 반지름의 길이)

$=\overline{OA}=\overline{OB}=\overline{OC}=\frac{1}{2}\overline{AB}$

정답과 풀이 8쪽

삼각형의 모양에 따른 외심의 위치

1-1 다음 삼각형의 외심 O를 찾고, ▢ 안에 알맞은 것을 써넣으시오.

(1)

O

삼각형의 외심은 세 변의 수직이등분선의 교점이야.

➡ 예각삼각형의 외심은 삼각형의 ▢에 있다.

(2)

➡ 직각삼각형의 외심은 빗변의 ▢에 있다.

(3)

➡ 둔각삼각형의 외심은 삼각형의 ▢에 있다.

1-2 다음 삼각형과 외심의 위치를 바르게 연결하시오.

(1)	예각삼각형 •	• 삼각형의 내부	A
(2)	직각삼각형 •	• 삼각형의 외부	B
(3)	둔각삼각형 •	• 빗변의 중점	C

직각삼각형의 외심

2-1 오른쪽 그림과 같이 $\angle C=90^{\circ}$인 직각삼각형 ABC에서 점 M이 빗변 AB의 중점일 때, 다음을 구하시오.

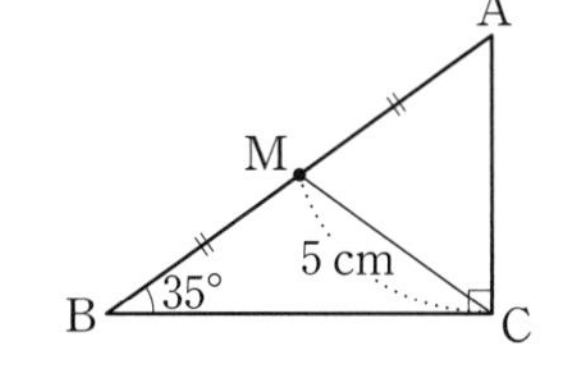

(1) $\overline{AB}$의 길이

(2) $\angle AMC$의 크기

2-2 다음 그림에서 점 M이 직각삼각형 ABC의 빗변의 중점일 때, x의 값을 구하시오.

(1)

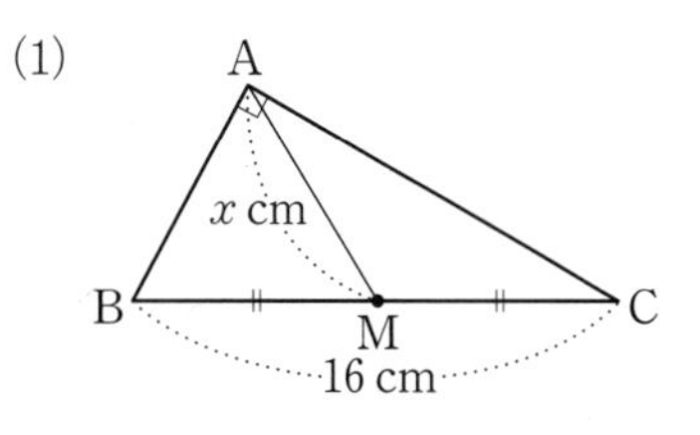

(2)

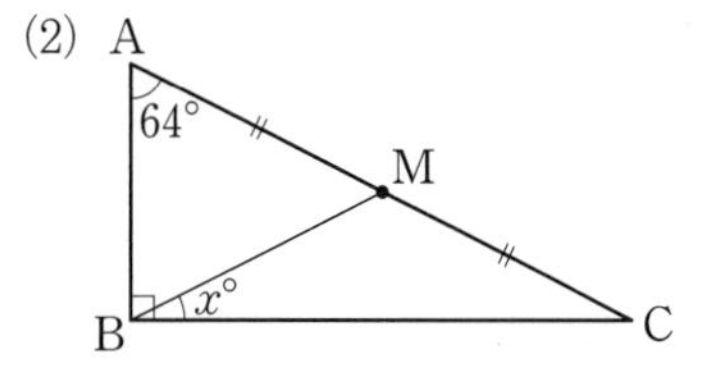

8. 삼각형의 외심의 성질을 이용하여 각의 크기 구하기

삼각형의 외심의 성질을 이용하여 각의 크기 구하기 (1)

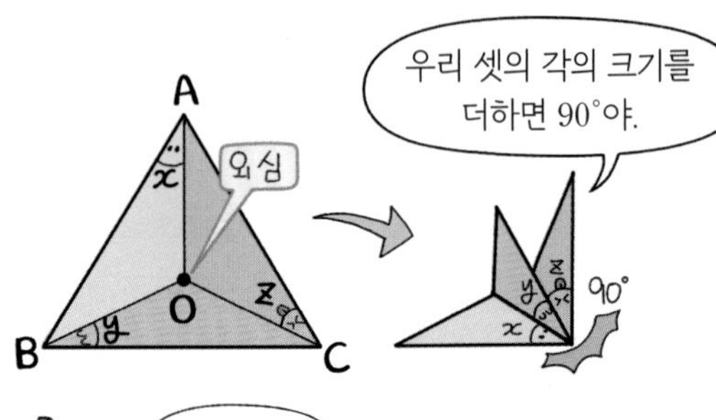

점 O가 △ABC의 외심일 때,
$\angle x+\angle y+\angle z=90^\circ$

왜 그럴까?

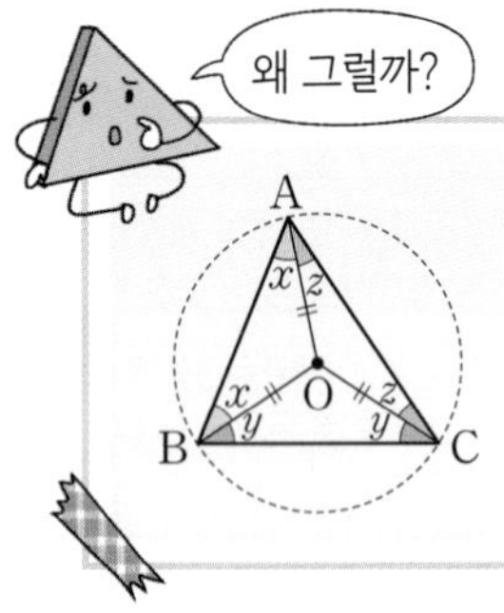

$\overline{OA}=\overline{OB}=\overline{OC}$에서 △OAB, △OBC, △OCA는 이등변삼각형이다.

$2\angle x+2\angle y+2\angle z=180^\circ$ ← 삼각형의 세 내각의 크기의 합은 180°이니까.

$2(\angle x+\angle y+\angle z)=180^\circ$

$\therefore \angle x+\angle y+\angle z=90^\circ$

삼각형의 외심의 성질을 이용하여 각의 크기 구하기 (2)

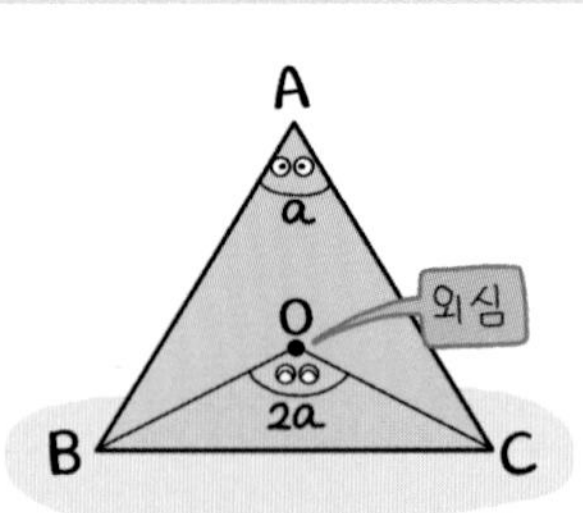

점 O가 △ABC의 외심일 때,
$\angle BOC=2\angle A$

왜 그럴까?

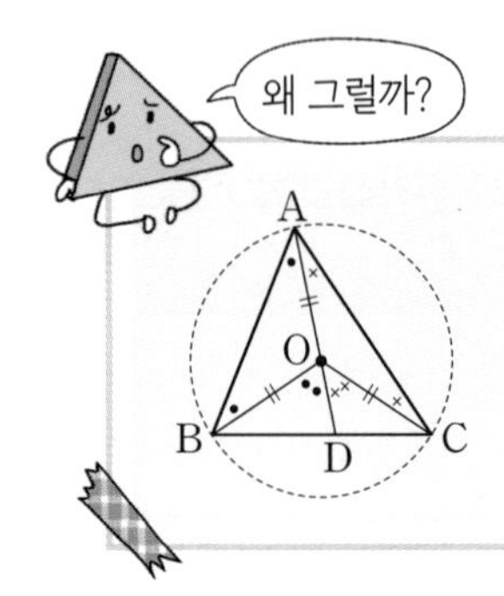

$\overline{AO}$의 연장선과 $\overline{BC}$의 교점을 D라고 하면 삼각형의 외각의 성질로부터

$\angle BOC=\angle BOD+\angle COD$

$=2\bullet+2\times=2(\bullet+\times)$

$=2\angle A$

회색 글씨를 따라 쓰면서 개념을 정리해 보세요.

점 O가 △ABC의 외심일 때

(1)

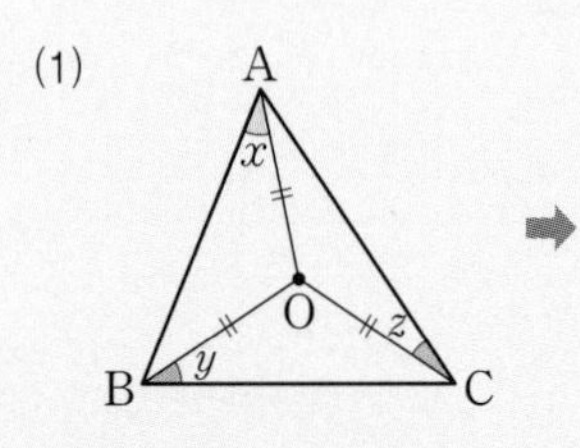

➡ $\angle x+\angle y+\angle z=$ 90°

(2)

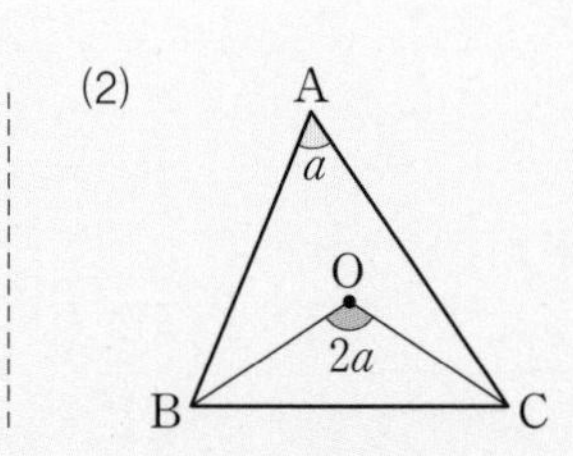

➡ $\angle BOC=$ 2 $\angle A$

개념 원리 확인

○ 정답과 풀이 8쪽

삼각형의 외심의 성질을 이용하여 각의 크기 구하기 (1)

3-1 다음 그림에서 점 O가 $\triangle ABC$의 외심일 때, $\angle x$의 크기를 구하시오.

(1)

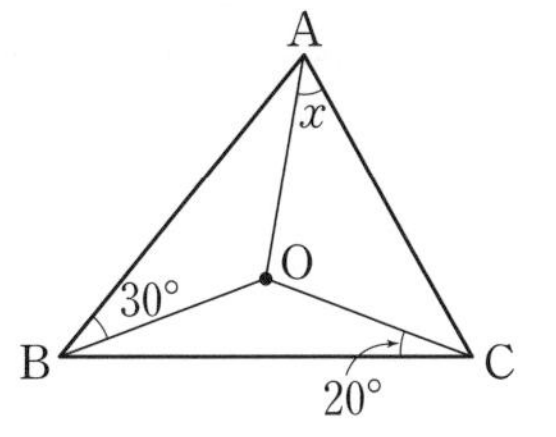

(2)

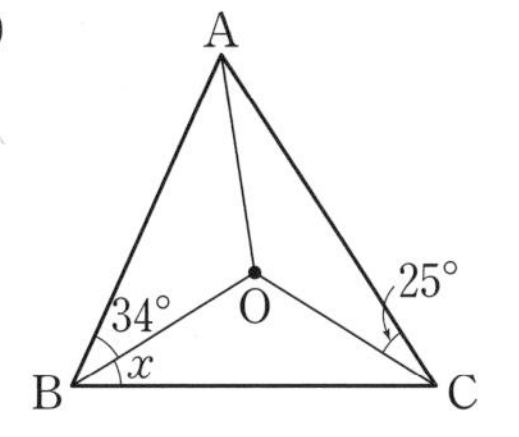

3-2 다음 그림에서 점 O가 $\triangle ABC$의 외심일 때, $\angle x$의 크기를 구하시오.

(1)

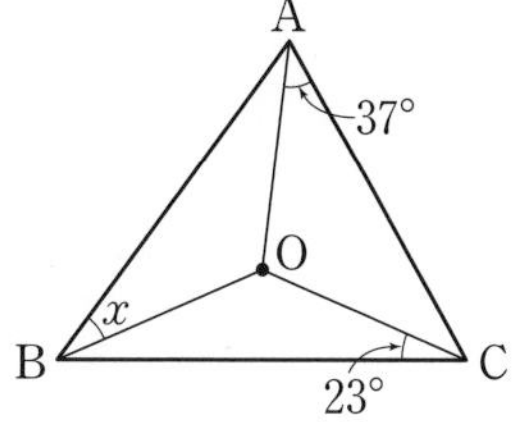

(2)

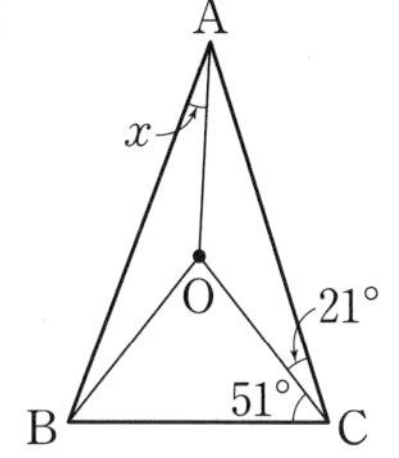

삼각형의 외심의 성질을 이용하여 각의 크기 구하기 (2)

4-1 다음 그림에서 점 O가 $\triangle ABC$의 외심일 때, $\angle x$의 크기를 구하시오.

(1)

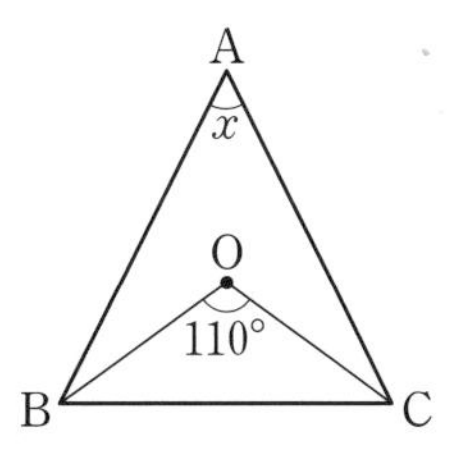

(2)

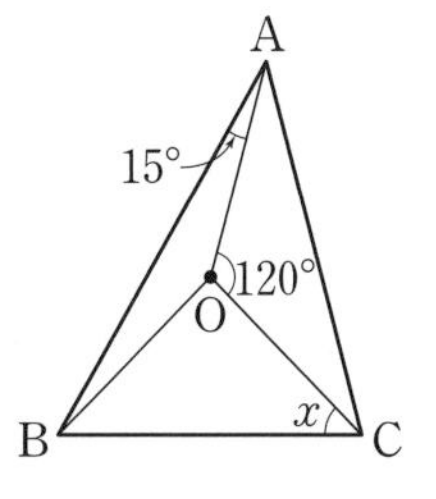

4-2 다음 그림에서 점 O가 $\triangle ABC$의 외심일 때, $\angle x$의 크기를 구하시오.

(1)

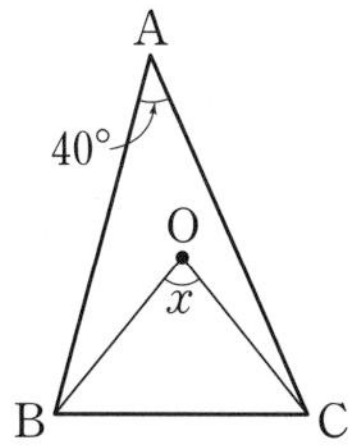

(2)

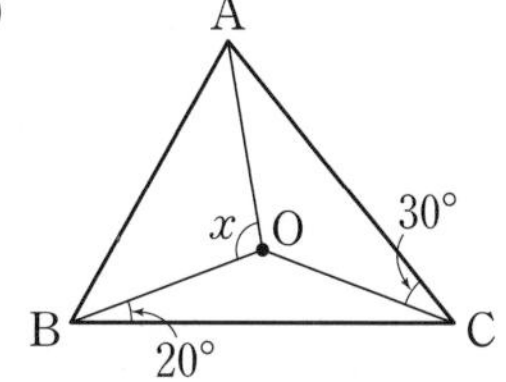

1주 4일 기초 집중 연습

○ 정답과 풀이 9쪽

개념 01 직각삼각형의 외심의 위치를 알고 있는가?

(1) 삼각형의 종류에 따른 외심의 위치
① 예각삼각형 : 삼각형의 내부
② 직각삼각형 : 빗변의 중점
③ 둔각삼각형 : 삼각형의 외부

(2) 직각삼각형 ABC의 외심 O는 빗변의 중점이다.

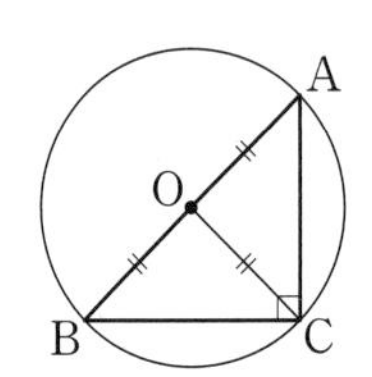

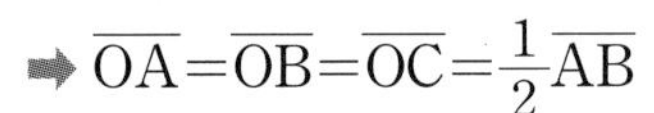

➡ $\overline{OA}=\overline{OB}=\overline{OC}=\frac{1}{2}\overline{AB}$
└➝ 외접원의 반지름의 길이

1-1

다음 그림에서 점 O가 직각삼각형 ABC의 외심일 때, x의 값을 구하시오.

(1)

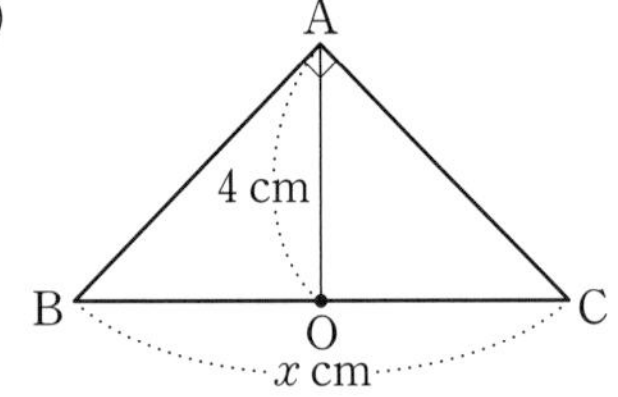

(2)

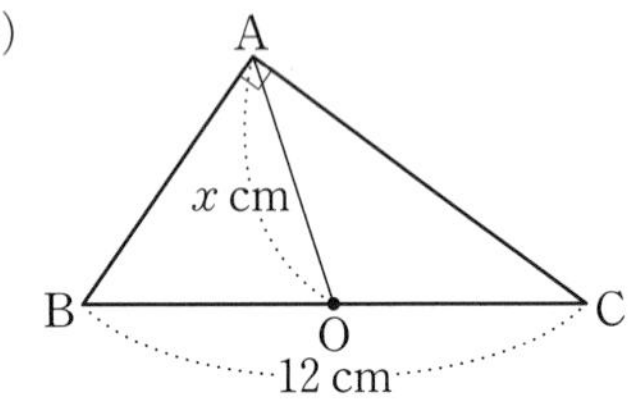

(3)

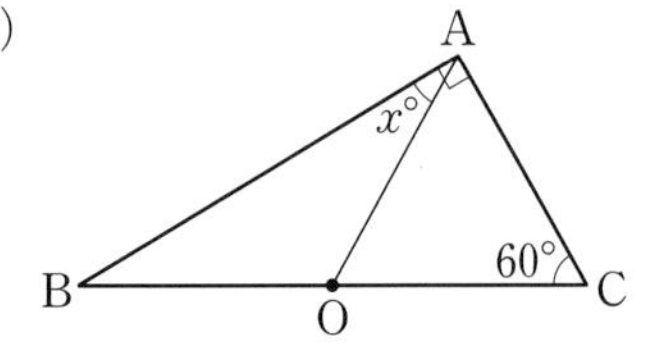

(4)

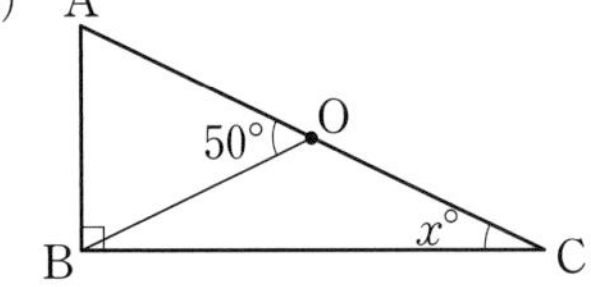

1-2

오른쪽 그림에서 점 O는 직각삼각형 ABC의 외심이고 $\overline{AB}=10$ cm일 때, △ABC의 외접원의 넓이를 구하시오.

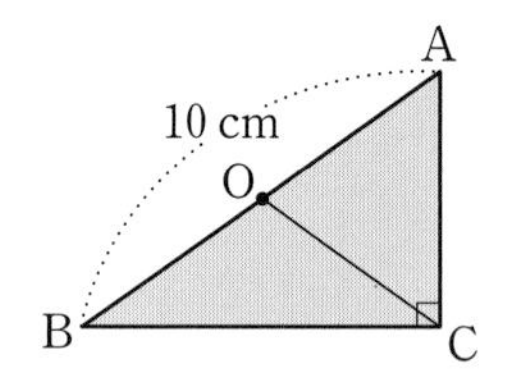

개념 02 삼각형의 외심의 성질을 이용하여 각의 크기를 구할 수 있는가? − $\angle x+\angle y+\angle z=90°$

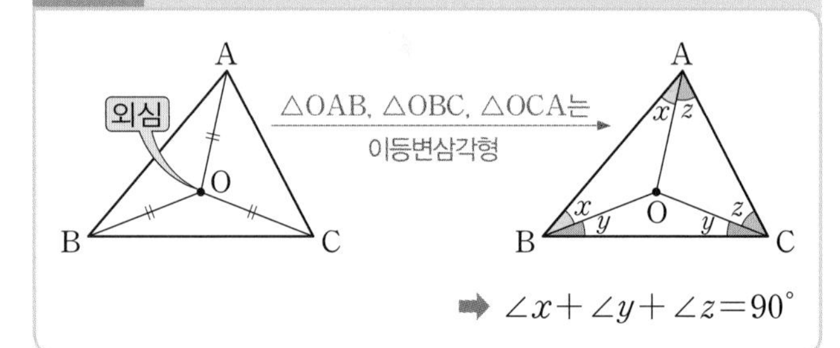

➡ $\angle x+\angle y+\angle z=90°$

2-1

다음 그림에서 점 O가 △ABC의 외심일 때, $\angle x$의 크기를 구하시오.

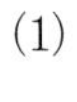

(1)

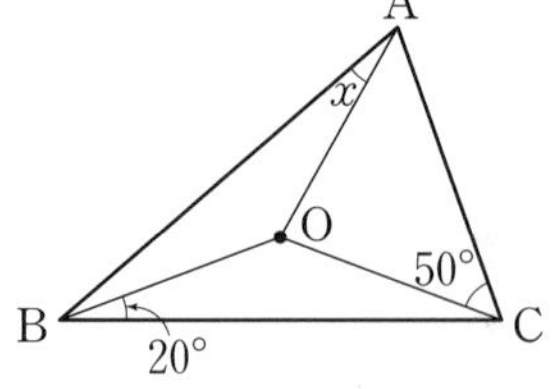

(2)

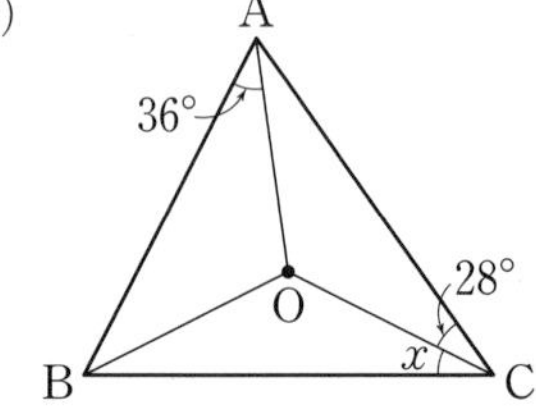

2-2

오른쪽 그림에서 점 O는 $\triangle$ABC의 외심이고 $\angle$OAB$=27^\circ$일 때, $\angle x+\angle y$의 크기를 구하시오.

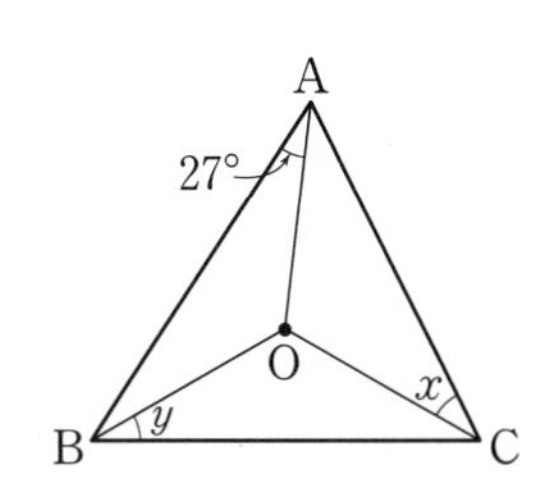

2-3

오른쪽 그림에서 점 O는 $\triangle$ABC의 외심이다. $\angle$OBA$=20^\circ$, $\angle$OBC$=25^\circ$일 때, $\angle x$의 크기를 구하시오.

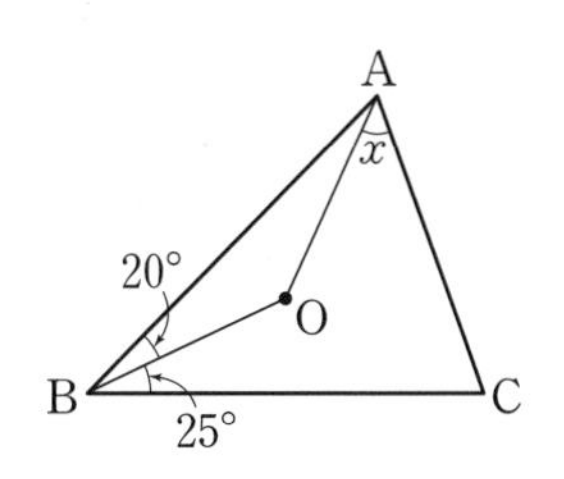

개념 03 삼각형의 외심의 성질을 이용하여 각의 크기를 구할 수 있는가? $-$ $\angle$BOC$=2\angle$A

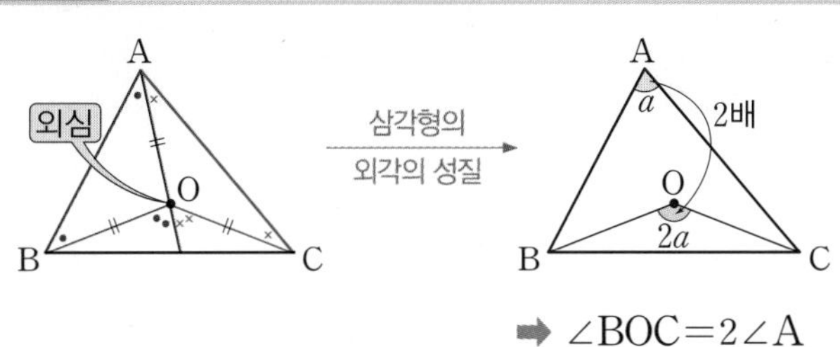

$\Rightarrow$ $\angle$BOC$=2\angle$A

3-1

다음 그림에서 점 O가 $\triangle$ABC의 외심일 때, $\angle x$의 크기를 구하시오.

(1)

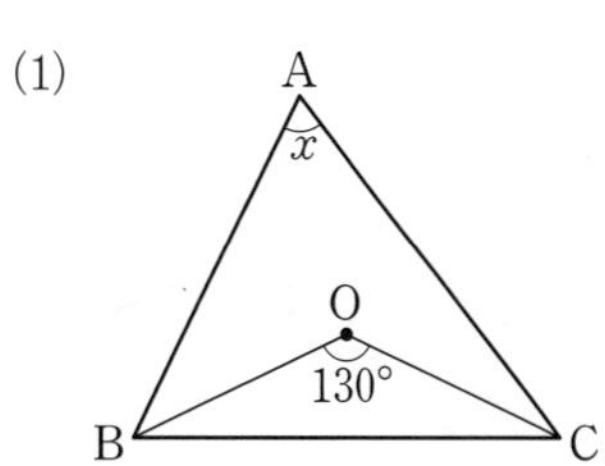
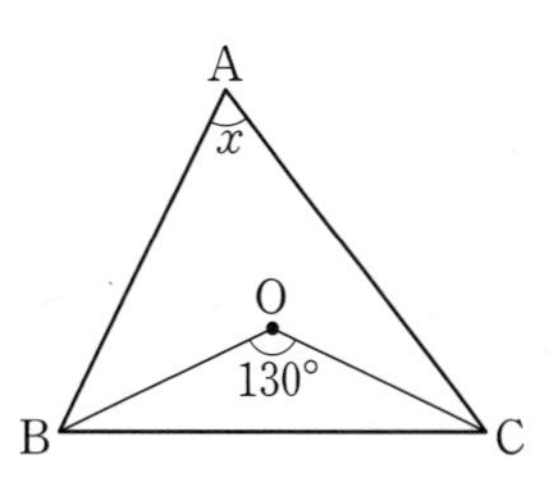

(2)

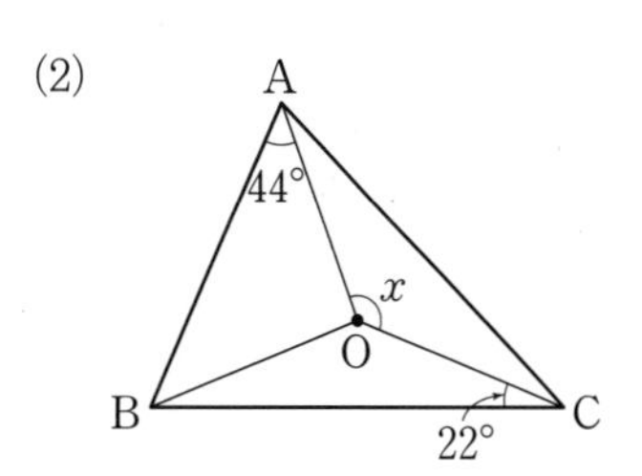

3-2

오른쪽 그림에서 점 O는 $\triangle$ABC의 외심이다. $\angle$OAC$=35^\circ$, $\angle$BOC$=118^\circ$일 때, $\angle x$의 크기를 구하시오.

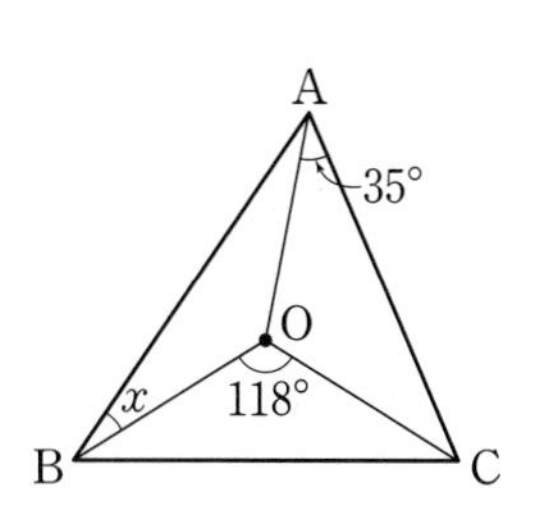

3-3

오른쪽 그림에서 점 O는 $\triangle$ABC의 외심이다. $\angle$OBC$=25^\circ$, $\angle$OAC$=45^\circ$일 때, $\angle x+\angle y$의 크기를 구하시오.

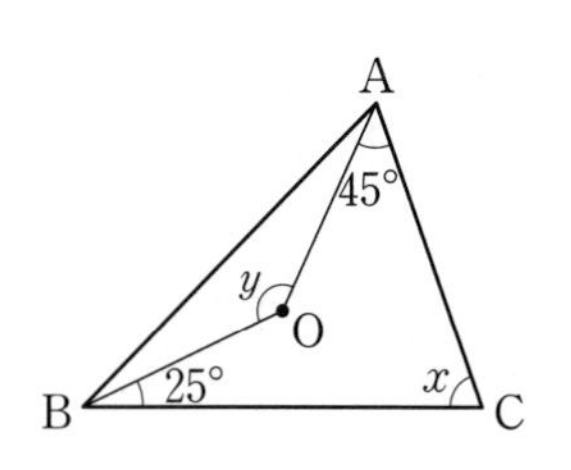

9. 삼각형과 내각의 이등분선

삼각형과 내각의 이등분선

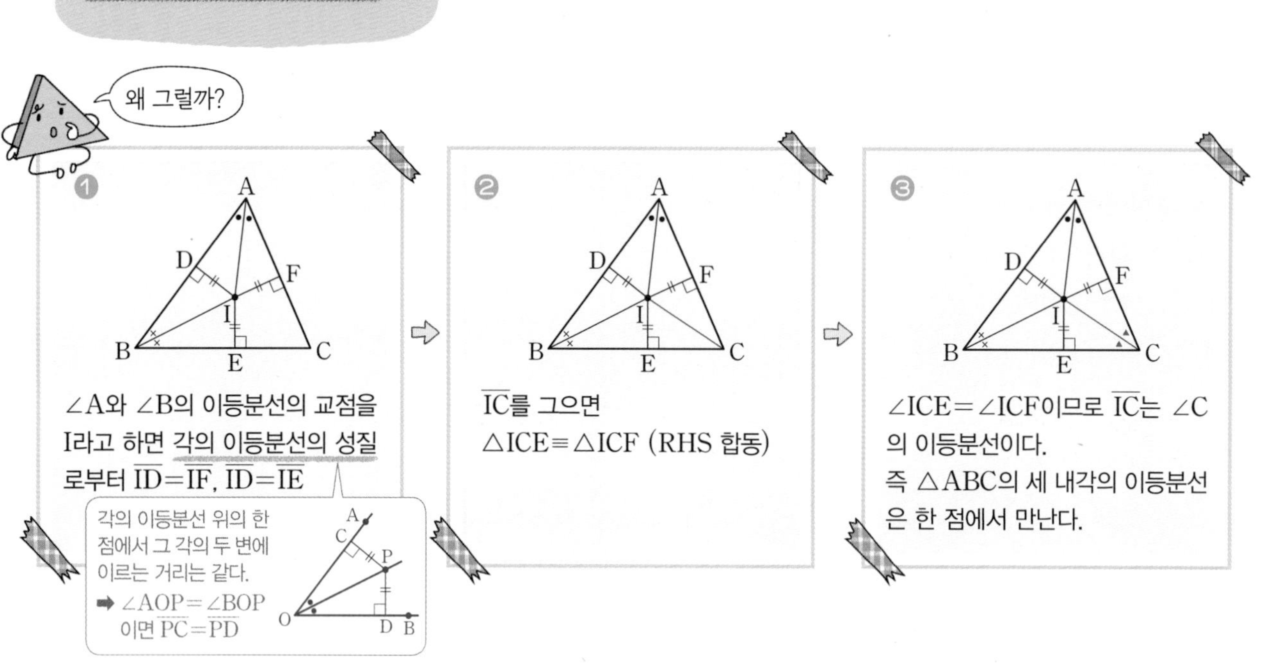

접선과 접점

회색 글씨를 따라 쓰면서 개념을 정리해 보세요.

1 삼각형과 내각의 이등분선 : 삼각형의 세 내각의 이등분선은 한 점에서 만난다.

2 접선의 성질 : 원의 접선은 그 접점을 지나는 반지름에 수직이다.

개념 원리 확인

○ 정답과 풀이 10쪽

삼각형과 내각의 이등분선

1-1 다음은 삼각형의 세 내각의 이등분선은 한 점에서 만남을 설명하는 과정이다. ㈎~㈑에 알맞은 것을 써넣으시오.

오른쪽 그림과 같이 $\triangle ABC$에서 $\angle A$와 $\angle B$의 이등분선의 교점을 I라 하고, 점 I에서 세 변 AB, BC, CA에 내린 수선의 발을 각각 D, E, F라고 하면

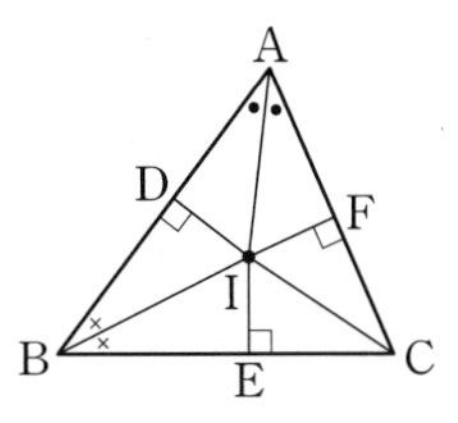

각의 이등분선의 성질로부터 $\overline{ID}=\overline{IF}$, $\overline{ID}=$ ㈎

이때 $\overline{IC}$를 그으면 두 직각삼각형 ICE와 ICF에서

$\angle IEC=\angle IFC=90°$, $\overline{IC}$는 공통, $\overline{IE}=$ ㈏

이므로 $\triangle ICE \equiv \triangle ICF$ (㈐ 합동)

$\therefore \angle ICE=\angle$ ㈑

즉 $\overline{IC}$는 $\angle C$의 이등분선이므로 $\triangle ABC$의 세 내각의 이등분선은 한 점 I에서 만난다.

1-2 오른쪽 그림에서 점 I는 $\triangle ABC$의 $\angle A$와 $\angle B$의 이등분선의 교점이다. 다음 중 옳은 것에는 '○'를, 옳지 않은 것에는 '×'를 ( ) 안에 써넣으시오.

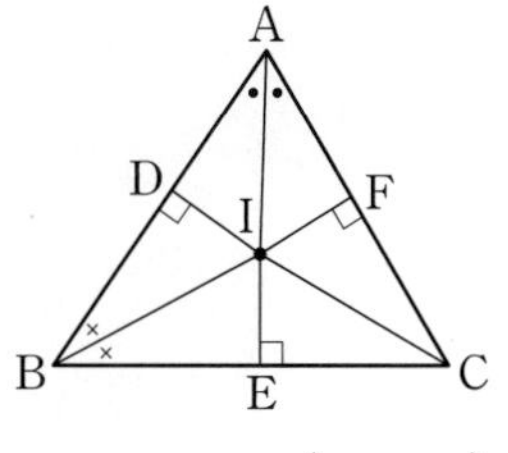

(1) $\overline{ID}=\overline{IE}=\overline{IF}$ ( )

(2) $\overline{IA}=\overline{IB}=\overline{IC}$ ( )

(3) $\angle ICE=\angle ICF$ ( )

(4) $\overline{EC}=\overline{FC}$ ( )

(5) $\triangle IBE \equiv \triangle ICE$ ( )

접선의 성질

2-1 다음 그림에서 반직선 PA는 원 O의 접선이고, 점 A는 접점이다. 이때 $\angle x$의 크기를 구하시오.

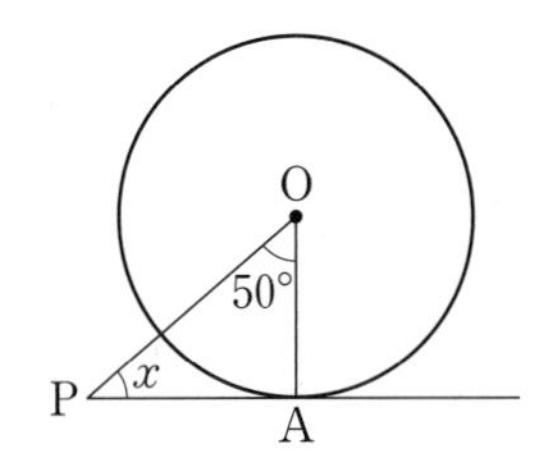

➡ $\angle PAO=$ □°이므로

$50°+\angle x+$ □° $=180°$

$\therefore \angle x=$ □°

2-2 다음 그림에서 반직선 PA는 원 O의 접선이고, 점 A는 접점이다. 이때 $\angle x$의 크기를 구하시오.

(1)

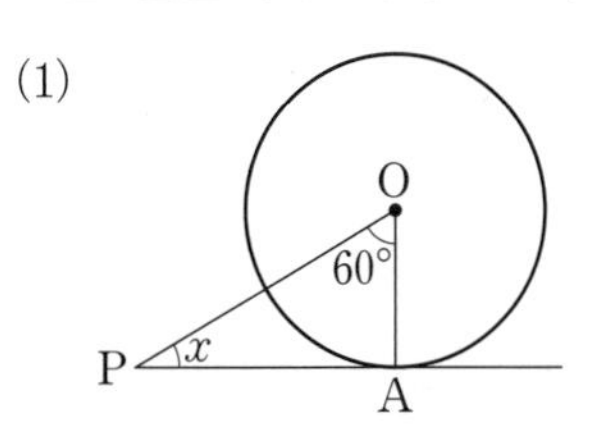

(2)

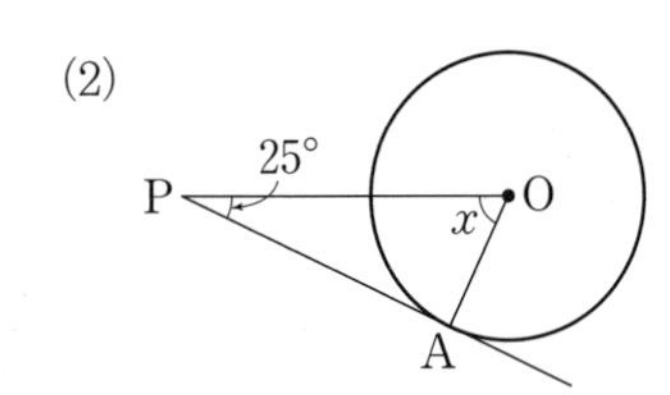

삼각형의 내접원과 내심

삼각형의 내심의 성질

(1) 삼각형의 세 내각의 이등분선은 한 점(내심)에서 만난다.

(2) 삼각형의 내심에서 세 변에 이르는 거리는 모두 같다.

➡ $\overline{ID}=\overline{IE}=\overline{IF}=$(내접원의 반지름의 길이)

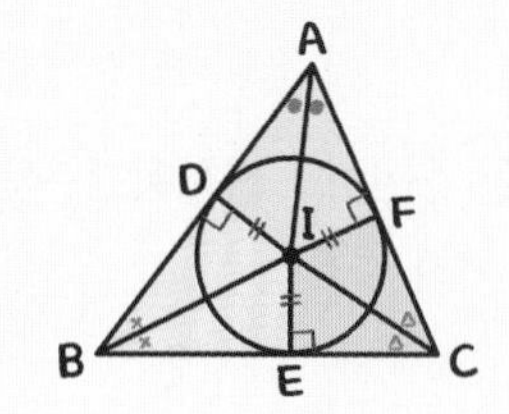

△IAD≡△IAF, △IBD≡△IBE, △ICE≡△ICF네.

회색 글씨를 따라 쓰면서 개념을 정리해 보세요.

❖ 삼각형의 내심의 성질

(1) 삼각형의 세 내각의 이등분선은 한 점(내심)에서 만난다.

(2) 삼각형의 내심에서 세 변에 이르는 거리는 모두 같다.

➡ $\overline{ID}=\overline{IE}=\overline{IF}=$(내접원의 반지름의 길이)

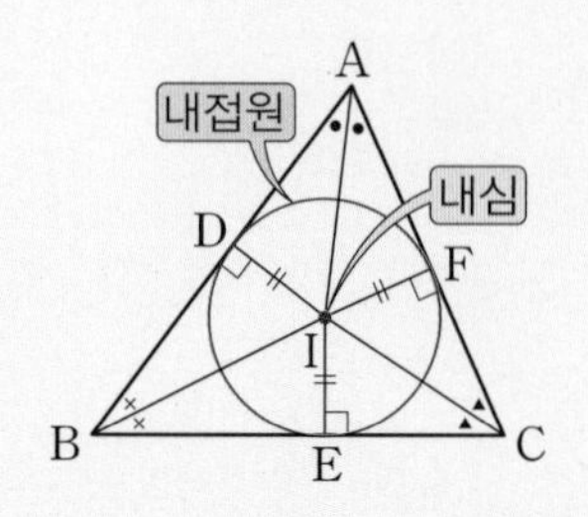

개념 원리 확인

정답과 풀이 11쪽

삼각형의 내심 이해하기

3-1 오른쪽 그림에서 점 I가 $\triangle ABC$의 내심일 때, 다음 □ 안에 알맞은 것을 써넣으시오.

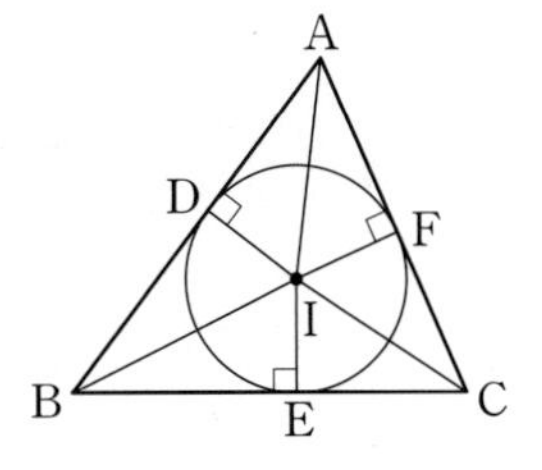

(1) $\overline{ID}=$□$=$□

(2) $\angle IAD=$□, $\angle IBD=$□, $\angle ICE=$□

(3) $\triangle IAD\equiv$□, $\triangle IBD\equiv$□, $\triangle ICE\equiv$□

3-2 오른쪽 그림에서 점 I가 $\triangle ABC$의 내심일 때, 다음 중 옳은 것에는 '○'를, 옳지 않은 것에는 '×'를 ( ) 안에 써넣으시오.

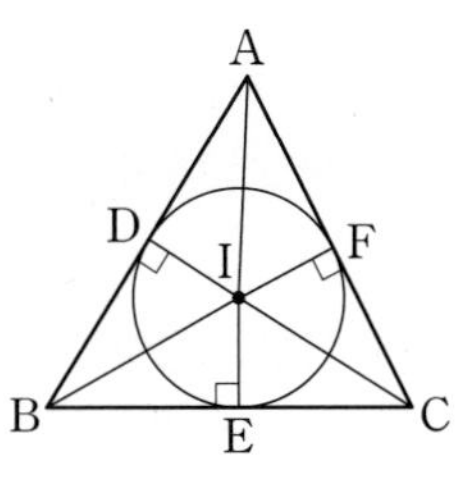

(1) $\overline{IA}=\overline{IB}=\overline{IC}$ ( )

(2) $\overline{ID}=\overline{IE}=\overline{IF}$ ( )

(3) $\angle IBD=\angle IBE$ ( )

(4) $\triangle IAD\equiv\triangle IBD$ ( )

삼각형의 내심을 이용하여 변의 길이, 각의 크기 구하기

4-1 다음 그림에서 점 I가 $\triangle ABC$의 내심일 때, x의 값을 구하시오.

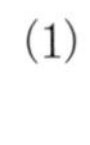

(1)

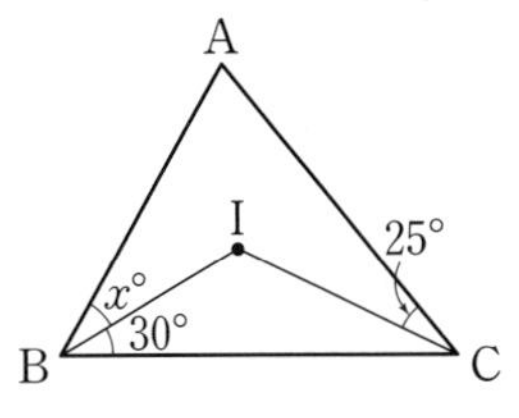

➡ 삼각형의 내심은 세 내각의 □의 교점이므로 $\angle IBA=\angle$□$=$□°

(2)

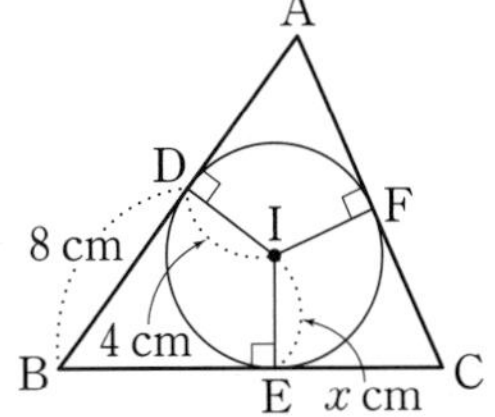

➡ 삼각형의 내심에서 세 □에 이르는 거리는 모두 같으므로 $\overline{ID}=\overline{IE}=\overline{IF}=$□cm

4-2 다음 그림에서 점 I가 $\triangle ABC$의 내심일 때, x의 값을 구하시오.

(1)

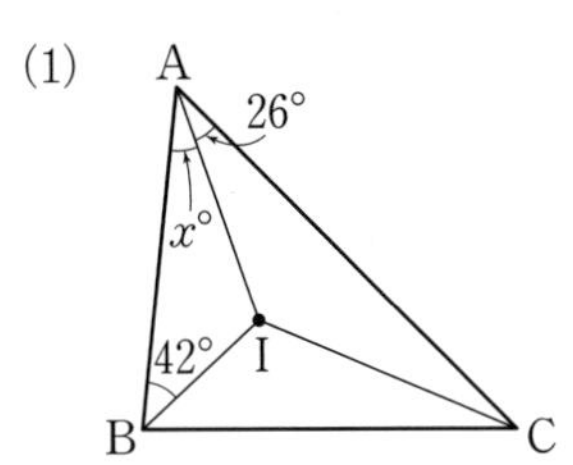

(2)

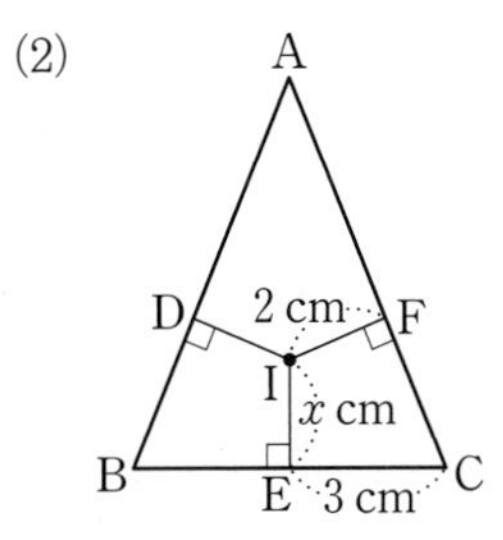

1주 5일 기초 집중 연습

○ 정답과 풀이 11쪽

개념 01 원의 접선의 성질을 알고 있는가?

(1) 접선 : 원과 한 점에서 만나는 직선
(2) 접점 : 원과 접선이 만나는 점
(3) 접선의 성질 : 원의 접선은 그 접점을 지나는 반지름에 수직이다.

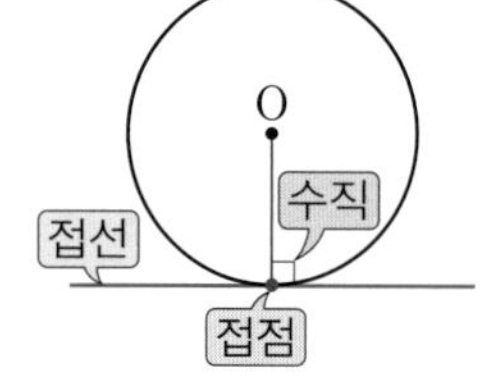

1-1

오른쪽 그림의 원 O에서 다음에 해당하는 것을 아래 보기에서 찾아 쓰시오.

(1) 접선　　(2) 접점

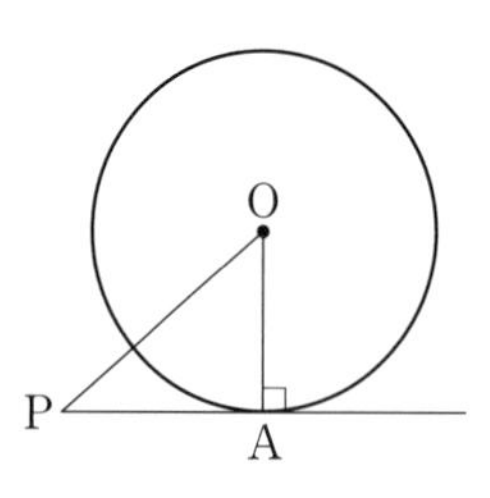

보기

$\overline{OA}$, $\overline{OP}$, $\overrightarrow{PA}$, 점 A, 점 O, 점 P

1-2

다음 그림에서 반직선 PA는 원 O의 접선이고, 점 A는 접점이다. 이때 $\angle x$의 크기를 구하시오.

(1)

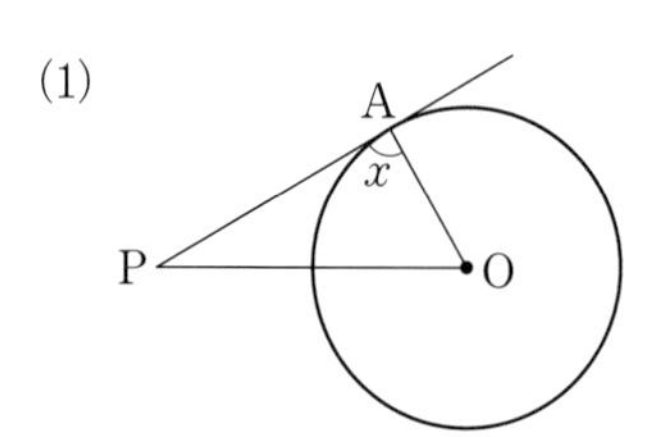

(2)

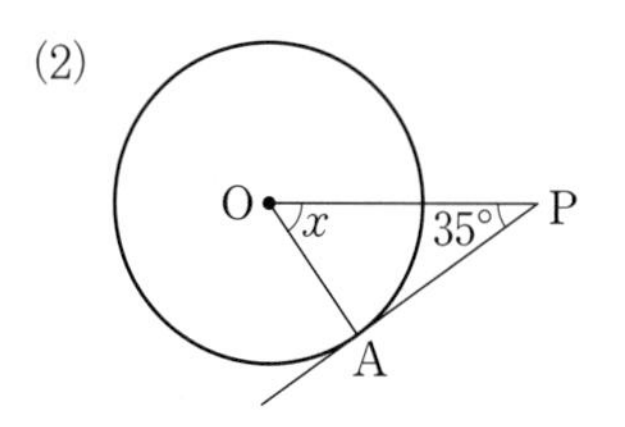

개념 02 삼각형의 내심을 이해하고 있는가?

점 I가 $\triangle ABC$의 내심일 때

(1) 내심 I는 $\triangle ABC$의 내접원의 중심이다.
(2) 내심 I는 $\triangle ABC$의 세 내각의 이등분선의 교점이다.
(3) 내심 I에서 $\triangle ABC$의 세 변에 이르는 거리는 모두 같다.
➡ $\overline{ID}=\overline{IE}=\overline{IF}$=(내접원의 반지름의 길이)
(4) $\triangle IAD \equiv \triangle IAF$, $\triangle IBD \equiv \triangle IBE$, $\triangle ICE \equiv \triangle ICF$

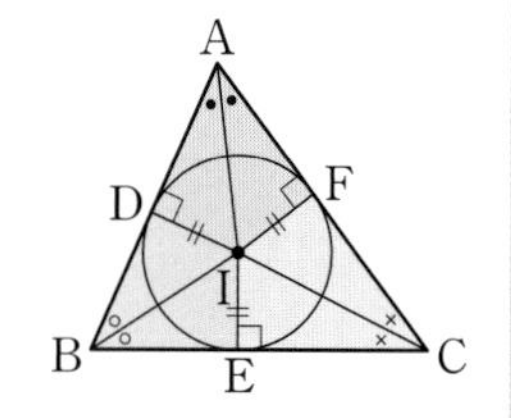

참고 모든 삼각형의 내심은 삼각형의 내부에 있다.

2-1

다음 보기에서 점 I가 $\triangle ABC$의 내심인 것을 모두 고르시오.

보기

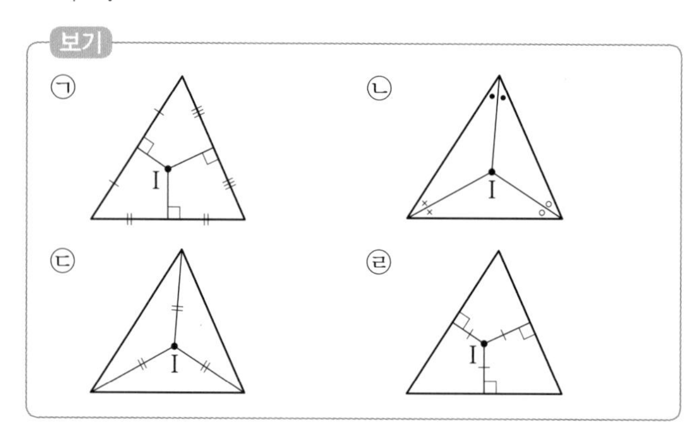

2-2

다음 그림에서 점 I가 $\triangle ABC$의 내심일 때, $\angle x$의 크기를 구하시오.

(1)　(2)

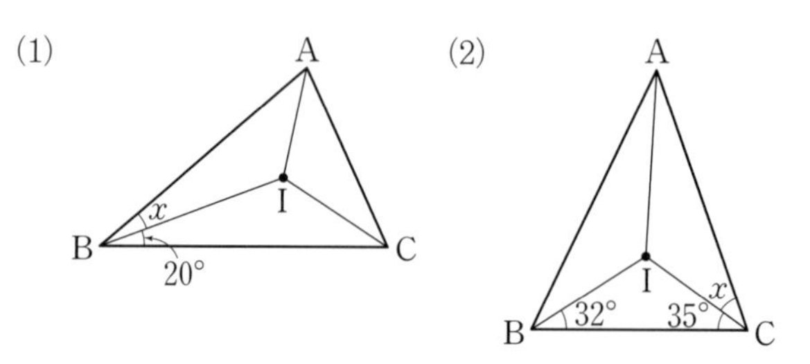

2-3

다음 그림에서 점 I가 △ABC의 내심일 때, x의 값을 구하시오.

(1)

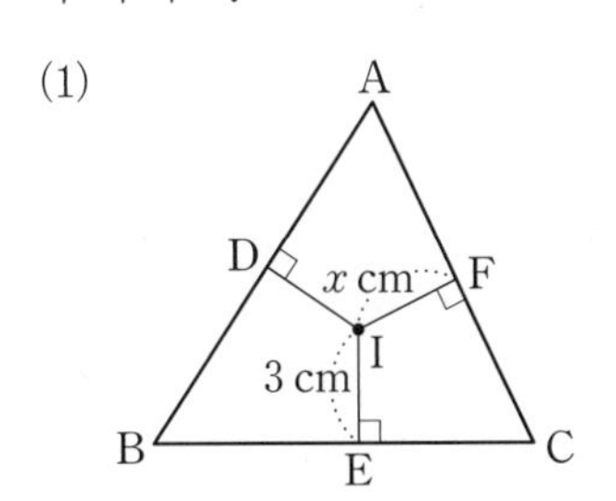

(2)

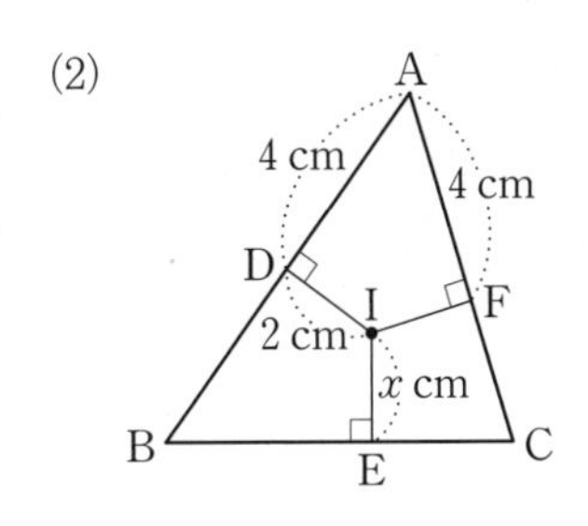

2-4

다음 만화에서 틀린 말을 한 학생을 찾으시오.

2-5

오른쪽 그림에서 점 I가 △ABC의 내심일 때, $\angle x$의 크기를 구하시오.

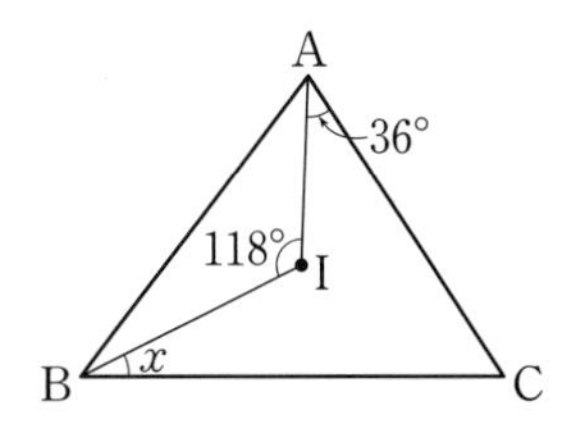

2-6

오른쪽 그림에서 점 I가 △ABC의 내심일 때, $\angle x$의 크기를 구하시오.

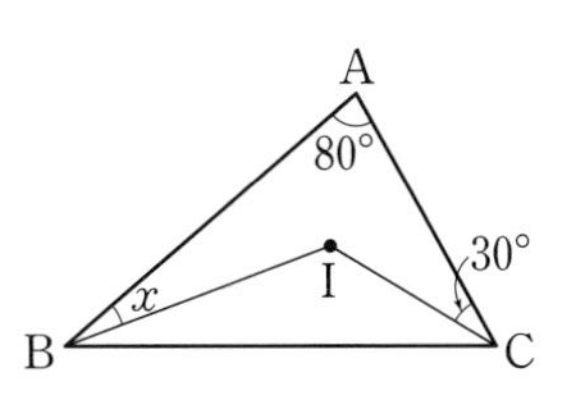

2-7

오른쪽 그림에서 점 I가 △ABC의 내심일 때, x의 값을 구하시오.

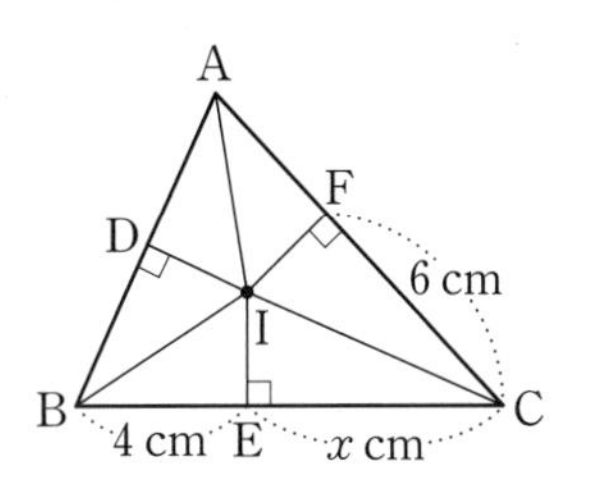

누구나 100점 테스트

01 다음 그림에서 △ABC가 이등변삼각형일 때, $\angle x$의 크기를 구하시오.

(1)

(2)

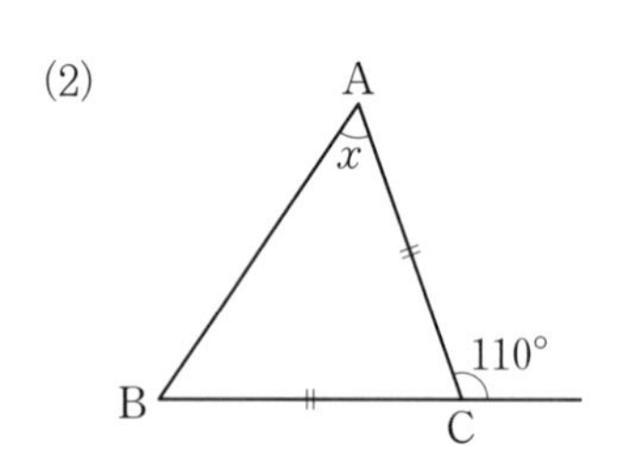

02 오른쪽 그림과 같이 $\overline{AB}=\overline{AC}$인 △ABC에서 ∠A의 이등분선과 $\overline{BC}$의 교점을 D라고 할 때, 다음 중 옳지 않은 것은?

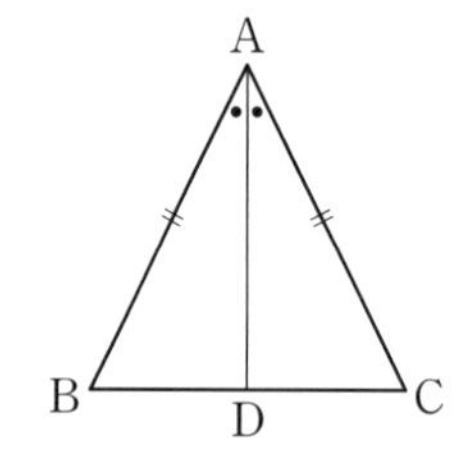

① $\angle B=\angle C$

② $\overline{AB}=\overline{BC}$

③ $\overline{AD}\perp\overline{BC}$

④ $\overline{BD}=\overline{CD}$

⑤ $\triangle ABD\equiv\triangle ACD$

03 다음 두 사람의 대화를 읽고, 물음에 답하시오.

(1) ∠A의 크기를 구하시오.

(2) △ABC는 어떤 삼각형인지 말하시오.

(3) 강의 폭 $\overline{AB}$의 길이를 구하시오.

04 다음 중 오른쪽 보기의 직각삼각형과 합동인 직각삼각형은?

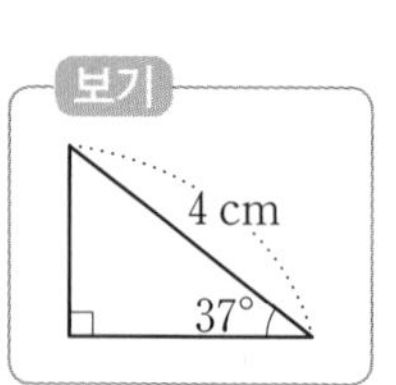

①
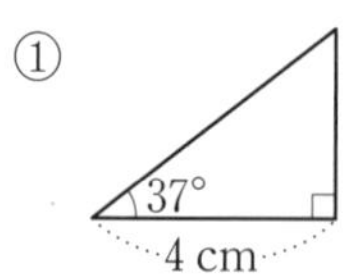

②
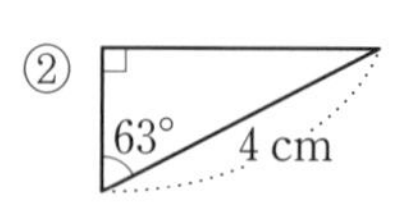

③
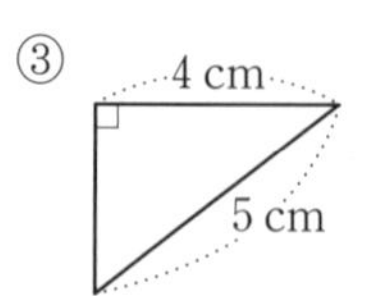

④
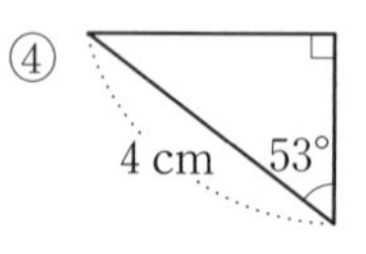

⑤
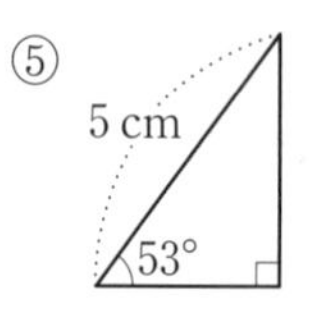

05 다음 그림에서 x의 값을 구하시오.

(1)

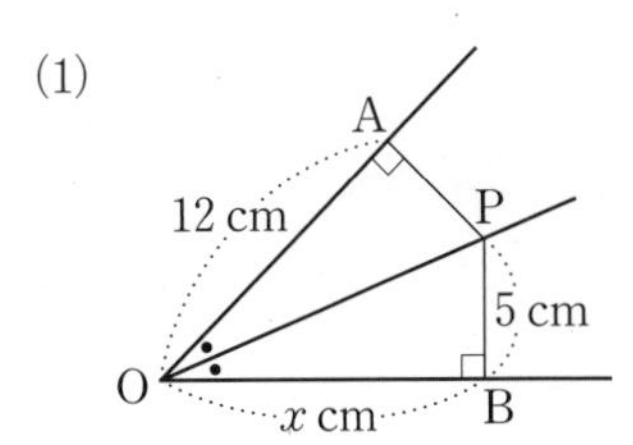

(2)

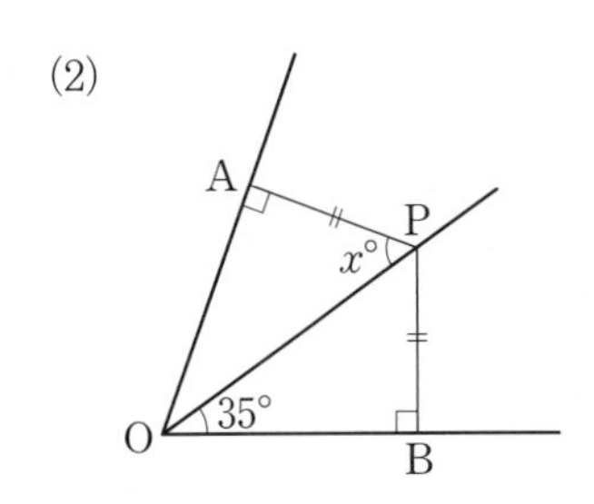

06 오른쪽 그림에서 점 O가 △ABC의 외심일 때, 다음 중 옳은 것은?

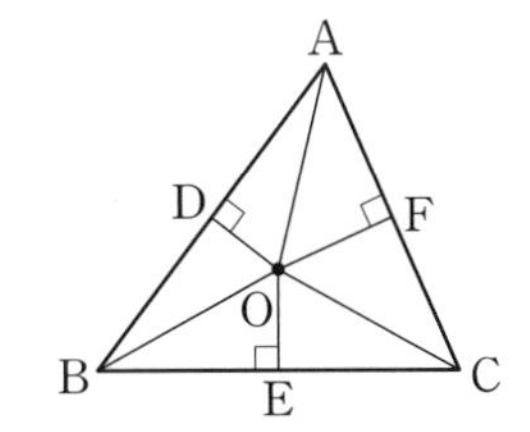

① $\overline{AD}=\overline{AF}$
② $\overline{OD}=\overline{OE}$
③ $\angle OBA=\angle OBC$
④ $\triangle OCE\equiv\triangle OCF$
⑤ $\overline{OA}=\overline{OB}=\overline{OC}$

07 오른쪽 그림에서 점 O는 직각삼각형 ABC의 외심이다. $\overline{BC}=6$ cm, $\angle C=30°$일 때, 다음 물음에 답하시오.

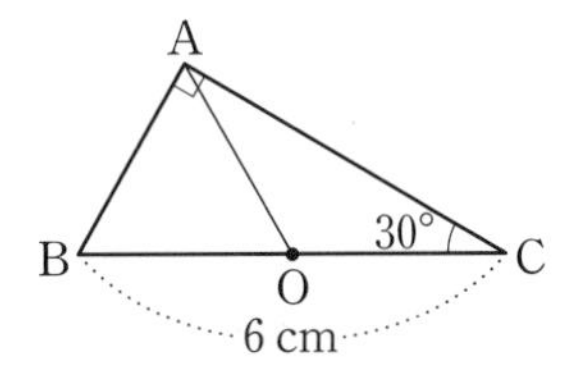

(1) △ABO가 어떤 삼각형인지 말하시오.

(2) △ABO의 둘레의 길이를 구하시오.

08 오른쪽 그림에서 점 O가 △ABC의 외심일 때, $\angle x$의 크기를 구하시오.

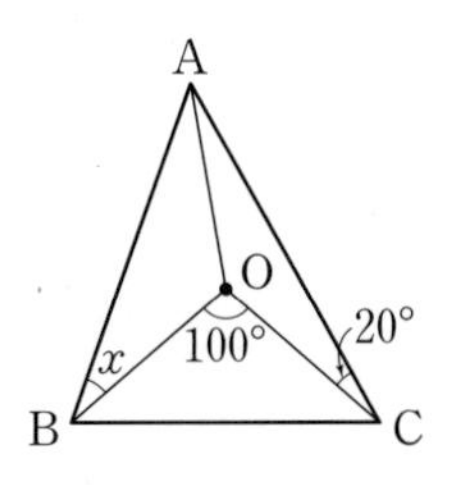

09 오른쪽 그림에서 점 I가 △ABC의 내심일 때, x, y의 값을 각각 구하시오.

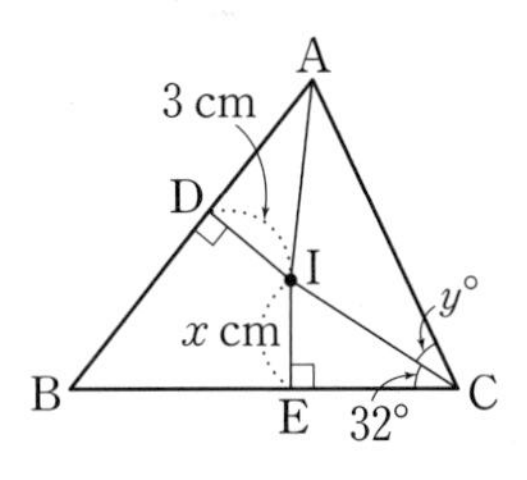

10 오른쪽 그림에서 점 I가 △ABC의 내심일 때, 다음 중 옳지 않은 것은?

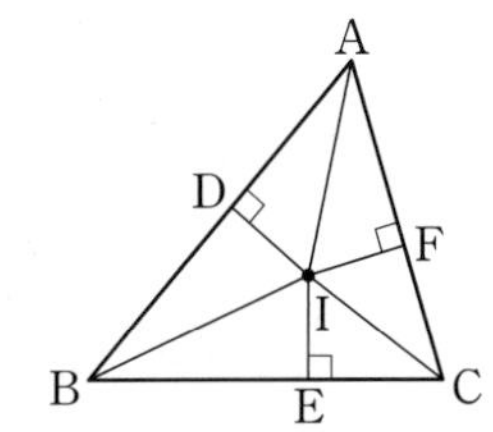

① $\overline{AD}=\overline{AF}$
② $\angle IBA=\angle IBC$
③ $\triangle IAD\equiv\triangle IAF$
④ $\overline{IA}=\overline{IB}=\overline{IC}$
⑤ $\overline{ID}=\overline{IE}=\overline{IF}$

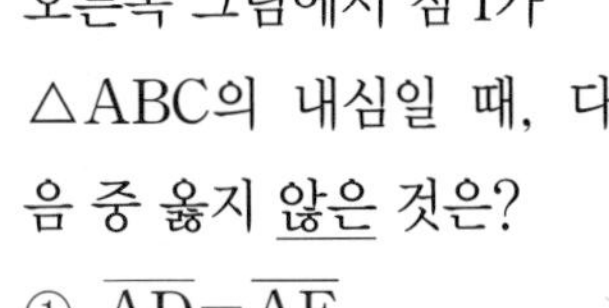

특강 | 창의, 융합, 코딩

1 다음 ☐ 안에 알맞은 것을 써넣으시오.

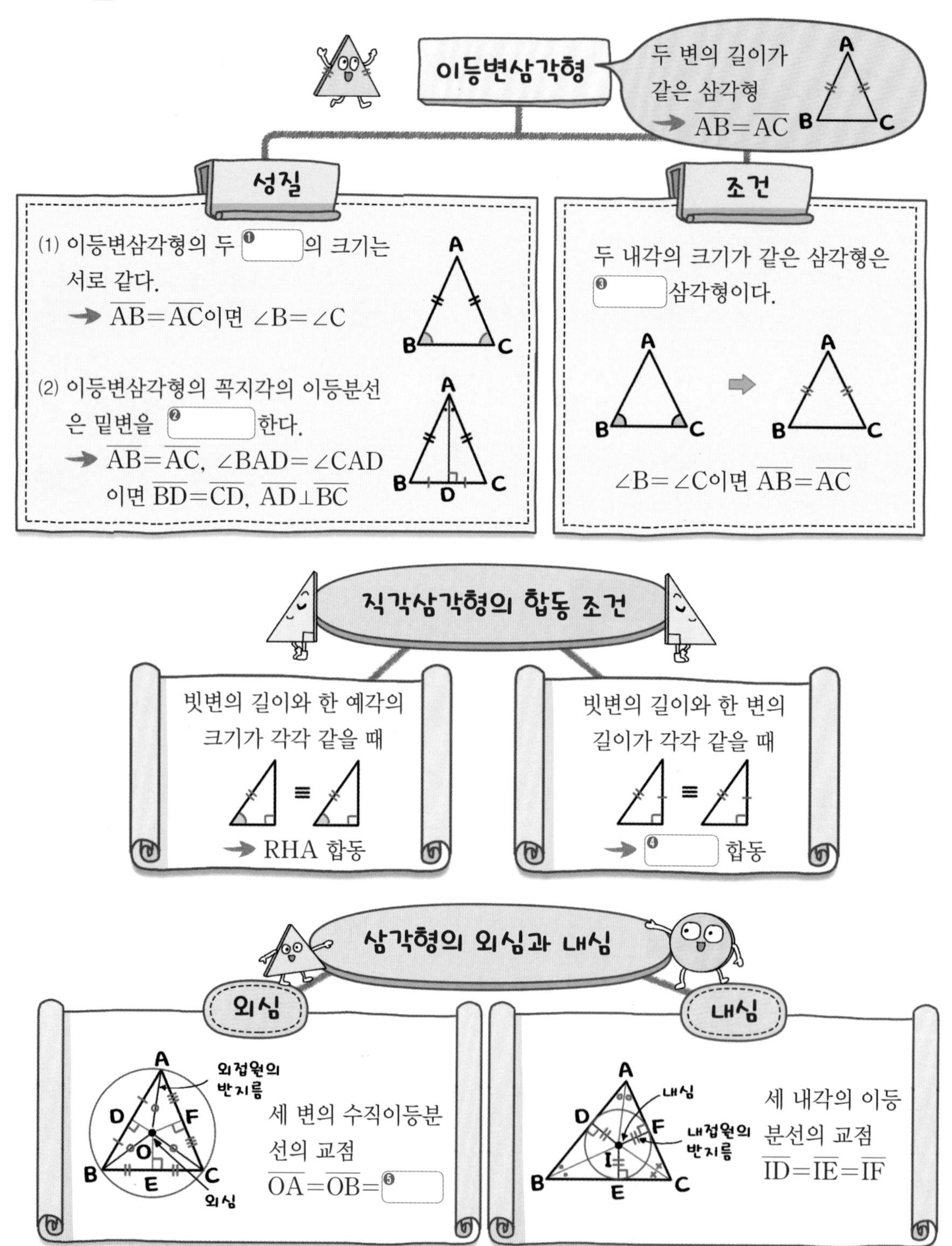

○ 정답과 풀이 13쪽

2 주현이는 수학 동아리 활동 중 소풍을 가서 보물찾기 놀이를 했다. 아래 단서들을 이용하면 지도에서 보물이 있는 지점의 좌표를 알 수 있다고 할 때, 물음에 답하시오.

(1) 다음 단서 1에서 $a-b$의 값을 구하시오.

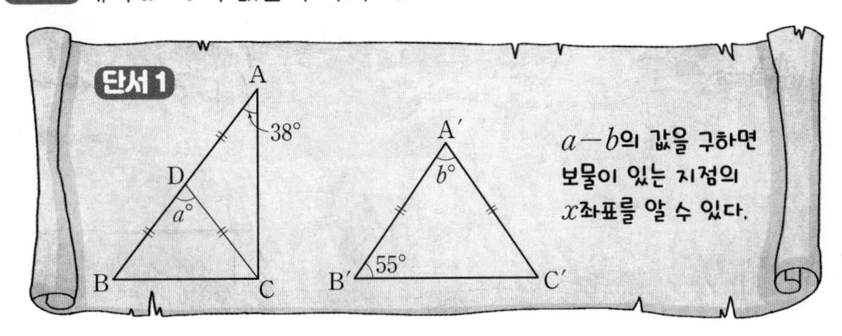

(2) 다음 단서 2에서 $\frac{d}{c}$의 값을 구하시오.

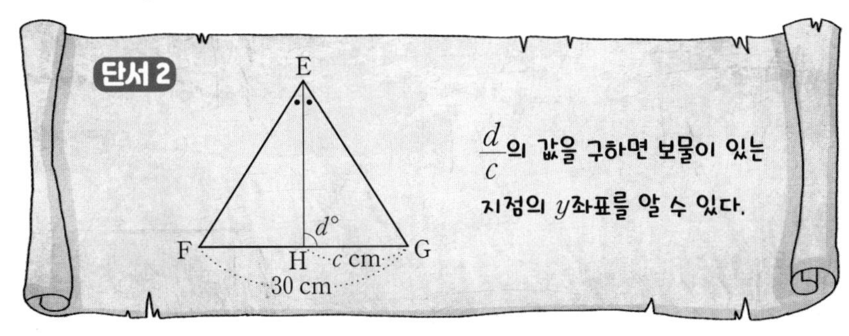

(3) 보물이 있는 지점의 좌표를 쓰고, 보물이 있는 지점을 지도 위에 나타내시오.

3 **다음과 같은 5장의 조건 카드와 4장의 삼각형의 합동 조건 카드를 보고, 물음에 답하시오.**

아래 그림과 같은 두 직각삼각형 ABC와 DEF가 합동이 되도록 하는 조건 카드와 이때 사용된 합동 조건 카드를 바르게 짝 지으시오.

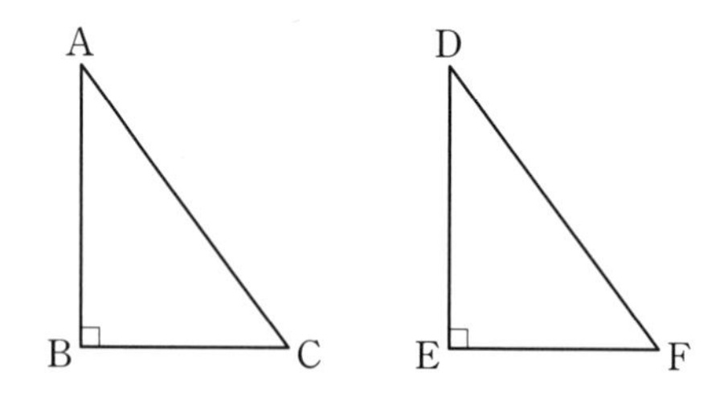

○ 정답과 풀이 13쪽

4 삼각형 모양의 종이를 이용하여 다음 순서로 활동하고, 물음에 답하시오.

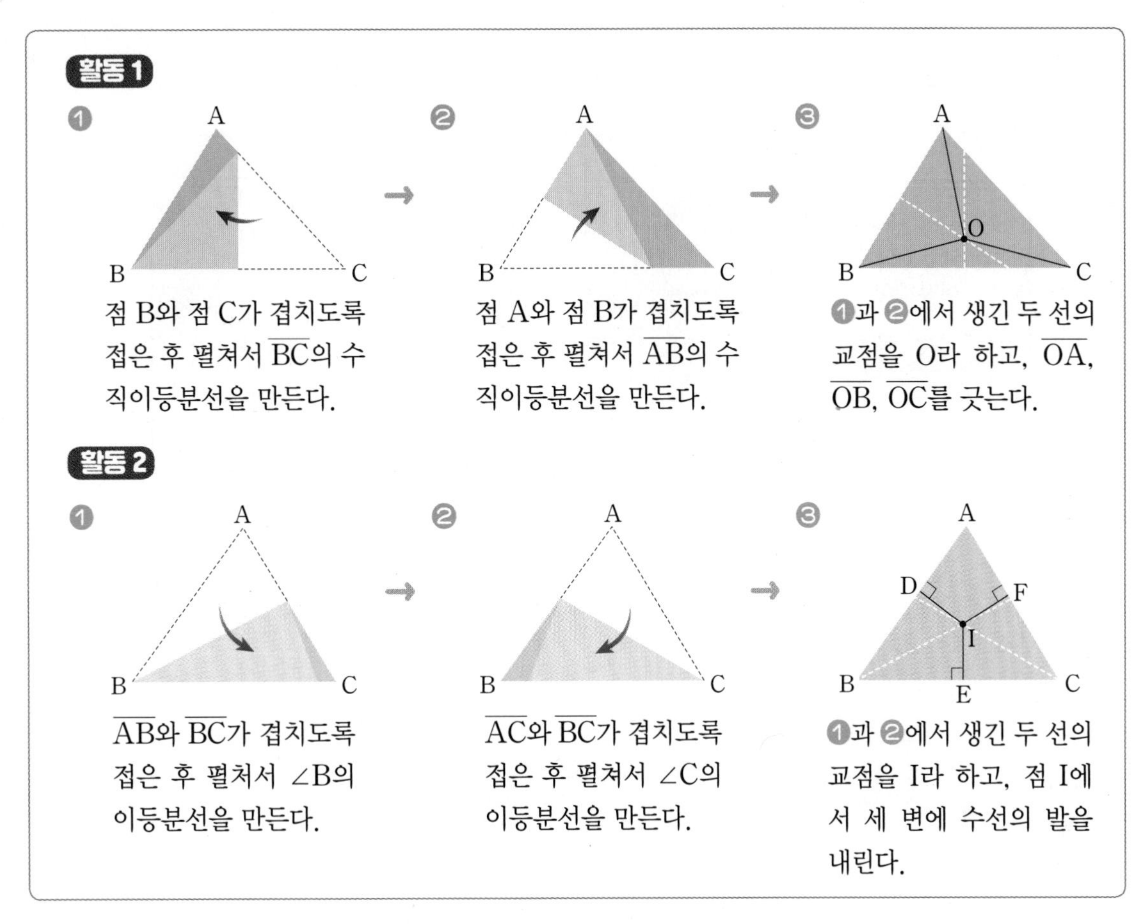

(1) 활동 1과 활동 2 중 외심을 찾는 방법을 고르고, 아래 보기에서 삼각형의 외심의 성질로 옳은 것을 모두 고르시오.

(2) 활동 1과 활동 2 중 내심을 찾는 방법을 고르고, 아래 보기에서 삼각형의 내심의 성질로 옳은 것을 모두 고르시오.

보기

㉠ $\overline{OA}=\overline{OB}=\overline{OC}$	㉡ $\overline{ID}=\overline{IE}=\overline{IF}$	㉢ $\overline{IB}=\overline{IC}$
㉣ $\angle OAB=\angle OBA$	㉤ $\angle IBA=\angle IBC$	㉥ $\angle OAB=\angle OAC$
㉦ $\angle IBC=\angle ICB$	㉧ $\angle OAB+\angle OBC+\angle OCA=90°$	

5 다음은 7세기 경 신라 시대 유물로 알려진 얼굴무늬 수막새를 원래 모양으로 복원을 하기 위하여 나누는 대화이다. 얼굴무늬 수막새의 원래 모양이 원일 때, 물음에 답하시오.

(1) 위의 대화 중 (가)에 알맞은 것을 써넣으시오.

(2) 다음 보기 에서 삼각형의 (가)를 찾는 방법을 고르시오.

보기
ㄱ 세 꼭짓점에서 대변의 중점을 이은 선분의 교점을 찾는다.
ㄴ 세 내각의 이등분선의 교점을 찾는다.
ㄷ 세 변의 수직이등분선의 교점을 찾는다.

6 다음 대화를 읽고, 물음에 답하시오.

세 도로에서 같은 거리에 있는 지점에 광고판을 세우려고 한다. 다음 중 세 도로로 만들어진 삼각형에서 광고판의 위치를 찾는 방법으로 적당한 것은? (단, 도로는 직선으로 생각한다.)

① 세 꼭짓점에서 대변에 내린 수선의 교점

② 세 변의 수직이등분선의 교점

③ 세 꼭짓점에서 대변의 중점을 이은 선분의 교점

④ 세 내각의 이등분선의 교점

⑤ 한 내각의 이등분선과 그와 이웃하지 않는 두 외각의 이등분선의 교점

2주 2주에는 무엇을 공부할까? ①

• 이번 주에 공부할 내용

삼각형의 내심의 활용 / 평행사변형의 성질 / 평행사변형이 되는 조건 / 여러 가지 사각형의 성질

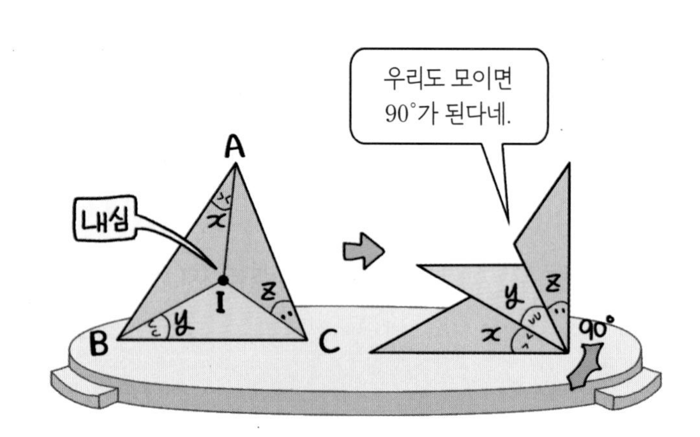

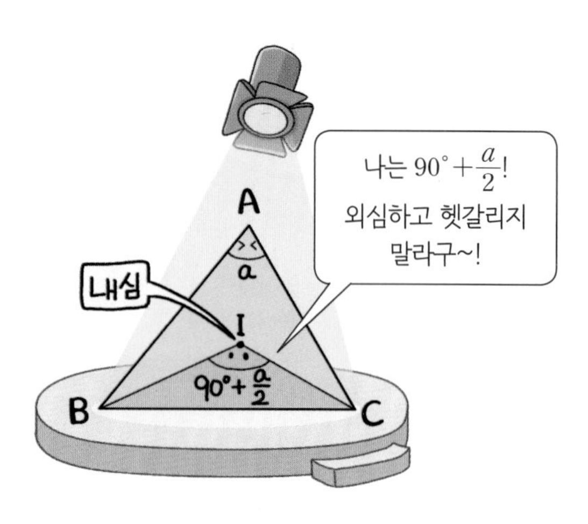

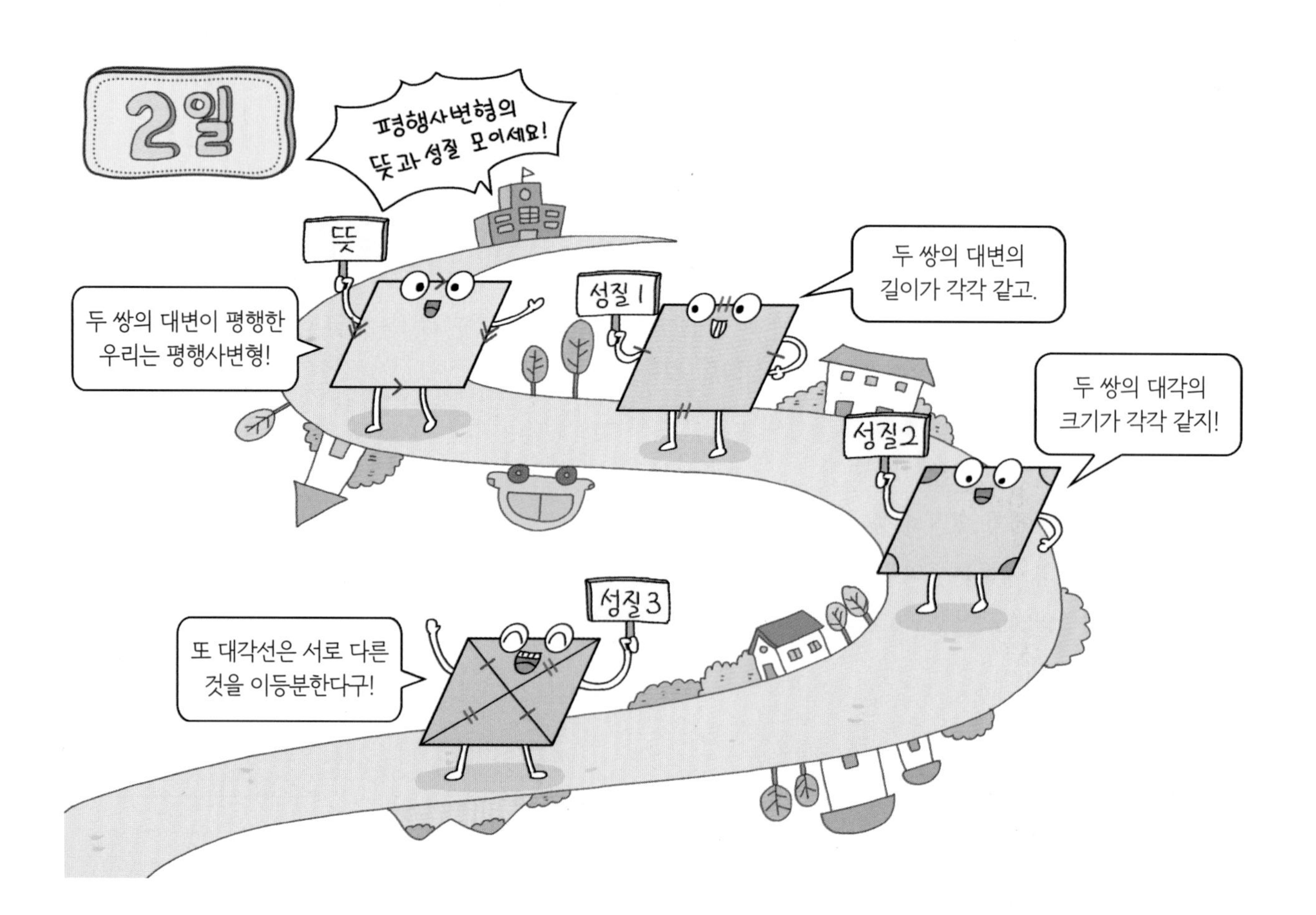

3일

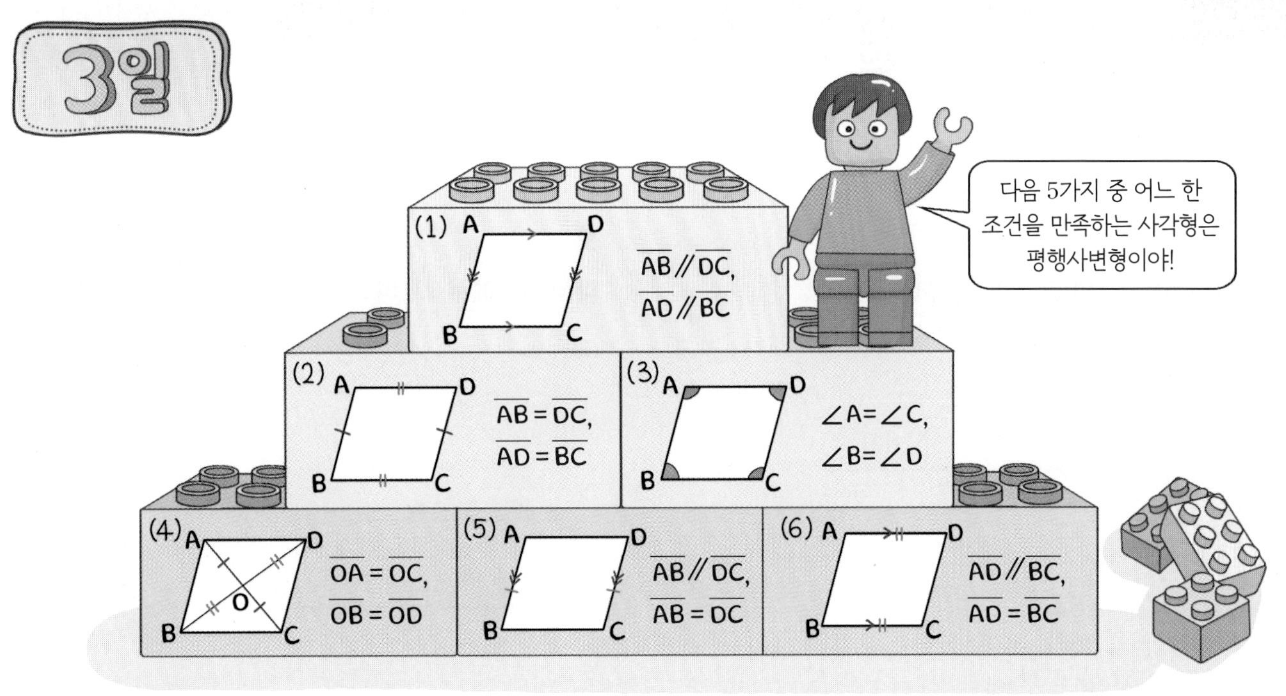
다음 5가지 중 어느 한 조건을 만족하는 사각형은 평행사변형이야!
(1) $\overline{AB} /\!/ \overline{DC}$, $\overline{AD} /\!/ \overline{BC}$
(2) $\overline{AB} = \overline{DC}$, $\overline{AD} = \overline{BC}$
(3) $\angle A = \angle C$, $\angle B = \angle D$
(4) $\overline{OA} = \overline{OC}$, $\overline{OB} = \overline{OD}$
(5) $\overline{AB} /\!/ \overline{DC}$, $\overline{AB} = \overline{DC}$
(6) $\overline{AD} /\!/ \overline{BC}$, $\overline{AD} = \overline{BC}$

4일

5일

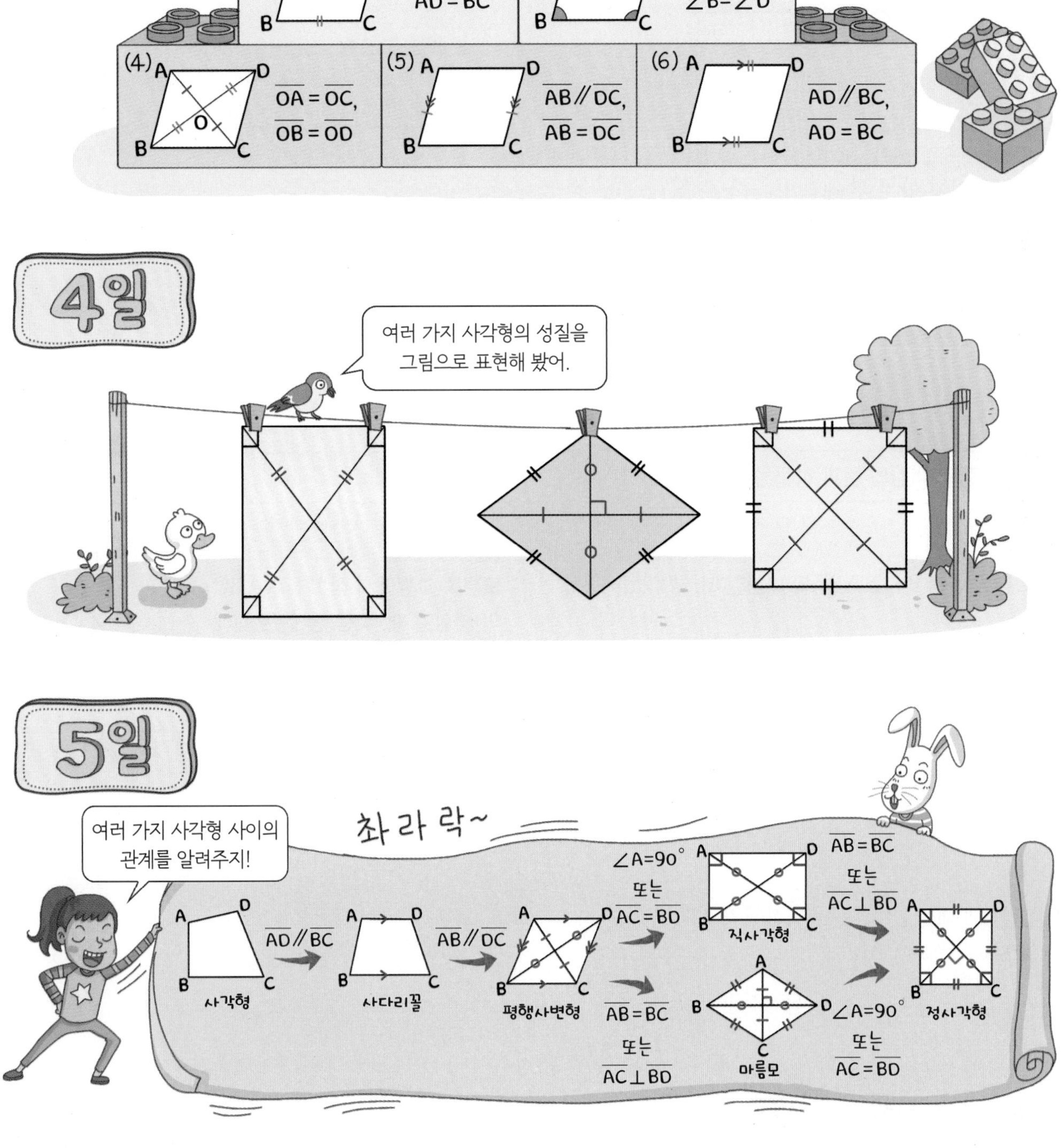
여러 가지 사각형의 성질을 그림으로 표현해 봤어.
여러 가지 사각형 사이의 관계를 알려주지!
촤라락~
사각형
$\overline{AD} /\!/ \overline{BC}$
사다리꼴
$\overline{AB} /\!/ \overline{DC}$
평행사변형
$\angle A = 90°$ 또는 $\overline{AC} = \overline{BD}$
직사각형
$\overline{AB} = \overline{BC}$ 또는 $\overline{AC} \perp \overline{BD}$
$\overline{AB} = \overline{BC}$ 또는 $\overline{AC} \perp \overline{BD}$
마름모
$\angle A = 90°$ 또는 $\overline{AC} = \overline{BD}$
정사각형

이전 학년 내용

2주에는 무엇을 공부할까? ❷

삼각형의 외각의 성질을 알고 있는가?

1-1

다음 그림에서 $\angle x$의 크기를 구하시오.

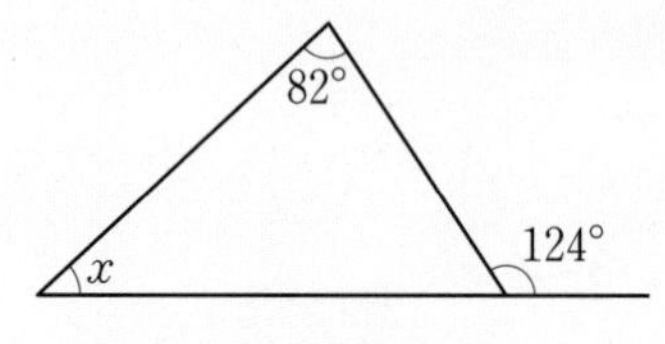

➡ $\angle x+82^\circ=124^\circ$ $\quad\therefore \angle x=$ □

삼각형의 외각의 성질
삼각형의 한 외각의 크기는 그와 이웃하지 않는 두 내각의 크기의 합과 같다.
➡ $\angle ACD=\angle A+\angle B$

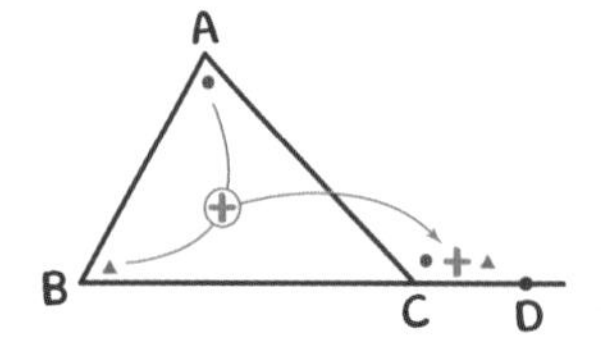

1-2

다음 그림에서 $\angle x$의 크기를 구하시오.

(1)

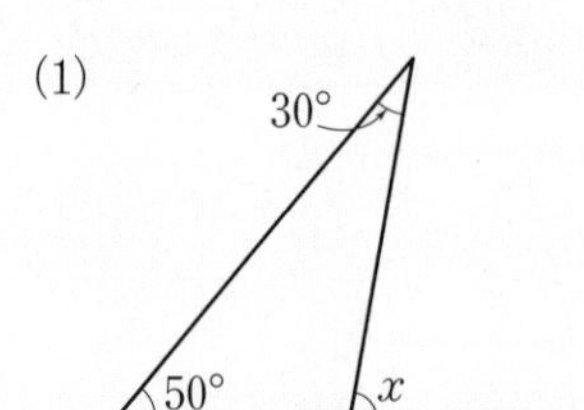

(2)

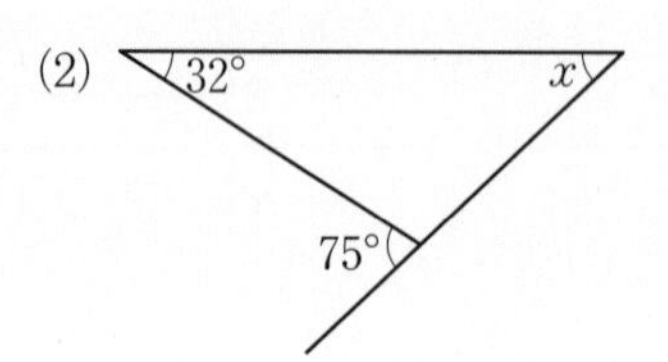

삼각형의 내심의 뜻과 성질을 알고 있는가?

2-1

다음 그림에서 점 I가 △ABC의 내심일 때, x의 값을 구하시오.

(1)

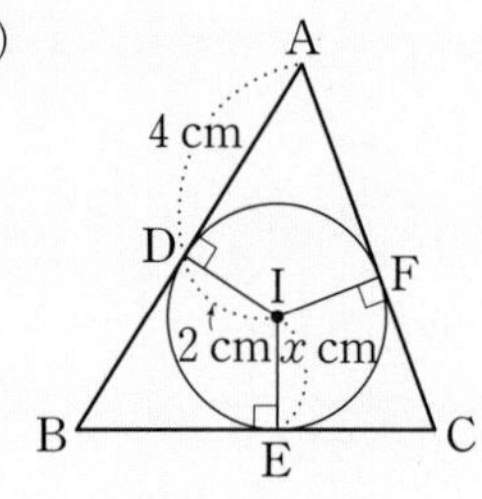

(2)

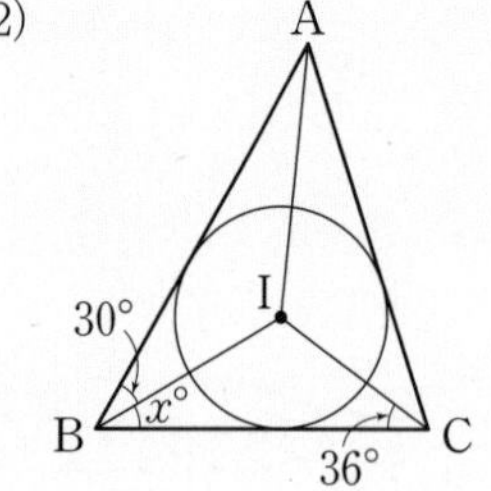

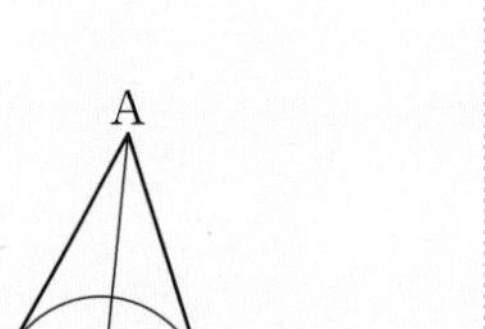

- 삼각형의 내심 : 삼각형의 내접원의 중심
- 삼각형의 내심의 성질
  (1) 삼각형의 세 내각의 이등분선은 한 점(내심)에서 만난다.
  (2) 내심에서 삼각형의 세 변에 이르는 거리는 모두 같다.

2-2

오른쪽 그림에서 점 I가 △ABC의 내심일 때, 다음 중 옳은 것에는 '○'를, 옳지 않은 것에는 '×'를 ( ) 안에 써넣으시오.

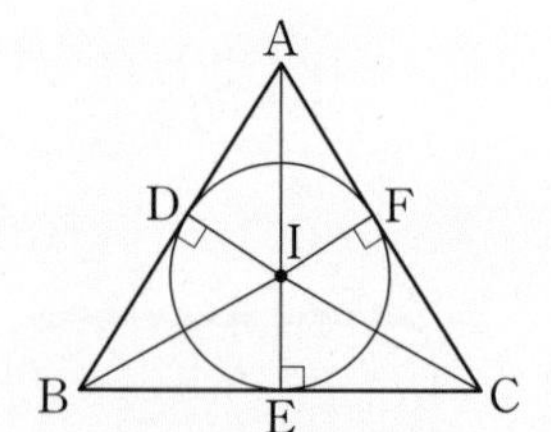

(1) $\overline{ID}=\overline{IE}=\overline{IF}$ ( )

(2) $\overline{IA}=\overline{IB}=\overline{IC}$ ( )

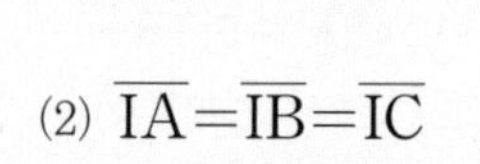

(3) $\angle FCI=\angle ECI$ ( )

(4) $\angle IAD=\angle IBD$ ( )

사각형을 모양에 따라 분류할 수 있는가?

3-1

다음 사각형의 이름을 말하시오.

(1)

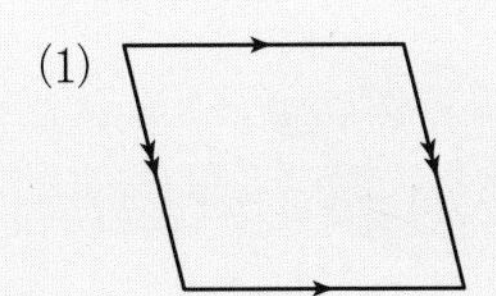

(2)

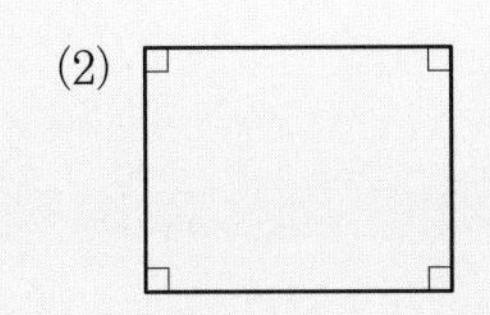

- 사다리꼴 : 한 쌍의 마주 보는 변이 서로 평행한 사각형
- 평행사변형 : 두 쌍의 마주 보는 변이 서로 평행한 사각형
- 마름모 : 네 변의 길이가 모두 같은 사각형
- 직사각형 : 네 각이 모두 직각인 사각형
- 정사각형 : 네 변의 길이가 모두 같고, 네 각이 모두 직각인 사각형

3-2

다음 그림은 한 칸의 가로와 세로의 길이가 1인 모눈종이 위에 사각형을 그린 것이다. 사각형의 이름을 각각 말하시오.

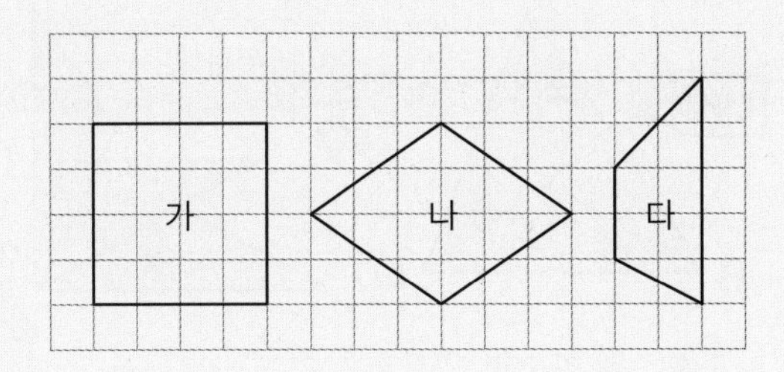

평행선의 성질과 두 직선이 평행할 조건을 알고 있는가?

4-1

다음 그림에서 $l /\!/ m$일 때, $\angle x$의 크기를 구하시오.

(1)

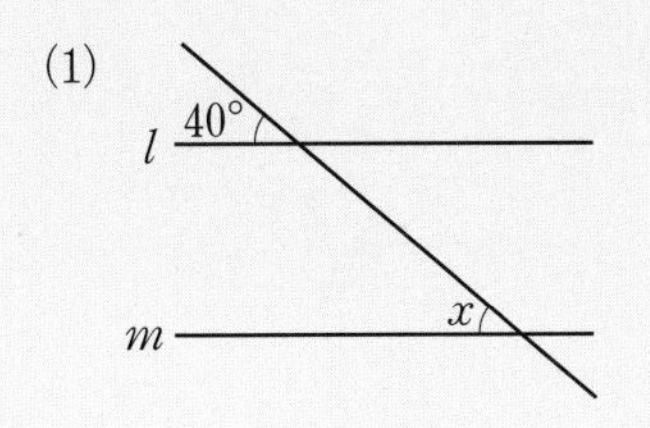

(2)

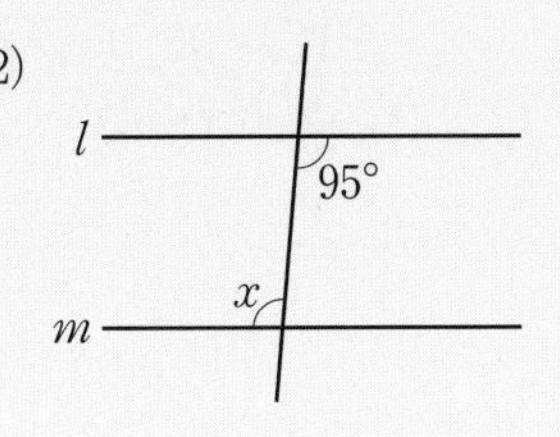

서로 다른 두 직선 l, m과 다른 한 직선 n이 만날 때

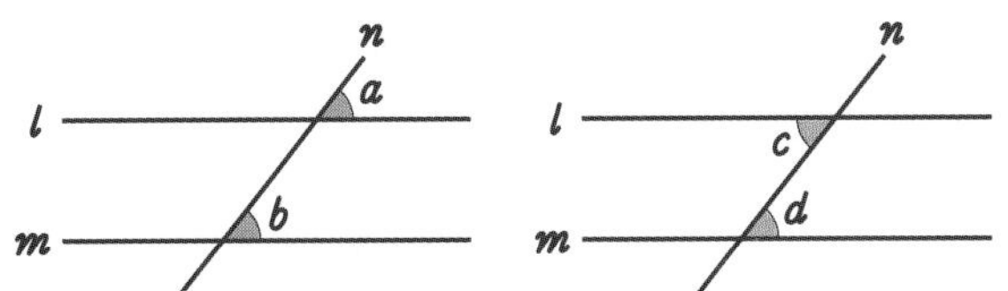

(1) 평행선의 성질 : 두 직선 l, m이 평행하면 동위각의 크기는 서로 같고, 엇각의 크기도 서로 같다.
➡ $l /\!/ m$이면 $\angle a = \angle b$, $\angle c = \angle d$

(2) 두 직선이 평행할 조건 : 동위각의 크기가 서로 같거나 엇각의 크기가 서로 같으면 두 직선 l, m은 평행하다. ➡ $\angle a = \angle b$ 또는 $\angle c = \angle d$이면 $l /\!/ m$

4-2

다음 그림에서 두 직선 l, m이 평행하면 '○'를, 평행하지 않으면 '×'를 (   ) 안에 써넣으시오.

(1)

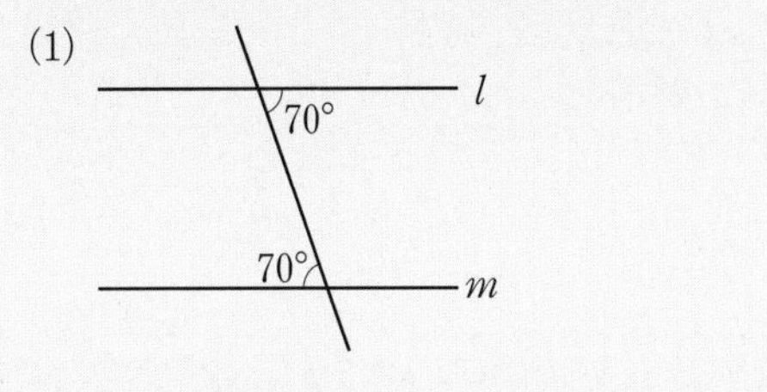

(   )

(2)

(   )

1. 삼각형의 내심의 성질을 이용하여 각의 크기 구하기

삼각형의 내심의 성질을 이용하여 각의 크기 구하기 (1)

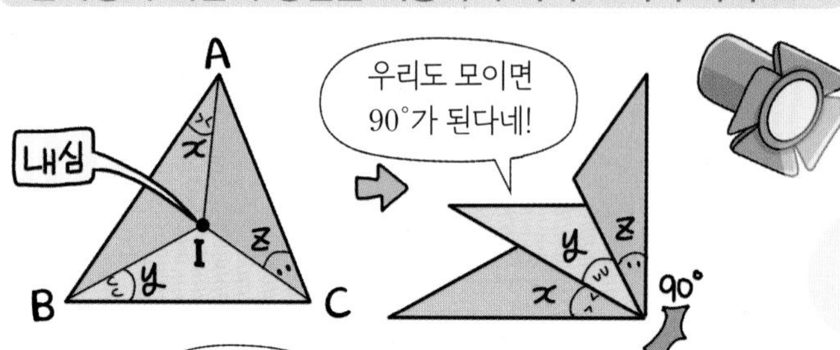

점 I가 $\triangle ABC$의 내심일 때,

$\angle x+\angle y+\angle z=90^\circ$

왜 그럴까?

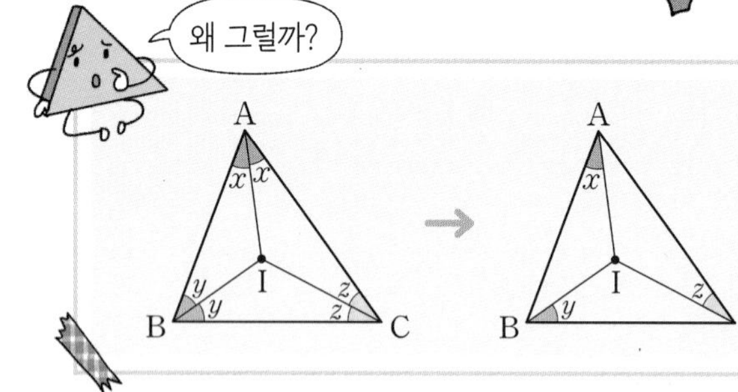

삼각형의 세 내각의 크기의 합은 180°이므로

$2\angle x+2\angle y+2\angle z=180^\circ$

$\therefore \angle x+\angle y+\angle z=90^\circ$

삼각형의 내심의 성질을 이용하여 각의 크기 구하기 (2)

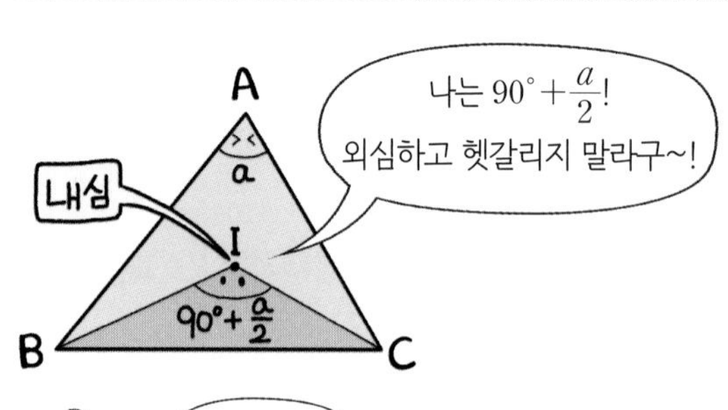

점 I가 $\triangle ABC$의 내심일 때,

$\angle BIC=90^\circ+\frac{1}{2}\angle A$

왜 그럴까?

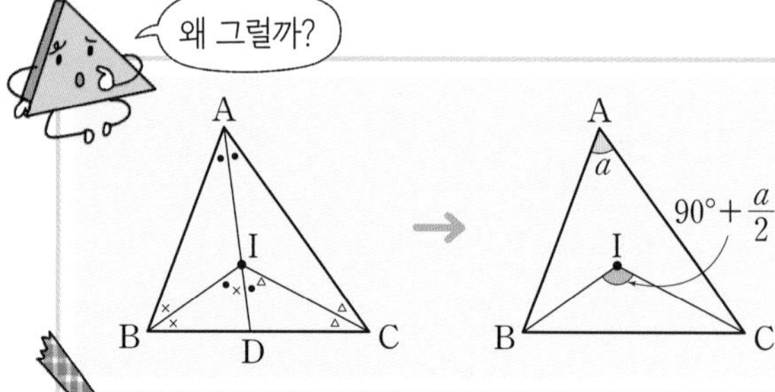

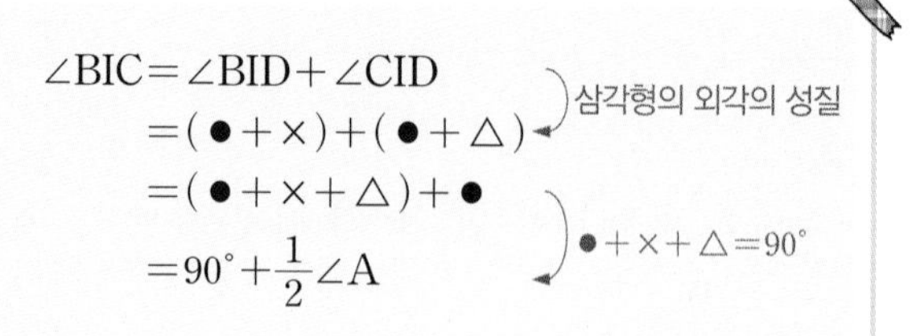

$\angle BIC=\angle BID+\angle CID$

$=(\bullet+\times)+(\bullet+\triangle)$ ← 삼각형의 외각의 성질

$=(\bullet+\times+\triangle)+\bullet$

$=90^\circ+\frac{1}{2}\angle A$ ← $\bullet+\times+\triangle=90^\circ$

회색 글씨를 따라 쓰면서 개념을 정리해 보세요.

점 I가 삼각형 ABC의 내심일 때

(1)

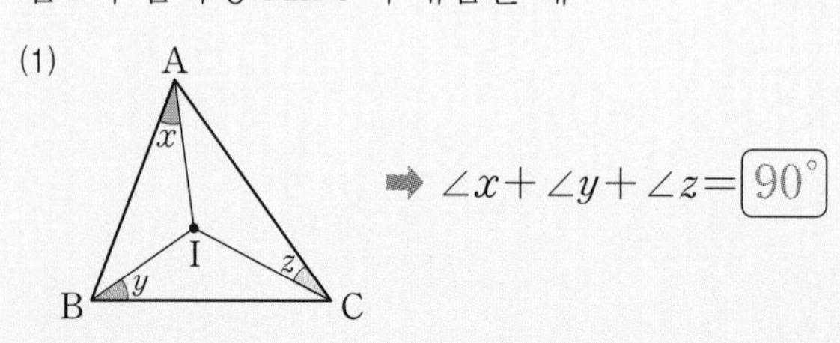

➡ $\angle x+\angle y+\angle z=$ 90°

(2)

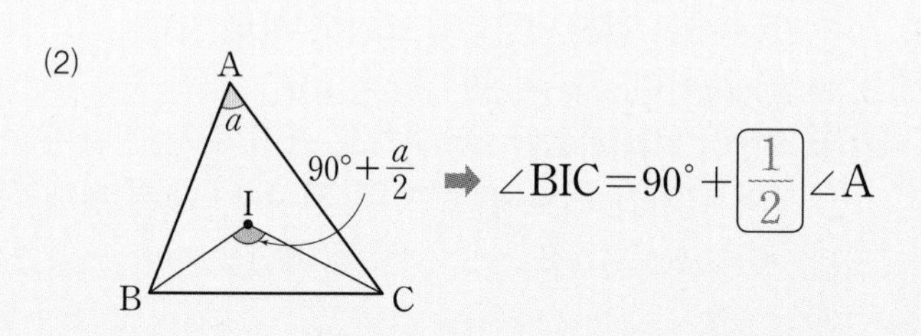

➡ $\angle BIC=90^\circ+\frac{1}{2}\angle A$

개념 원리 확인

○ 정답과 풀이 15쪽

삼각형의 내심의 성질을 이용하여 각의 크기 구하기 (1)

1-1 다음 그림에서 점 I가 $\triangle ABC$의 내심일 때, $\angle x$의 크기를 구하시오.

(1)

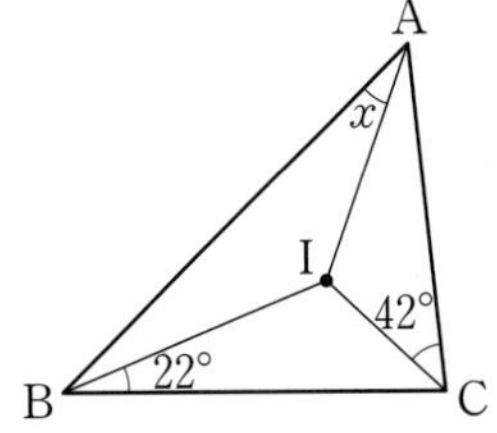

(2)

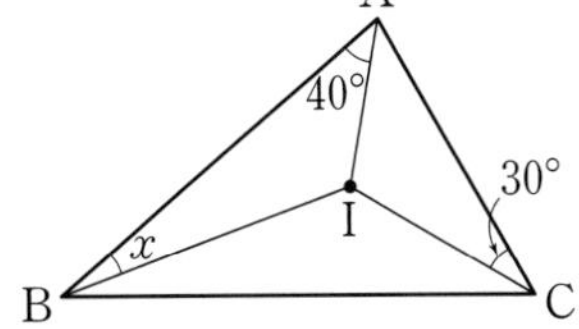

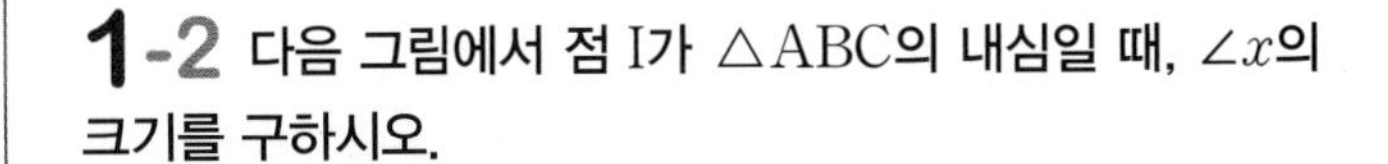

1-2 다음 그림에서 점 I가 $\triangle ABC$의 내심일 때, $\angle x$의 크기를 구하시오.

(1)

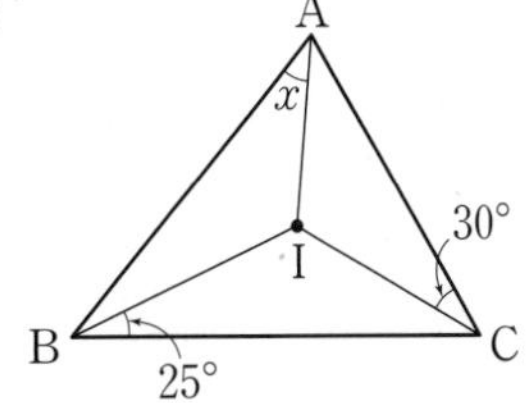

(2)

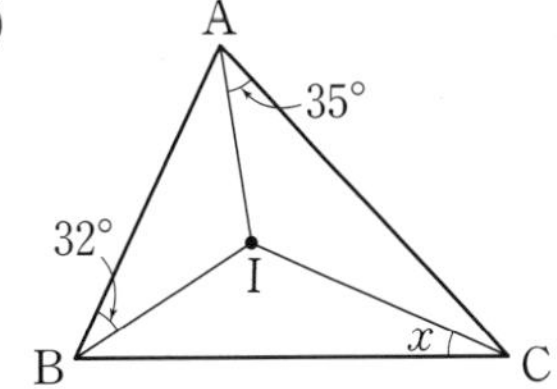

삼각형의 내심의 성질을 이용하여 각의 크기 구하기 (2)

2-1 다음 그림에서 점 I가 $\triangle ABC$의 내심일 때, $\angle x$의 크기를 구하시오.

(1)

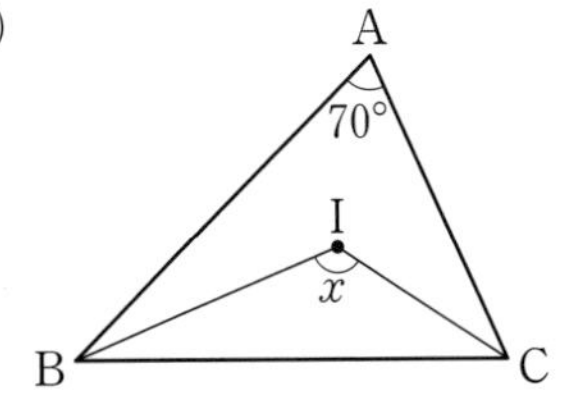

(2)

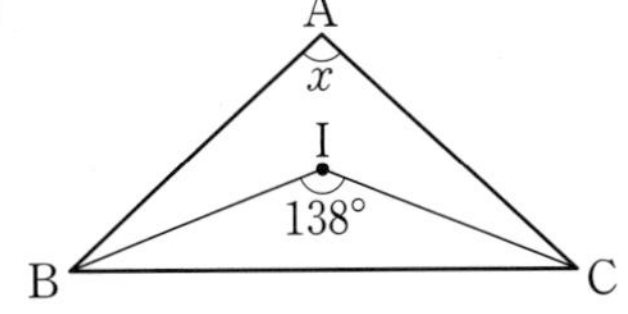

2-2 다음 그림에서 점 I가 $\triangle ABC$의 내심일 때, $\angle x$의 크기를 구하시오.

(1)

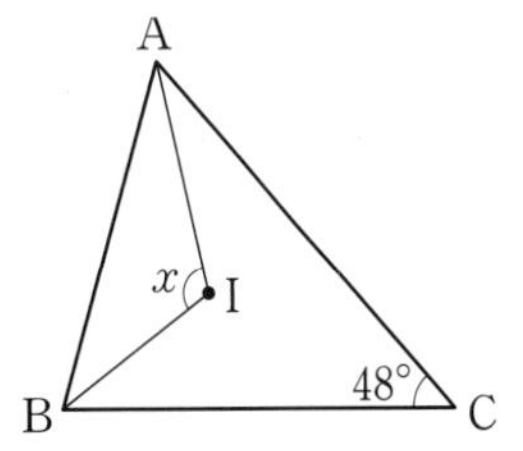

(2)

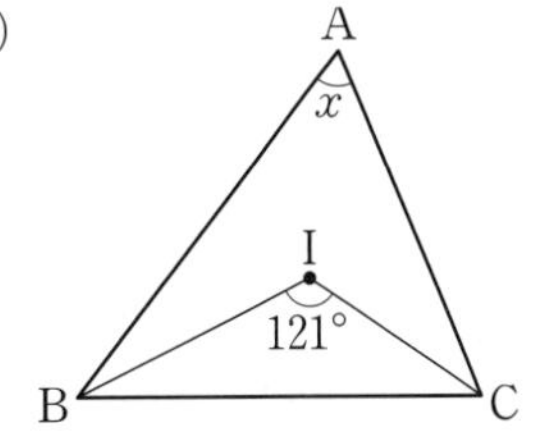

삼각형의 내접원을 이용한 선분의 길이

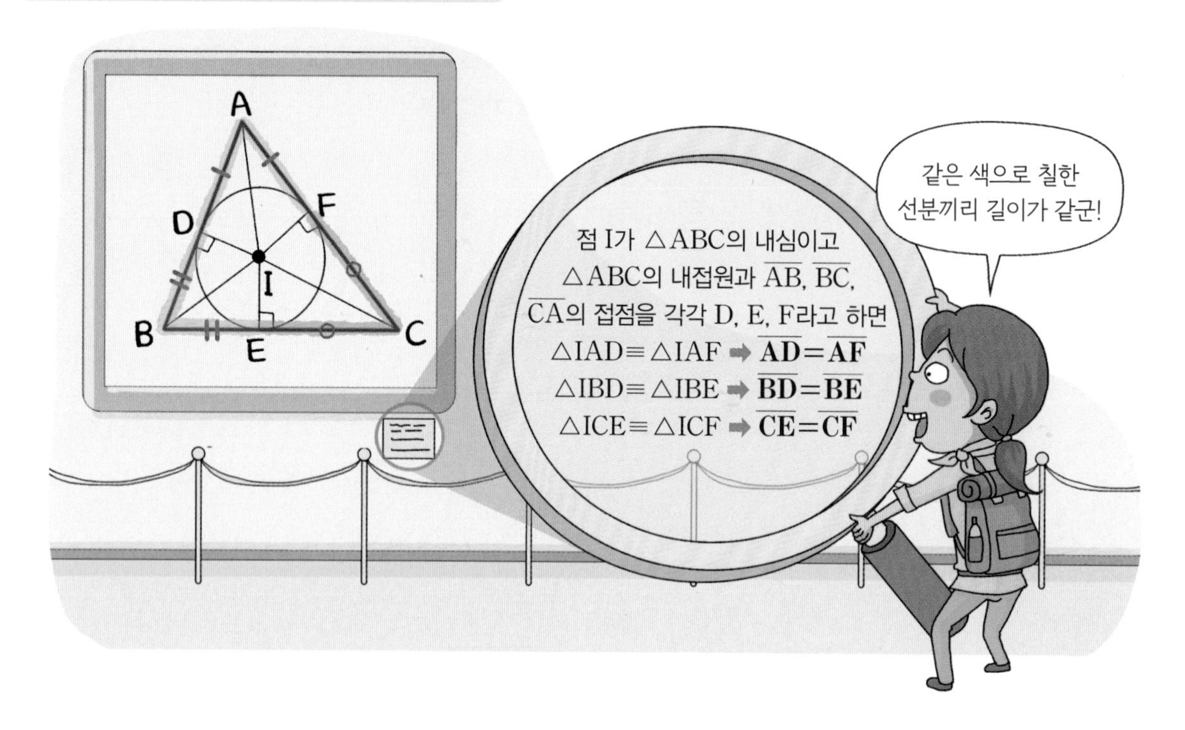

삼각형의 내접원을 이용한 삼각형의 넓이

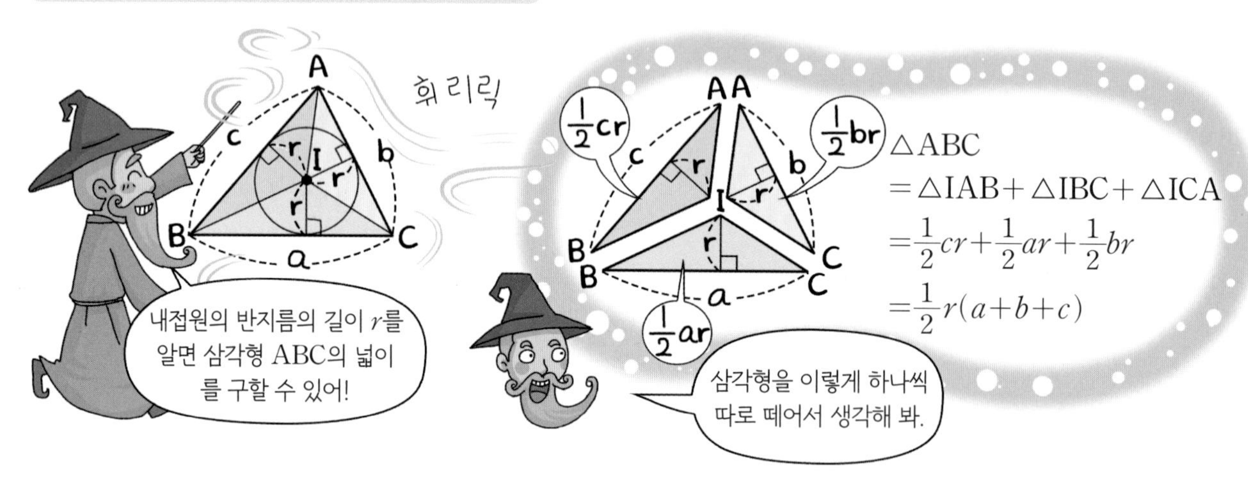

회색 글씨를 따라 쓰면서 개념을 정리해 보세요.

점 I가 삼각형 ABC의 내심일 때

(1) $\overline{AD}=\overline{AF}$, $\overline{BD}=$ $\boxed{\overline{BE}}$,

$\boxed{\overline{CE}}=\overline{CF}$

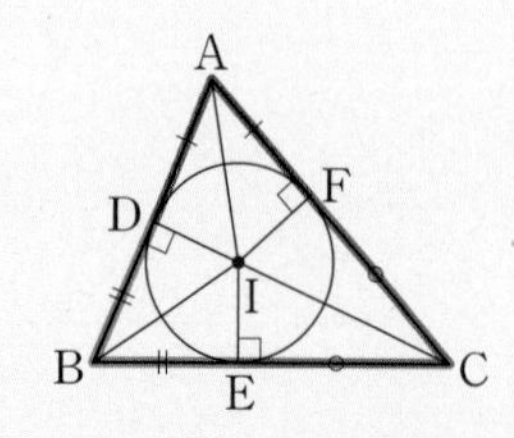

(2) △ABC

=△IAB+△IBC+△ICA

$=\frac{1}{2}\boxed{r}(a+b+c)$

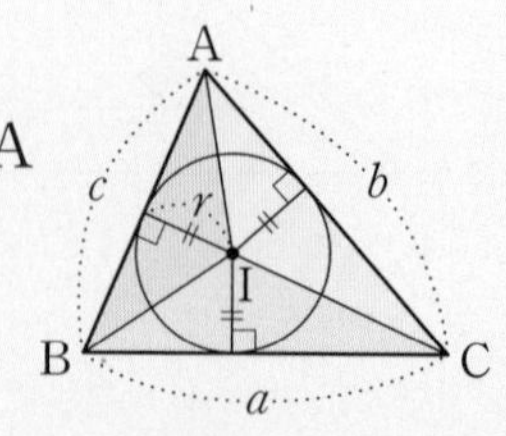

개념 원리 확인

정답과 풀이 15쪽

삼각형의 내접원을 이용한 선분의 길이

3-1 오른쪽 그림에서 점 I는 △ABC의 내심이고 내접원이 $\overline{AB}$, $\overline{BC}$, $\overline{CA}$와 만나는 점을 각각 D, E, F라고 할 때, x의 값을 구하려고 한다. 다음 ☐ 안에 알맞은 것을 써넣으시오.

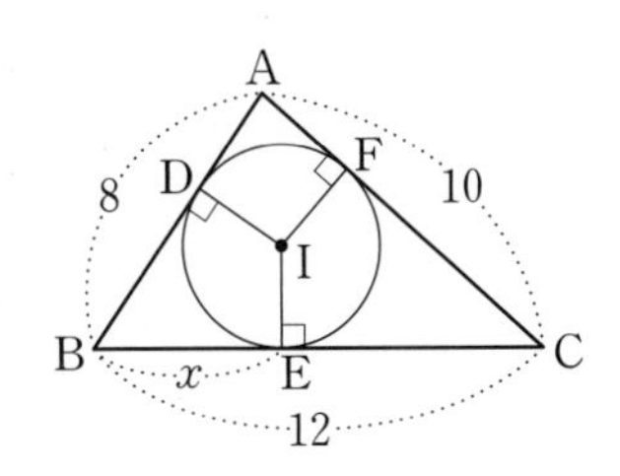

$\overline{BD}=\overline{BE}=x$이므로
$\overline{AF}=\overline{AD}=8-x$
$\overline{CF}=\overline{CE}=$☐
이때 $\overline{AC}=\overline{AF}+\overline{CF}$이므로
$10=(8-x)+($☐$)$
$2x=$☐ ∴ $x=$☐

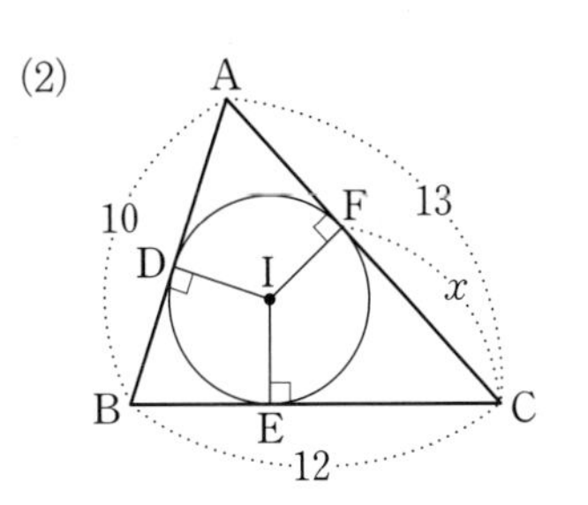

3-2 다음 그림에서 점 I는 △ABC의 내심이고 세 점 D, E, F는 접점일 때, x의 값을 구하시오.

(1)

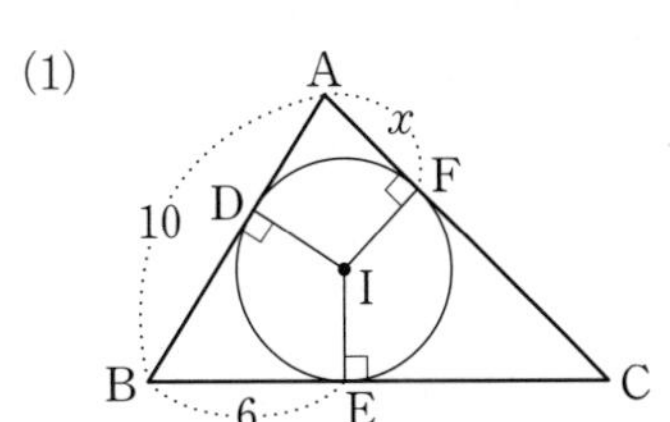

(2)

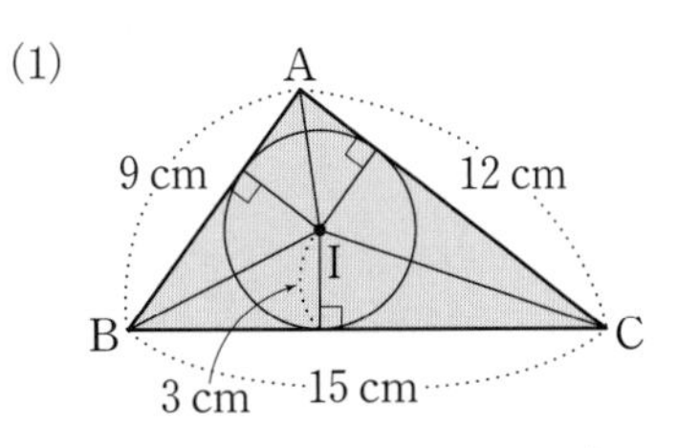

삼각형의 내접원을 이용한 삼각형의 넓이

4-1 오른쪽 그림에서 점 I가 △ABC의 내심이고 △ABC의 넓이가 48 cm²일 때, 내접원 I의 반지름의 길이를 구하려고 한다. 다음 ☐ 안에 알맞은 것을 써넣으시오.

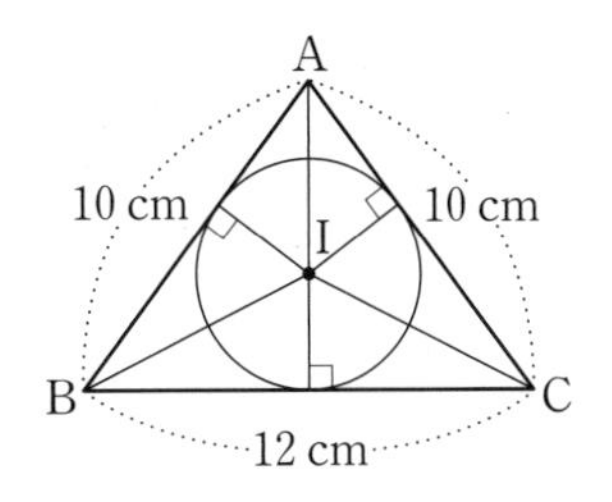

내접원 I의 반지름의 길이를 r cm라고 하면
△ABC=△IAB+△IBC+△☐이므로
$48=\frac{1}{2}\times10\times r+\frac{1}{2}\times12\times r+\frac{1}{2}\times$☐$\times r$
$48=\frac{1}{2}r(10+12+$☐$)$
☐$r=48$ ∴ $r=$☐
따라서 내접원 I의 반지름의 길이는 ☐ cm이다.

4-2 아래 그림에서 점 I가 △ABC의 내심일 때, 다음을 구하시오.

(1)

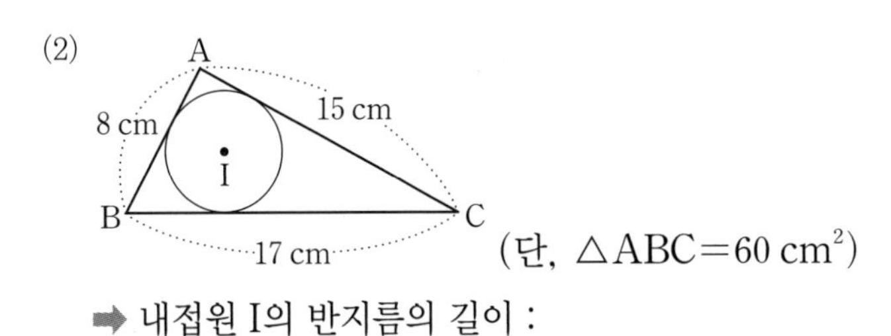

➡ △ABC의 넓이 : ______

(2)

(단, △ABC=60 cm²)

➡ 내접원 I의 반지름의 길이 : ______

○ 정답과 풀이 16쪽

개념 01 삼각형의 내심의 성질을 이용하여 각의 크기를 구할 수 있는가? $-\angle x+\angle y+\angle z=90^{\circ}$

점 I가 △ABC의 내심일 때

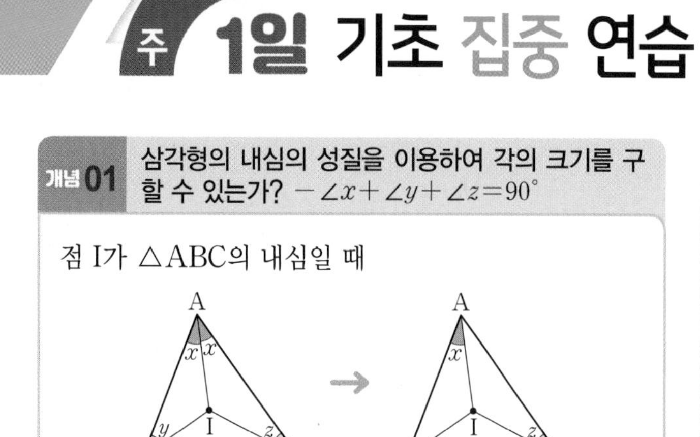

$\angle x+\angle y+\angle z=90^{\circ}$

1-1

다음 그림에서 점 I가 △ABC의 내심일 때, $\angle x$의 크기를 구하시오.

(1)

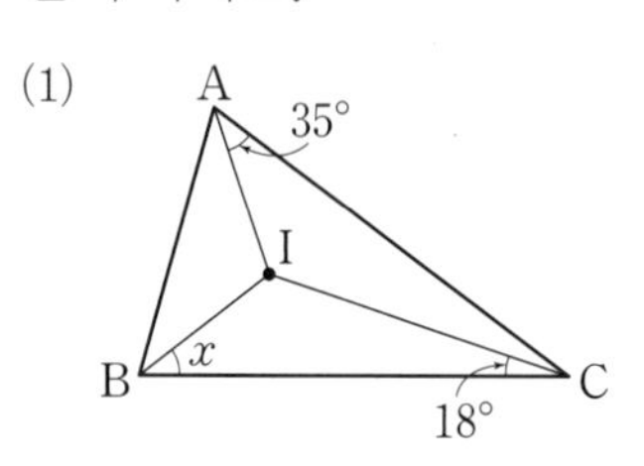

(2)

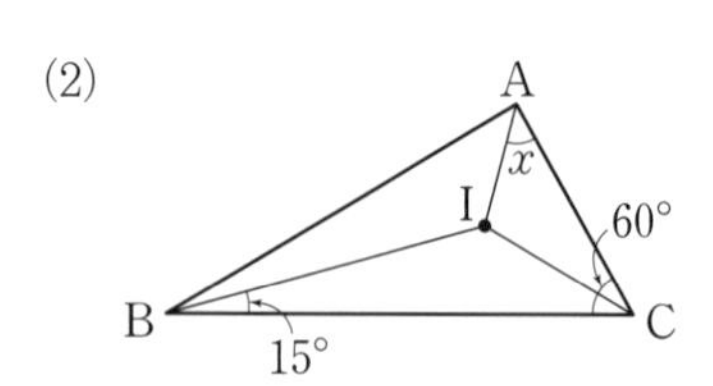

1-2

다음 그림에서 점 I는 △ABC의 내심이다.
$\angle \mathrm{IBA}=16^{\circ}$, $\angle \mathrm{ICB}=28^{\circ}$일 때, $\angle x$의 크기를 구하시오.

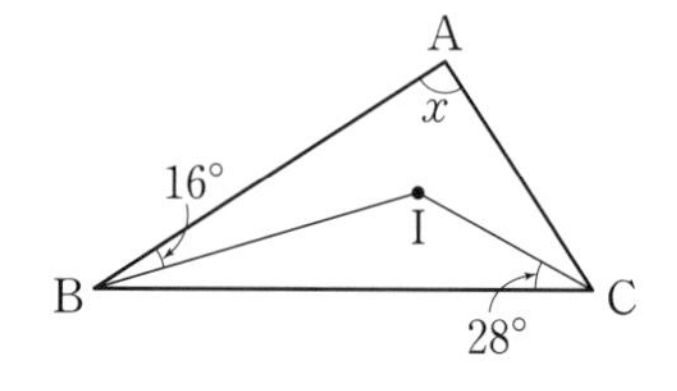

개념 02 삼각형의 내심의 성질을 이용하여 각의 크기를 구할 수 있는가? $-\angle \mathrm{BIC}=90^{\circ}+\frac{1}{2}\angle \mathrm{A}$

점 I가 △ABC의 내심일 때

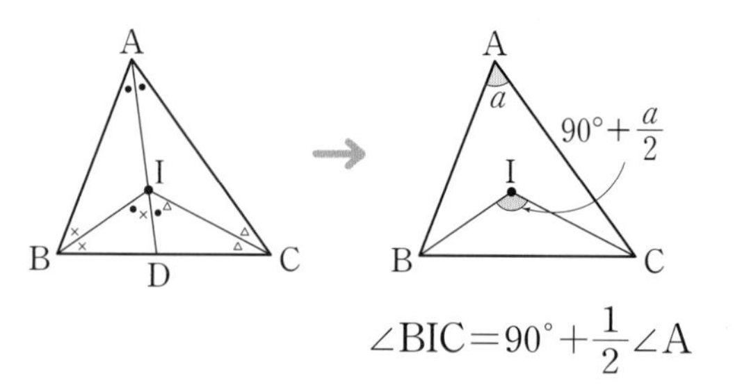

$\angle \mathrm{BIC}=90^{\circ}+\frac{1}{2}\angle \mathrm{A}$

2-1

다음 그림에서 점 I가 △ABC의 내심일 때, $\angle x$의 크기를 구하시오.

(1) (2)

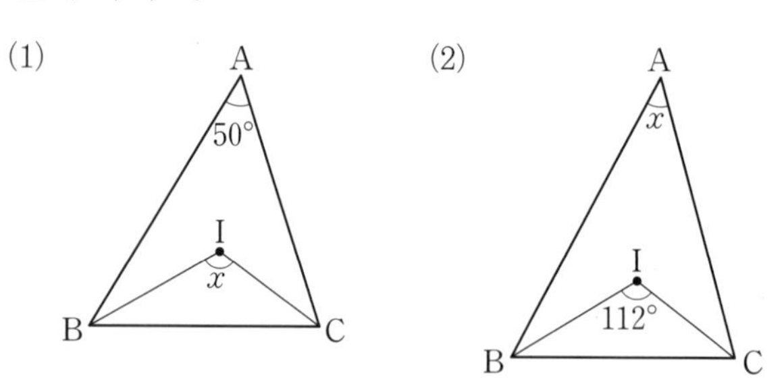

2-2

다음 그림에서 점 I는 △ABC의 내심이다.
$\angle \mathrm{AIB}=150^{\circ}$일 때, $\angle x$의 크기를 구하시오.

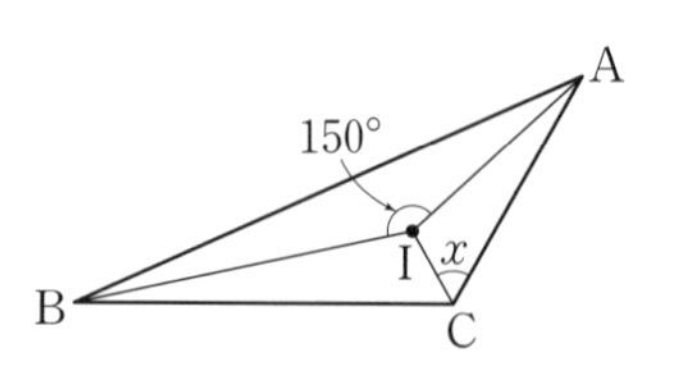

2-3

다음은 점 I가 △ABC의 내심일 때, $\angle x$의 크기를 구한 것인데 틀렸다. 옳은 답을 구하시오.

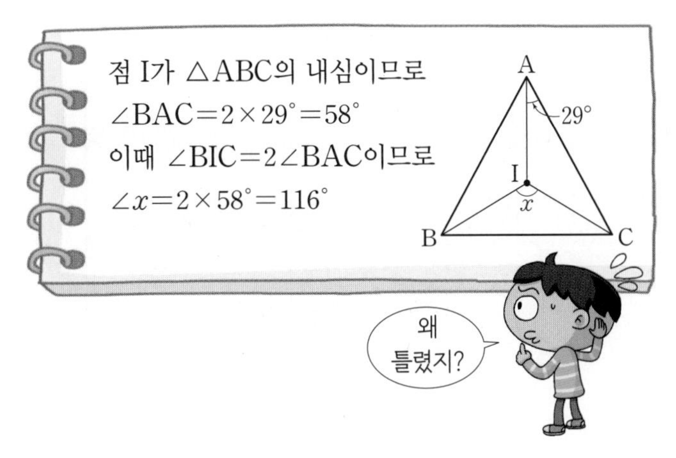

개념 03 삼각형의 내접원을 이용하여 선분의 길이를 구할 수 있는가?

점 I가 △ABC의 내심이고, △ABC의 내접원과 $\overline{AB}$, $\overline{BC}$, $\overline{CA}$의 접점을 각각 D, E, F라고 하면

$\overline{AD}=\overline{AF}$, $\overline{BD}=\overline{BE}$, $\overline{CE}=\overline{CF}$

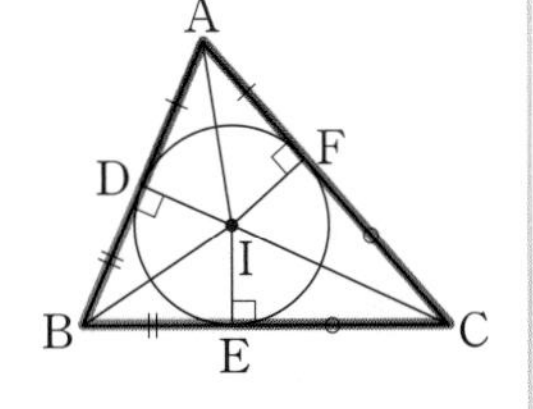

3-1

다음 그림에서 점 I는 △ABC의 내심이고 세 점 D, E, F는 접점일 때, x의 값을 구하시오.

(1)

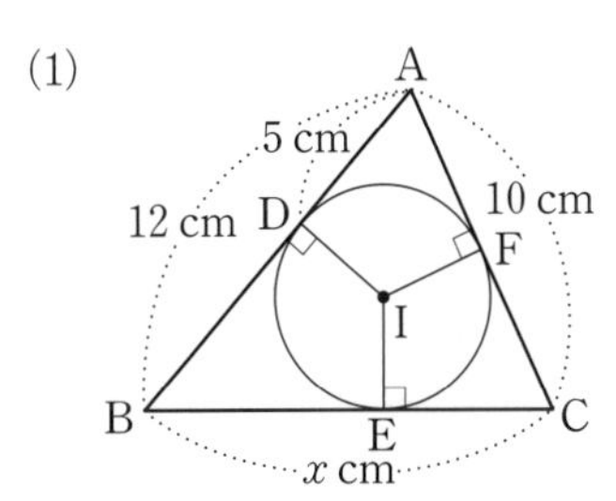

(2)

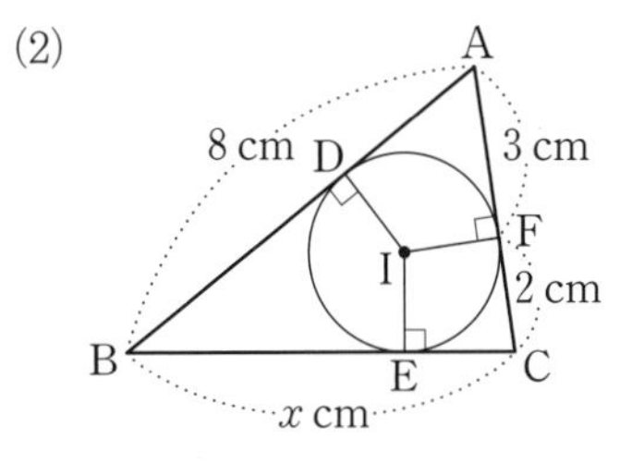

3-2

오른쪽 그림에서 점 I는 △ABC의 내심이고 세 점 D, E, F는 접점일 때, x의 값을 구하시오.

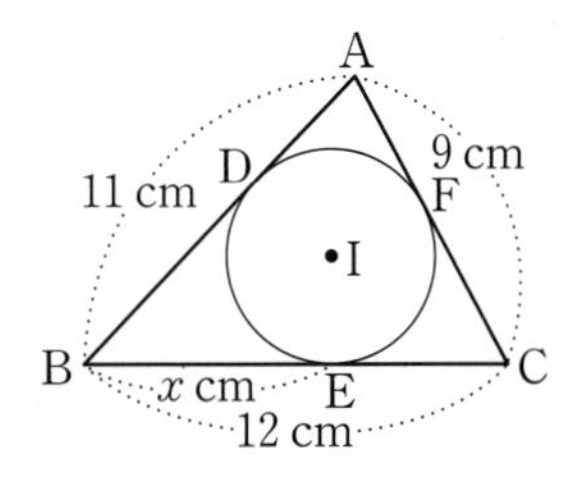

개념 04 삼각형의 내접원을 이용하여 삼각형의 넓이를 구할 수 있는가?

△ABC의 내접원 I의 반지름의 길이를 r라고 하면

$\triangle ABC=\frac{1}{2}r(a+b+c)$

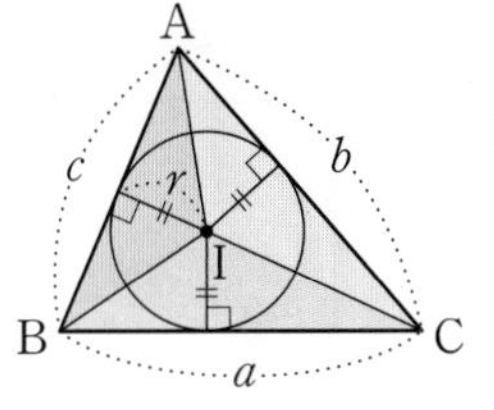

4-1

오른쪽 그림에서 점 I는 △ABC의 내심이다. $\overline{AB}=5$ cm, $\overline{BC}=6$ cm, $\overline{CA}=5$ cm이고 △ABC의 넓이가 12 cm^2일 때, 내접원의 반지름의 길이를 구하시오.

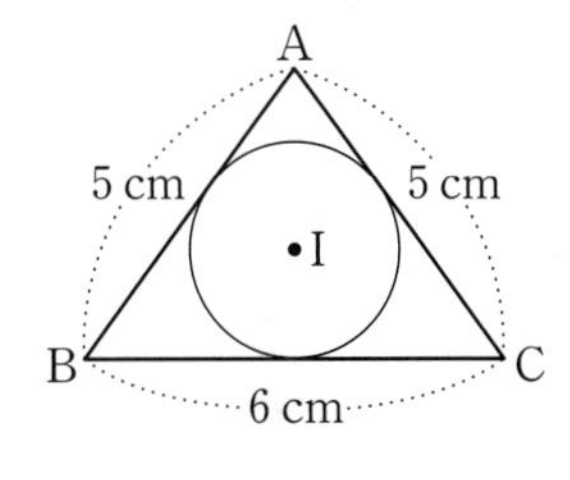

4-2

오른쪽 그림에서 원 I는 직각삼각형 ABC의 내접원이다. $\overline{AB}=5$ cm, $\overline{BC}=4$ cm, $\overline{AC}=3$ cm일 때, 다음을 구하시오.

(1) △ABC의 넓이

(2) 원 I의 반지름의 길이

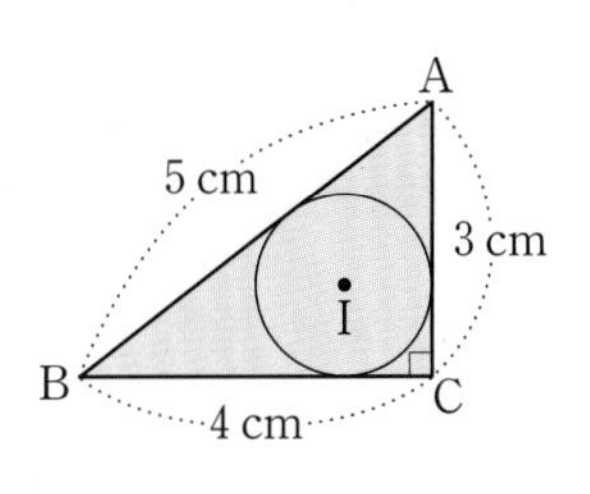

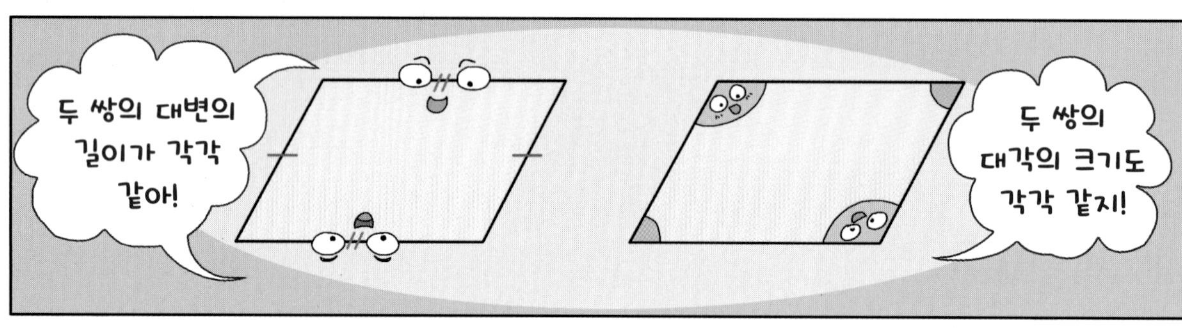

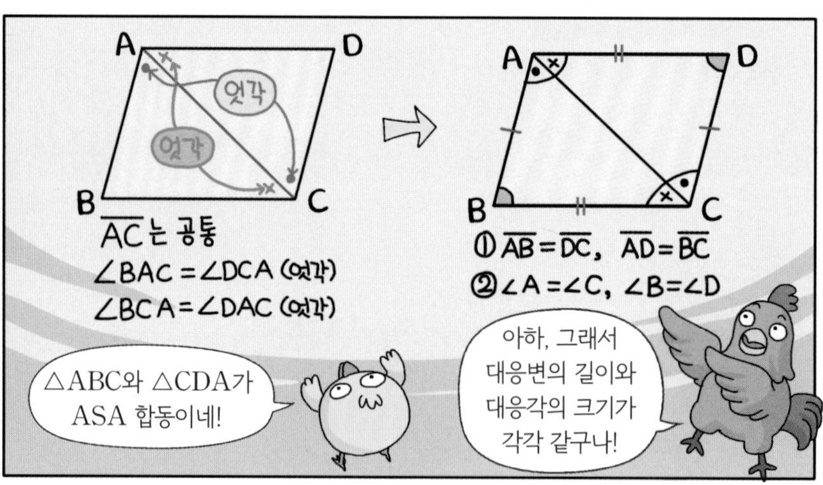

회색 글씨를 따라 쓰면서 개념을 정리해 보세요.

❖ 평행사변형의 대변, 대각의 성질

(1) 두 쌍의 대변의 길이가 각각 같다.

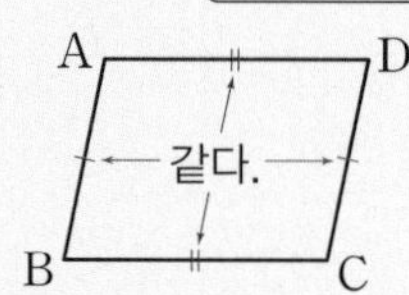

$\overline{AB}=\overline{DC}$, $\overline{AD}=\overline{BC}$

(2) 두 쌍의 대각의 크기가 각각 같다.

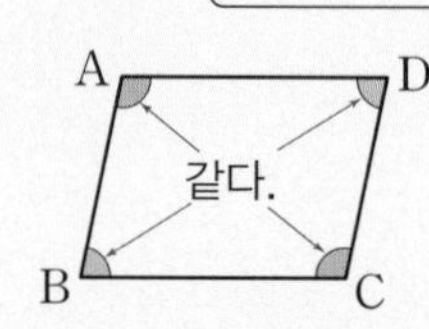

$\angle A=\angle C$, $\angle B=\angle D$

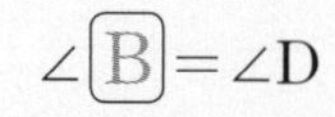

개념 원리 확인

정답과 풀이 17쪽

평행사변형의 뜻

1-1 오른쪽 그림과 같은 평행사변형 ABCD에서 다음을 구하시오.

(1) $\overline{AB}$와 평행한 변

(2) $\overline{AD}$와 평행한 변

(3) $\overline{AB}$의 대변

(4) $\angle B$의 대각

1-2 오른쪽 그림과 같은 평행사변형 ABCD에 대하여 옳은 것에 ○표를 하고, $\angle x$, $\angle y$의 크기를 각각 구하시오.

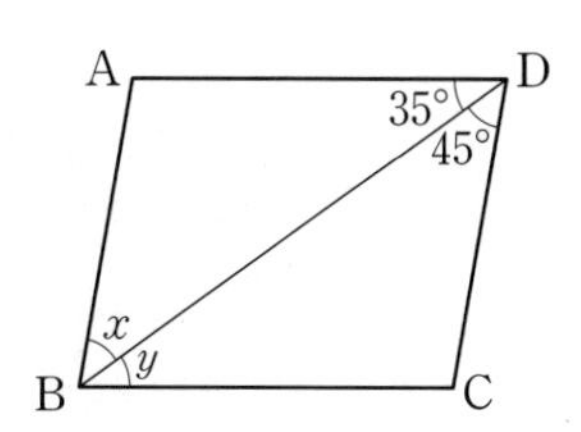

(1) $\overline{AB}$ // ☐이고, 엇각의 크기가 (같으므로, 다르므로) $\angle x=$ ☐

(2) $\overline{AD}$ // ☐이고, 엇각의 크기가 (같으므로, 다르므로) $\angle y=$ ☐

평행사변형의 대변, 대각의 성질

2-1 다음 그림과 같은 평행사변형 ABCD에서 x, y의 값을 각각 구하시오.

(1)

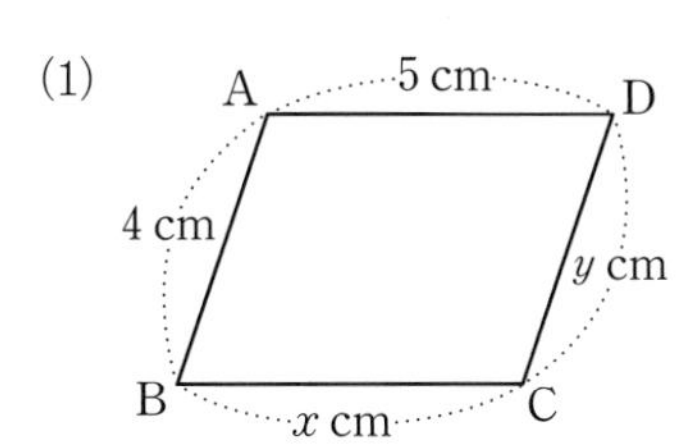

(2)

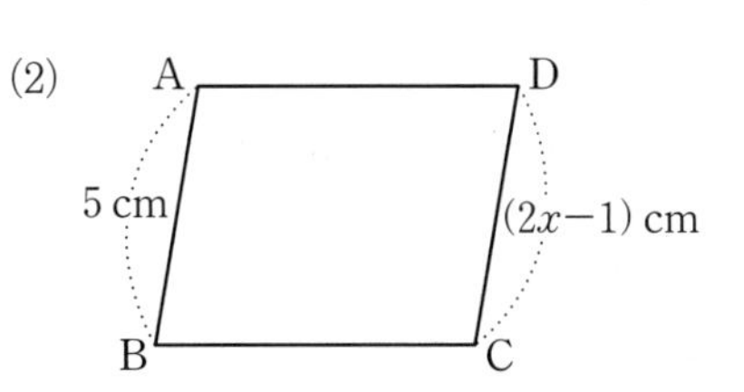

(3)

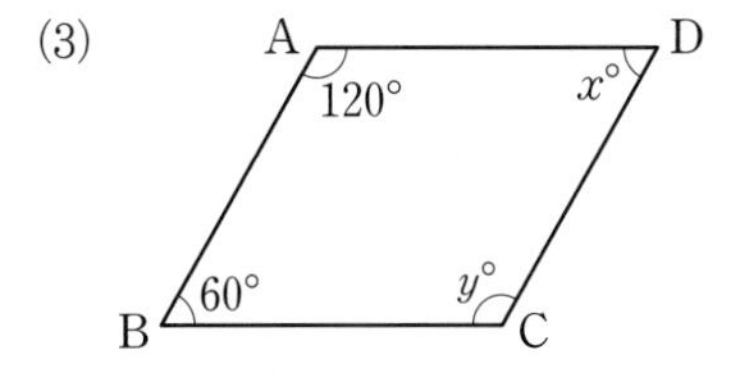

2-2 다음 그림과 같은 평행사변형 ABCD에서 x, y의 값을 각각 구하시오.

(1)

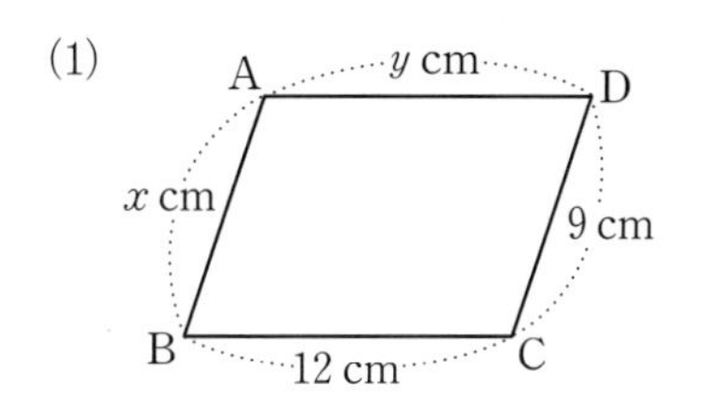

(2)

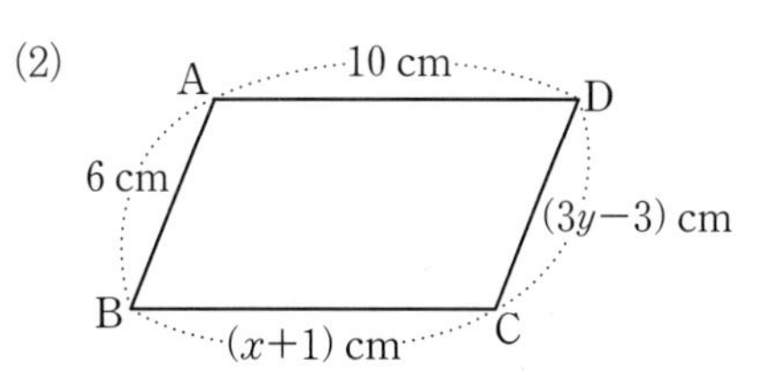

(3)

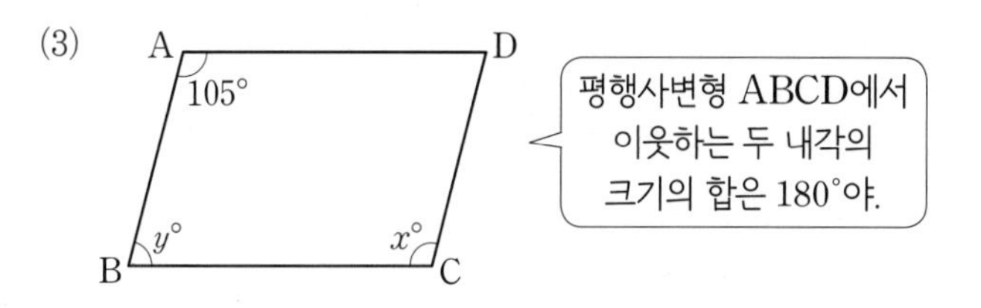

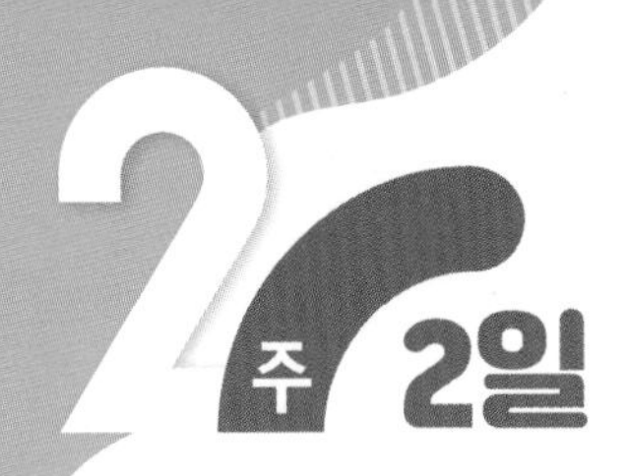

평행사변형의 대각선의 성질

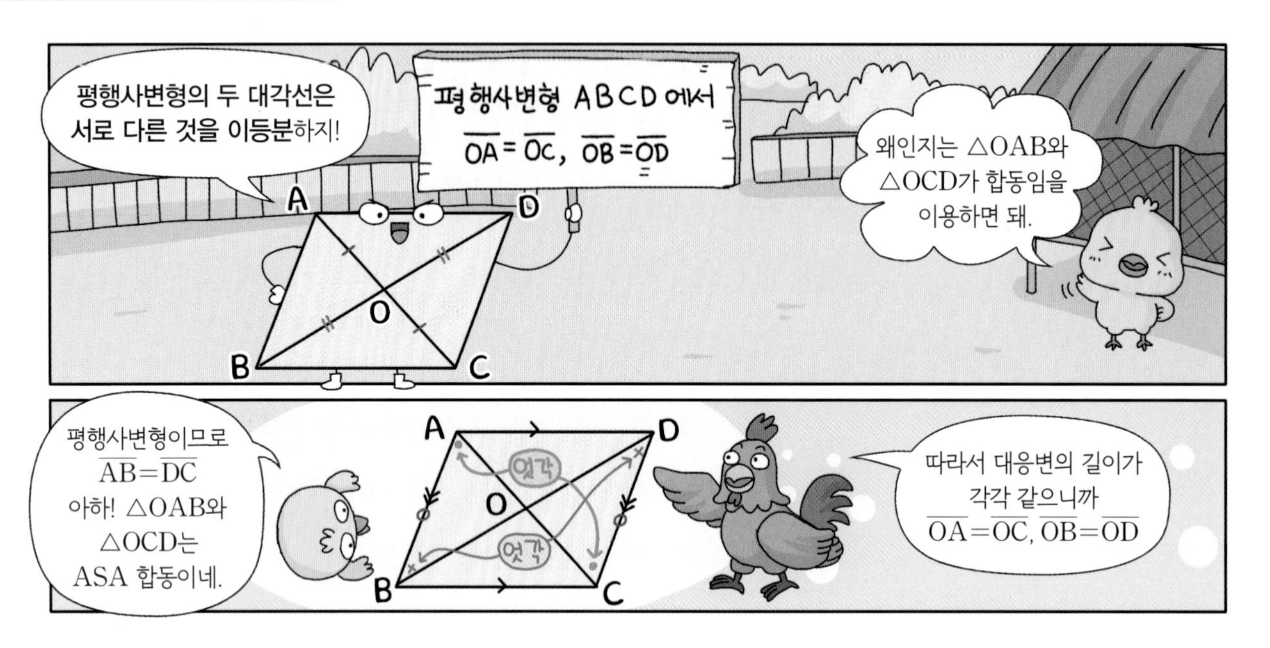

평행사변형에서 대각선과 삼각형의 넓이

(1) 평행사변형의 넓이는 한 대각선에 의해 이등분된다.

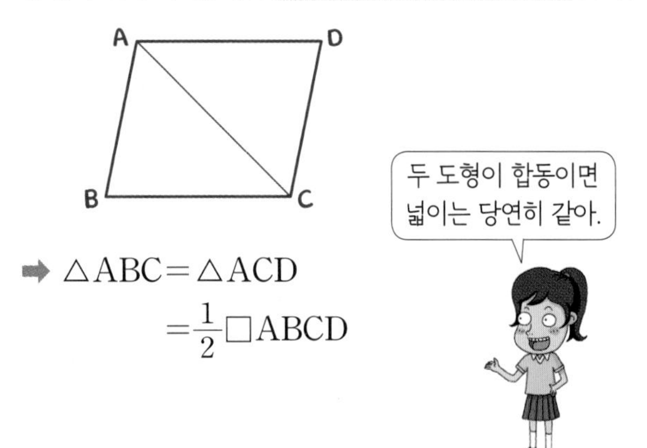

➡ $\triangle ABC = \triangle ACD$
$= \frac{1}{2} \square ABCD$

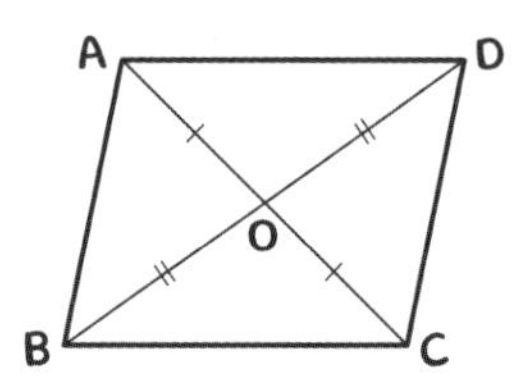

(2) 평행사변형의 넓이는 두 대각선에 의해 사등분된다.

➡ $\triangle OAB = \triangle OBC = \triangle OCD = \triangle ODA$
$= \frac{1}{4} \square ABCD$

회색 글씨를 따라 쓰면서 개념을 정리해 보세요.

1 평행사변형의 대각선의 성질 : 평행사변형의 두 대각선은 서로 다른 것을 이등분한다.

➡ $\overline{OA} = \overline{OC}$, $\overline{OB} = \boxed{\overline{OD}}$

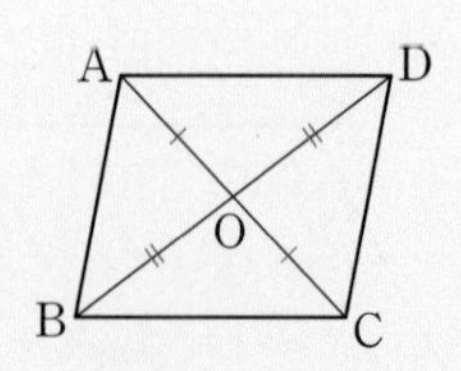

2 평행사변형의 넓이 : (1) $\triangle ABC = \triangle ACD = \triangle ABD = \triangle BCD = \boxed{\frac{1}{2}} \square ABCD$

(2) $\triangle OAB = \triangle OBC = \triangle OCD = \triangle ODA = \boxed{\frac{1}{4}} \square ABCD$

개념 원리 확인

○ 정답과 풀이 17쪽

평행사변형의 대각선의 성질

3-1 다음 그림과 같은 평행사변형 ABCD에서 두 대각선의 교점을 O라고 할 때, x, y의 값을 각각 구하시오.

(1)

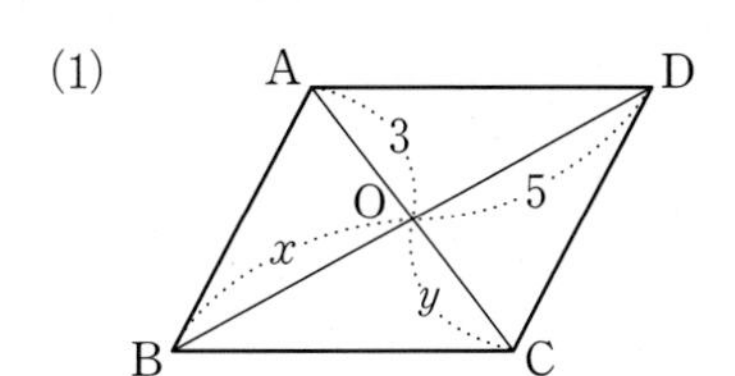

(2)

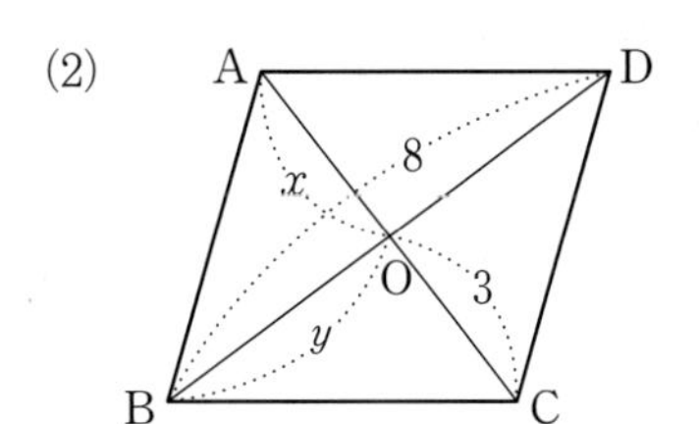

3-2 다음 그림과 같은 평행사변형 ABCD에서 두 대각선의 교점을 O라고 할 때, x, y의 값을 각각 구하시오.

(1)

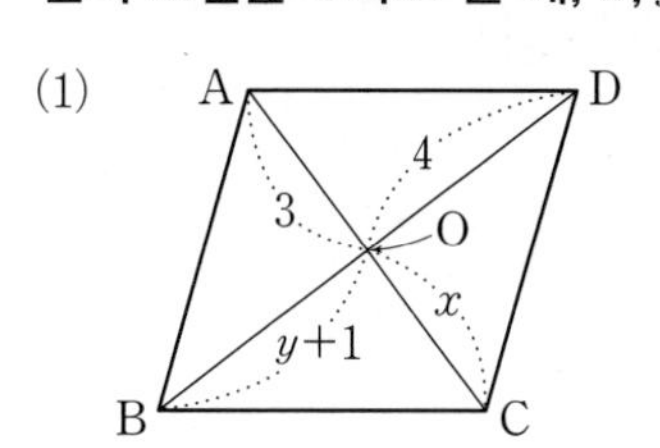

(2)

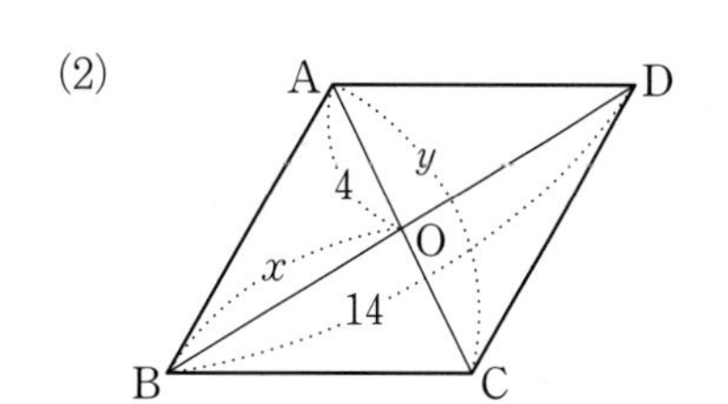

평행사변형에서 대각선과 삼각형의 넓이

4-1 아래 그림과 같은 평행사변형 ABCD의 넓이가 36 cm^2일 때, 다음을 구하시오.

(1)

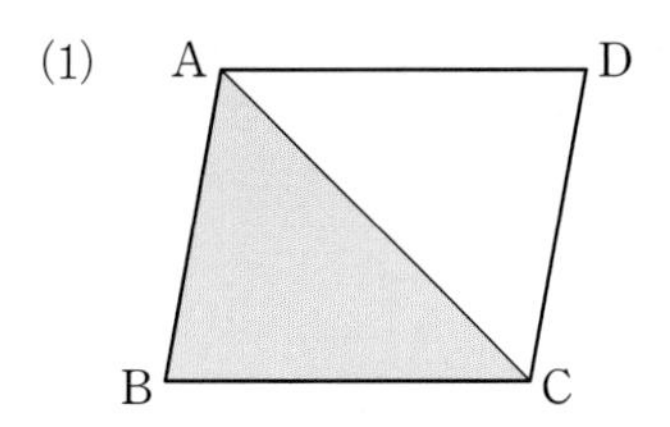

➡ △ABC의 넓이 : ______

(2)

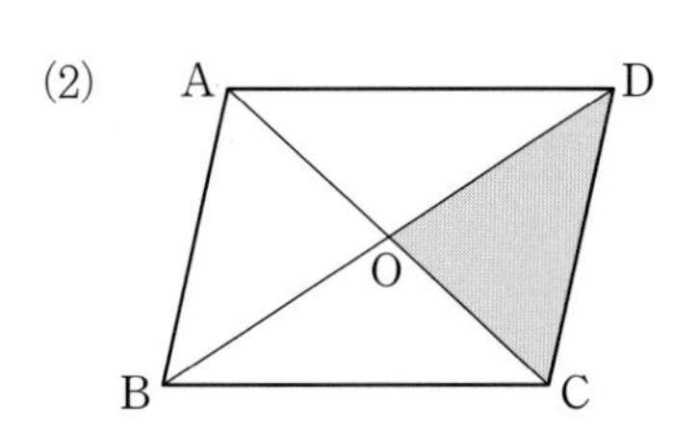

(단, 점 O는 두 대각선의 교점이다.)

➡ △DOC의 넓이 : ______

4-2 아래 그림과 같은 평행사변형 ABCD의 넓이가 24 cm^2일 때, 다음을 구하시오.

(1)

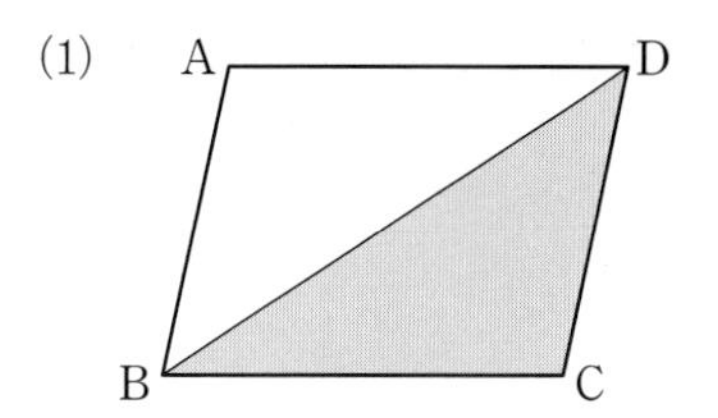

➡ △BCD의 넓이 : ______

(2)

A D

O

B C

(단, 점 O는 두 대각선의 교점이다.)

➡ △AOD의 넓이 : ______

정답과 풀이 18쪽

개념 01 평행사변형의 성질을 알고 있는가?

(1) 평행사변형 : 두 쌍의 대변이 각각 평행한 사각형

(2) 평행사변형의 성질

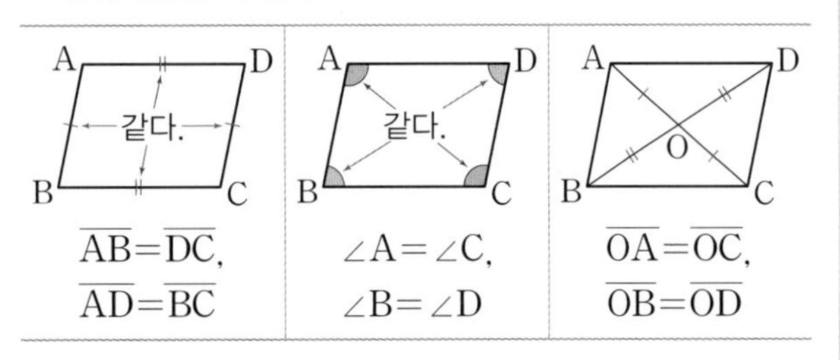

참고 평행사변형 ABCD에서 두 쌍의 대변이 각각 평행하므로 이웃하는 두 내각의 크기의 합은 180°이다.

1-1

다음 그림과 같은 평행사변형 ABCD에서 $\angle x$, $\angle y$의 크기를 각각 구하시오.

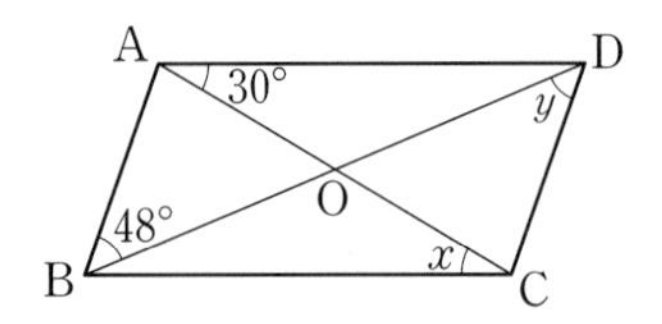

1-2

다음 그림과 같은 평행사변형 ABCD에서 x, y의 값을 각각 구하시오.

(1)

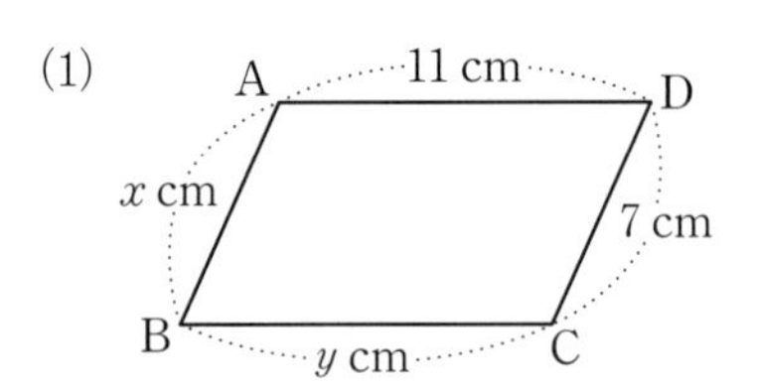

(2)

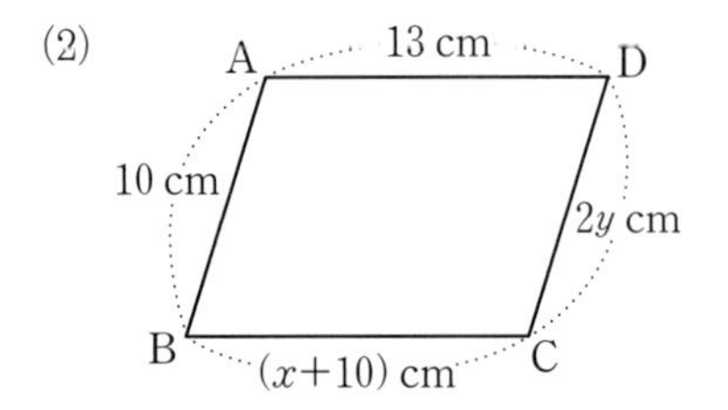

1-3

다음 그림과 같은 평행사변형 ABCD에서 $\angle x$, $\angle y$의 크기를 각각 구하시오.

(1)

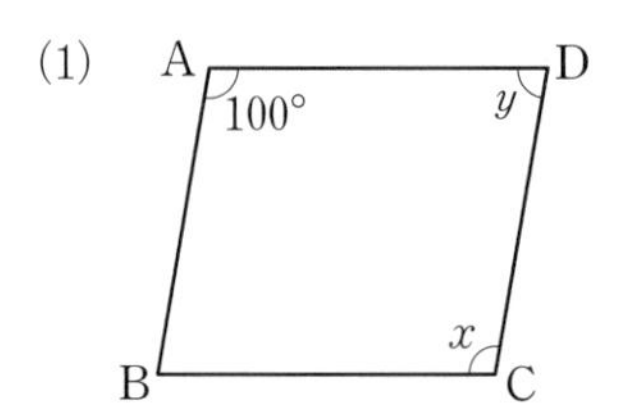

(2)

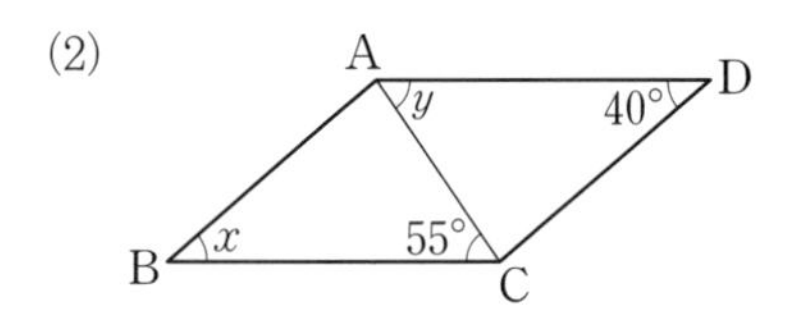

1-4

오른쪽 그림과 같은 평행사변형 ABCD에서 $\angle B=50°$, $\angle ACD=70°$일 때, $\angle x$, $\angle y$의 크기를 각각 구하시오.

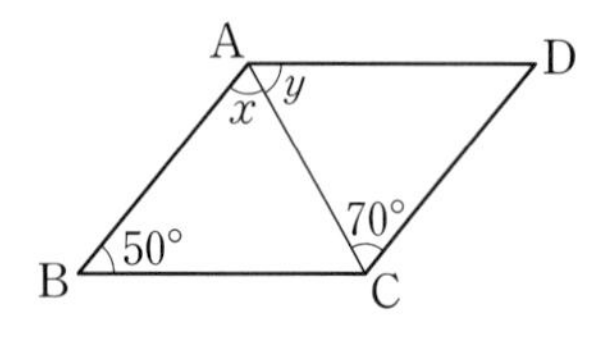

1-5

오른쪽 그림과 같은 평행사변형 ABCD에서 $\angle DAE=35°$, $\angle C=100°$일 때, $\angle x$, $\angle y$의 크기를 각각 구하시오.

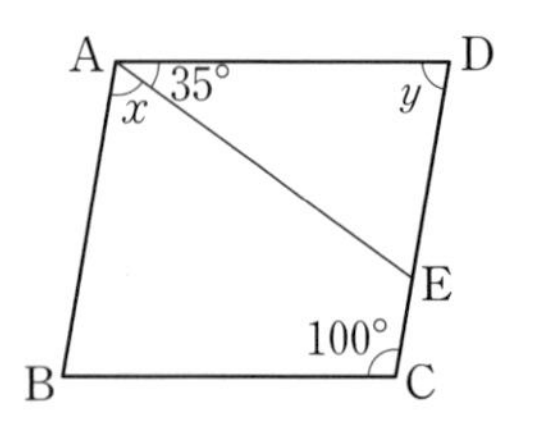

1-6

다음은 평행사변형 ABCD에서 ∠A의 이등분선이 $\overline{BC}$와 만나는 점을 E라고 할 때, ∠D의 크기를 구하는 과정이다. ▢ 안에 알맞은 것을 써넣으시오.

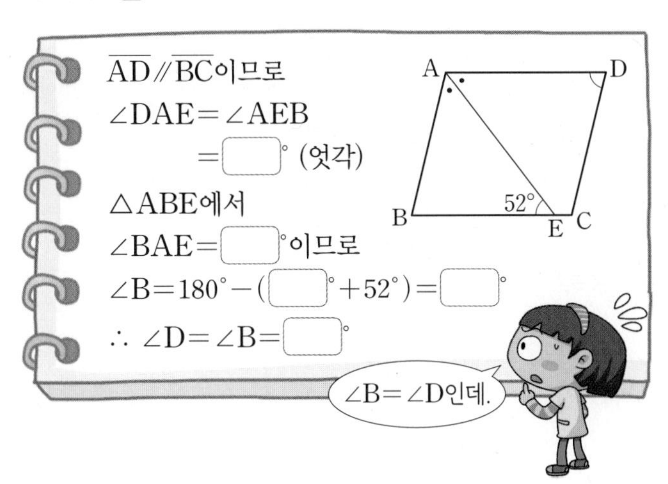

$\overline{AD} /\!/ \overline{BC}$이므로
∠DAE=∠AEB
=▢° (엇각)
△ABE에서
∠BAE=▢°이므로
∠B=180°−(▢°+52°)=▢°
∴ ∠D=∠B=▢°

1-7

다음 그림과 같은 평행사변형 ABCD에서 x, y의 값을 각각 구하시오. (단, 점 O는 두 대각선의 교점이다.)

(1)
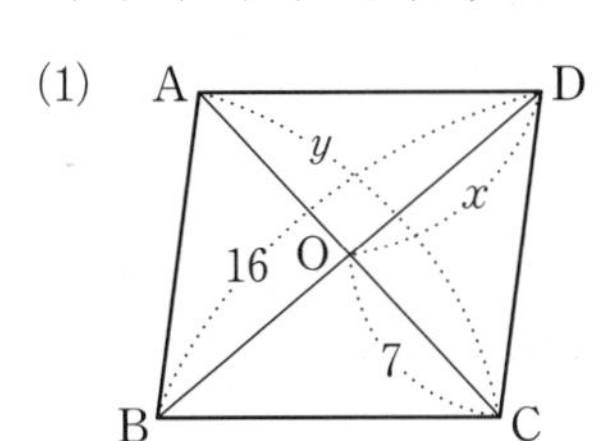

(2)
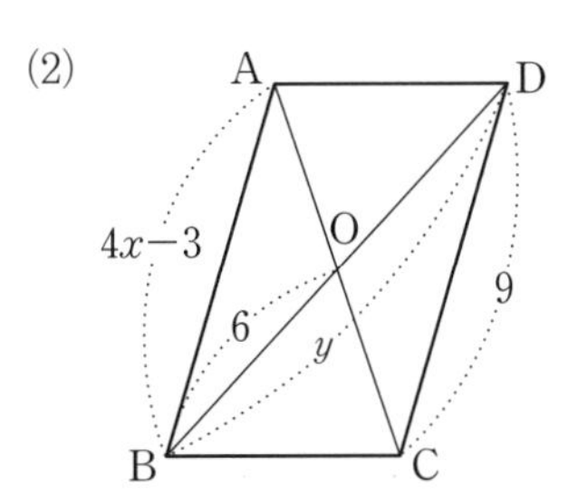

(3)
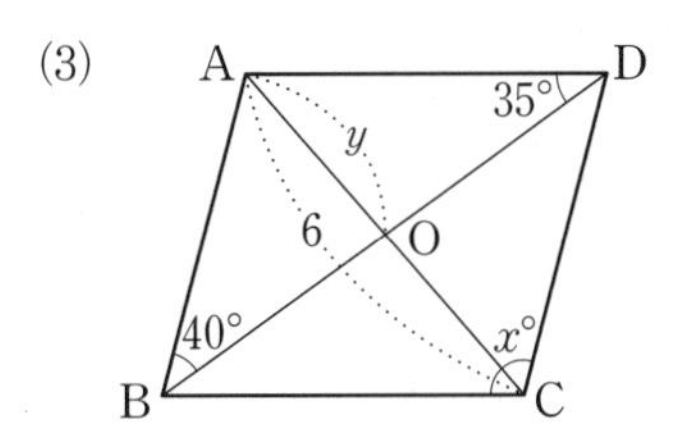

개념 02 평행사변형의 대각선과 평행사변형의 넓이 사이의 관계를 알고 있는가?

(1) 평행사변형의 넓이는 한 대각선에 의해 이등분된다.

➡ $\triangle ABC=\frac{1}{2}\square ABCD$
└ △ABC=△ACD

(2) 평행사변형의 넓이는 두 대각선에 의해 사등분된다.

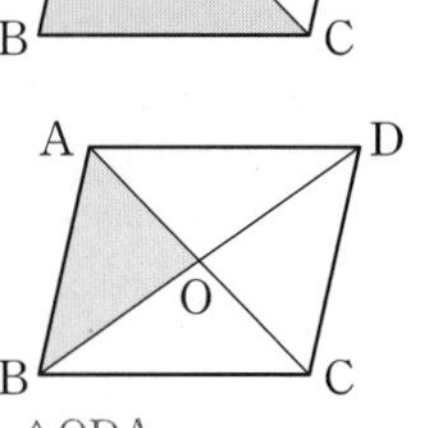

➡ $\triangle OAB=\frac{1}{4}\square ABCD$

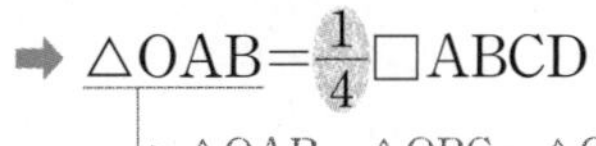

└ △OAB=△OBC=△OCD=△ODA

2-1

오른쪽 그림과 같은 평행사변형 ABCD의 넓이가 28 cm²일 때, △ABD의 넓이를 구하시오.

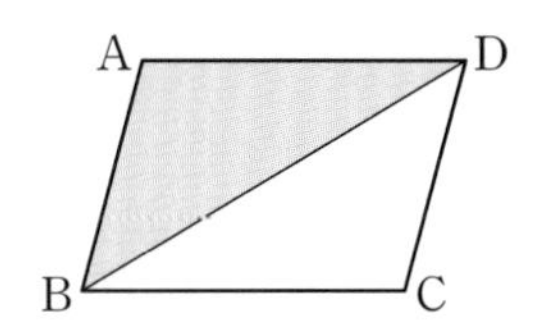

2-2

오른쪽 그림과 같은 평행사변형 ABCD의 넓이가 60 cm²일 때, △OAB와 △OCD의 넓이의 합을 구하시오.
(단, 점 O는 두 대각선의 교점이다.)

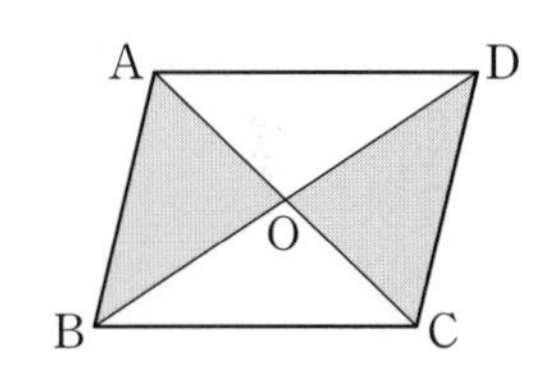

2-3

오른쪽 그림과 같은 평행사변형 ABCD에서 △OAB의 넓이가 16 cm²일 때, □ABCD의 넓이를 구하시오.
(단, 점 O는 두 대각선의 교점이다.)

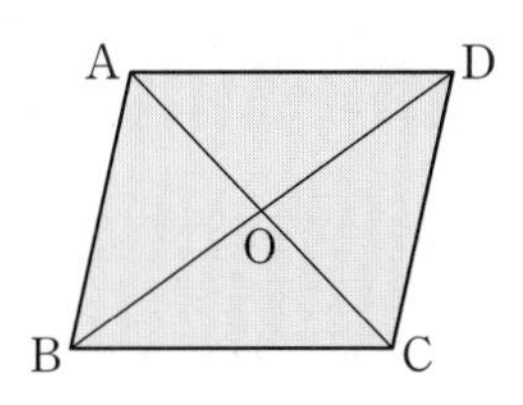

5. 평행사변형이 되는 조건

회색 글씨를 따라 쓰면서 개념을 정리해 보세요.

❖ 평행사변형이 되는 조건

1 두 쌍의 대변이 각각 평행하다.

2 두 쌍의 대변의 길이가 각각 같다.

3 두 쌍의 대각의 크기가 각각 같다.

4 두 대각선이 서로 다른 것을 이등분한다.

5 한 쌍의 대변이 평행하고, 그 길이가 같다.

개념 원리 확인

○정답과 풀이 18쪽

평행사변형이 되는 조건

1-1 다음은 주어진 사각형이 평행사변형인 이유를 말한 것이다. □ 안에 알맞은 것을 써넣으시오.

(1)

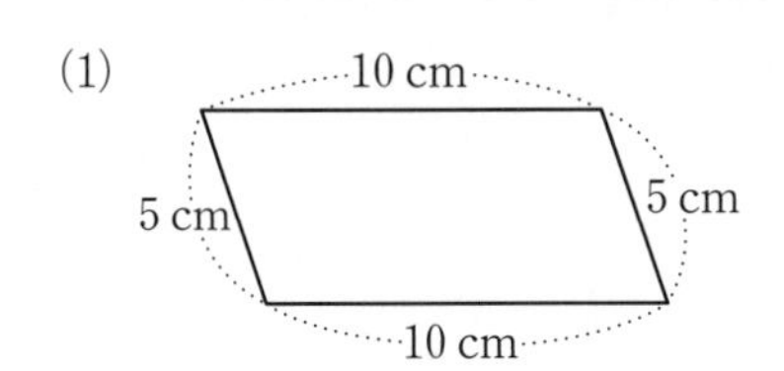

➡ 두 쌍의 □의 길이가 각각 같으므로 평행사변형이다.

(2)

110°
70°
70°
110°

➡ 두 쌍의 □의 크기가 각각 같으므로 평행사변형이다.

(3)

5 cm
3 cm
3 cm
5 cm

➡ 두 대각선이 서로 다른 것을 □하므로 평행사변형이다.

(4)

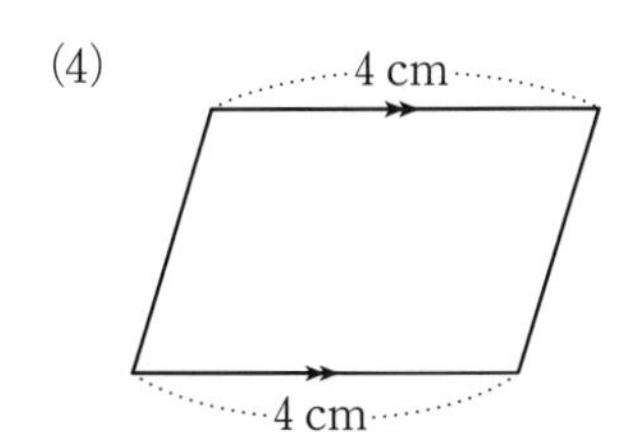

➡ 한 쌍의 □이 평행하고 그 길이가 같으므로 평행사변형이다.

1-2 다음 사각형 중 평행사변형인 것에는 '○'를, 평행사변형이 아닌 것에는 '×'를 ( ) 안에 써넣으시오.

(1)

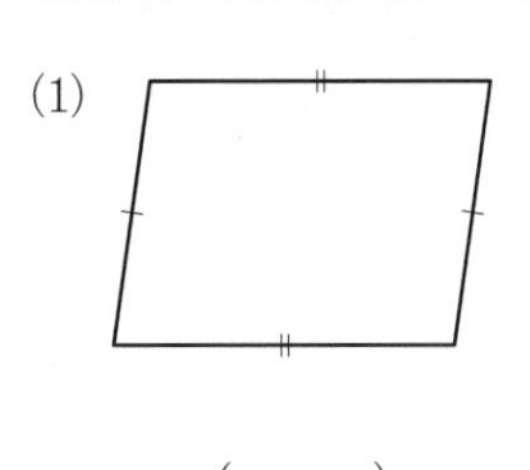

( )

(2)

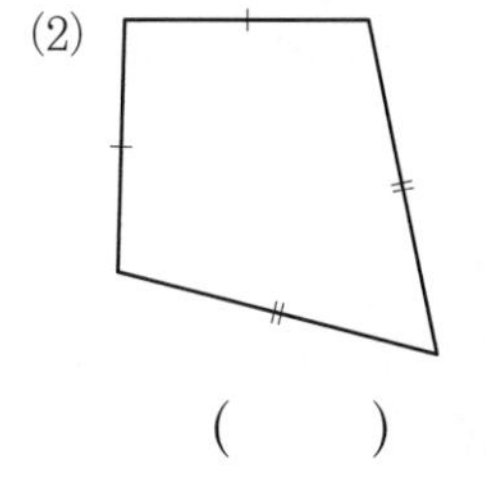

( )

(3)

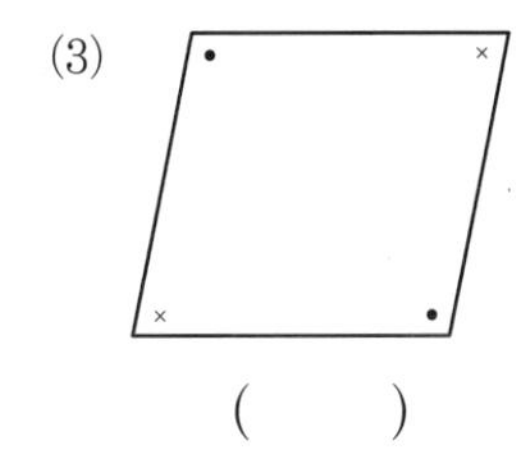

( )

(4)

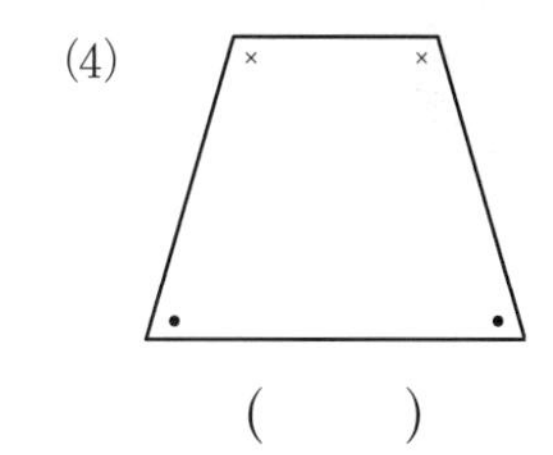

( )

(5)

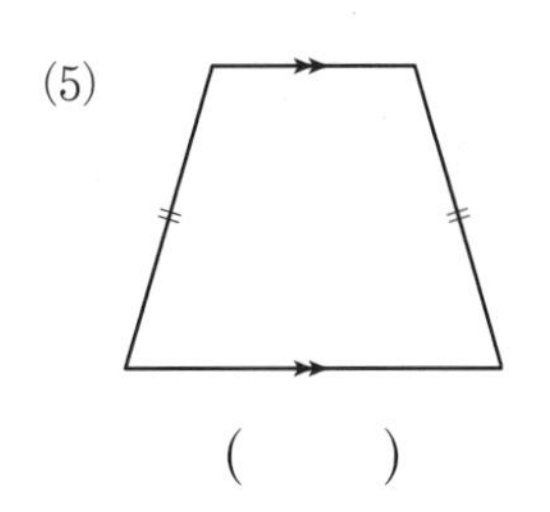

( )

(6)

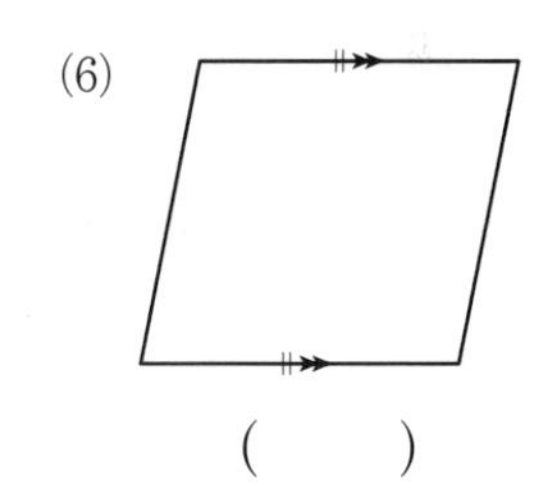

( )

(7)

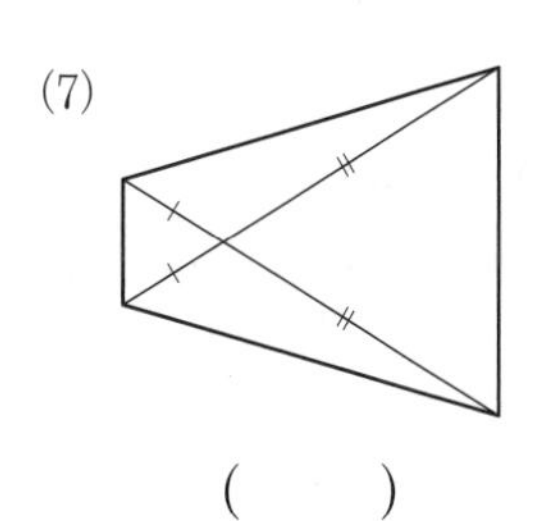

( )

(8)

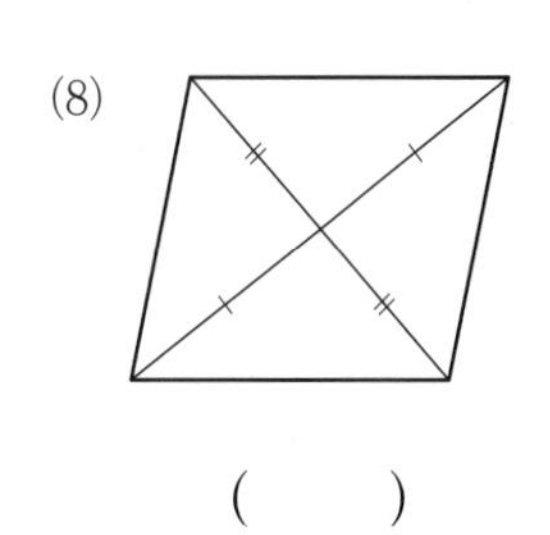

( )

직사각형의 뜻과 성질

평행사변형이 직사각형이 되는 조건

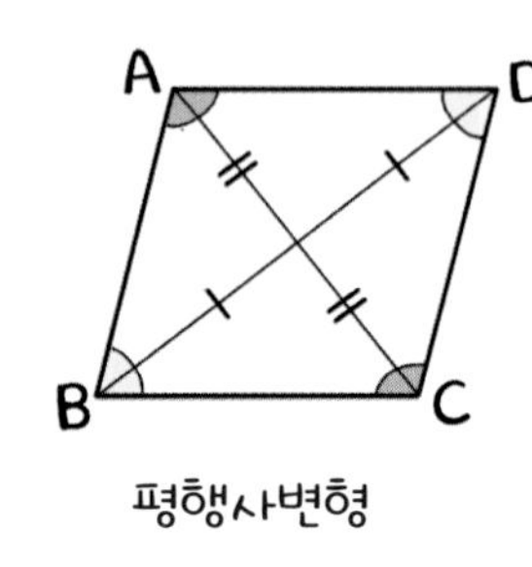

평행사변형

① 한 내각이 직각이다. $(\angle A=90^\circ)$

또는

② 두 대각선의 길이가 같다. $(\overline{AC}=\overline{BD})$

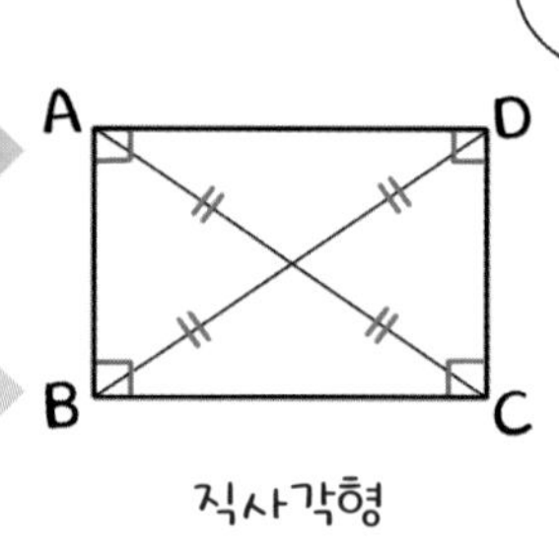

직사각형

회색 글씨를 따라 쓰면서 개념을 정리해 보세요.

❖ 직사각형의 성질

직사각형의 두 대각선은 길이가 같고, 서로 다른 것을 이등분한다.

➡ $\overline{AC}=\overline{BD}$, $\overline{AO}=\overline{BO}=\overline{CO}=\overline{DO}$

참고 직사각형은 두 쌍의 대각의 크기가 각각 같으므로 평행사변형이다.
따라서 직사각형은 평행사변형의 성질을 모두 만족한다.

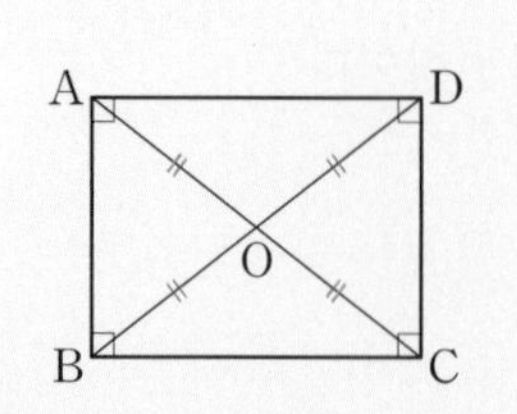

개념 원리 확인

○ 정답과 풀이 19쪽

직사각형의 뜻과 성질

2-1 오른쪽 그림과 같은 직사각형 ABCD에 대하여 다음 중 옳은 것에는 '○'를, 옳지 않은 것에는 '×'를 ( ) 안에 써넣으시오. (단, 점 O는 두 대각선의 교점이다.)

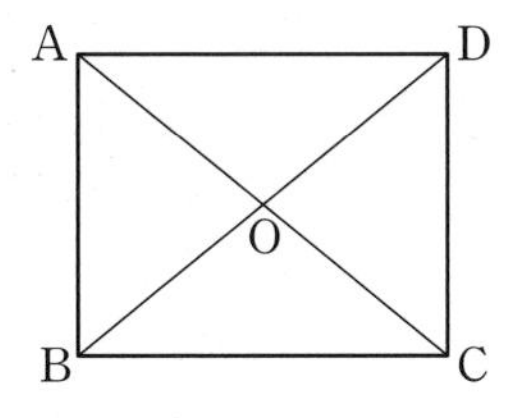

(1) $\overline{AB}=\overline{BC}$ ( )

(2) $\overline{AO}=\overline{BO}$ ( )

(3) $\angle ABC=90^\circ$ ( )

(4) $\angle OCB=\angle OCD$ ( )

2-2 다음 그림과 같은 직사각형 ABCD에서 x, y의 값을 각각 구하시오. (단, 점 O는 두 대각선의 교점이다.)

(1)

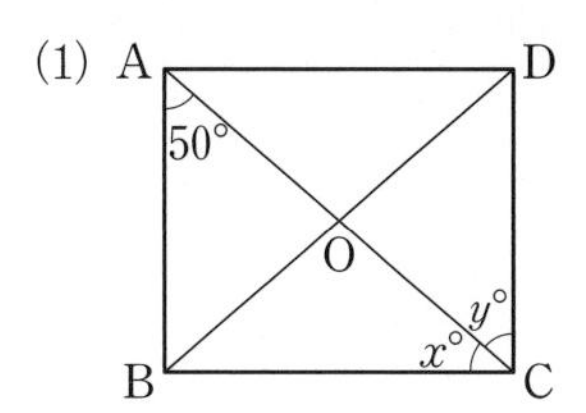

(2)

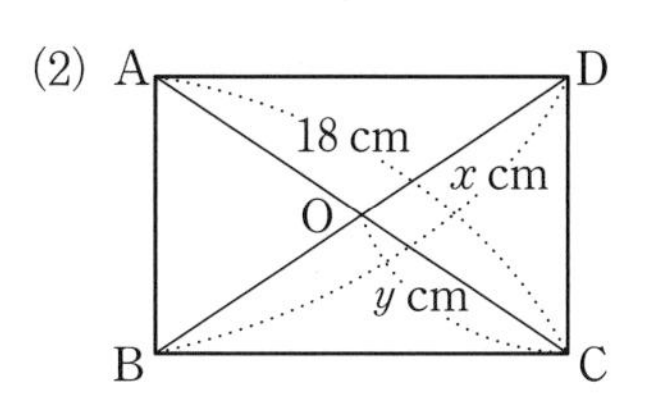

평행사변형이 직사각형이 되는 조건

3-1 다음 그림과 같은 평행사변형 ABCD가 직사각형이 되기 위한 조건으로 옳은 것에 ○표를 하시오.

(단, 점 O는 두 대각선의 교점이다.)

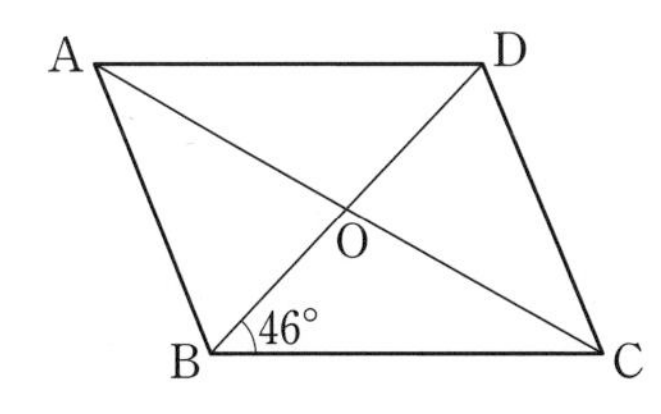

(1) $\angle BAD$의 크기가 $(44^\circ, 90^\circ)$이어야 한다.

(2) $\angle ABD$의 크기가 $(44^\circ, 46^\circ)$이어야 한다.

3-2 다음 평행사변형이 직사각형이 되도록 하는 x의 값을 구하시오. (단, 점 O는 두 대각선의 교점이다.)

(1)

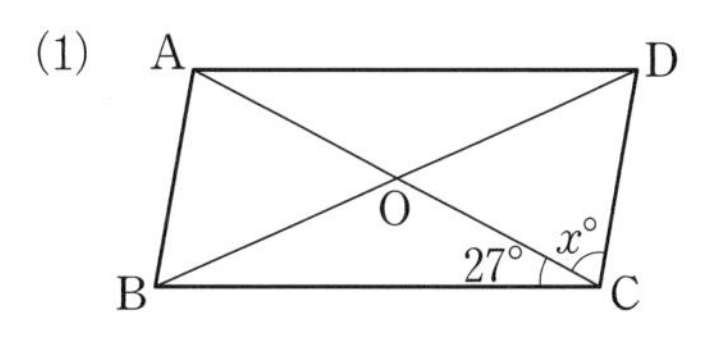

(2)

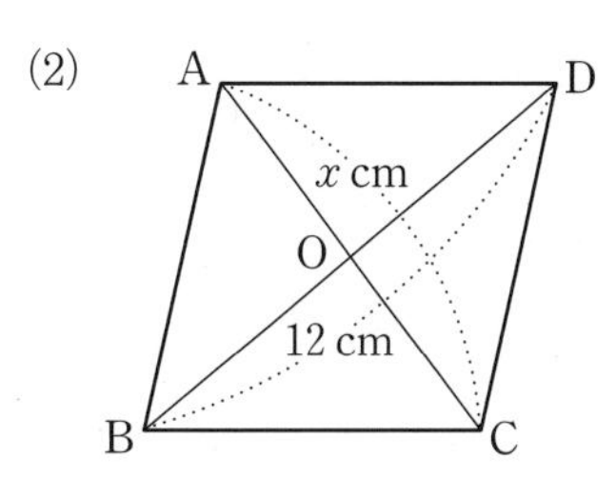

2주 3일 기초 집중 연습

정답과 풀이 19쪽

개념 01 평행사변형이 되는 조건을 알고 있는가?

다음 조건 중 어느 하나를 만족하는 □ABCD는 평행사변형이다.

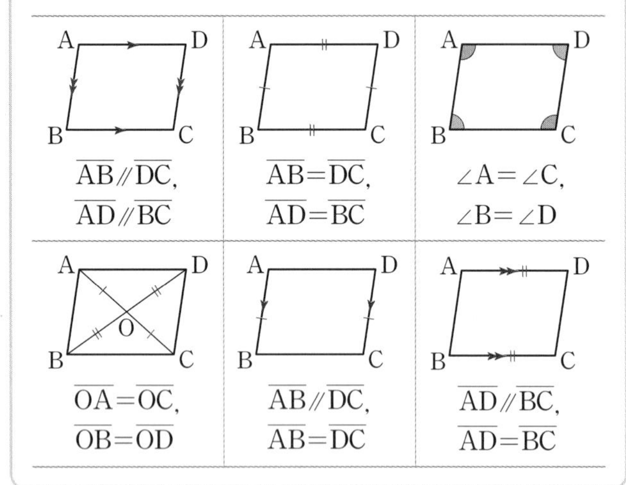

1-1

다음은 오른쪽 그림과 같은 사각형 ABCD가 평행사변형이 되는 조건이다. ▢ 안에 알맞은 것을 써넣으시오. (단, 점 O는 두 대각선의 교점이다.)

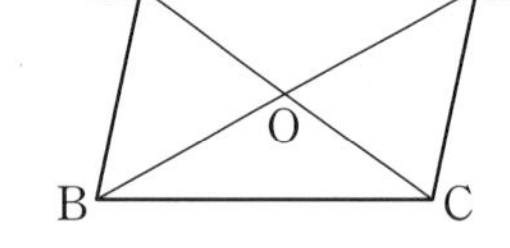

(1) $\overline{AB}/\!/$▢, $\overline{AD}/\!/$▢

(2) $\angle BAD=$▢, $\angle ABC=$▢

(3) $\overline{AB}=$▢, $\overline{AD}=$▢

(4) $\overline{AB}/\!/$▢, $\overline{AB}=$▢

(5) $\overline{AD}/\!/$▢, ▢$=\overline{BC}$

(6) $\overline{OA}=$▢, $\overline{OB}=$▢

1-2

다음 그림과 같은 □ABCD가 평행사변형이 되도록 하는 x, y의 값을 각각 구하시오.

(1)

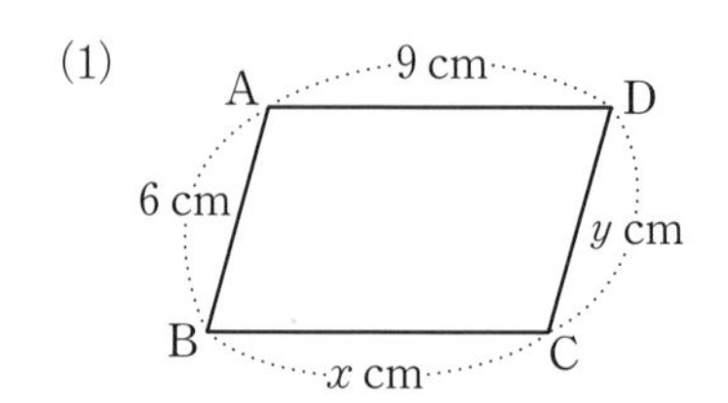

(2)

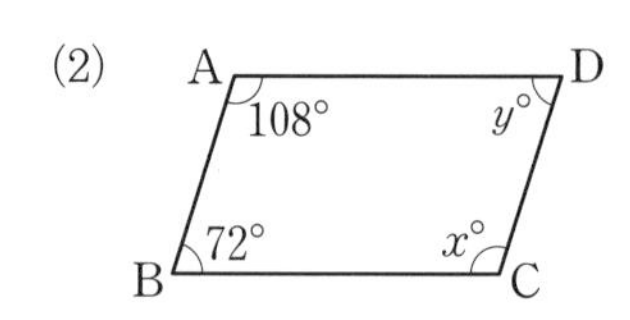

(3)

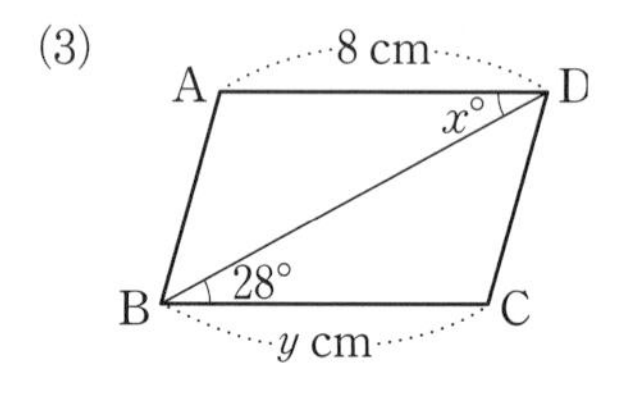

1-3

다음 중 □ABCD가 평행사변형이 아닌 것을 들고 있는 학생을 말하시오.

1-4

다음 중 오른쪽 그림과 같은 □ABCD가 평행사변형이 되는 것은? (단, 점 O는 두 대각선의 교점이다.)

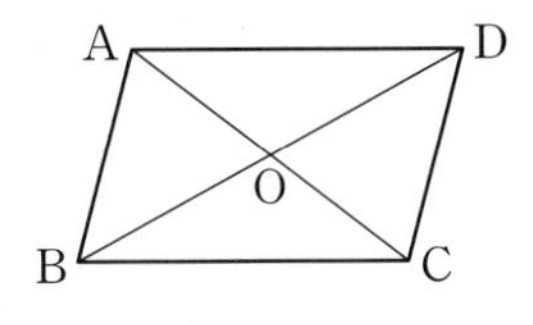

① $\overline{AB}=\overline{BC}=5$ cm, $\overline{AD}=\overline{DC}=7$ cm
② $\angle BAD=100°$, $\angle ABC=80°$, $\angle BCD=100°$
③ $\overline{OA}=\overline{OB}=5$ cm, $\overline{OC}=\overline{OD}=6$ cm
④ $\overline{AB} /\!/ \overline{DC}$, $\overline{AD}=4$ cm, $\overline{BC}=4$ cm
⑤ $\angle ABC=\angle BCD$, $\overline{AB}=6$ cm, $\overline{DC}=6$ cm

개념 02 직사각형의 성질과 평행사변형이 직사각형이 되는 조건을 알고 있는가?

(1) 직사각형 : 네 내각의 크기가 모두 같은 사각형
① 직사각형은 평행사변형이다.
② 직사각형의 두 대각선은 길이가 같고 서로 다른 것을 이등분한다.

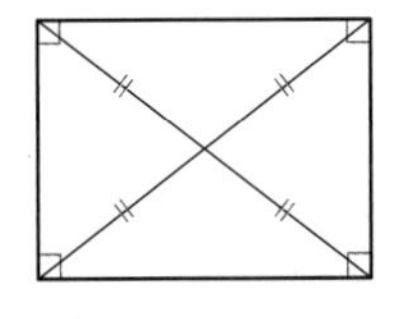

(2) 평행사변형이 직사각형이 되는 조건
다음 조건 중 어느 하나를 만족하는 평행사변형은 직사각형이다.
① 한 내각이 직각이다. → 직사각형의 뜻
② 두 대각선의 길이가 같다. → 직사각형의 성질

2-1

오른쪽 그림과 같은 직사각형 ABCD에서 x, y의 값을 각각 구하시오.

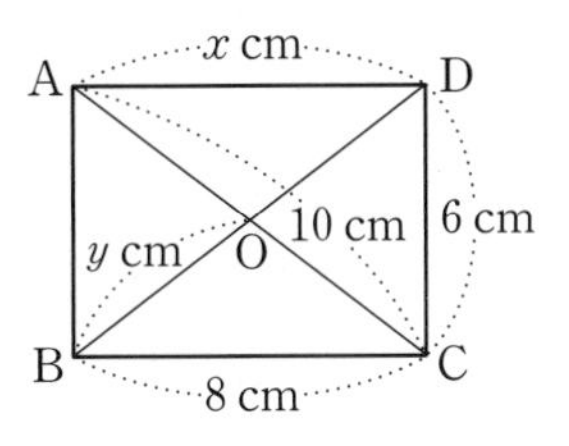

2-2

오른쪽 그림과 같은 직사각형 ABCD에서 점 O는 두 대각선의 교점이다. $\angle OAD=30°$일 때, $\angle x$, $\angle y$의 크기를 각각 구하시오.

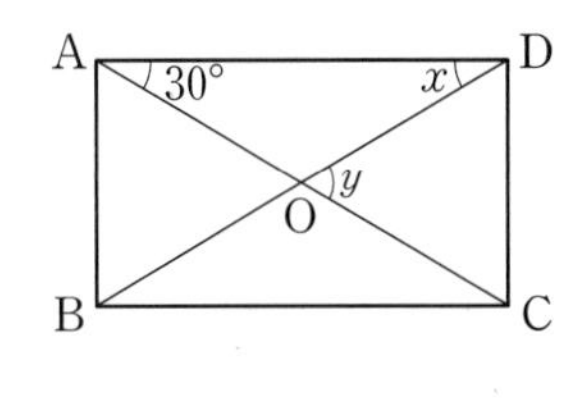

2-3

오른쪽 그림과 같은 직사각형 ABCD에서 점 O는 두 대각선의 교점이다. $\angle OAB=52°$일 때, $x+y$의 값을 구하시오.

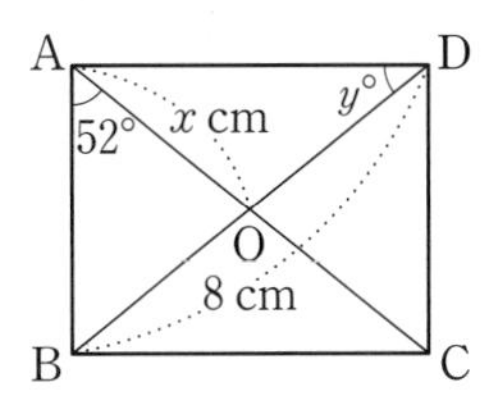

2-4

오른쪽 그림과 같은 평행사변형 ABCD에서 두 대각선의 교점을 O라고 하자. 다음 중 □ABCD가 직사각형이 되는 조건이 아닌 것은?

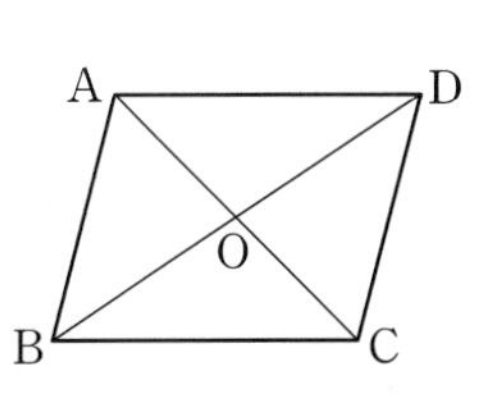

① $\angle DAB=90°$
② $\overline{AO}=\overline{BO}$
③ $\overline{AC}\perp\overline{BD}$
④ $\angle DAB=\angle ABC$
⑤ $\angle OAD=\angle ODA$

7. 마름모의 성질

마름모의 뜻과 성질

평행사변형이 마름모가 되는 조건

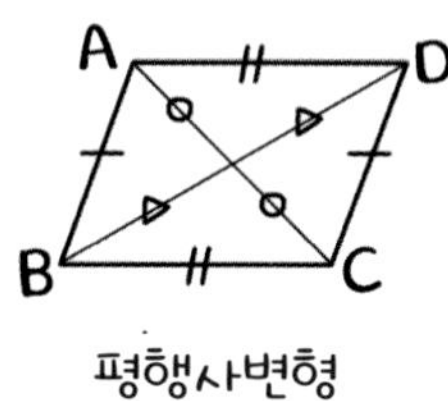

평행사변형

① 이웃하는 두 변의 길이가 같다. ($\overline{AB}=\overline{BC}$)

또는

② 두 대각선이 서로 수직이다. ($\overline{AC}\perp\overline{BD}$)

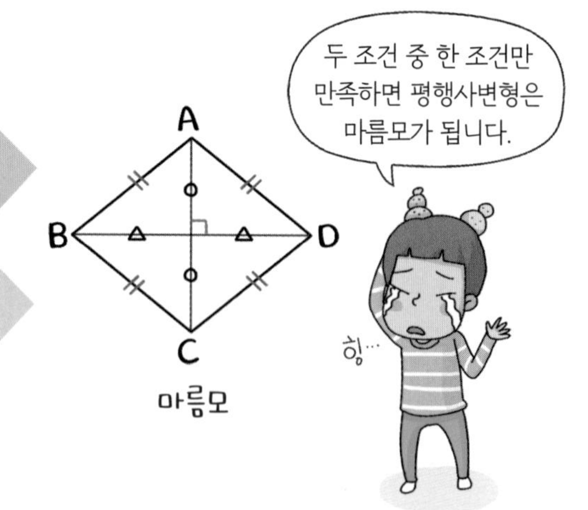

회색 글씨를 따라 쓰면서 개념을 정리해 보세요.

❖ 마름모의 성질

마름모의 두 대각선은 서로 다른 것을 수직이등분한다.

➡ $\overline{AC}\perp\overline{BD}$, $\overline{AO}=\overline{CO}$, $\overline{BO}=\overline{DO}$

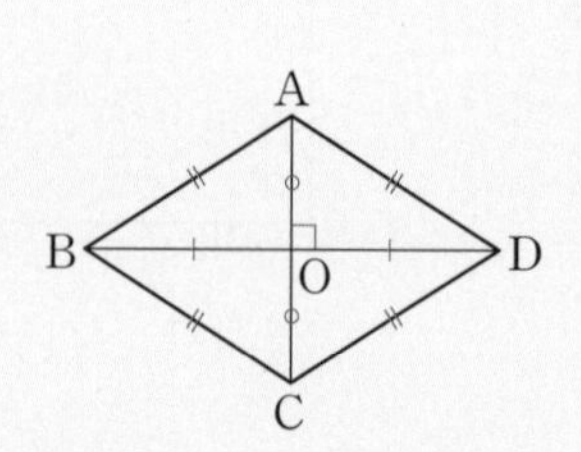

참고 마름모는 두 쌍의 대변의 길이가 각각 같으므로 평행사변형이다.
따라서 마름모는 평행사변형의 성질을 모두 만족한다.

개념 원리 확인

정답과 풀이 20쪽

마름모의 뜻과 성질

1-1 오른쪽 그림과 같은 마름모 ABCD에 대하여 다음 중 옳은 것에는 '○'를, 옳지 않은 것에는 '×'를 ( ) 안에 써넣으시오.
(단, 점 O는 두 대각선의 교점이다.)

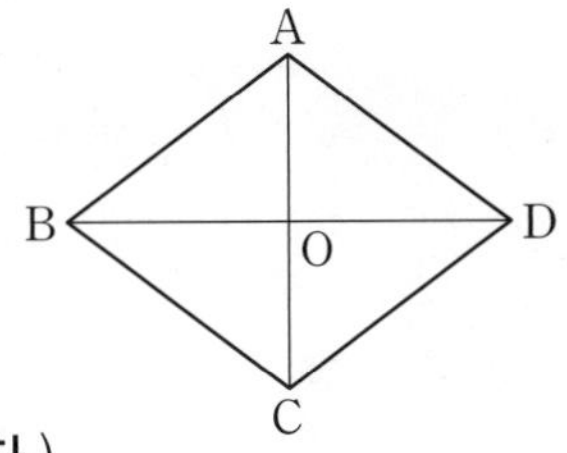

(1) $\overline{AB}=\overline{AD}$ ( )

(2) $\overline{AO}=\overline{BO}$ ( )

(3) $\overline{AC}\perp\overline{BD}$ ( )

(4) $\angle ABC=\angle BCD$ ( )

1-2 다음 그림과 같은 마름모 ABCD에서 x, y의 값을 각각 구하시오. (단, 점 O는 두 대각선의 교점이다.)

(1)

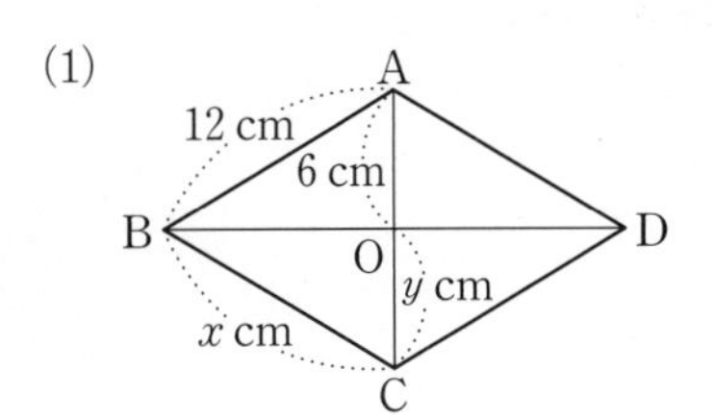

(2)

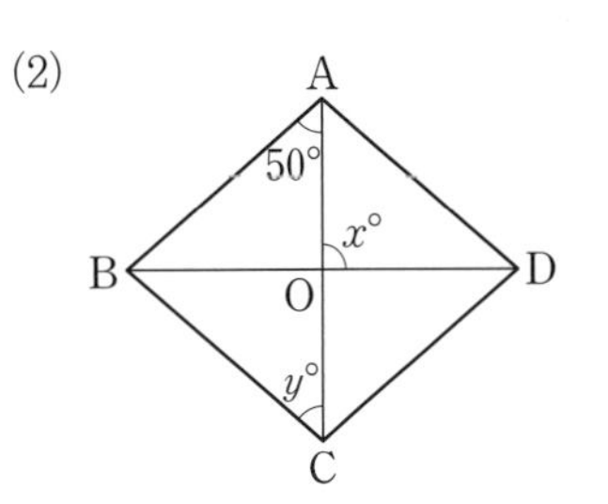

평행사변형이 마름모가 되는 조건

2-1 다음 그림과 같은 평행사변형 ABCD가 마름모가 되기 위한 조건으로 옳은 것에 ○표를 하시오.
(단, 점 O는 두 대각선의 교점이다.)

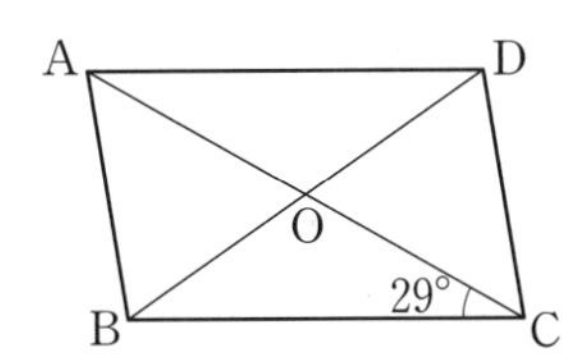

(1) $\angle BAC$의 크기가 $(29°, 61°)$이어야 한다.

(2) $\angle OBC$의 크기가 $(29°, 61°)$이어야 한다.

2-2 다음 평행사변형이 마름모가 되도록 하는 x, y의 값을 각각 구하시오.

(1)

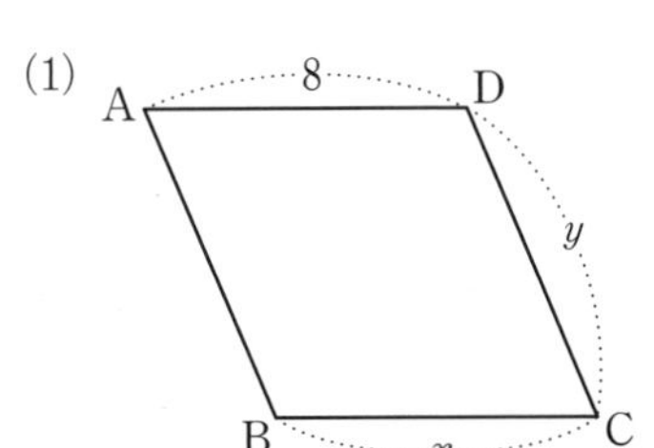

(2)

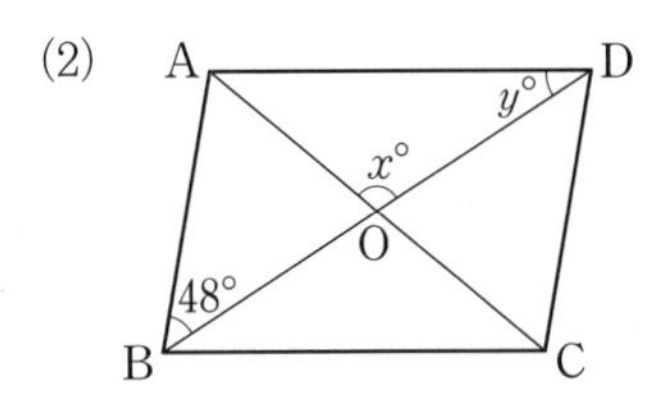

(단, 점 O는 두 대각선의 교점이다.)

2주 4일

정사각형의 뜻과 성질

직사각형, 마름모가 정사각형이 되는 조건

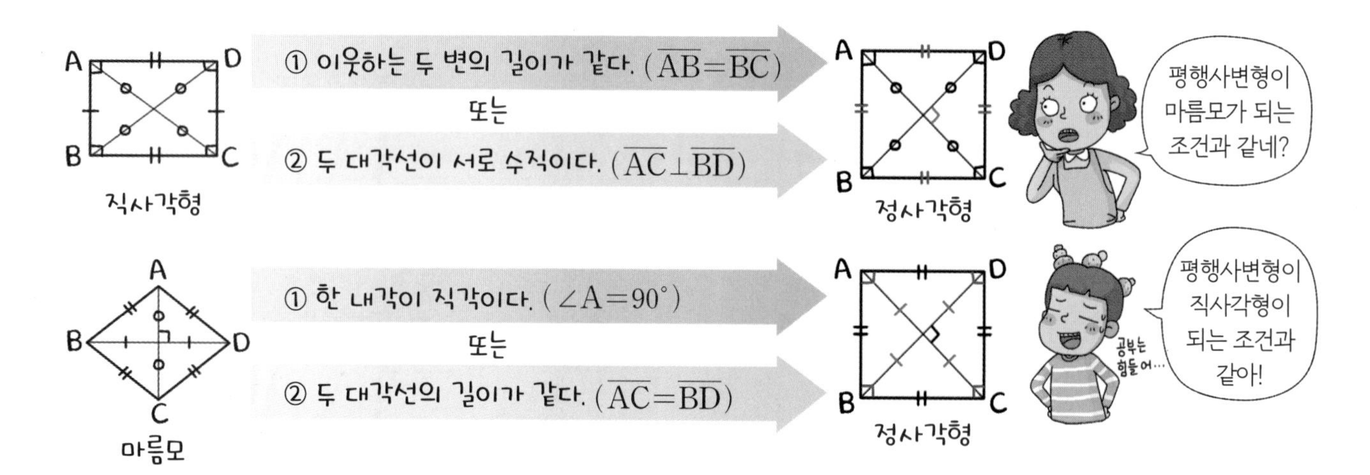

회색 글씨를 따라 쓰면서 개념을 정리해 보세요.

❖ 정사각형의 성질

정사각형의 두 대각선은 길이가 같고, 서로 다른 것을 수직이등분한다.

➡ $\overline{AC}=\overline{BD}$, $\overline{AC}\perp\overline{BD}$, $\overline{AO}=\overline{BO}=\overline{CO}=\overline{DO}$

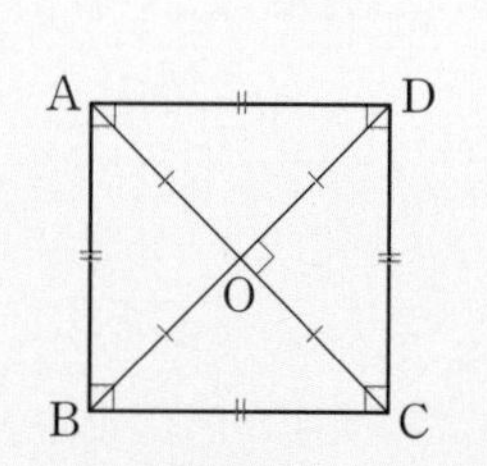

참고 정사각형은 네 내각의 크기가 모두 같으므로 직사각형이고, 네 변의 길이가 모두 같으므로 마름모이다.
따라서 정사각형은 직사각형의 성질과 마름모의 성질을 동시에 만족한다.

개념 원리 확인

○ 정답과 풀이 20쪽

정사각형의 뜻과 성질

3-1 오른쪽 그림과 같은 정사각형 ABCD에 대하여 다음 중 옳은 것에는 '○'를, 옳지 않은 것에는 '×'를 (　　) 안에 써넣으시오.
(단, 점 O는 두 대각선의 교점이다.)

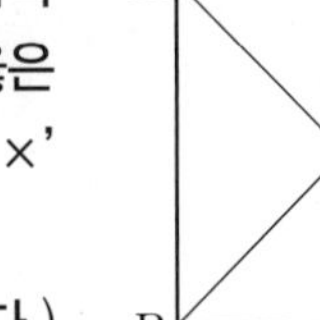

(1) $\overline{AC} \perp \overline{BD}$ (　　)

(2) $\angle AOB = \angle AOD$ (　　)

(3) $\overline{AB} = \overline{BC}$ (　　)

(4) $\overline{AC} = \overline{BD}$ (　　)

(5) $\overline{AB} = \overline{AC}$ (　　)

3-2 다음 그림과 같은 정사각형 ABCD에서 x, y의 값을 각각 구하시오.

(1)

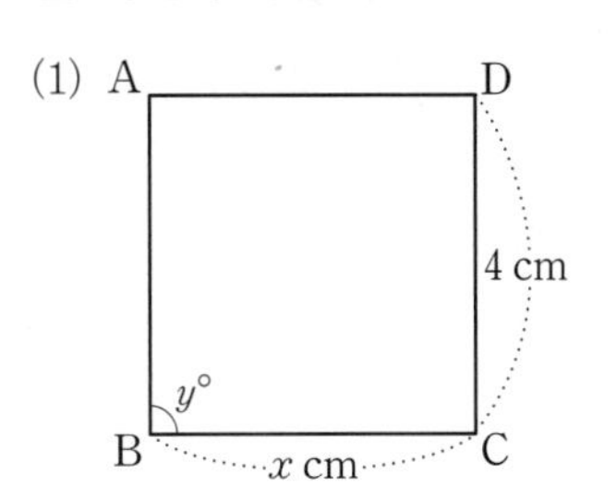

(2)

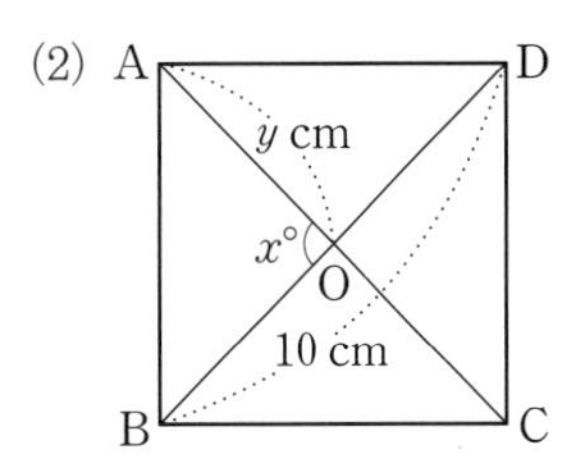

(단, 점 O는 두 대각선의 교점이다.)

직사각형, 마름모가 정사각형이 되는 조건

4-1 다음 그림과 같은 직사각형 ABCD가 정사각형이 되도록 □ 안에 알맞은 수를 써넣으시오.
(단, 점 O는 두 대각선의 교점이다.)

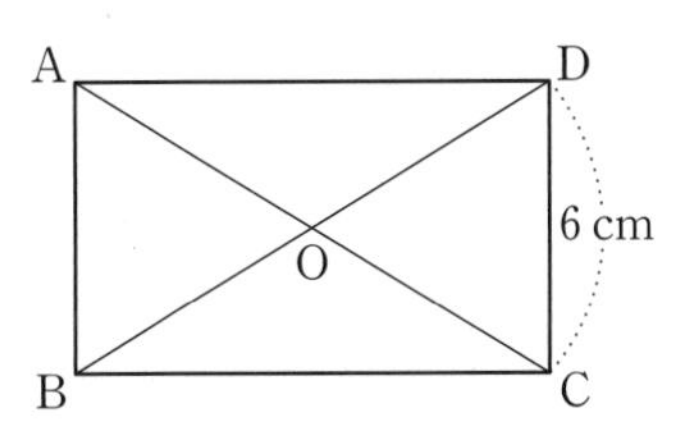

(1) $\overline{BC}$의 길이가 □cm이어야 한다.

(2) $\angle DOC$의 크기가 □°이어야 한다.

4-2 다음 그림과 같은 마름모 ABCD가 정사각형이 되도록 □ 안에 알맞은 수를 써넣으시오.

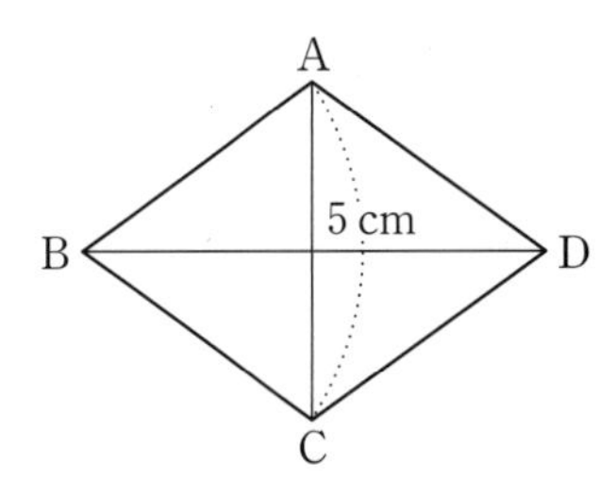

(1) $\overline{BD}$의 길이는 □cm이어야 한다.

(2) $\angle ABC$의 크기는 □°이어야 한다.

2주 4일

2주 4일 기초 집중 연습

정답과 풀이 21쪽

개념 01 마름모의 성질과 평행사변형이 마름모가 되는 조건을 알고 있는가?

(1) 마름모 : 네 변의 길이가 모두 같은 사각형

① 마름모는 평행사변형이다.

② 마름모의 두 대각선은 서로 다른 것을 수직이등분한다.

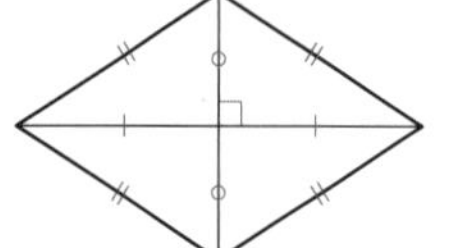

(2) 평행사변형이 마름모가 되는 조건

다음 조건 중 어느 하나를 만족하는 평행사변형은 마름모이다.

① 이웃하는 두 변의 길이가 같다. → 마름모의 뜻

② 두 대각선이 서로 수직이다. → 마름모의 성질

1-1

다음 그림과 같은 마름모 ABCD에서 x, y의 값을 각각 구하시오. (단, 점 O는 두 대각선의 교점이다.)

(1)

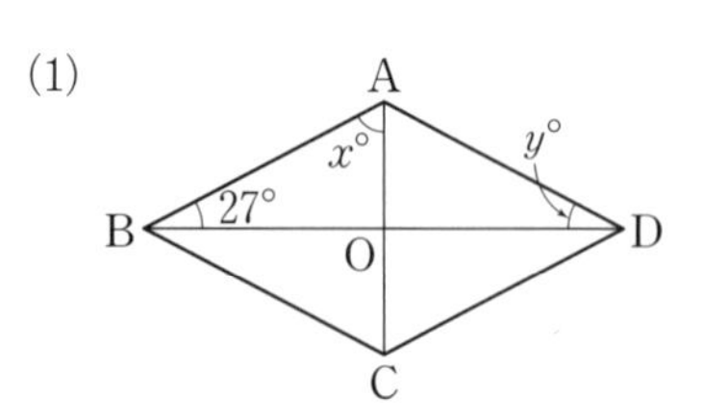

(2)

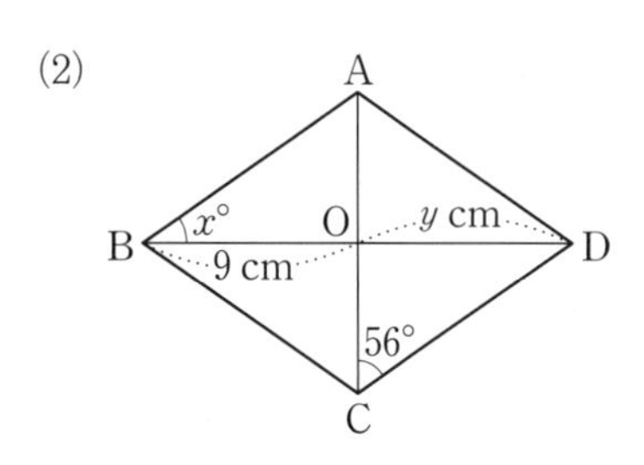

1-2

오른쪽 그림과 같은 마름모 ABCD에서 ∠ABD=32°일 때, ∠C의 크기를 구하시오.

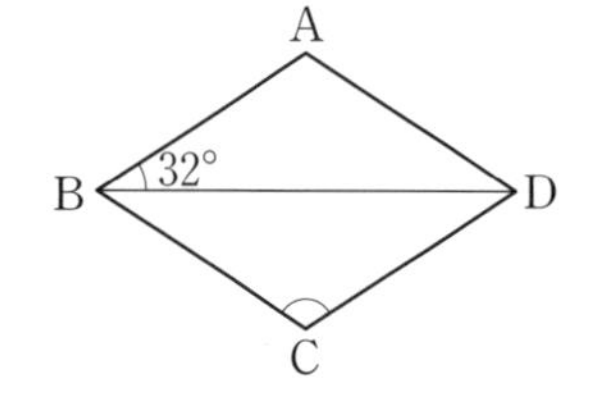

1-3

다음 그림과 같은 마름모 ABCD에서 $\overline{AC}=12$ cm, $\overline{BD}=16$ cm일 때, △ABO의 넓이를 구하시오.

(단, 점 O는 두 대각선의 교점이다.)

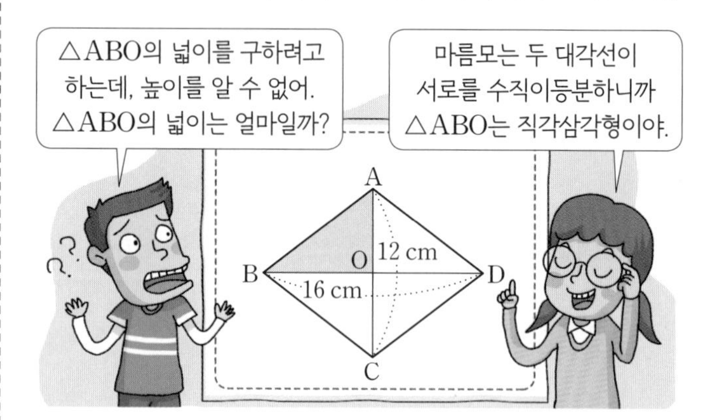

1-4

오른쪽 그림과 같은 평행사변형 ABCD가 마름모가 되도록 하는 x, y의 값을 각각 구하시오.

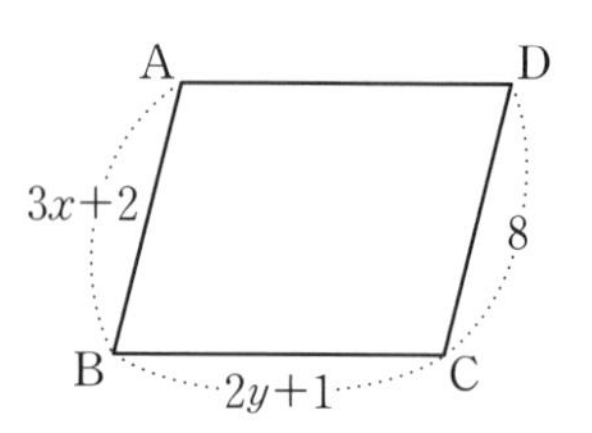

1-5

오른쪽 그림과 같은 평행사변형 ABCD에서 점 O가 두 대각선의 교점일 때, 다음 중 □ABCD가 마름모가 되는 조건을 모두 고르면? (정답 2개)

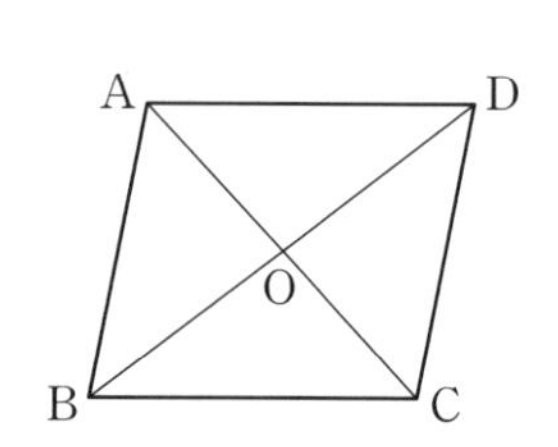

① $\overline{AB}=\overline{BC}$
② $\overline{AC}=\overline{BD}$
③ $\overline{AC}\perp\overline{BD}$
④ ∠DAB=90°
⑤ ∠DAB=∠ABC

개념 02 정사각형의 성질을 알고 있는가?

정사각형 : 네 내각의 크기가 모두 같고, 네 변의 길이가 모두 같은 사각형

① 정사각형은 직사각형이고, 마름모이다.

② 정사각형의 두 대각선은 길이가 같고, 서로 다른 것을 수직이등분한다.

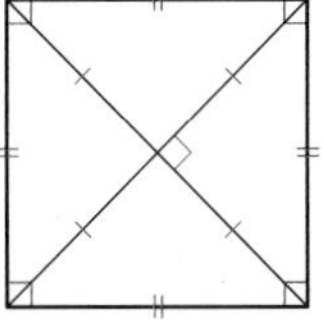

2-1

다음 그림과 같은 정사각형 ABCD에서 x, y의 값을 각각 구하시오.

(1)

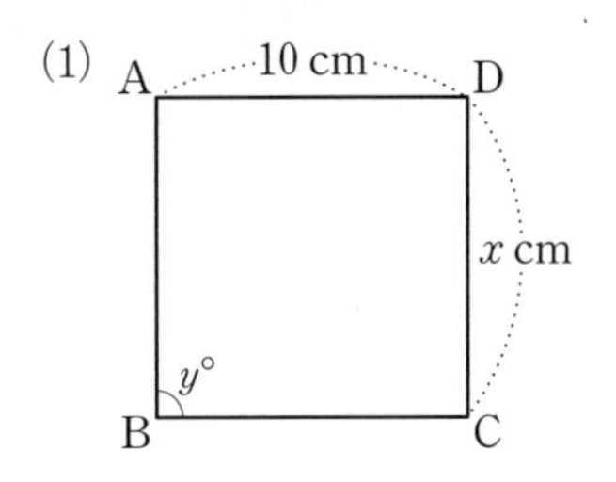

(2)

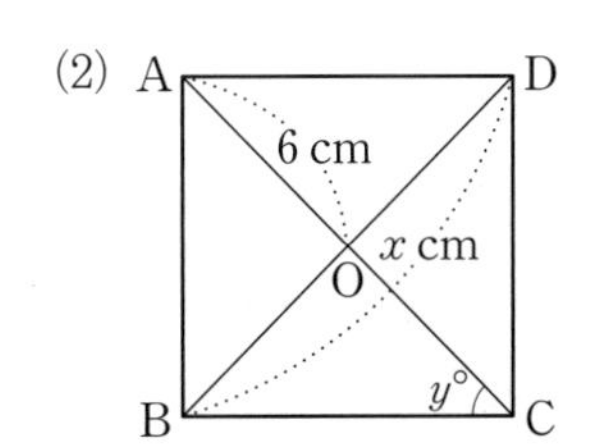

(단, 점 O는 두 대각선의 교점이다.)

2-2

오른쪽 그림과 같은 정사각형 ABCD에서 $\overline{AO}=4$ cm일 때, 다음을 구하시오. (단, 점 O는 두 대각선의 교점이다.)

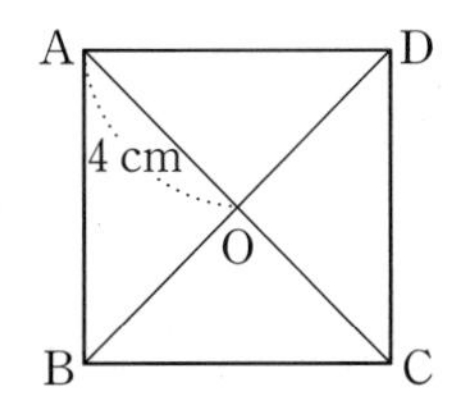

(1) $\overline{BD}$의 길이

(2) $\triangle$ABD의 넓이

(3) $\square$ABCD의 넓이

개념 03 직사각형, 마름모가 정사각형이 되는 조건을 알고 있는가?

(1) 직사각형이 정사각형이 되는 조건

다음 조건 중 어느 하나를 만족하는 직사각형은 정사각형이다.

① 이웃하는 두 변의 길이가 같다. → 마름모의 뜻

② 두 대각선이 서로 수직이다. → 마름모의 성질

(2) 마름모가 정사각형이 되는 조건

다음 조건 중 어느 하나를 만족하는 마름모는 정사각형이다.

① 한 내각이 직각이다. → 직사각형의 뜻

② 두 대각선의 길이가 같다. → 직사각형의 성질

3-1

오른쪽 그림과 같은 직사각형 ABCD가 정사각형이 되도록 하는 x, y의 값을 각각 구하시오. (단, 점 O는 두 대각선의 교점이다.)

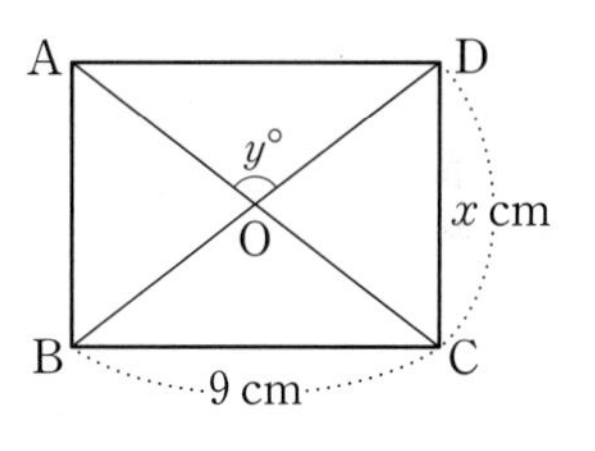

3-2

오른쪽 그림과 같은 마름모 ABCD에서 두 대각선의 교점을 O라고 할 때, 다음 중 $\square$ABCD가 정사각형이 되는 조건이 아닌 것을 모두 고르면? (정답 2개)

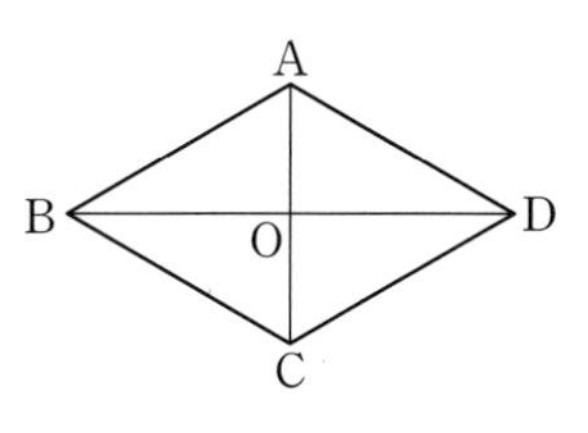

① $\overline{AC}=\overline{BD}$　② $\overline{BO}=\overline{DO}$

③ $\angle ABC=90°$　④ $\angle ABD=\angle ADB$

⑤ $\angle BCD=\angle CDA$

2주 4일

회색 글씨를 따라 쓰면서 개념을 정리해 보세요.

❖ 여러 가지 사각형의 대각선의 성질

1 두 대각선이 서로 다른 것을 이등분하는 사각형 ➡ 평행사변형, 직사각형, 마름모, 정사각형

2 두 대각선의 길이가 같은 사각형 ➡ 직사각형, 정사각형, 등변사다리꼴

3 두 대각선이 서로 수직인 사각형 ➡ 마름모, 정사각형

개념 원리 확인

○정답과 풀이 22쪽

여러 가지 사각형 사이의 관계 (1)

1-1 오른쪽 그림의 평행사변형 ABCD에 대한 설명으로 옳은 것에는 '○'를, 옳지 않은 것에는 '×'를 ( ) 안에 써넣으시오. (단, 점 O는 두 대각선의 교점이다.)

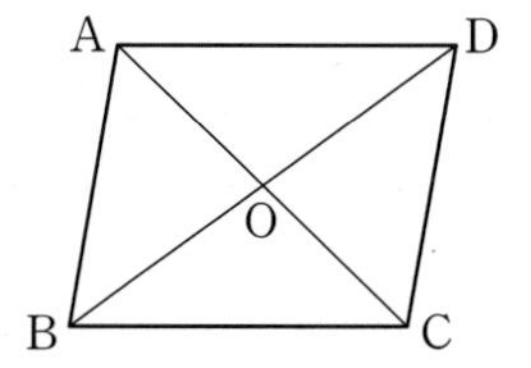

(1) $\overline{BC}=\overline{CD}$이면 직사각형이 된다. ( )

(2) $\angle AOB=90°$이면 마름모가 된다. ( )

1-2 다음 조건을 만족하는 평행사변형 ABCD는 어떤 사각형이 되는지 말하시오. (단, 점 O는 두 대각선의 교점이다.)

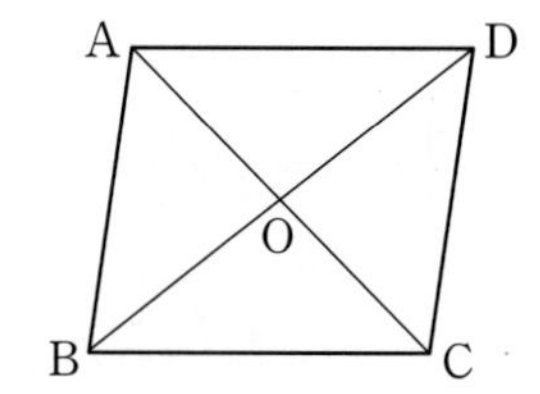

(1) $\overline{AC}=\overline{BD}$

(2) $\overline{AC}\perp\overline{BD}$

(3) $\angle BCD=90°$

(4) $\overline{AC}=\overline{BD}$, $\overline{AC}\perp\overline{BD}$

2주 5일

여러 가지 사각형 사이의 관계 (2)

2-1 다음 그림은 여러 가지 사각형 사이의 관계를 나타낸 것이다. (가)~(라)에 알맞은 조건을 오른쪽 보기 에서 모두 고르시오.

보기
㉠ $\angle A=90°$ ㉡ $\overline{AC}\perp\overline{BD}$
㉢ $\overline{AB}=\overline{BC}$ ㉣ $\overline{AC}=\overline{BD}$

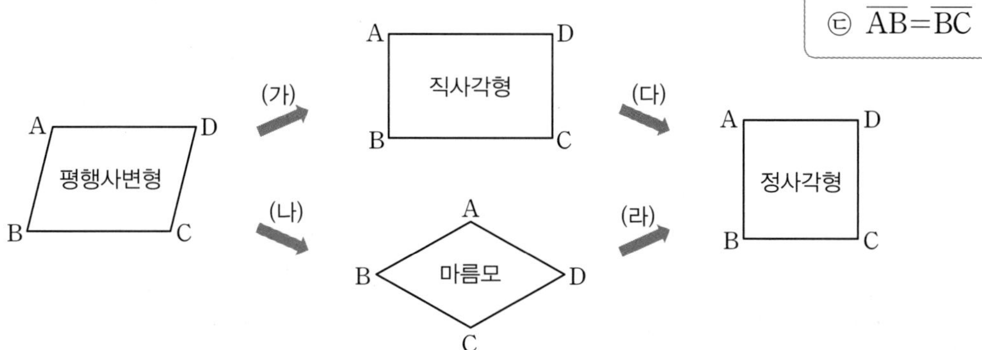

여러 가지 사각형의 대각선의 성질

3-1 다음 각 사각형에 대하여 그 사각형의 성질인 것에는 '○'를, 아닌 것에는 '×'를 빈칸에 써넣으시오.

성질	사다리꼴	평행사변형	직사각형	마름모	정사각형
(1) 두 쌍의 대변이 각각 평행하다.	×	○			
(2) 두 쌍의 대변의 길이가 각각 같다.	×	○			
(3) 두 쌍의 대각의 크기가 각각 같다.					
(4) 두 대각선이 서로 다른 것을 이등분한다.					
(5) 두 대각선의 길이가 같다.					
(6) 두 대각선이 서로 수직이다.					

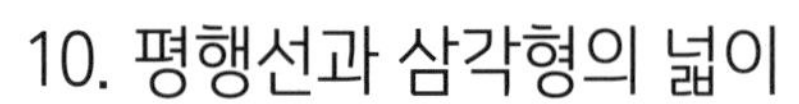

10. 평행선과 삼각형의 넓이

평행선과 삼각형의 넓이

사다리꼴에서 높이가 같은 삼각형의 넓이

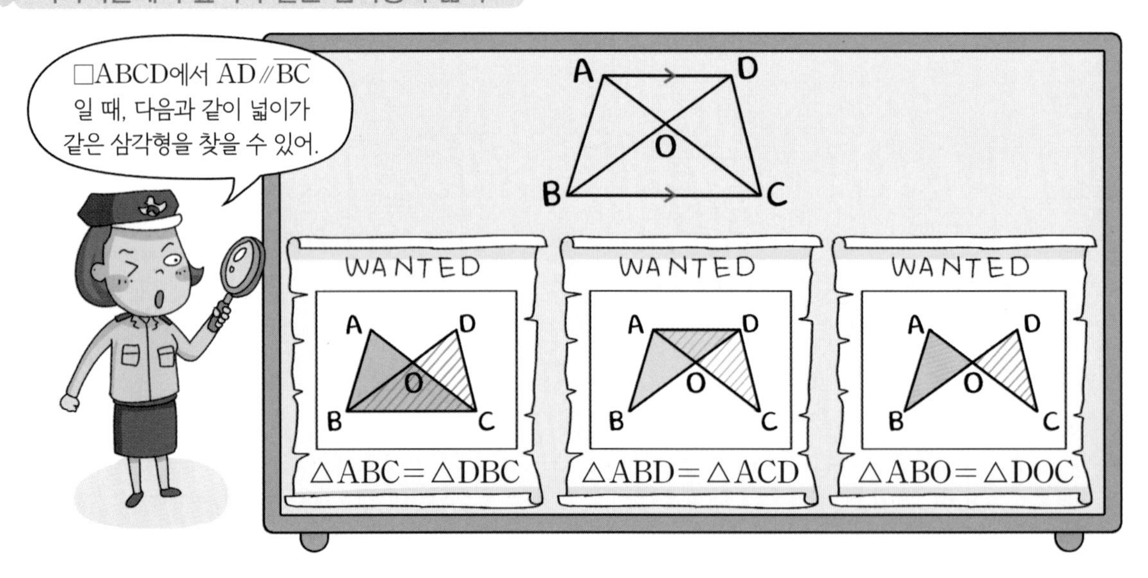

회색 글씨를 따라 쓰면서 개념을 정리해 보세요.

❖ 평행선과 삼각형의 넓이

오른쪽 그림의 $\triangle ABC$와 $\triangle DBC$에서 $l /\!/ m$이면

➡ 두 직선 l, m 사이의 거리는 일정하다.

➡ $\triangle ABC$와 $\triangle DBC$는 밑변($\overline{BC}$)이 공통이고 높이(h)가 같다.

➡ $\triangle ABC = \triangle DBC = \frac{1}{2}ah$

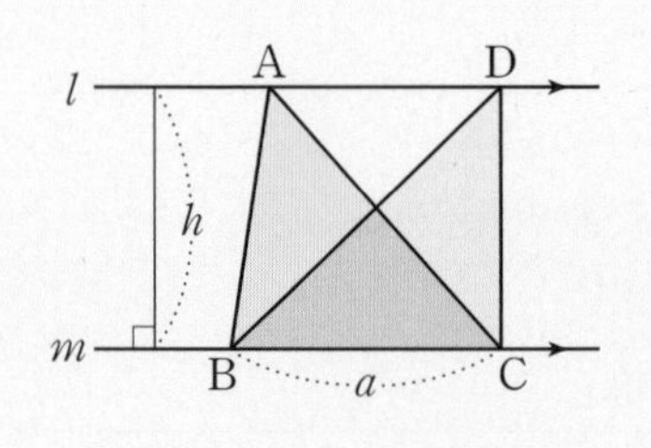

개념 원리 확인

정답과 풀이 22쪽

평행선과 삼각형의 넓이

4-1 다음 그림에서 $l /\!/ m$일 때, 색칠한 부분의 넓이를 구하시오.

(1)

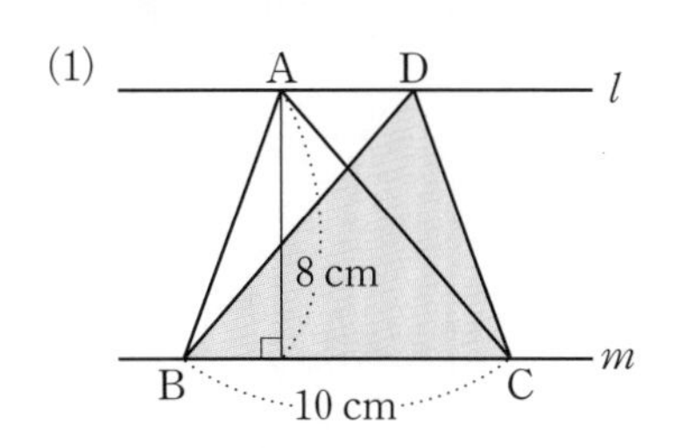

➡ $\triangle DBC = \triangle$ ☐

$= \frac{1}{2} \times 10 \times$ ☐ $=$ ☐ (cm^2)

(2)

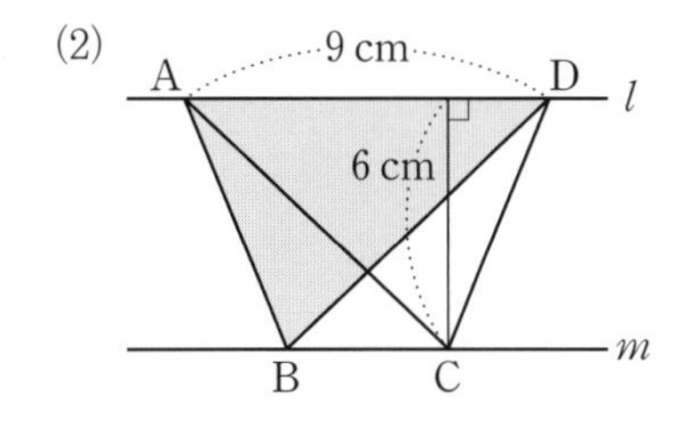

4-2 다음 그림에서 $l /\!/ m$일 때, 색칠한 부분의 넓이를 구하시오.

(1)

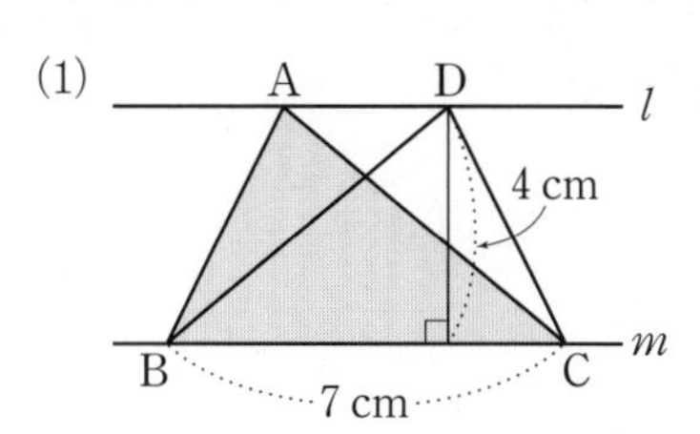

(2)

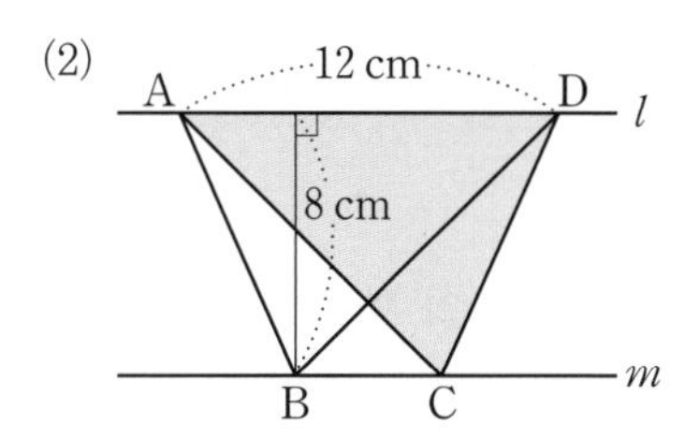

사다리꼴에서 높이가 같은 삼각형의 넓이

5-1 오른쪽 그림과 같이 $\overline{AD} /\!/ \overline{BC}$인 사다리꼴 ABCD에 대하여 다음을 구하시오. (단, 점 O는 두 대각선의 교점이다.)

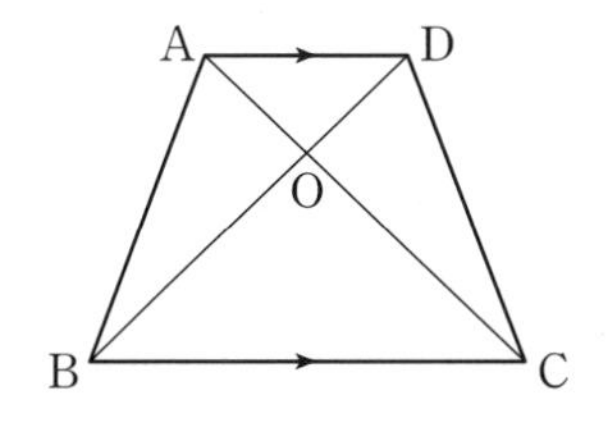

(1) $\triangle ABC$와 넓이가 같은 삼각형

(2) $\triangle ACD$와 넓이가 같은 삼각형

(3) $\triangle ABO$와 넓이가 같은 삼각형

5-2 오른쪽 그림과 같이 $\overline{AD} /\!/ \overline{BC}$인 사다리꼴 ABCD에서 $\triangle ABC = 45\ cm^2$, $\triangle DOC = 15\ cm^2$일 때, $\triangle OBC$의 넓이를 구하시오. (단, 점 O는 두 대각선의 교점이다.)

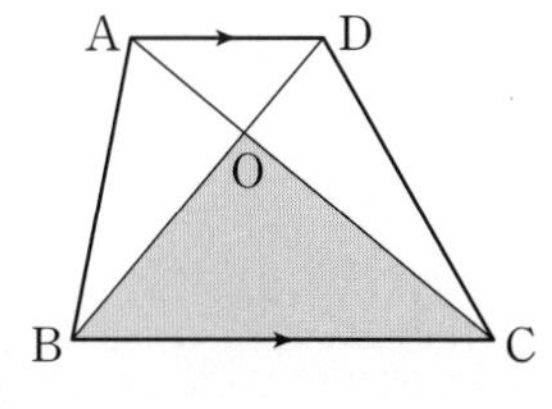

2주 5일 기초 집중 연습

개념 01 여러 가지 사각형 사이의 관계를 알고 있는가?

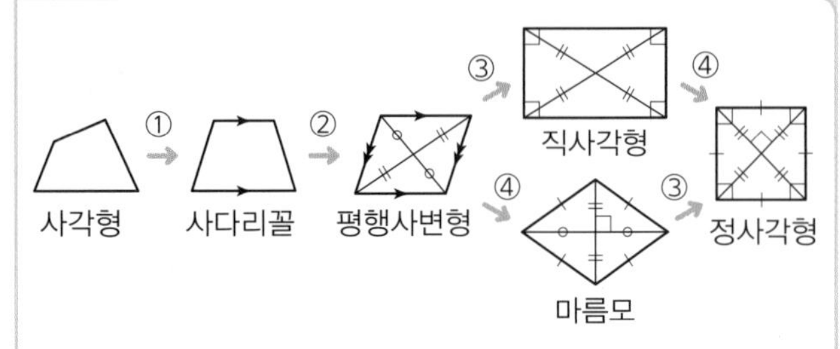

① 한 쌍의 대변이 평행하다.
② 다른 한 쌍의 대변이 평행하다.
③ 한 내각이 직각이거나 두 대각선의 길이가 같다.
④ 이웃하는 두 변의 길이가 같거나 두 대각선이 서로 수직이다.

1-1

다음 그림은 여러 가지 사각형 사이의 관계를 나타낸 것이다. ①~⑤에 들어갈 조건으로 옳은 것을 모두 고르면? (정답 2개)

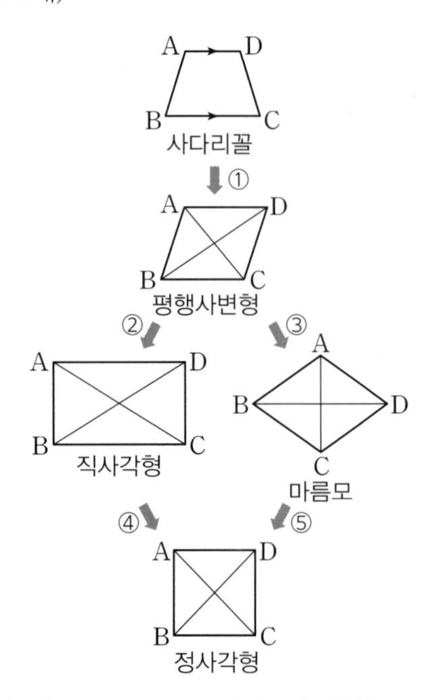

① $\overline{AB} /\!/ \overline{DC}$　② $\overline{AC} \perp \overline{BD}$
③ $\overline{AB} = \overline{DC}$　④ $\overline{AC} = \overline{BD}$
⑤ $\angle BAD = 90°$

1-2

다음을 만족하는 사각형을 아래 보기 에서 모두 찾으시오.

보기
㉠ 평행사변형　㉡ 등변사다리꼴　㉢ 직사각형
㉣ 마름모　㉤ 정사각형

(1) 두 대각선의 길이가 같다.

(2) 두 대각선이 서로 다른 것을 이등분한다.

(3) 두 대각선이 서로 다른 것을 수직이등분한다.

(4) 두 대각선의 길이가 같고, 서로 다른 것을 수직이등분한다.

1-3

오른쪽 그림과 같은 □ABCD를 다음과 같이 3단계의 작업 과정을 거치는 기계에 넣었을 때, 나오는 사각형의 이름을 말하시오.

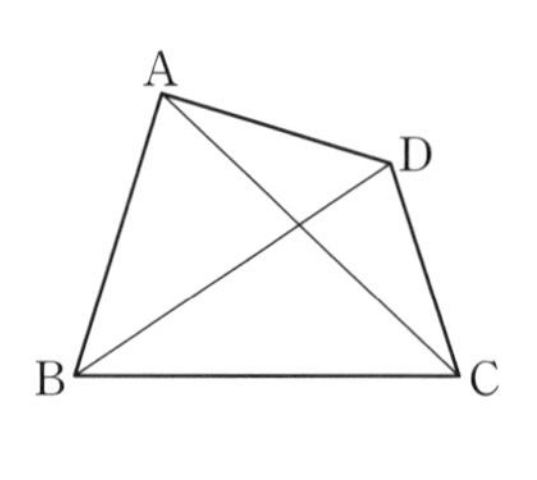

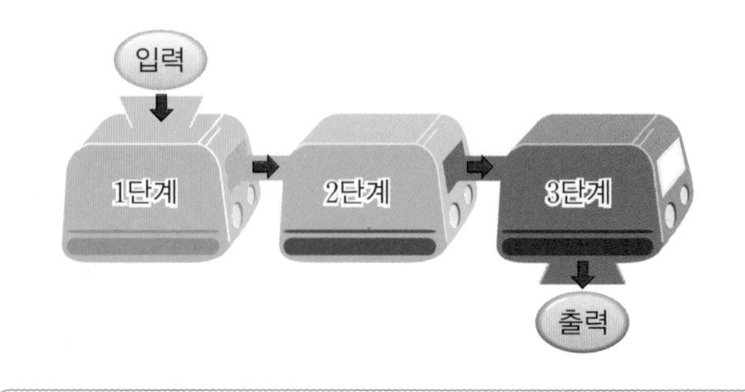

[1단계] 입력된 도형을 $\overline{AB} = \overline{DC}$, $\overline{AD} = \overline{BC}$가 되도록 만든다.
[2단계] 입력된 도형을 $\overline{AC} = \overline{BD}$가 되도록 만든다.
[3단계] 입력된 도형을 $\overline{AC} \perp \overline{BD}$가 되도록 만든다.

개념 02 평행선과 삼각형의 넓이 사이의 관계를 알고 있는가?

$l /\!/ m$이면
(1) △ABC=△DBC
(2) △ABD=△ACD
(3) △ABO=△DOC

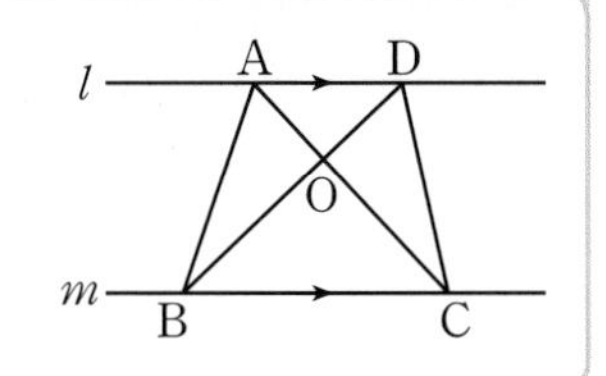

2-1

아래 그림과 같이 $\overline{AD} /\!/ \overline{BC}$인 사다리꼴 ABCD에 대하여 삼각형의 넓이가 다음과 같을 때, 색칠한 부분의 넓이를 구하시오. (단, 점 O는 두 대각선의 교점이다.)

(1)
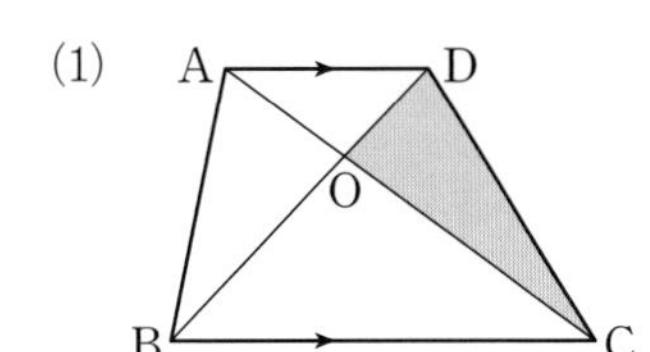

△ABC=35 cm^2
△OBC=20 cm^2

(2)
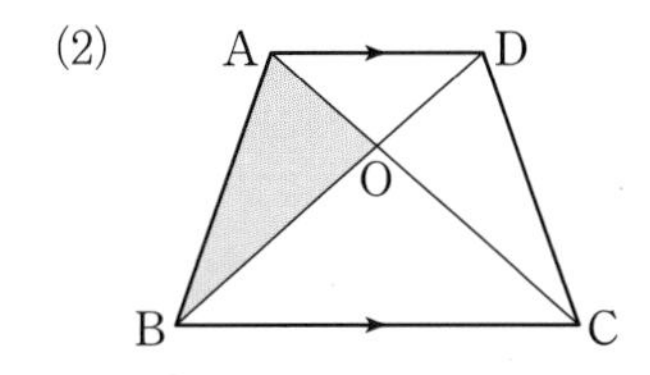

△ACD=18 cm^2,
△AOD=6 cm^2

2-2

오른쪽 그림과 같이 □ABCD의 꼭짓점 D를 지나고 $\overline{AC}$에 평행한 직선이 $\overline{BC}$의 연장선과 만나는 점을 E라고 하자.

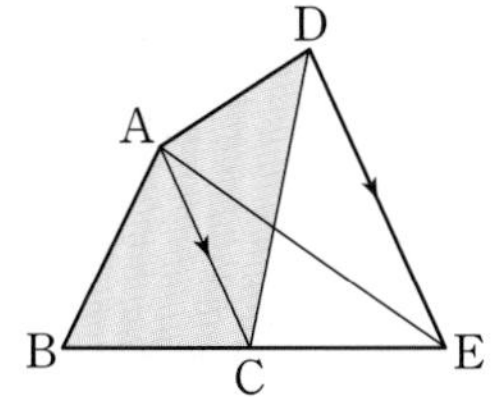

△ABE=18 cm^2일 때, 다음을 구하시오.

(1) △ACD와 넓이가 같은 삼각형

(2) □ABCD의 넓이

2-3

오른쪽 그림에서 $\overline{AC} /\!/ \overline{DE}$이고 □ABCD=40 cm^2일 때, △ABE의 넓이를 구하시오.

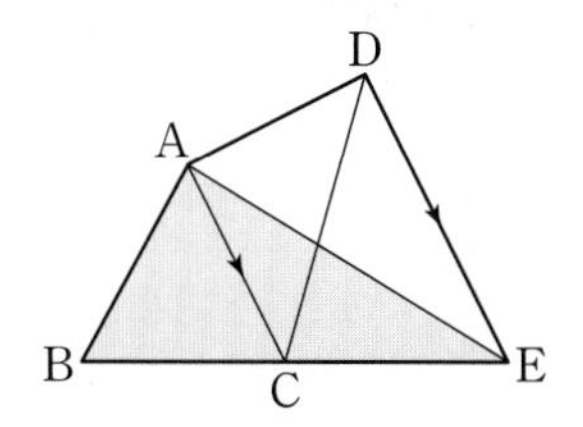

2-4

오른쪽 그림과 같은 △ABC에서 $\overline{BD}:\overline{CD}=5:2$이고 △ABC=56 cm^2일 때, 다음은 △ABD의 넓이를 구하는 과정이다. ▢ 안에 알맞은 것을 써넣으시오.

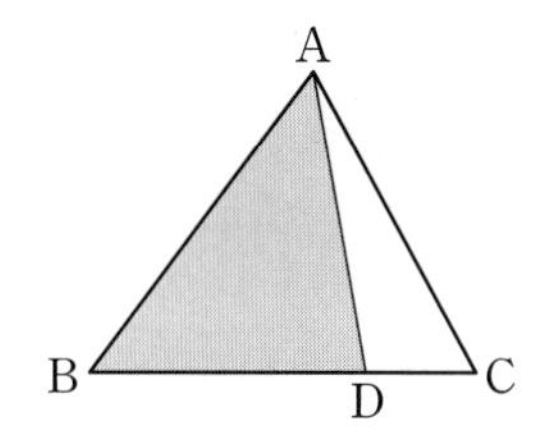

△ABD와 △ADC의 높이를 h라고 하면

$$\triangle ABD : \triangle ADC = \left(\frac{1}{2}\times\overline{BD}\times h\right) : \left(\frac{1}{2}\times\overline{CD}\times h\right)$$
$$= \overline{BD} : \square = 5 : \square$$

이때 △ABC=△ABD+△ADC이므로

$$\triangle ABD = \frac{\square}{5+\square}\triangle ABC = \square\ (cm^2)$$

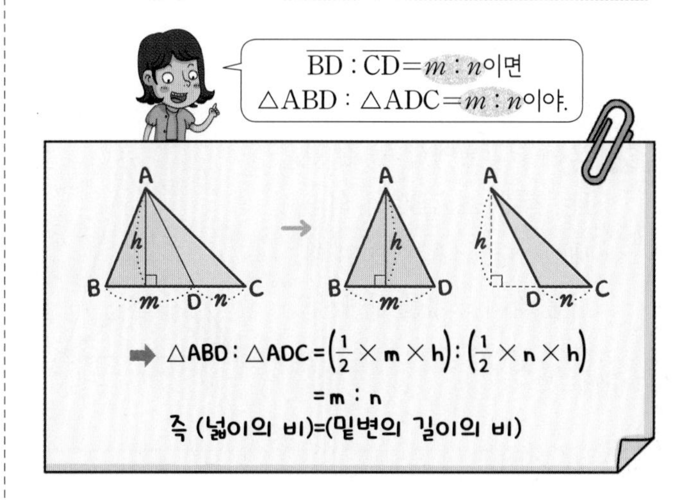

누구나 100점 테스트

01 다음 그림에서 점 I는 $\triangle ABC$의 내심일 때, $\angle x$, $\angle y$의 크기를 각각 구하시오.

(1)

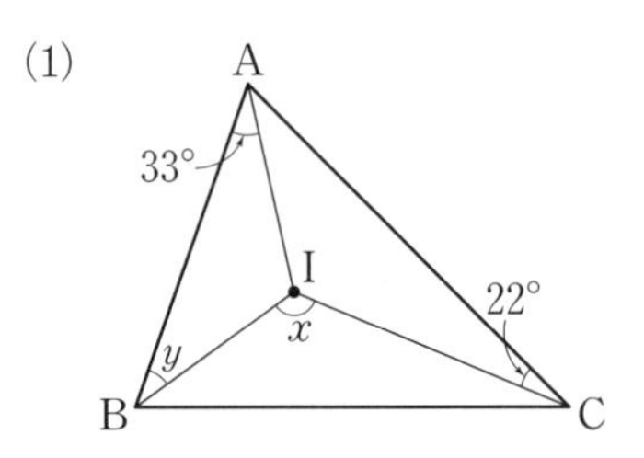

(2)

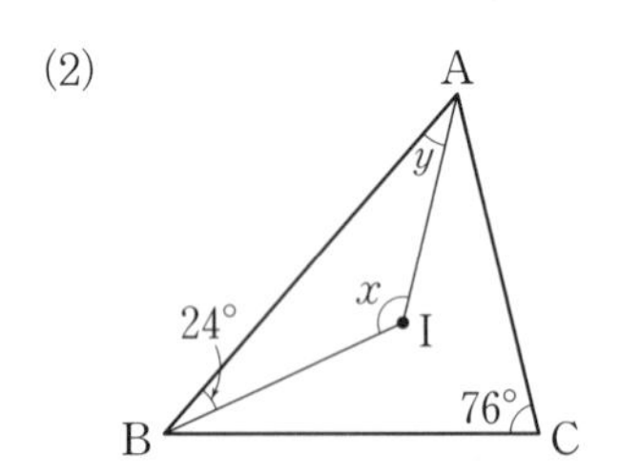

(3)

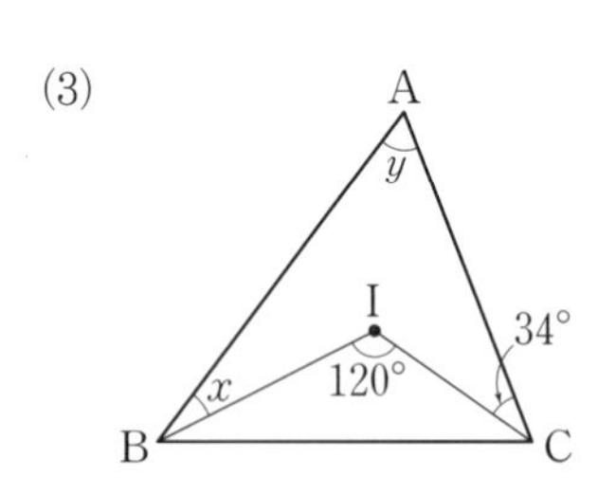

02 오른쪽 그림에서 두 점 O, I는 각각 $\triangle ABC$의 외심, 내심이다. $\angle A=50°$일 때, 다음 각의 크기를 구하시오.

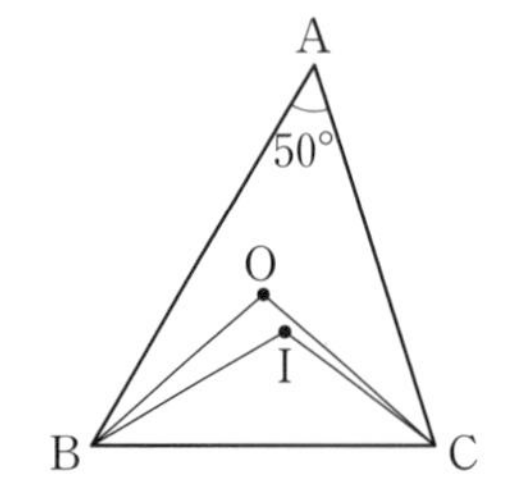

(1) $\angle BOC$

(2) $\angle BIC$

03 다음 그림에서 점 I는 직각삼각형 ABC의 내심이다. $\overline{AB}=10$ cm, $\overline{BC}=8$ cm, $\overline{CA}=6$ cm일 때, $\triangle ABC$의 내접원의 넓이를 구하시오.

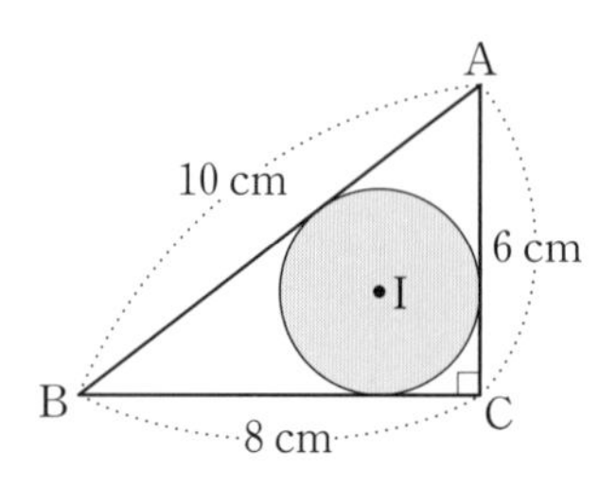

04 다음 그림과 같은 평행사변형 ABCD에서 $x+y+z$의 값을 구하시오.

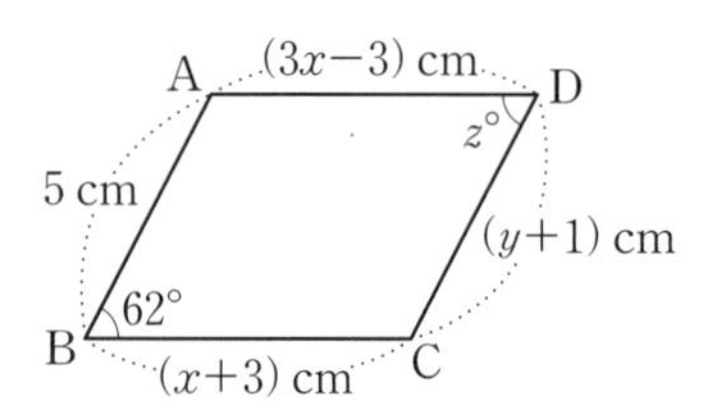

05 다음 중 오른쪽 그림의 □ABCD가 평행사변형이 될 수 없는 것은? (단, 점 O는 두 대각선의 교점이다.)

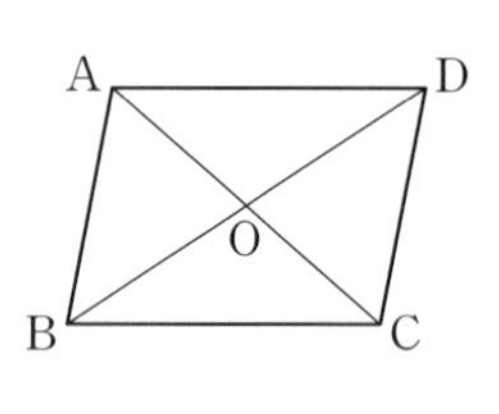

① $\overline{AB}=\overline{DC}=3$ cm, $\overline{AD}=\overline{BC}=5$ cm

② $\angle BAD=\angle BCD=105°$, $\angle ABC=\angle ADC=75°$

③ $\overline{OA}=\overline{OC}=4$ cm, $\overline{OB}=\overline{OD}=7$ cm

④ $\overline{AD} /\!/ \overline{BC}$, $\overline{AB}=\overline{DC}=3$ cm

⑤ $\angle BAC=\angle ACD=43°$, $\angle DAC=\angle ACB=36°$

06 오른쪽 그림과 같은 직사각형 ABCD에서 두 대각선의 교점을 O라고 할 때, $y-x$의 값을 구하시오.

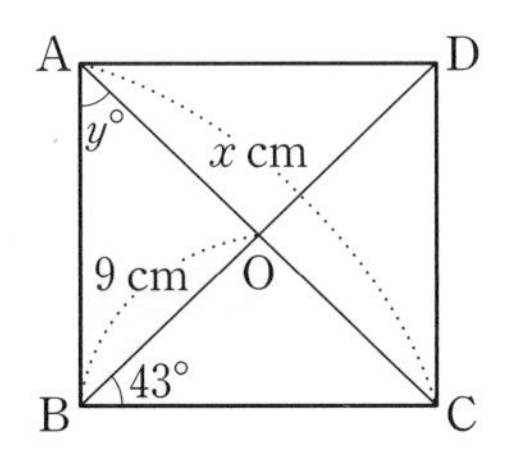

07 다음 그림과 같은 마름모 ABCD에서 두 대각선의 교점을 O라고 할 때, $x+y$의 값을 구하시오.

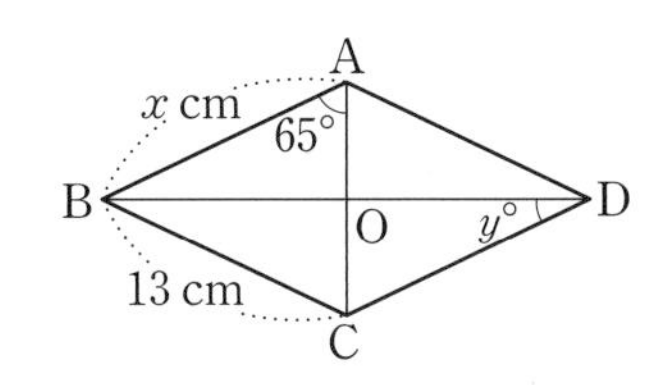

08 다음 만화에서 목격자들이 범인으로 지목하는 도형은 어떤 사각형인지 말하시오.

09 오른쪽 그림과 같은 평행사변형 ABCD에서 두 대각선의 교점을 O라고 할 때, 다음 중 옳은 것은?

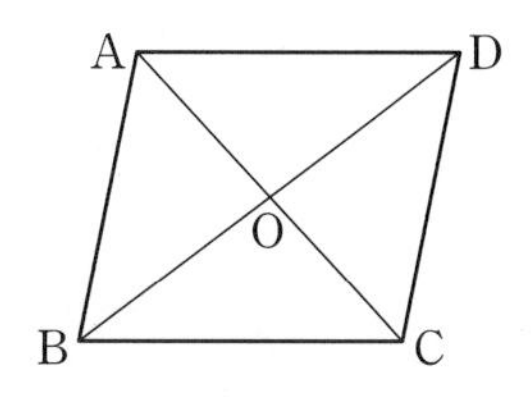

① $\overline{AB}=\overline{BC}$이면 □ABCD는 직사각형이다.
② $\overline{AC}=\overline{BD}$, $\overline{AC}\perp\overline{BD}$이면 □ABCD는 직사각형이다.
③ $\angle BAD=90°$이면 □ABCD는 마름모이다.
④ $\overline{AC}\perp\overline{BD}$이면 □ABCD는 마름모이다.
⑤ $\overline{AC}=\overline{BD}$이면 □ABCD는 정사각형이다.

10 오른쪽 그림과 같이 $\overline{AD}/\!/\overline{BC}$인 사다리꼴 ABCD에서 점 O는 두 대각선의 교점이다.
$\triangle ABD=32\text{ cm}^2$, $\triangle DOC=24\text{ cm}^2$, $\triangle AOD$의 넓이를 구하시오.

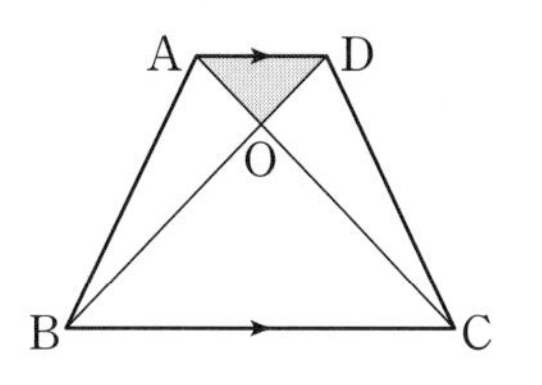

특강 | 창의, 융합, 코딩

1 다음은 여러 가지 사각형 사이의 관계를 나타낸 것이다. ☐ 안에 알맞은 것을 써넣으시오.

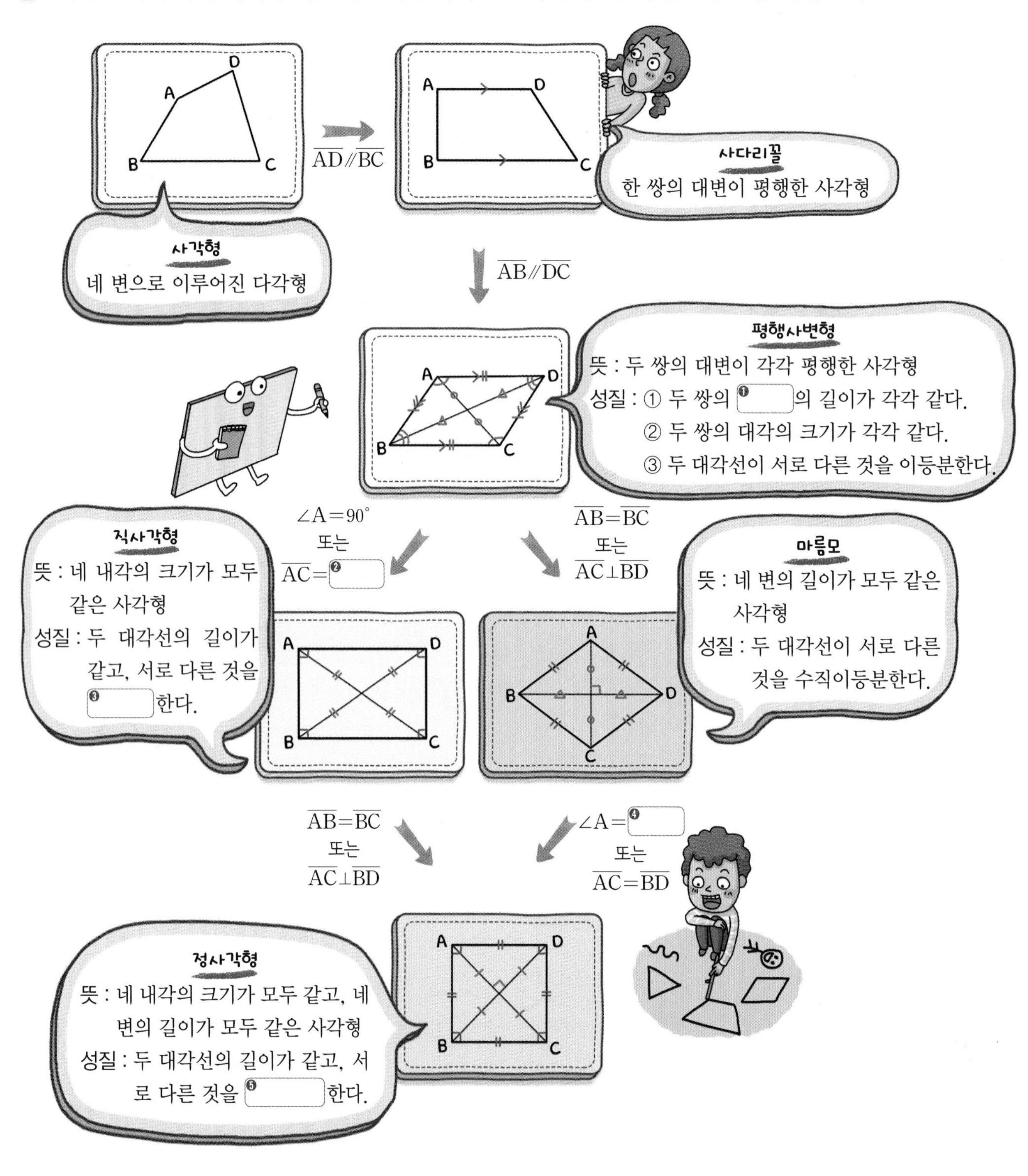

2 다음 대화를 읽고, 물음에 답하시오.

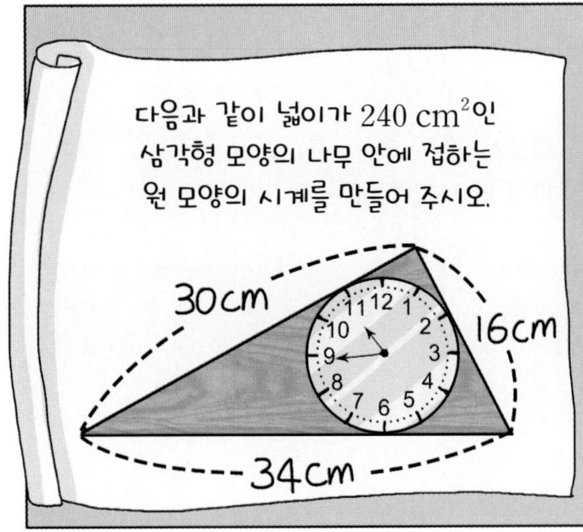

(1) 위 대화에서 ㉠에 들어갈 알맞은 것을 써넣으시오.

(2) 주문서대로 만든 원 모양의 시계의 반지름의 길이를 구하시오. (단, 시계의 두께는 무시한다.)

3 현아는 색종이를 이용하여 다음과 같은 활동을 하였다. 물음에 답하시오.

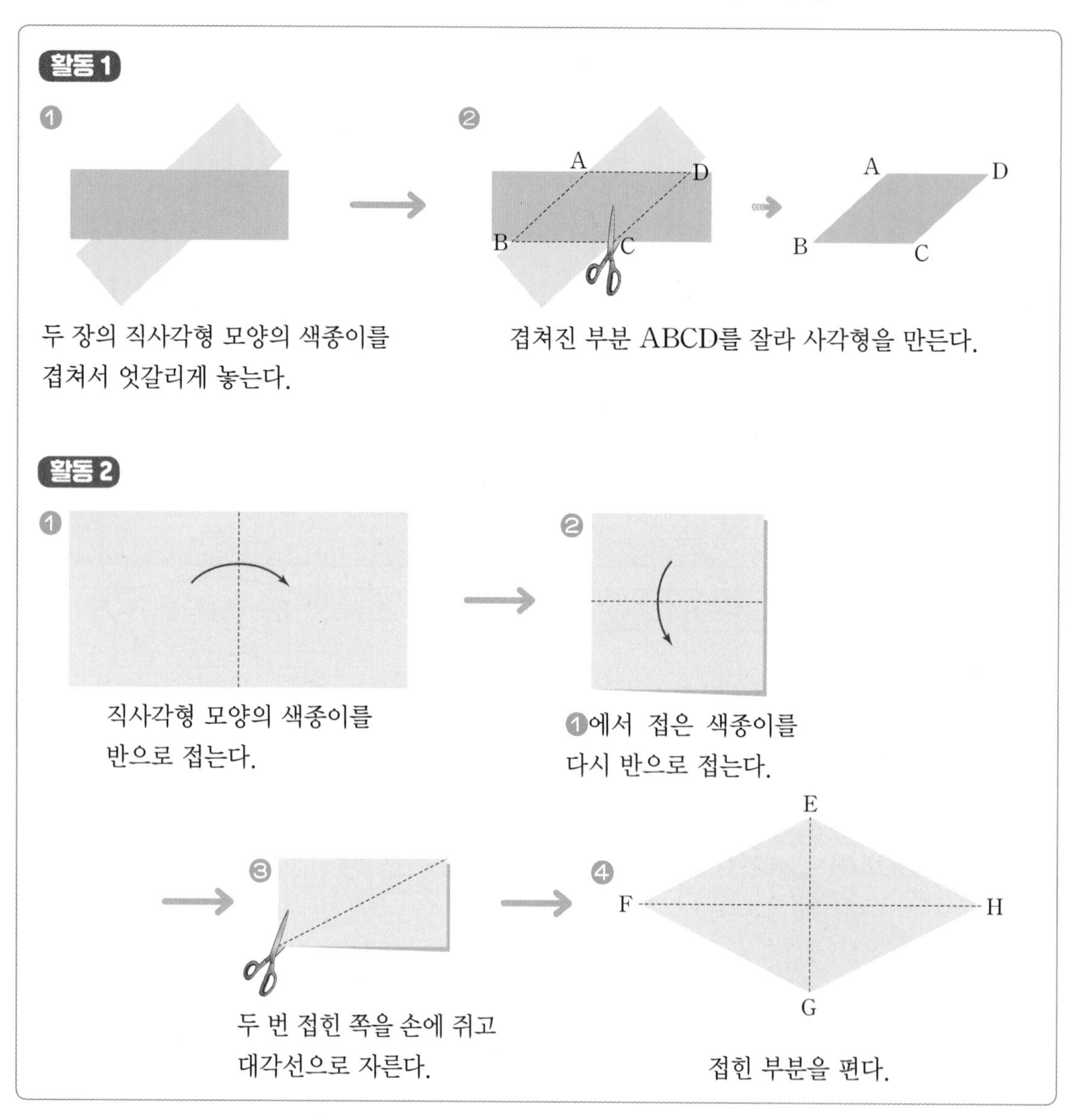

(1) 활동 1 에서 만든 사각형 ABCD는 어떤 사각형인지 말하시오.

(2) 활동 2 에서 만든 사각형 EFGH는 어떤 사각형인지 말하시오.

4 다음 대화를 읽고, 금고의 비밀번호를 구하시오.

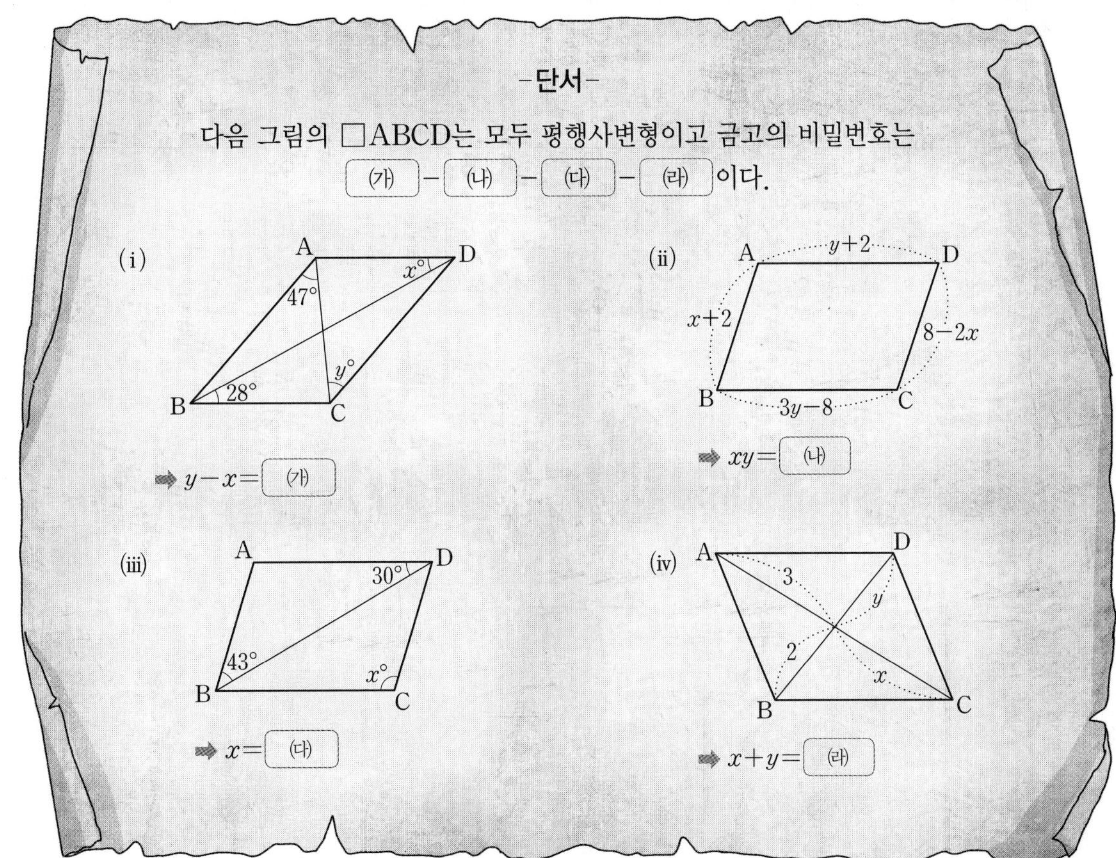

-단서-

다음 그림의 □ABCD는 모두 평행사변형이고 금고의 비밀번호는 (가) - (나) - (다) - (라) 이다.

(i)

➡ $y-x=$ (가)

(ii)

➡ $xy=$ (나)

(iii)

➡ $x=$ (다)

(iv)

➡ $x+y=$ (라)

5 다음 (1)~(6)에서 ▢ 안에 알맞은 수를 써넣고, 아래 그림에서 그 수가 있는 칸을 찾아 색칠하시오. (단, 점 O는 두 대각선의 교점이다.)

(1) 다음 그림의 평행사변형에서 $x=$▢

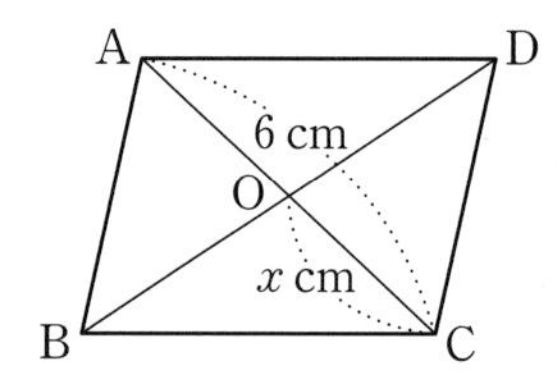

(2) 다음 그림의 직사각형에서 $x=$▢

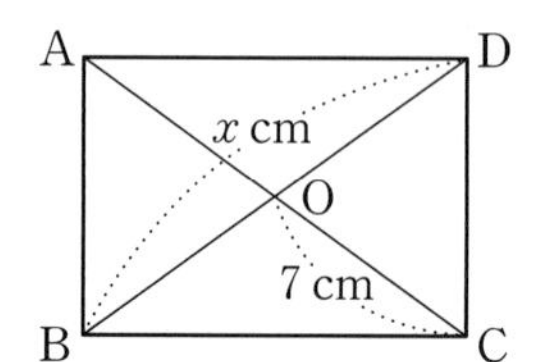

(3) 다음 그림의 직사각형에서 $x=$▢

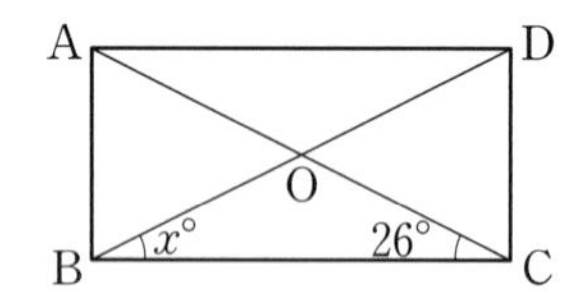

(4) 다음 그림의 마름모에서 $x=$▢

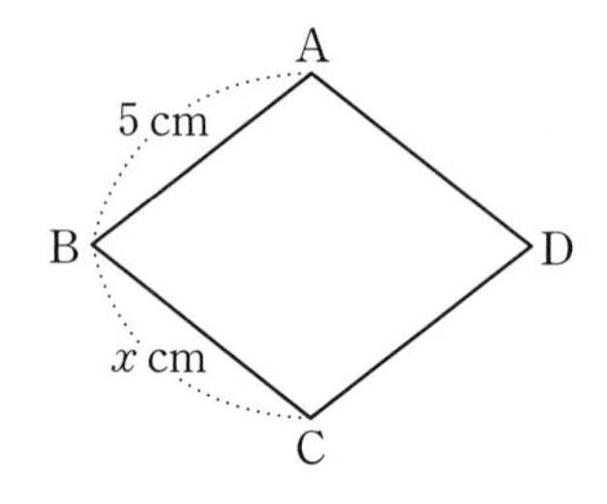

(5) 다음 그림의 마름모에서 $x=$▢

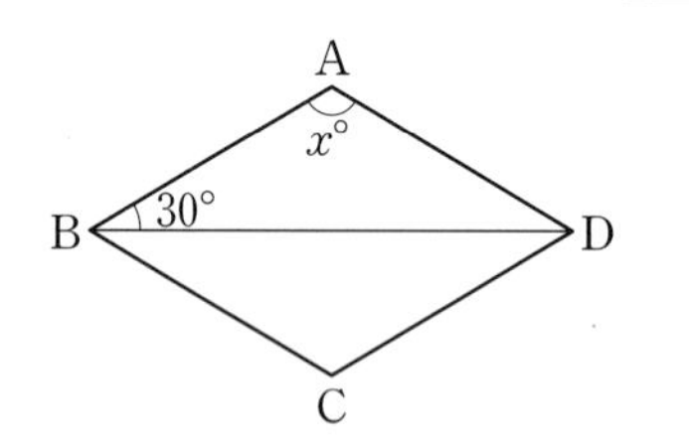

(6) 다음 그림의 정사각형에서 $x=$▢

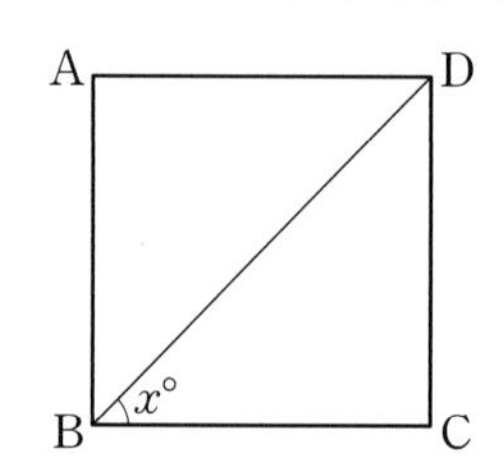

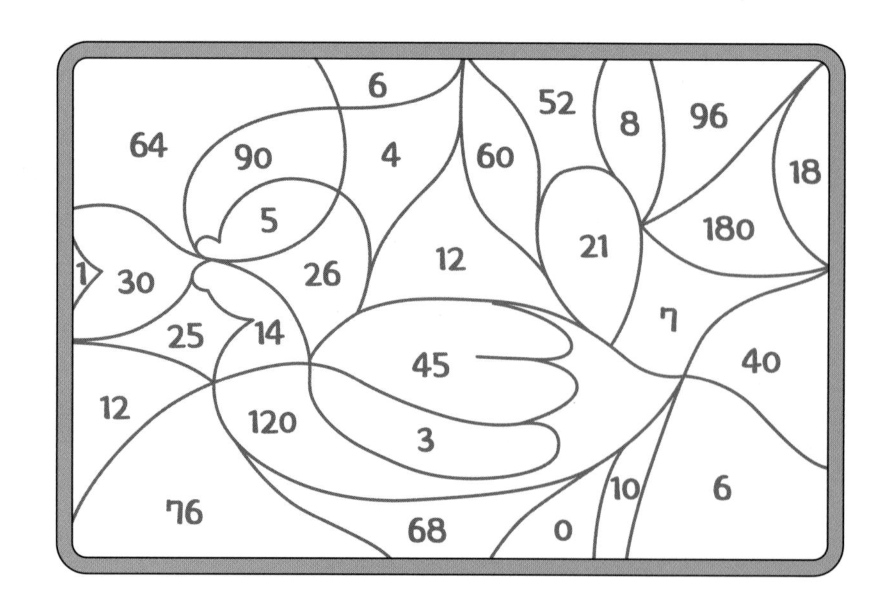

정답과 풀이 24쪽

6 다음 그림과 같이 3단계에 거쳐 사각형을 선별하는 기계가 있다. 각 단계에서는 주어진 조건을 만족하는 사각형만 통과한다고 할 때, A, B, C, D에 도착하는 사각형을 보기 에서 찾으시오.

보기

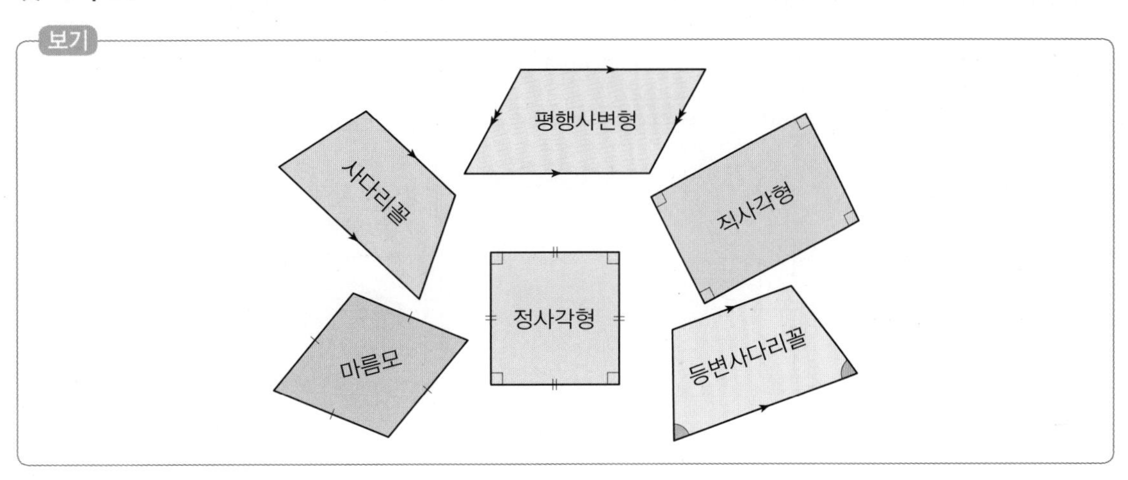

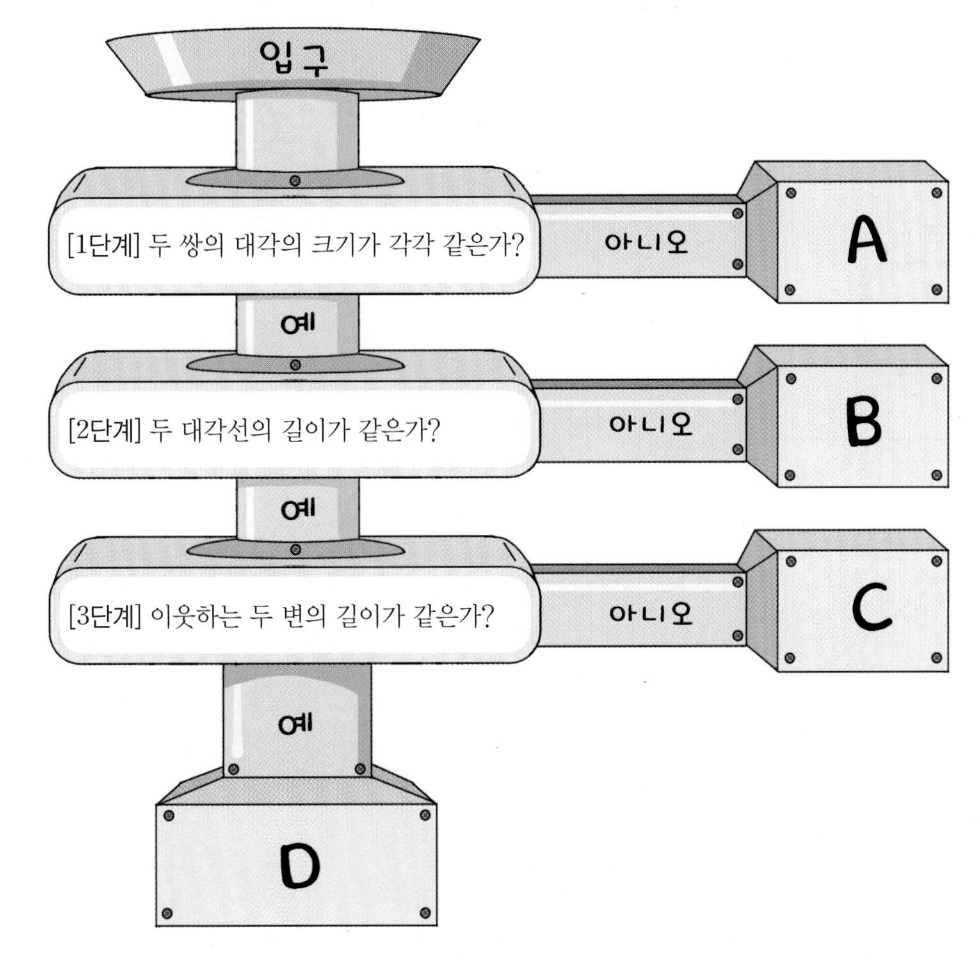

2주

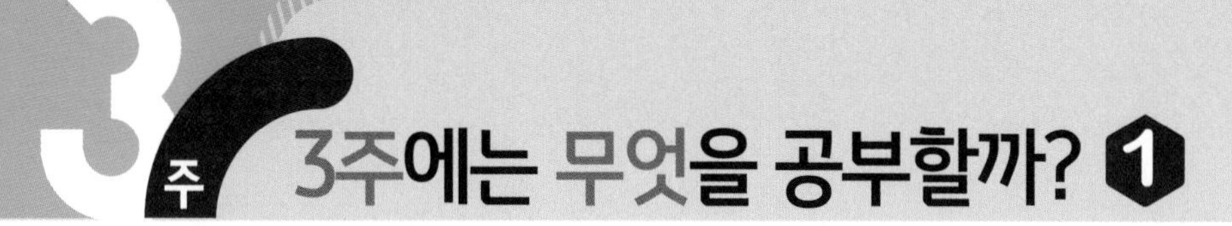

3주 3주에는 무엇을 공부할까? ❶

• **이번 주에 공부할 내용**

도형의 닮음 / 평행선 사이의 선분의 길이의 비 / 삼각형의 무게중심

1일

2일

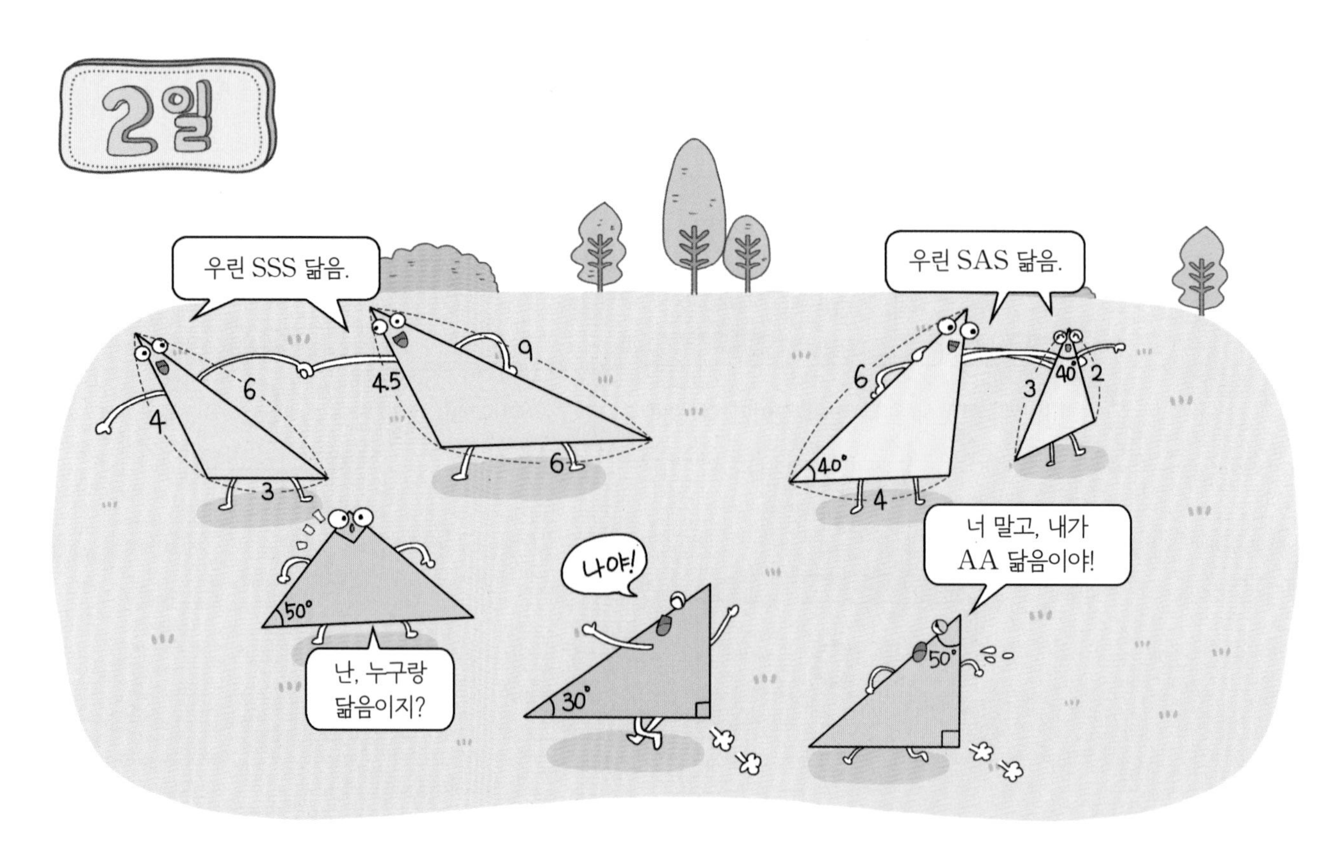

3일

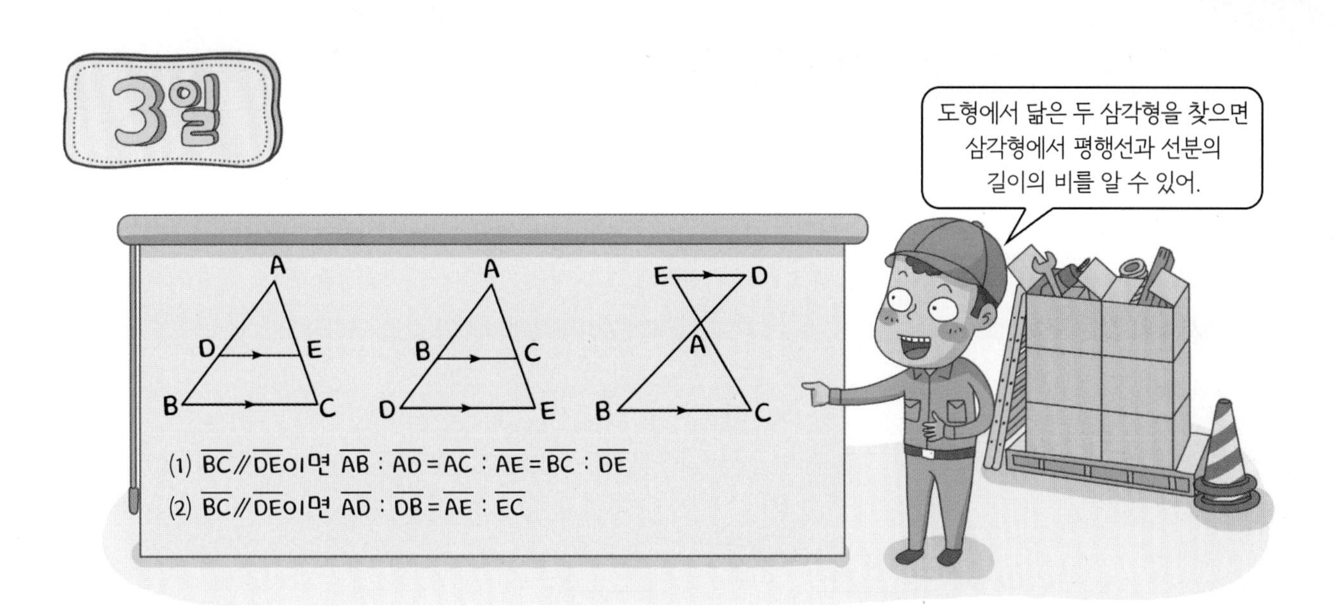
도형에서 닮은 두 삼각형을 찾으면
삼각형에서 평행선과 선분의
길이의 비를 알 수 있어.
A
D
E
B
C
A
B
C
D
E
E
D
A
B
C
(1) $\overline{BC}/\!/\overline{DE}$이면 $\overline{AB}:\overline{AD}=\overline{AC}:\overline{AE}=\overline{BC}:\overline{DE}$
(2) $\overline{BC}/\!/\overline{DE}$이면 $\overline{AD}:\overline{DB}=\overline{AE}:\overline{EC}$

4일

평행한 세 직선이 다른 두 직선과
만날 때, 평행선 사이의 선분의
길이의 비는 같아요.
a
c
b
d
l
m
n
a
c
d
b
l
m
n
$l/\!/m/\!/n$이면 $a:b=c:d$
둠칫
둠칫

5일

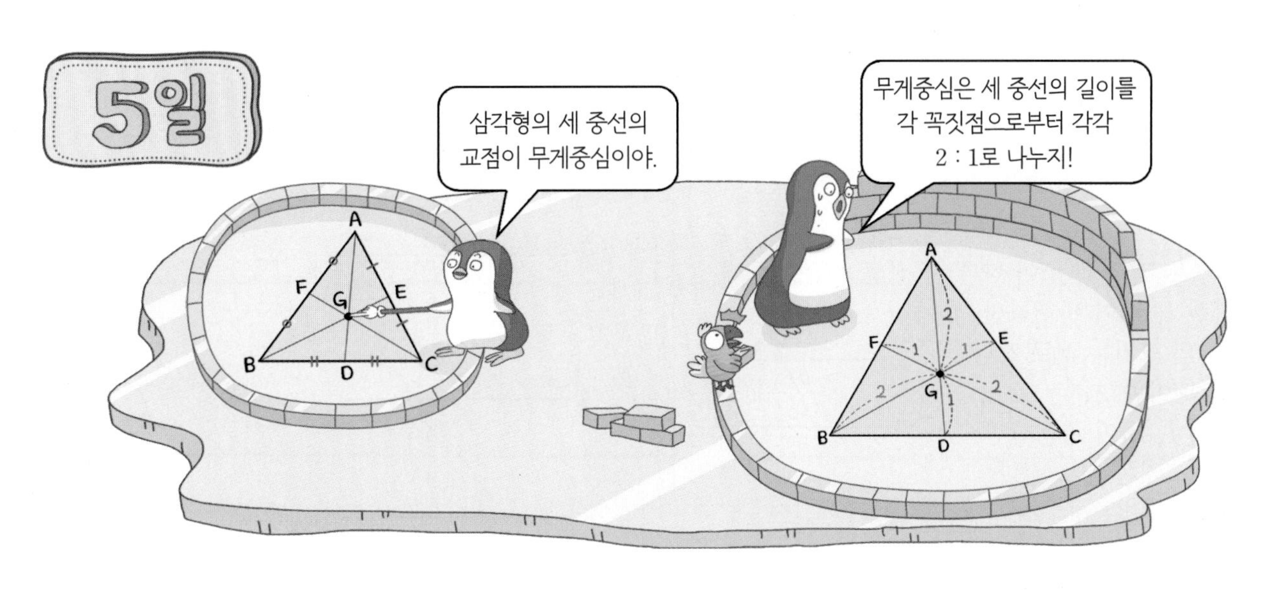
삼각형의 세 중선의
교점이 무게중심이야.
무게중심은 세 중선의 길이를
각 꼭짓점으로부터 각각
2 : 1로 나누지!
A
F
G
E
B
D
C
A
F
E
G
B
D
C
2
1
1
2
2
1

이전 학년 내용

3주에는 무엇을 공부할까? ❷

비례식을 풀 수 있는가?

1-1

다음 비례식에서 x의 값을 구하시오.

(1) $4:6=x:18$

(2) $\frac{7}{3}=\frac{x}{9}$

• 비례식 : 비율이 같은 두 비를 등호 '='를 사용하여 나타낸 식

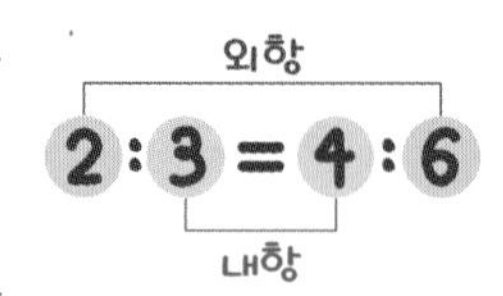

• 비례식의 성질
비례식에서 외항의 곱은 내항의 곱과 같다.

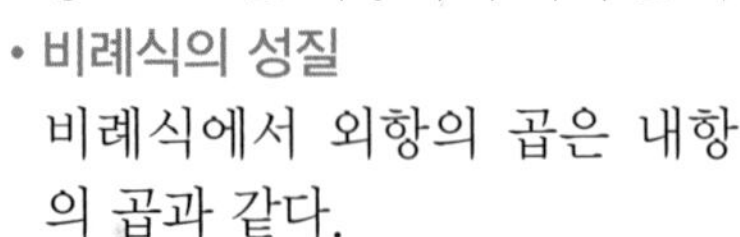

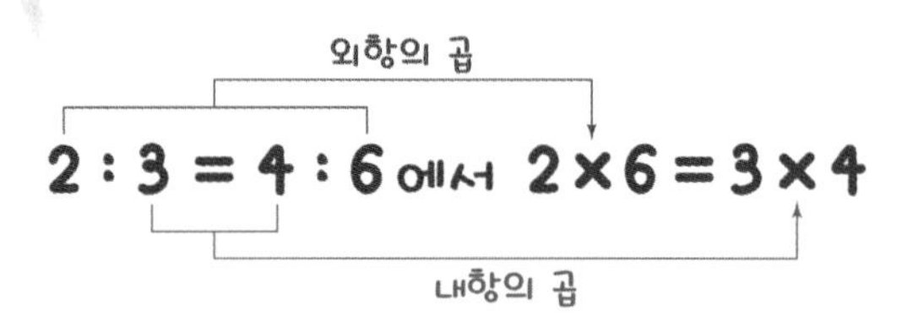

1-2

다음 비례식에서 x의 값을 구하시오.

(1) $2:5=10:x$

(2) $x:6=4:5$

(3) $\frac{x}{10}=\frac{3}{2}$

(4) $\frac{5}{6}=\frac{25}{x}$

평행선의 성질을 알고 있는가?

2-1

오른쪽 그림에서 $l /\!/ m$일 때, $\angle x$, $\angle y$의 크기를 각각 구하시오.

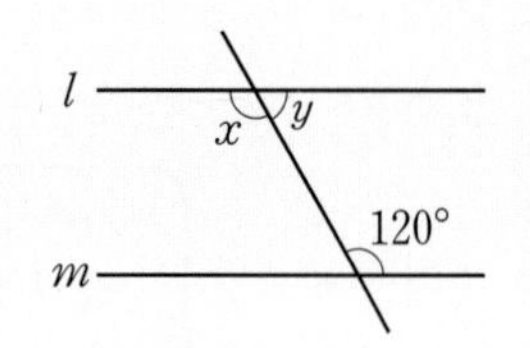

서로 다른 두 직선 l, m이 다른 한 직선 n과 만날 때
(1) 두 직선 l, m이 평행하면 동위각의 크기는 서로 같다.
➡ $l /\!/ m$이면 $\angle a=\angle c$
(2) 두 직선 l, m이 평행하면 엇각의 크기는 서로 같다.
➡ $l /\!/ m$이면 $\angle b=\angle c$

2-2

다음 그림에서 $l /\!/ m$일 때, $\angle x$, $\angle y$의 크기를 각각 구하시오.

(1)

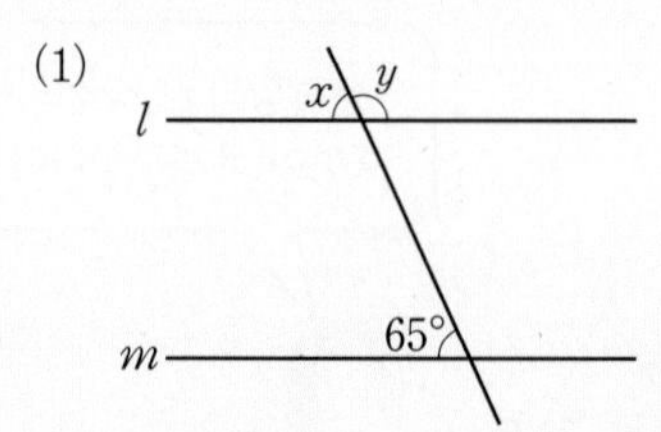

(2)

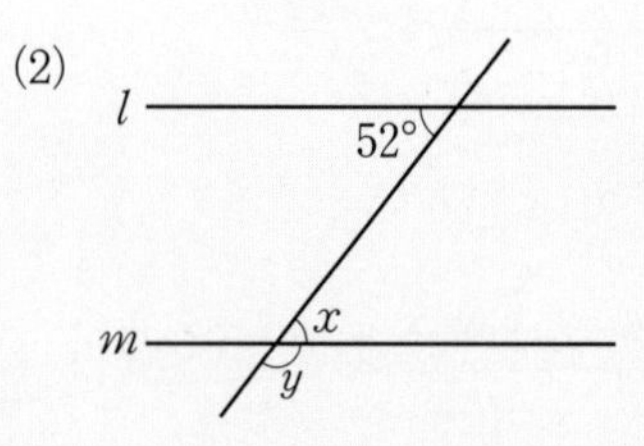

○ 정답과 풀이 26쪽

삼각형의 합동 조건을 알고 있는가?

3-1

다음 그림에서 $\triangle ABC \equiv \triangle DEF$일 때, x, y의 값을 각각 구하시오.

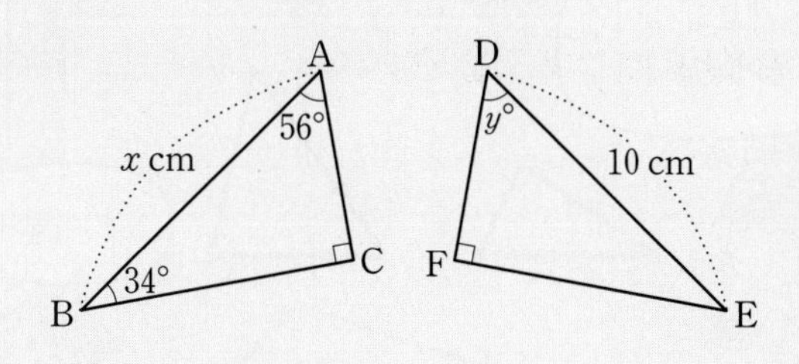

삼각형의 합동 조건

(1) 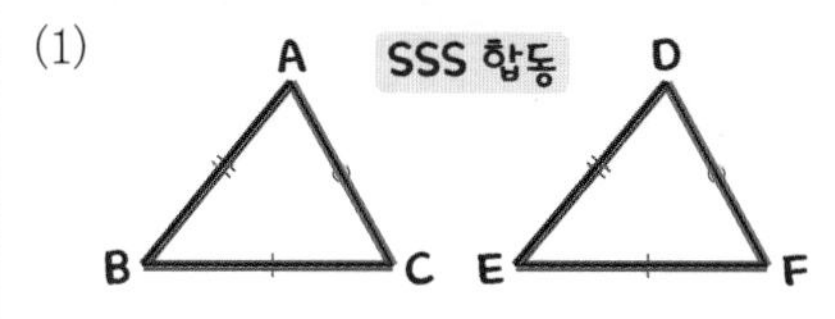

(2) 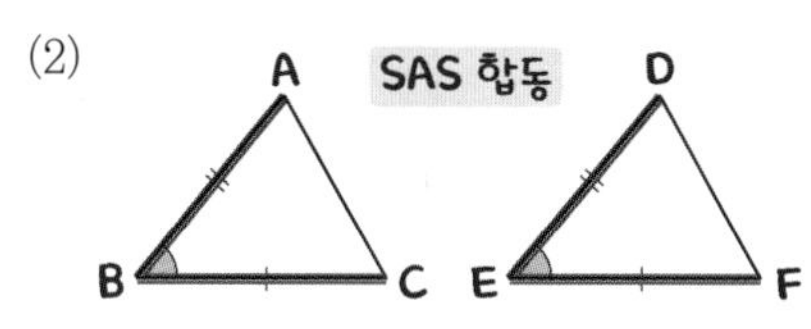

(3) 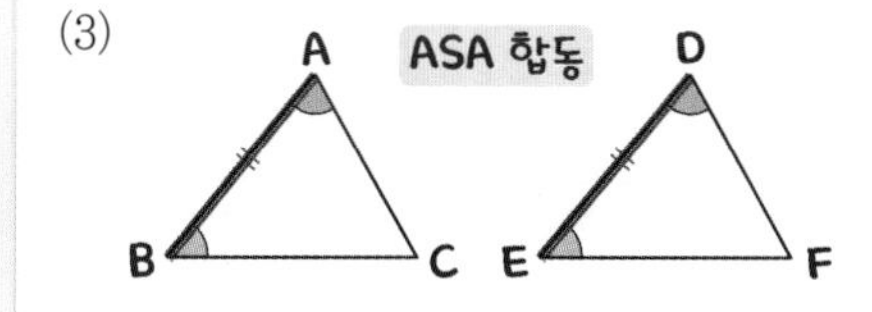

3-2

아래 그림에서 $\triangle ABC \equiv \triangle DFE$일 때, 다음을 구하시오.

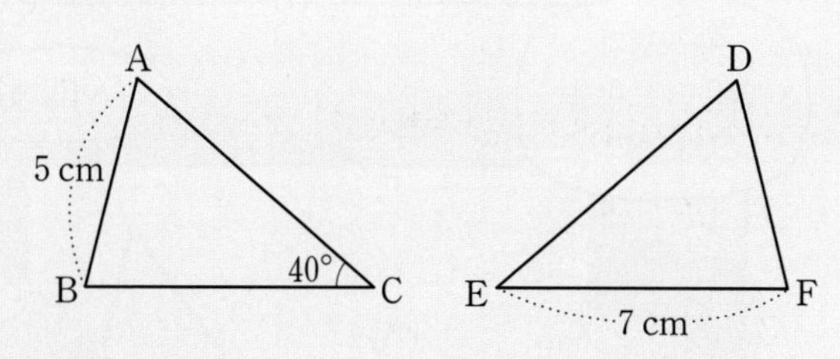

(1) $\overline{BC}$의 길이

(2) $\overline{DF}$의 길이

(3) $\angle E$의 크기

입체도형의 겉넓이와 부피를 구할 수 있는가?

4-1

오른쪽 사각기둥의 부피를 구하시오.

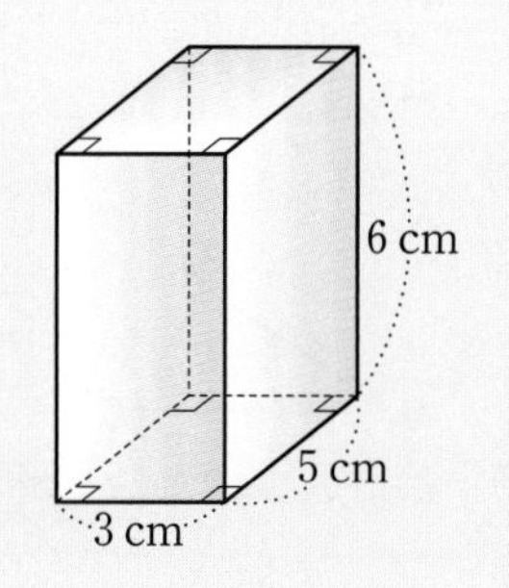

입체도형의 부피 구하는 공식

(1) (기둥의 부피)=(밑넓이)×(높이)

(2) (뿔의 부피)$=\frac{1}{3}\times$(밑넓이)×(높이)

(3) (구의 부피)$=\frac{4}{3}\pi r^3$ (단, r는 구의 반지름의 길이)

4-2

다음 입체도형의 부피를 구하시오.

(1)

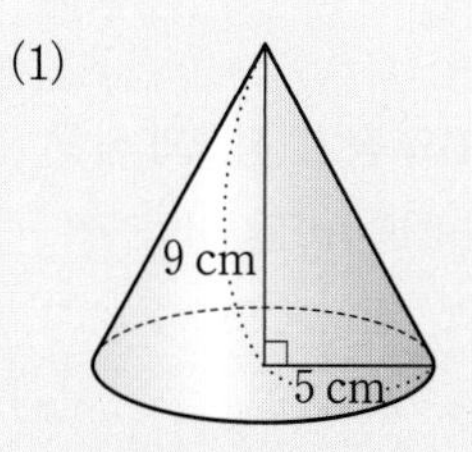

(2)

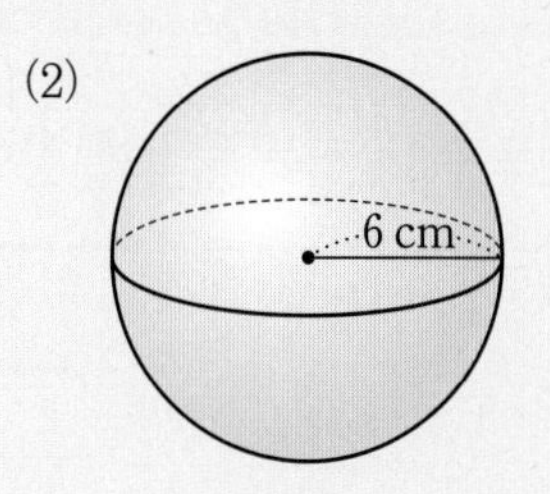

3주

1. 닮음과 닮은 도형

참고 $\triangle ABC \backsim \triangle DEF$일 때

(1) 대응점 : 점 A와 점 D, 점 B와 점 E, 점 C와 점 F

(2) 대응변 : $\overline{AB}$와 $\overline{DE}$, $\overline{BC}$와 $\overline{EF}$, $\overline{AC}$와 $\overline{DF}$

(3) 대응각 : $\angle A$와 $\angle D$, $\angle B$와 $\angle E$, $\angle C$와 $\angle F$

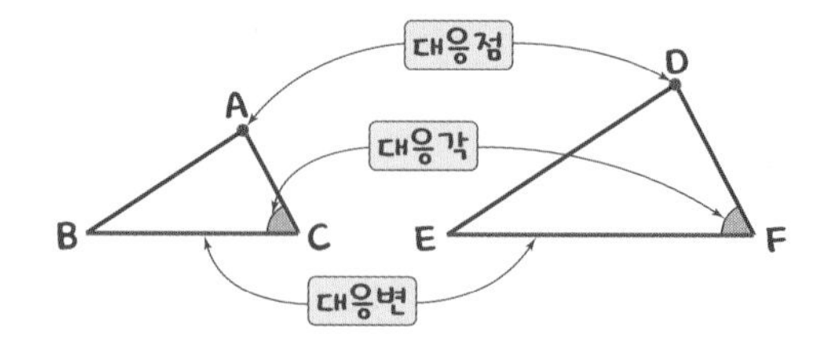

회색 글씨를 따라 쓰면서 개념을 정리해 보세요.

1 한 도형을 일정한 비율로 확대 또는 축소한 것이 다른 도형과 합동이 될 때, 이 두 도형은 서로 닮음인 관계에 있다고 한다. 또 서로 닮음인 관계에 있는 두 도형을 닮은 도형이라고 한다.

2 $\triangle ABC$와 $\triangle DEF$가 닮은 도형일 때, 기호로 $\triangle ABC \backsim \triangle DEF$와 같이 나타낸다.

개념 원리 확인

○ 정답과 풀이 26쪽

닮은 도형에서 대응점, 대응변, 대응각 찾기

1-1 아래 그림에서 □ABCD∽□EFGH일 때, 다음을 구하시오.

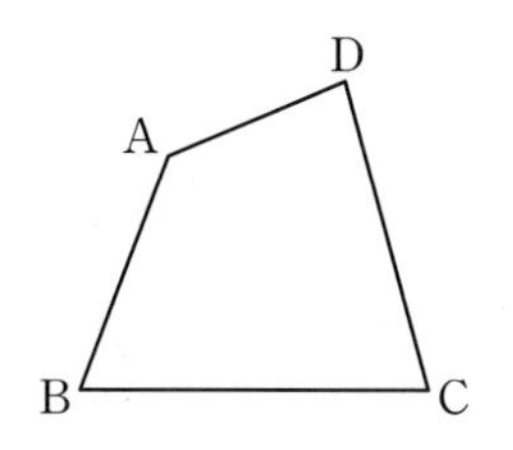

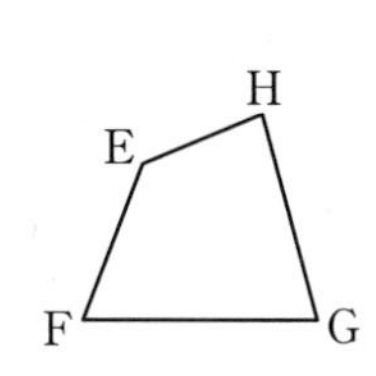

(1) 점 A의 대응점　　(2) 점 C의 대응점

(3) $\overline{AB}$의 대응변　　(4) $\overline{HG}$의 대응변

(5) ∠B의 대응각　　(6) ∠H의 대응각

1-2 아래 그림에서 △ABC∽△DEF일 때, 다음을 구하시오.

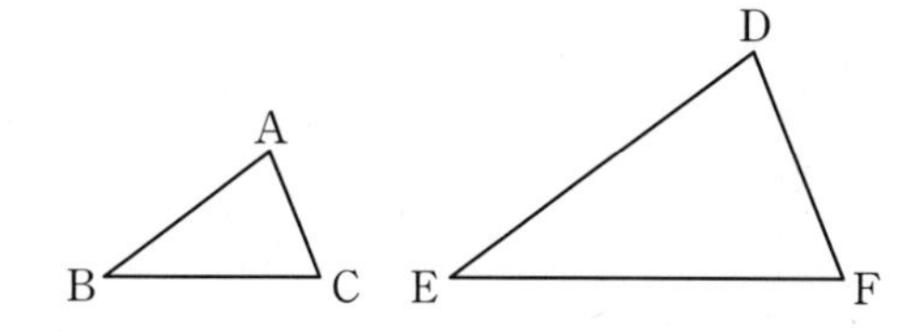

(1) 점 B의 대응점　　(2) 점 F의 대응점

(3) $\overline{AB}$의 대응변　　(4) $\overline{EF}$의 대응변

(5) ∠C의 대응각　　(6) ∠D의 대응각

3주

1일

닮은 도형 찾기

2-1 다음 그림에서 닮은 도형을 모두 찾아 기호 ∽를 사용하여 나타내시오.

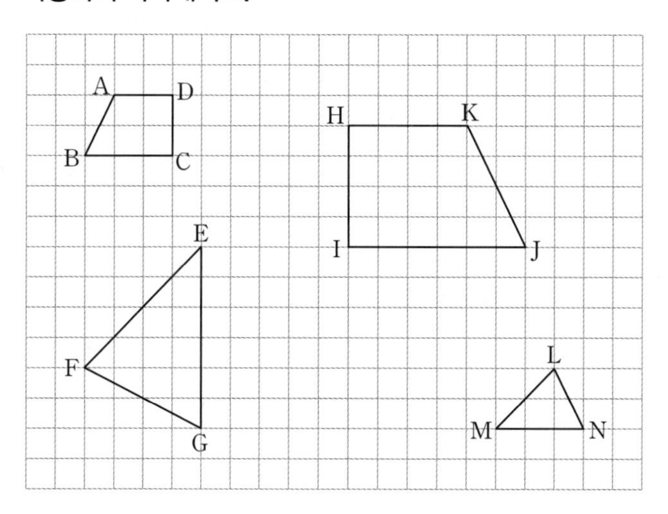

2-2 다음 그림에서 닮은 도형을 모두 찾아 기호 ∽를 사용하여 나타내시오.

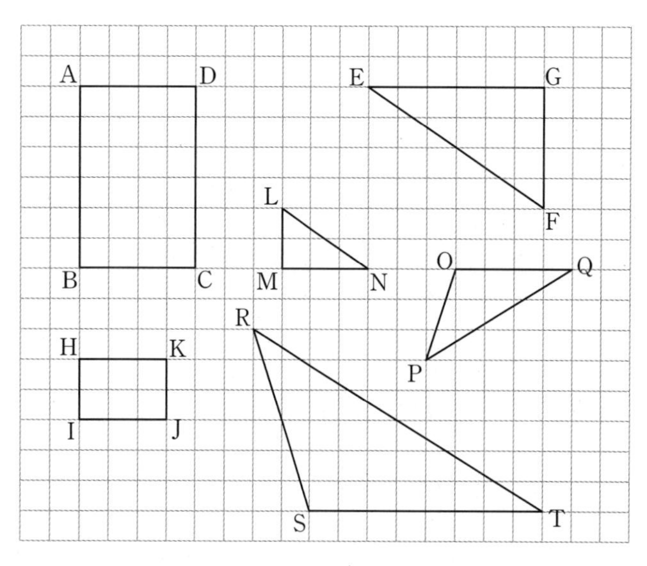

평면도형에서 닮음의 성질

입체도형에서 닮음의 성질

회색 글씨를 따라 쓰면서 개념을 정리해 보세요.

1 평면도형에서 닮음의 성질

닮은 두 평면도형에서

(1) 대응변의 길이의 비는 일정하다.

(2) 대응각의 크기는 각각 같다.

2 입체도형에서 닮음의 성질

닮은 두 입체도형에서

(1) 대응하는 모서리의 길이의 비는 일정하다.

(2) 대응하는 면은 닮은 도형이다.

○정답과 풀이 26쪽

평면도형에서 닮음의 성질

3-1 아래 그림에서 □ABCD∽□EFGH일 때, 다음을 구하시오.

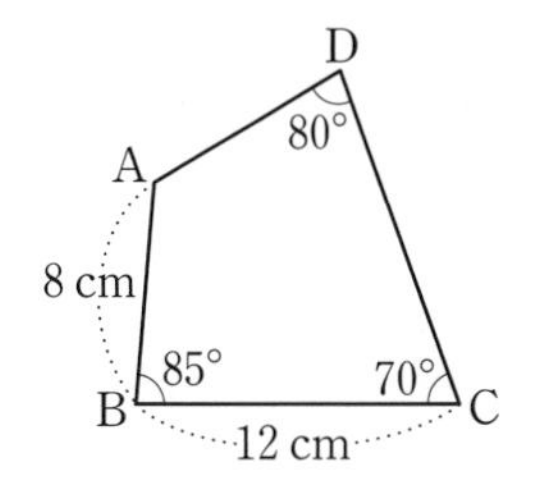

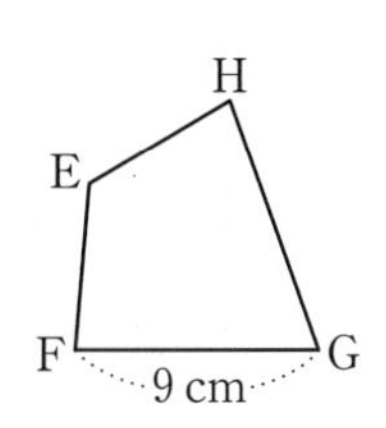

(1) □ABCD와 □EFGH의 닮음비

➡ $\overline{BC}$의 대응변이 ☐이므로 닮음비는

$\overline{BC}$: ☐ = 12 : ☐ = ☐ : ☐

(2) $\overline{EF}$의 길이

➡ $\overline{AB}$: $\overline{EF}$ = 4 : ☐이므로 8 : $\overline{EF}$ = 4 : ☐

4$\overline{EF}$ = ☐ ∴ $\overline{EF}$ = ☐ (cm)

(3) ∠E의 크기

➡ ∠E = ∠A = ☐° − (85° + 70° + 80°) = ☐°

3-2 아래 그림에서 △ABC∽△DEF일 때, 다음을 구하시오.

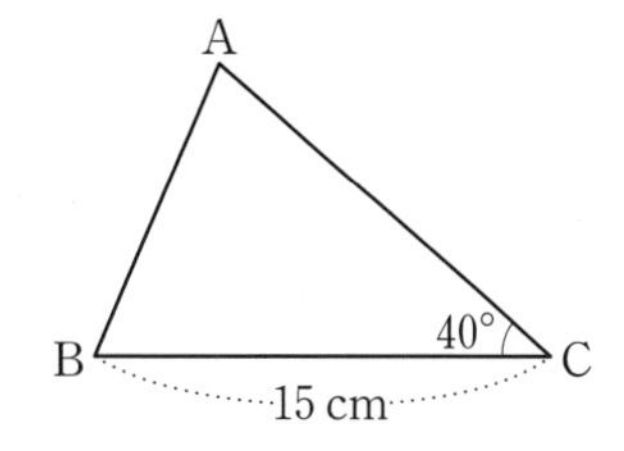

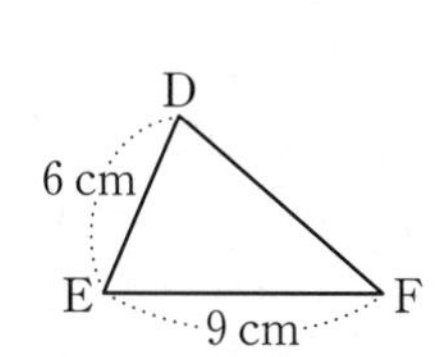

(1) △ABC와 △DEF의 닮음비

(2) $\overline{AB}$의 길이

(3) ∠F의 크기

입체도형에서 닮음의 성질

4-1 아래 그림에서 두 삼각기둥은 닮은 도형이다. $\overline{AB}$에 대응하는 모서리가 $\overline{A'B'}$일 때, 다음을 구하시오.

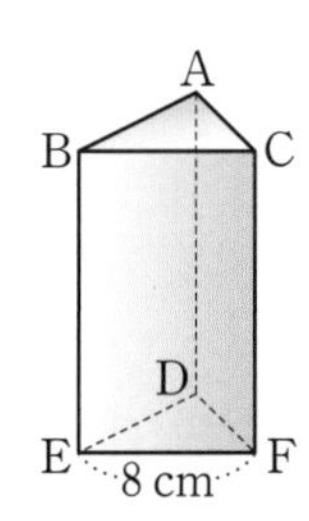

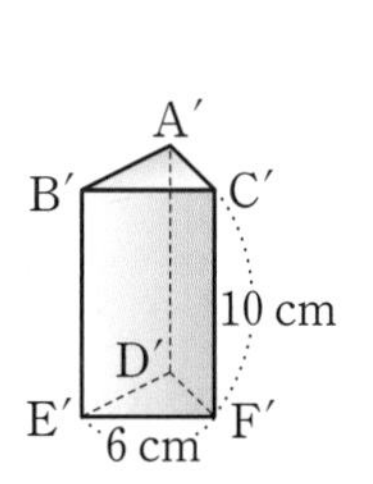

(1) 면 BEFC에 대응하는 면

(2) 두 삼각기둥의 닮음비

➡ $\overline{EF}$에 대응하는 모서리가 $\overline{E'F'}$이므로 닮음비는

$\overline{EF}$: ☐ = 8 : ☐ = ☐ : ☐

(3) $\overline{CF}$의 길이

4-2 아래 그림에서 두 직육면체는 닮은 도형이다. 면 ABCD에 대응하는 면이 면 A′B′C′D′일 때, 다음을 구하시오.

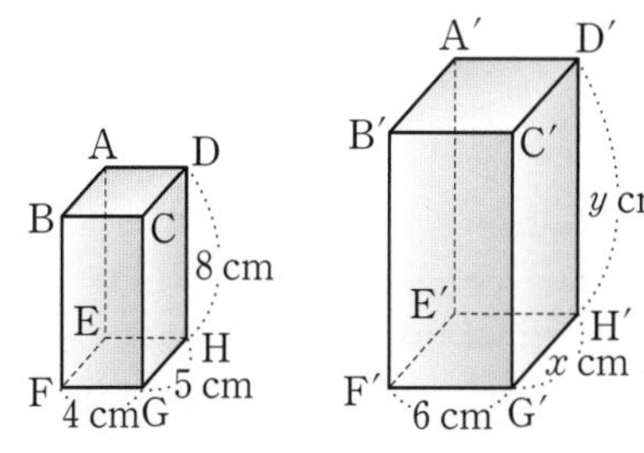

(1) 면 EFGH에 대응하는 면

(2) 두 직육면체의 닮음비

(3) x, y의 값

3주 1일 기초 집중 연습

정답과 풀이 27쪽

개념 01 닮은 도형을 알고 있는가?

$\triangle ABC$와 $\triangle DEF$가 닮은 도형일 때, 기호 ∽를 사용하여 $\triangle ABC \backsim \triangle DEF$와 같이 나타낸다.

→ 닮은 두 도형의 꼭짓점을 대응하는 순서대로 쓴다.

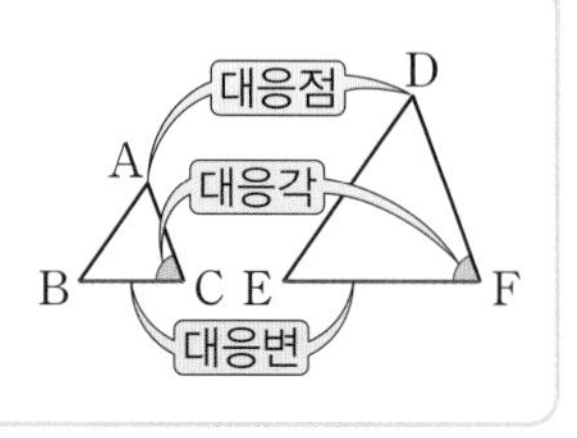

1-1

아래 그림에서 $\square ABCD \backsim \square EFGH$일 때, 다음을 구하시오.

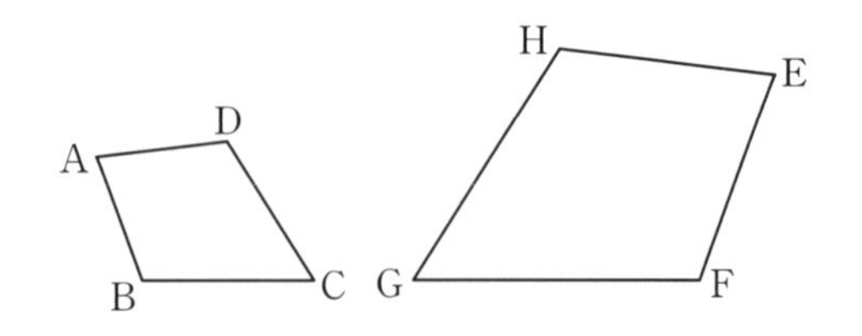

(1) 점 B의 대응점

(2) $\overline{CD}$의 대응변

(3) $\angle H$의 대응각

1-2

다음 중 보기 에서 항상 닮은 도형인 것을 모두 고른 학생을 말하시오.

보기

ㄱ 두 직각삼각형　　ㄴ 두 이등변삼각형
ㄷ 두 원　　ㄹ 두 정오각형
ㅁ 두 원뿔　　ㅂ 두 정삼각형

개념 02 평면도형에서 닮음의 성질을 알고 있는가?

(1) 평면도형에서 닮음의 성질 : $\triangle ABC \backsim \triangle DEF$일 때

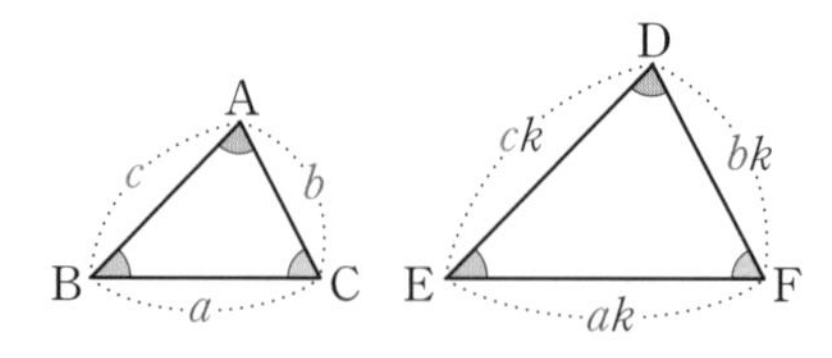

① 대응변의 길이의 비는 일정하다.

② 대응각의 크기는 각각 같다.

(2) 닮음비 : 닮은 두 평면도형에서 대응변의 길이의 비

참고 두 원에서 (닮음비)=(반지름의 길이의 비)

2-1

아래 그림에서 $\square ABCD \backsim \square EFGH$일 때, 다음을 구하시오.

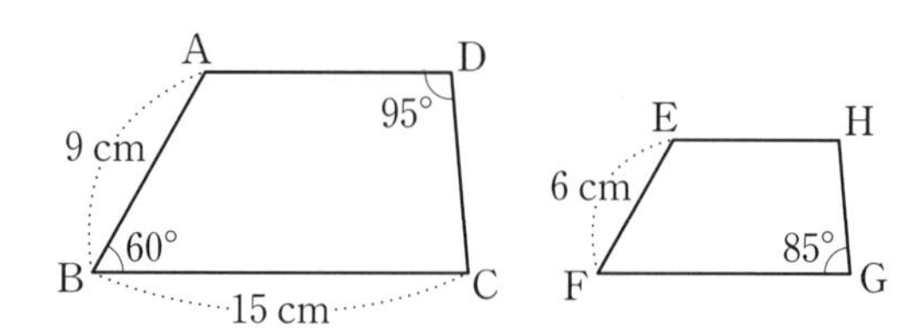

(1) $\overline{FG}$의 길이

(2) $\angle A$의 크기

2-2

아래 그림에서 $\triangle ABC \backsim \triangle DEF$일 때, $\triangle ABC$의 둘레의 길이를 구하시오.

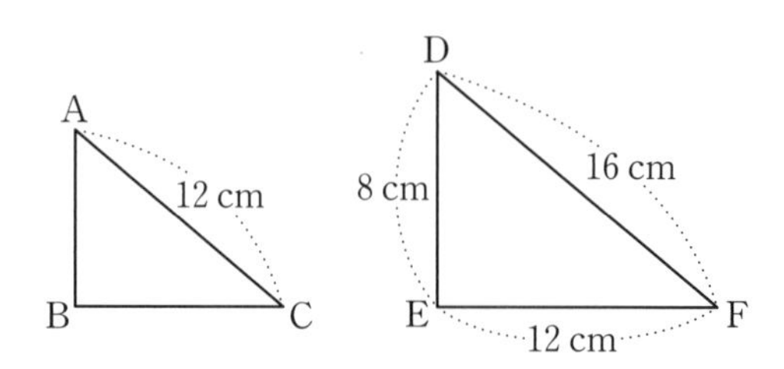

2-3

아래 그림에서 □ABCD∽□EFGH일 때, 다음 중 옳지 않은 것은?

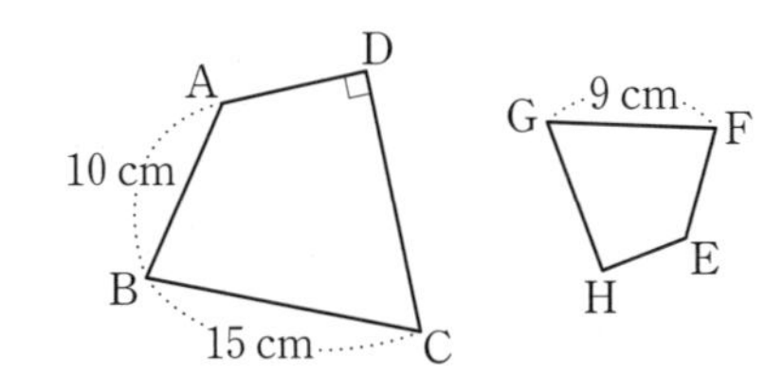

① □ABCD와 □EFGH의 닮음비는 5 : 3이다.
② ∠H의 크기는 90°이다.
③ ∠G의 대응각은 ∠B이다.
④ $\overline{EF}$의 길이는 6 cm이다.
⑤ $\overline{EH}$의 대응변은 $\overline{AD}$이다.

개념 03 입체도형에서 닮음의 성질을 알고 있는가?

닮은 두 입체도형에서
① 대응하는 모서리의 길이의 비는 일정하다.
② 대응하는 면은 닮은 도형이다.

참고 입체도형에서 닮음비는 대응하는 모서리의 길이의 비이다.

3-1

아래 그림의 두 사각기둥은 닮은 도형이다.
□ABCD∽□A′B′C′D′일 때, 다음을 구하시오.

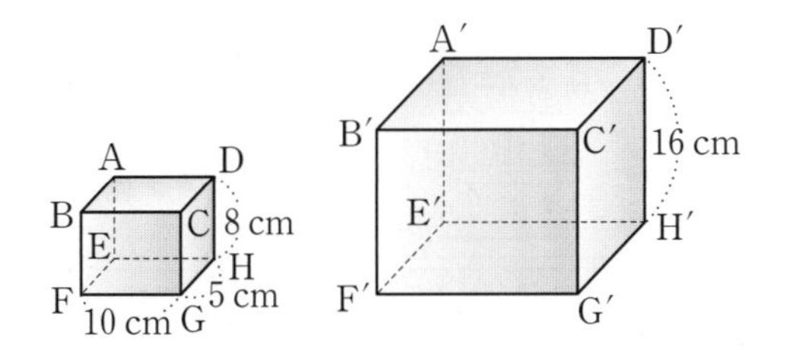

(1) 두 사각기둥의 닮음비

(2) $\overline{E'F'}$의 길이

(3) $\overline{F'G'}$의 길이

3-2

아래 그림에서 두 입체도형은 닮은 도형이다. $\overline{AB}$에 대응하는 모서리가 $\overline{A'B'}$일 때, 다음 중 옳지 않은 것을 모두 고르면? (정답 2개)

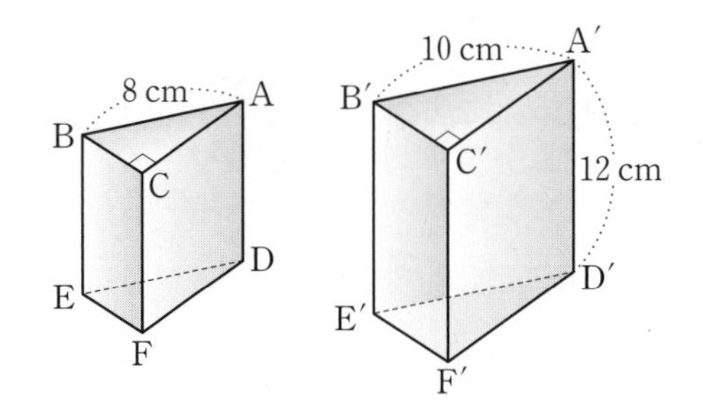

① △ABC와 △A′B′C′의 닮음비는 4 : 5이다.
② $\overline{BE}$: $\overline{B'E'}$=4 : 5
③ $\overline{AD}$=10 cm
④ □BEFC∽□B′E′F′C′
⑤ ∠CAB : ∠C′A′B′=4 : 5

3-3

다음 그림의 두 원기둥은 닮은 도형이다. 아래 대화를 읽고, 작은 원기둥의 높이를 구하시오.

3주 1일

닮은 두 평면도형의 넓이의 비

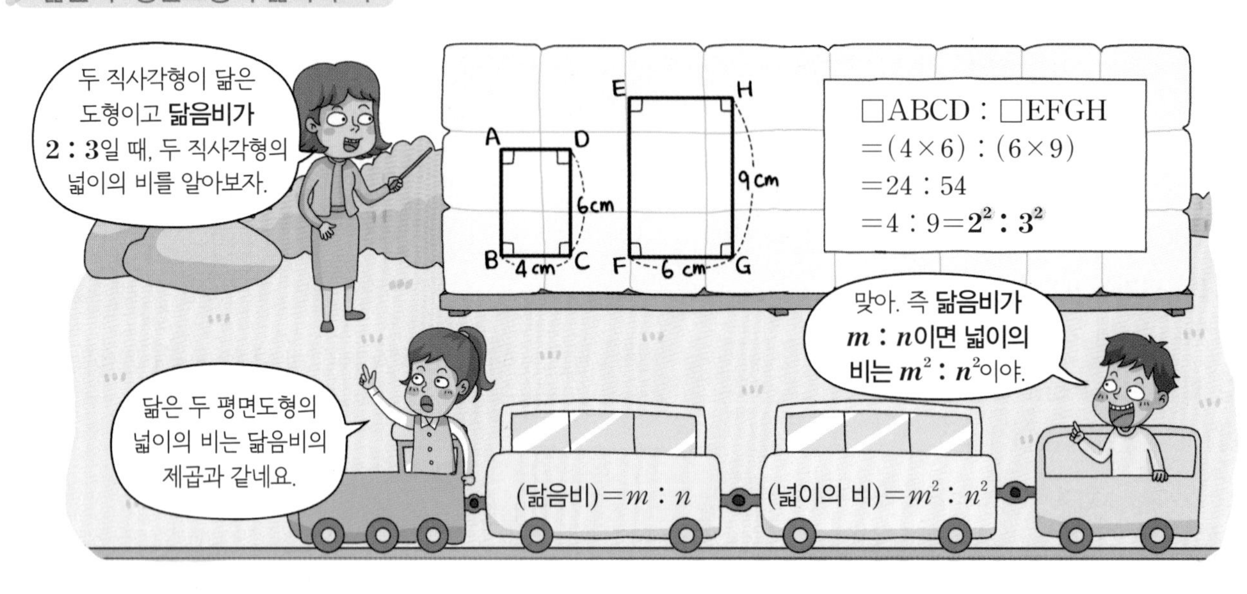

닮은 두 입체도형의 부피의 비

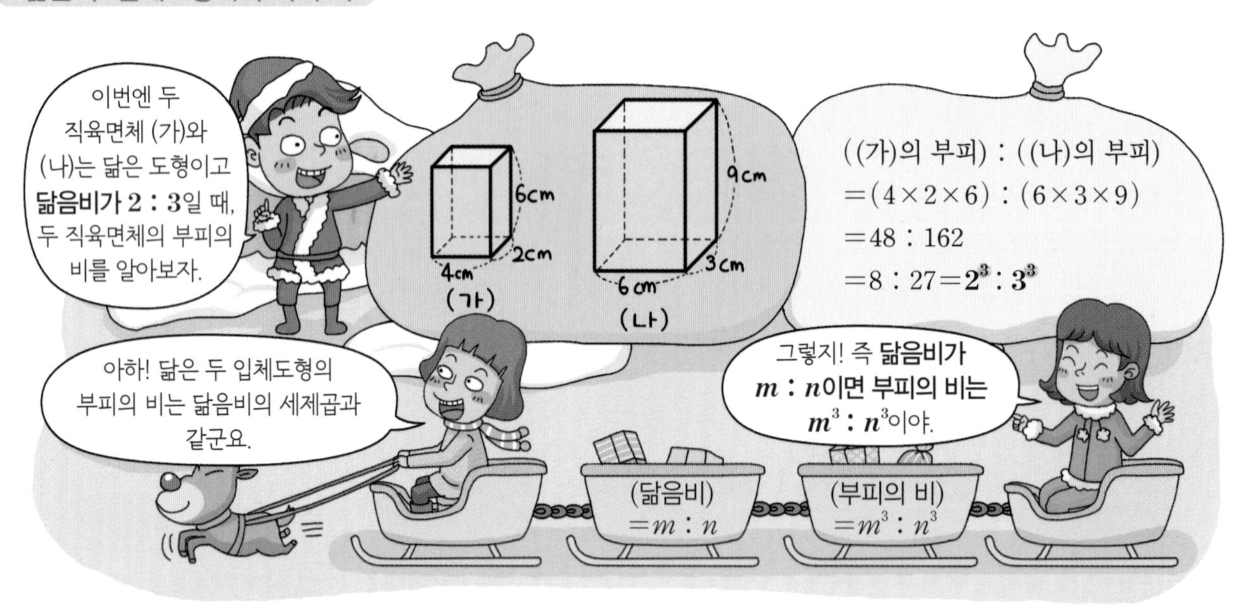

회색 글씨를 따라 쓰면서 개념을 정리해 보세요.

1 닮은 두 평면도형의 둘레의 길이의 비와 넓이의 비

(1) 닮음비 ➡ $m : n$

(2) 둘레의 길이의 비 ➡ m : n (같다.)

(3) 넓이의 비 ➡ m^2 : n^2 (제곱)

2 닮은 두 입체도형의 겉넓이의 비와 부피의 비

(1) 닮음비 ➡ $m : n$

(2) 겉넓이의 비 ➡ m^2 : n^2 (제곱)

(3) 부피의 비 ➡ m^3 : n^3 (세제곱)

개념 원리 확인

○ 정답과 풀이 28쪽

닮은 도형에서 넓이의 비

1-1 아래 그림에서 $\triangle ABC$와 $\triangle DEF$가 닮은 도형일 때, 다음을 구하시오.

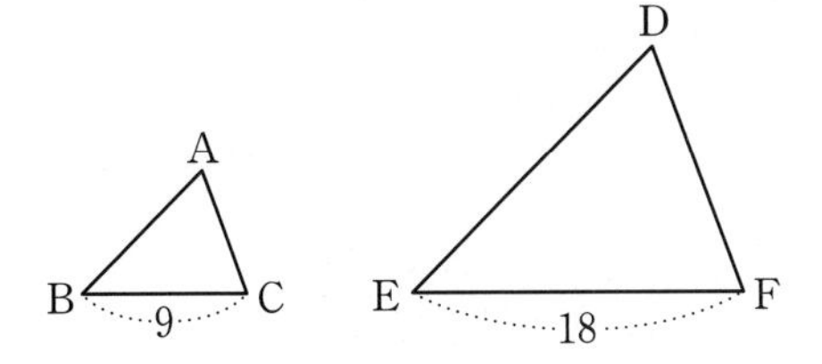

(1) $\triangle ABC$와 $\triangle DEF$의 닮음비

(2) $\triangle ABC$와 $\triangle DEF$의 둘레의 길이의 비

(3) $\triangle ABC$와 $\triangle DEF$의 넓이의 비

1-2 아래 그림에서 $\square ABCD \backsim \square EFGH$일 때, 다음을 구하시오.

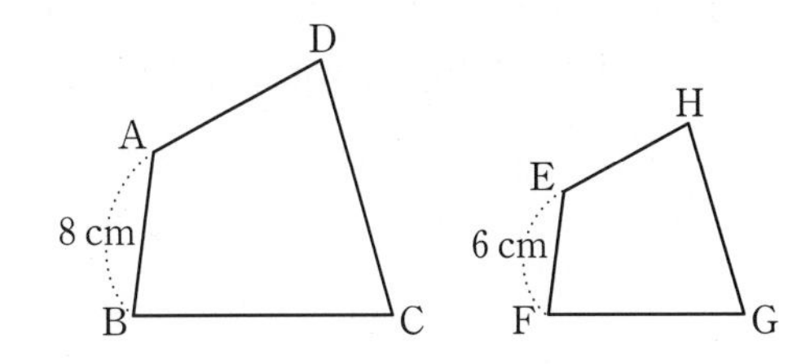

(1) $\square ABCD$와 $\square EFGH$의 닮음비

(2) $\square ABCD$와 $\square EFGH$의 넓이의 비

(3) $\square ABCD$의 넓이가 $12\ cm^2$일 때, $\square EFGH$의 넓이

닮은 도형에서 부피의 비

2-1 아래 그림에서 두 구 O, O′의 반지름의 길이의 비가 $2:3$일 때, 다음을 구하시오.

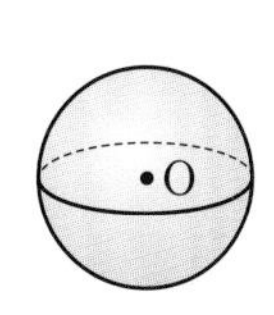

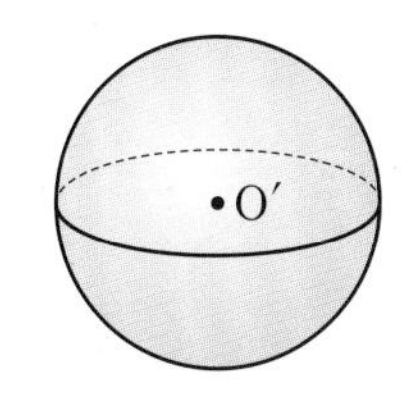

(1) 두 구 O, O′의 닮음비

(2) 두 구 O, O′의 겉넓이의 비

(3) 두 구 O, O′의 부피의 비

2-2 아래 그림에서 두 원기둥 A, B가 닮은 도형일 때, 다음을 구하시오.

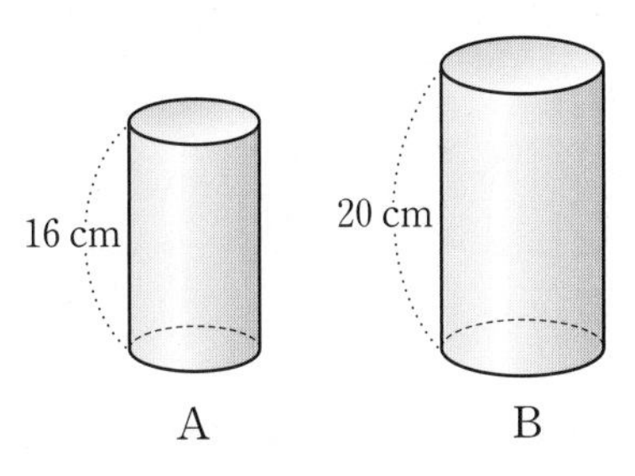

(1) 두 원기둥 A, B의 닮음비

(2) 두 원기둥 A, B의 겉넓이의 비

(3) 원기둥 B의 부피가 $375\pi\ cm^3$일 때, 원기둥 A의 부피

3주 2일

회색 글씨를 따라 쓰면서 개념을 정리해 보세요.

❖ 삼각형의 닮음 조건

(1) 세 쌍의 대응변의 길이의 비가 같다. ➡ SSS 닮음

(2) 두 쌍의 대응변의 길이의 비가 같고, 그 끼인각의 크기가 같다. ➡ SAS 닮음

(3) 두 쌍의 대응각의 크기가 각각 같다. ➡ AA 닮음

개념 원리 확인

정답과 풀이 28쪽

삼각형의 닮음 조건

3-1 다음은 두 삼각형이 닮은 도형임을 보이는 과정이다. □ 안에 알맞은 것을 써넣으시오.

(1)

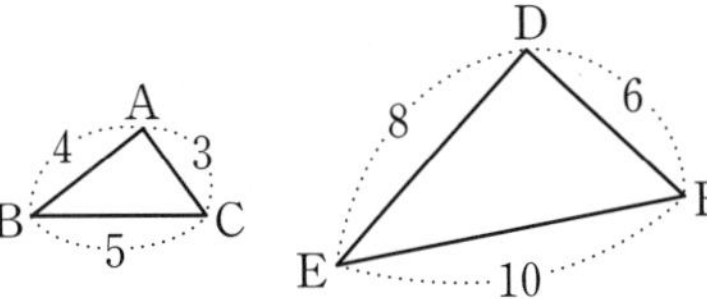

△ABC와 △DEF에서
$\overline{AB}:\overline{DE}=4:8=$□:□
$\overline{BC}:\overline{EF}=5:$□=□:□
$\overline{AC}:\overline{DF}=3:$□=□:□
∴ △ABC∽△DEF (□ 닮음)

(2)

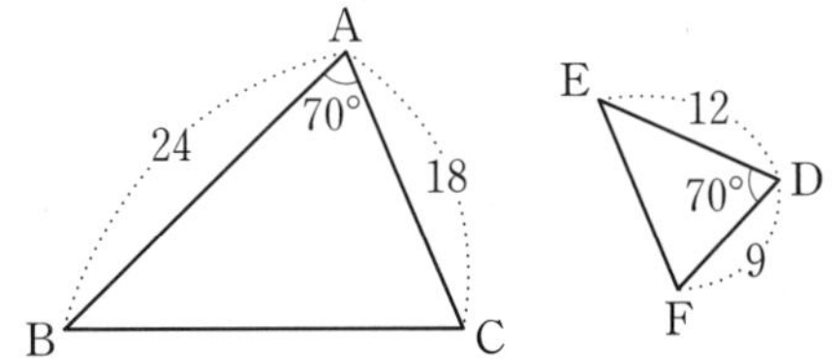

△ABC와 △DEF에서
$\overline{AB}:\overline{DE}=24:12=$□:□
$\overline{AC}:\overline{DF}=18:$□=□:□
∠A=∠□=□°
∴ △ABC∽△□ (□ 닮음)

(3)

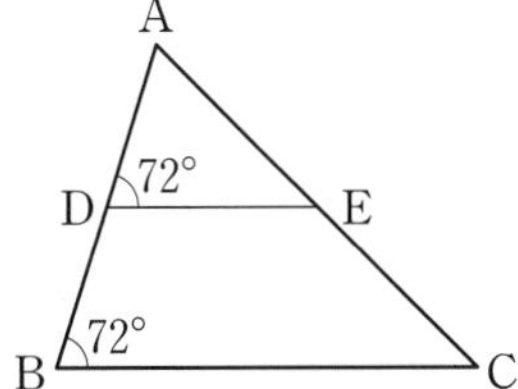

△ABC와 △ADE에서
∠□는 공통, ∠ABC=∠□=□°
∴ △ABC∽△□ (□ 닮음)

3-2 다음 그림에서 △ABC∽△DEF일 때, 닮음 조건을 말하시오.

(1)

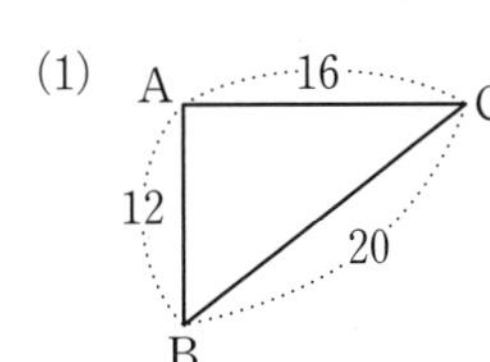

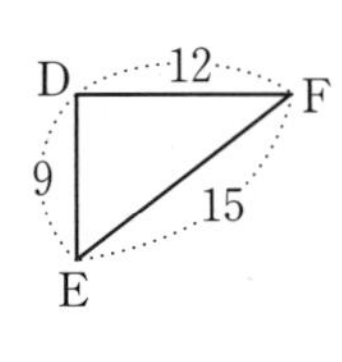

(2)

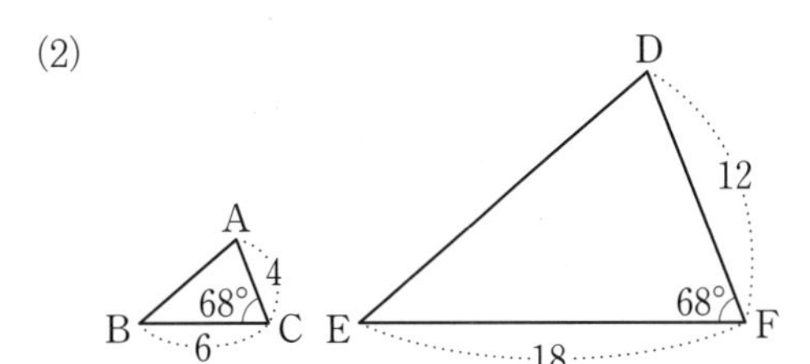

(3)

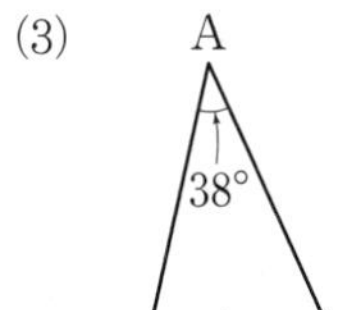

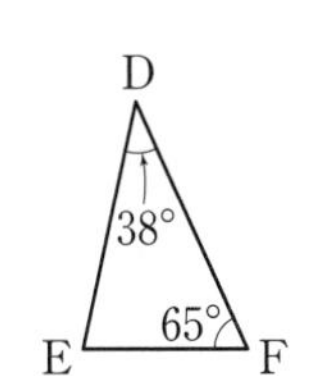

3-3 오른쪽 그림에서 △ABC와 닮은 삼각형을 찾아 기호 ∽를 사용하여 나타내고, 그때의 닮음 조건을 말하시오.

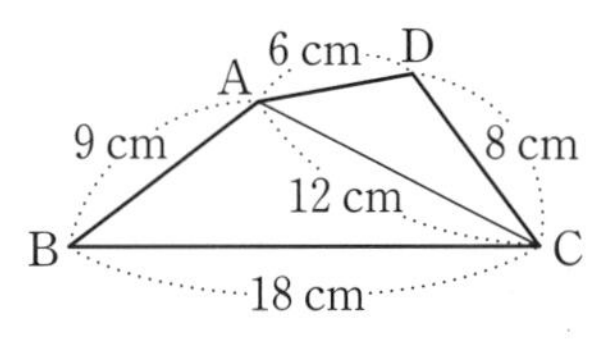

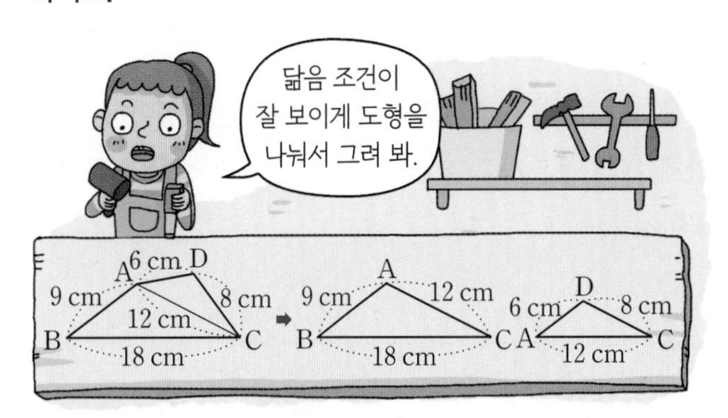

3주 2일 기초 집중 연습

정답과 풀이 29쪽

개념 01 닮은 도형의 넓이의 비와 부피의 비를 구할 수 있는가?

(1) 닮은 두 평면도형의 닮음비가 $m : n$이면
① 둘레의 길이의 비 ➡ $m : n$
② 넓이의 비 ➡ $m^2 : n^2$
(2) 닮은 두 입체도형의 닮음비가 $m : n$이면
① 겉넓이의 비 ➡ $m^2 : n^2$
② 부피의 비 ➡ $m^3 : n^3$

1-1

다음 만화에서 (가)~(다)에 알맞은 것을 써넣으시오.

1-2

다음 그림에서 두 정사면체 A, B는 닮은 도형이다. 정사면체 A의 부피가 108 cm^{3}일 때, 정사면체 B의 부피를 구하시오.

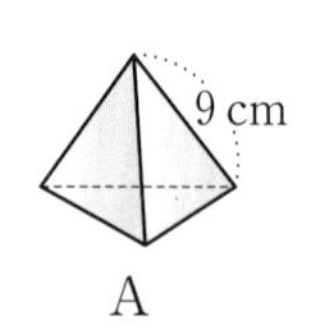

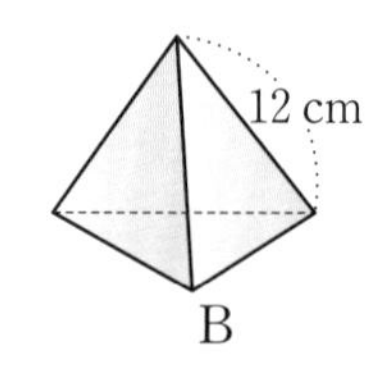

개념 02 삼각형의 닮음 조건을 알고 있는가?

두 삼각형은 다음의 각 경우에 서로 닮음이다.
(1) 세 쌍의 대응변의 길이의 비가 같다. (SSS 닮음)

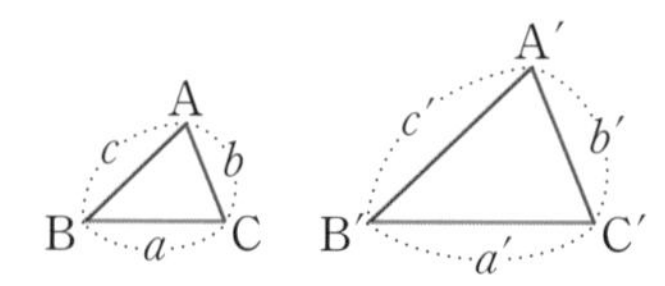

$$a : a' = b : b' = c : c'$$

(2) 두 쌍의 대응변의 길이의 비가 같고, 그 끼인각의 크기가 같다. (SAS 닮음)

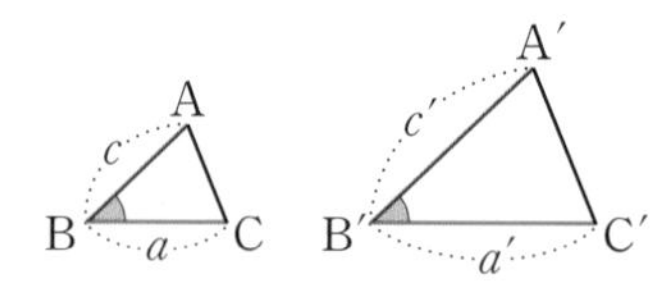

$$a : a' = c : c', \angle B = \angle B'$$

(3) 두 쌍의 대응각의 크기가 각각 같다. (AA 닮음)

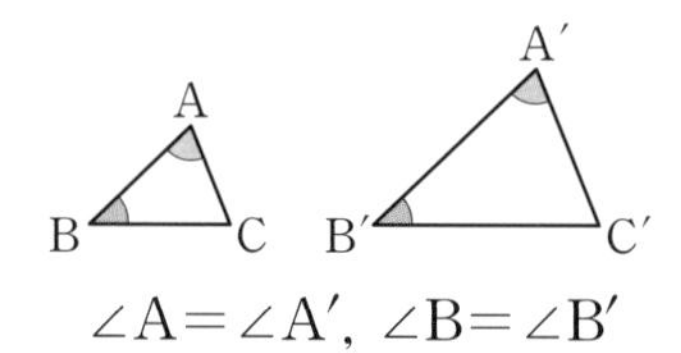

$$\angle A = \angle A', \angle B = \angle B'$$

2-1

다음 그림에서 닮은 삼각형을 모두 찾아 기호 ∽를 사용하여 나타내고, 그때의 닮음 조건을 말하시오.

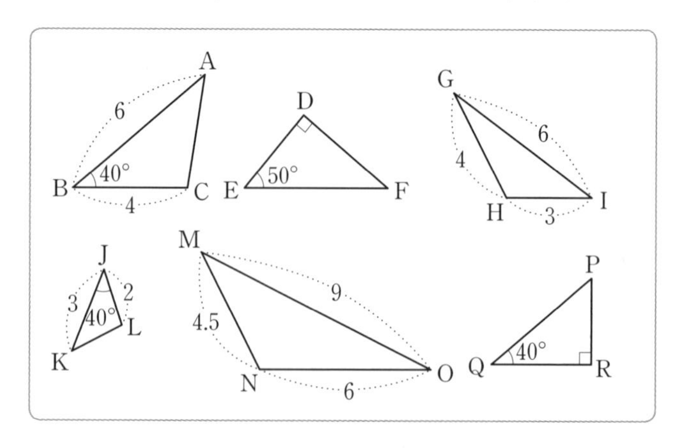

2-2

오른쪽 그림에서 $\triangle ABE \backsim \triangle CDE$일 때, $\overline{AB}$의 길이를 구하시오.

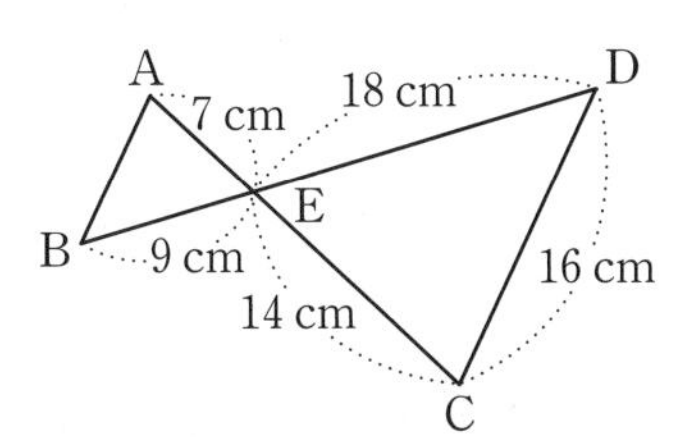

2-3

다음 보기에서 $\triangle ABC \backsim \triangle DEF$가 되는 조건을 고르고, 그때의 닮음 조건을 말하시오.

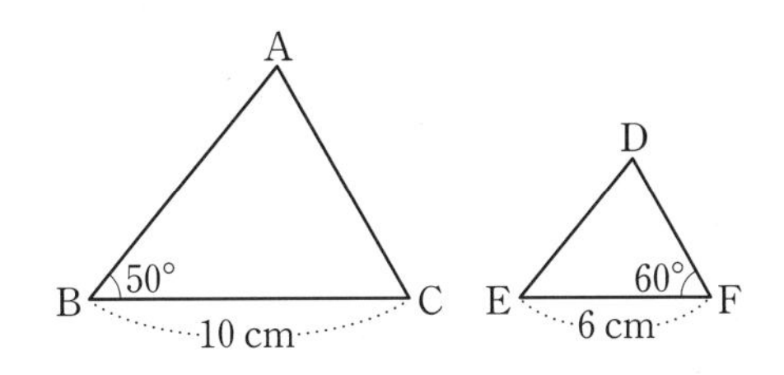

보기

㉠ $\overline{AB}=15\text{ cm}$, $\overline{DE}=9\text{ cm}$
㉡ $\overline{AC}=5\text{ cm}$, $\overline{DF}=3\text{ cm}$
㉢ $\angle C=60°$, $\angle E=50°$
㉣ $\angle E=70°$, $\overline{AB}=6\text{ cm}$

개념 03 닮음을 이용하여 변의 길이를 구할 수 있는가?

(1) SAS 닮음을 이용하는 방법

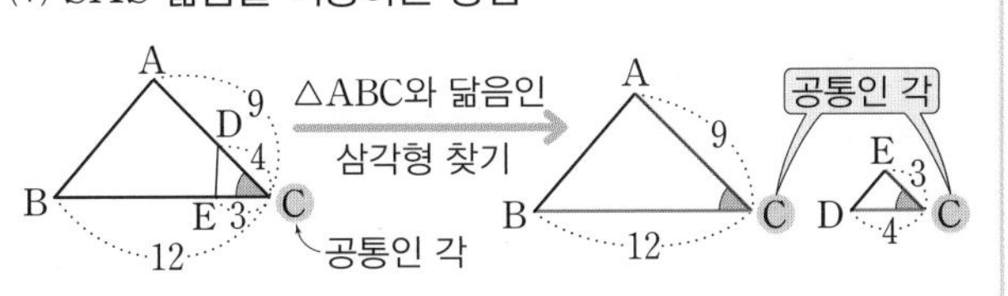

$\triangle ABC \backsim \triangle EDC$ (SAS 닮음)

(2) AA 닮음을 이용하는 방법

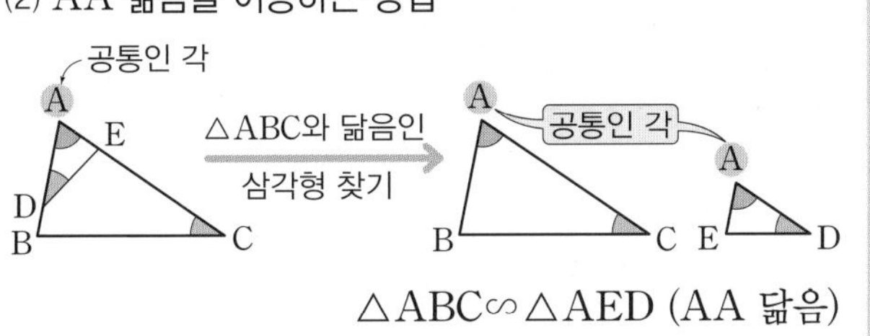

$\triangle ABC \backsim \triangle AED$ (AA 닮음)

3-1

오른쪽 그림과 같은 $\triangle ABC$에서 $\overline{BC}$의 길이를 구하시오.

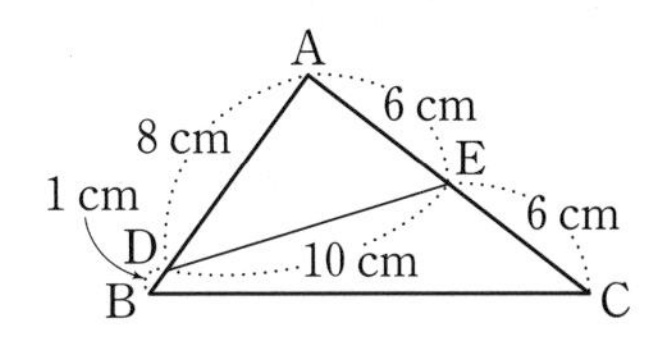

3-2

다음 그림과 같은 $\triangle ABC$에서 x의 값을 구하시오.

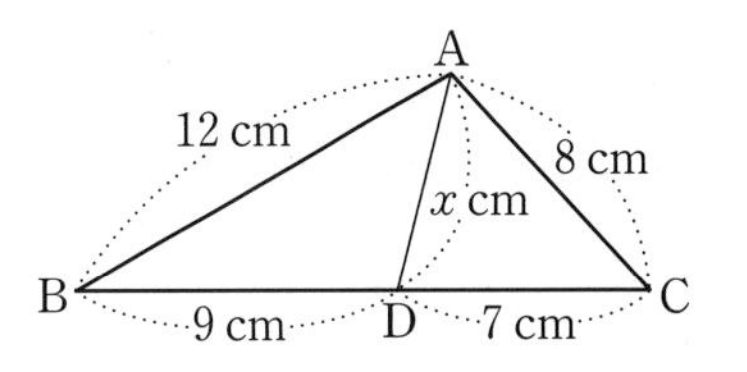

3-3

다음 그림과 같은 $\triangle ABC$에서 $\angle ABD=\angle C$일 때, $\overline{DC}$의 길이를 구하시오.

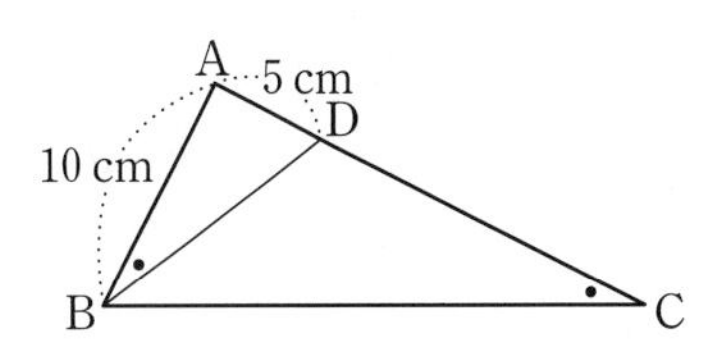

3-4

오른쪽 그림과 같은 $\triangle ABC$에서 $\angle B=\angle CDE$일 때, x의 값을 구하시오.

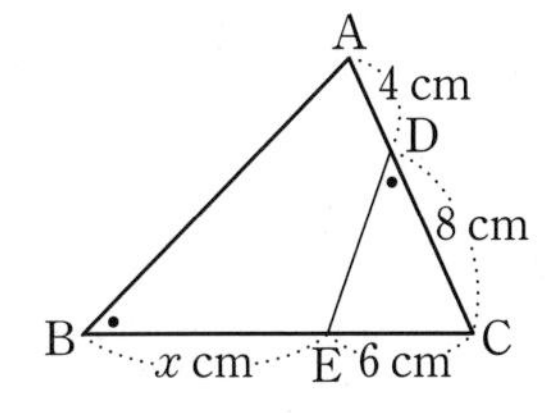

3주 2일

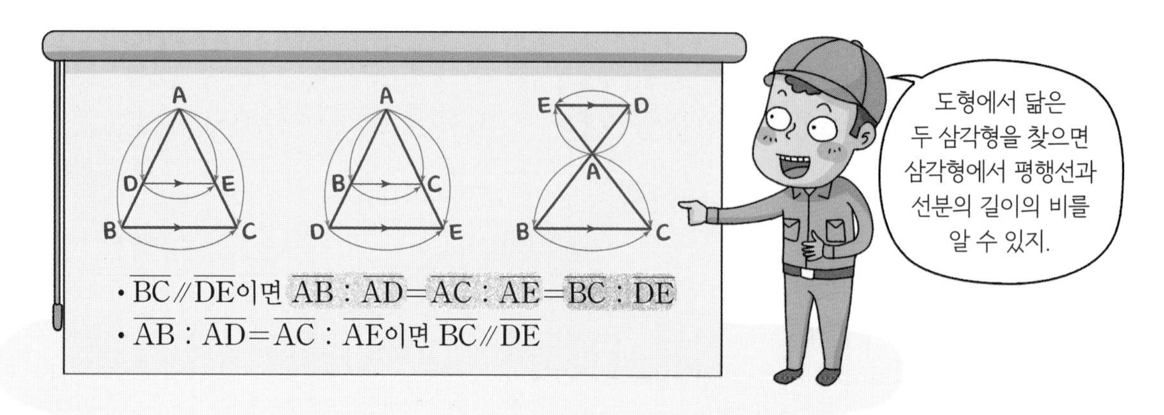

회색 글씨를 따라 쓰면서 개념을 정리해 보세요.

△ABC에서 $\overline{AB}$와 $\overline{AC}$ 또는 그 연장선 위에 각각 점 D, E가 있을 때

(1) $\overline{BC} /\!/ \overline{DE}$이면 $\overline{AB} : \overline{AD} = \overline{AC} : \boxed{\overline{AE}} = \boxed{\overline{BC} : \overline{DE}}$

(2) $\overline{AB} : \overline{AD} = \overline{AC} : \overline{AE}$이면 $\boxed{\overline{BC} /\!/ \overline{DE}}$

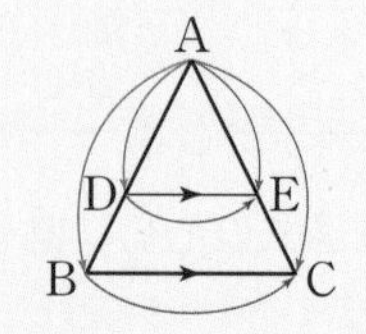

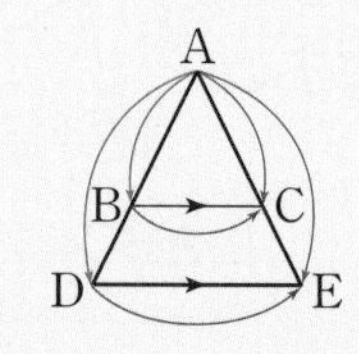

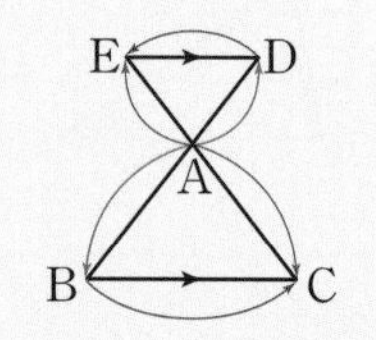

개념 원리 확인

○ 정답과 풀이 30쪽

삼각형에서 평행선과 선분의 길이의 비 (1)

1-1 다음 그림에서 $\overline{BC} /\!/ \overline{DE}$일 때, x의 값을 구하시오.

(1)

(2)

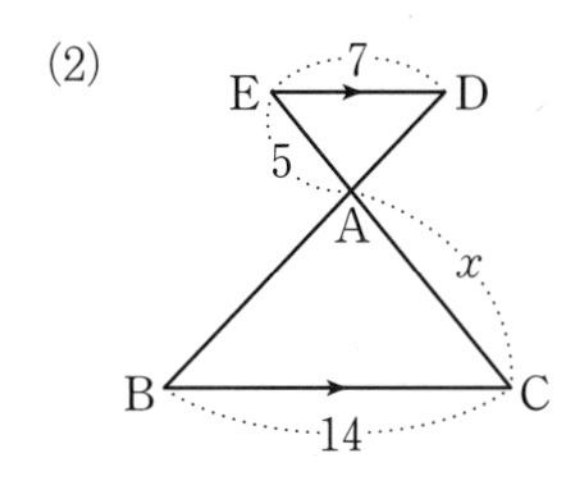

1-2 다음 그림에서 $\overline{BC} /\!/ \overline{DE}$일 때, x, y의 값을 각각 구하시오.

(1)

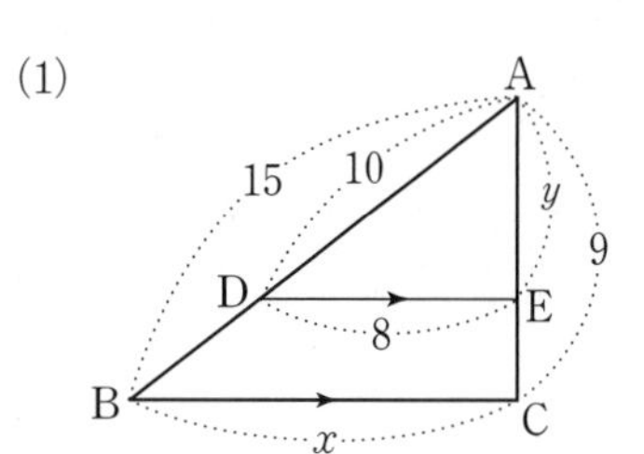

(2)

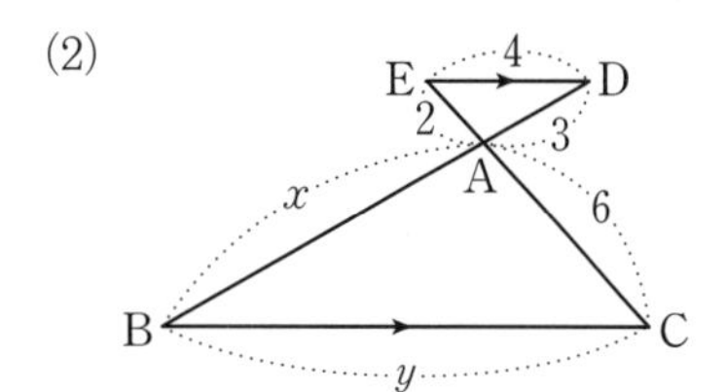

삼각형에서 평행한 선분 찾기 (1)

2-1 다음은 $\overline{BC}$와 $\overline{DE}$가 평행한지 알아보는 과정이다. ▢ 안에 알맞은 수를 써넣고, 알맞은 것에 ○표를 하시오.

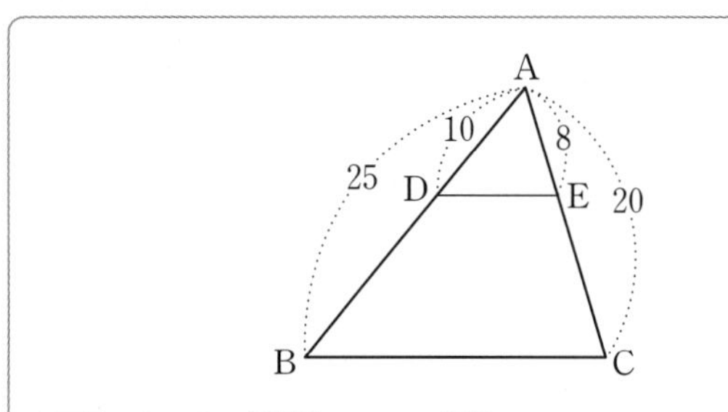

$\overline{AB} : \overline{AD} = ▢ : 10 = ▢ : 2$

$\overline{AC} : \overline{AE} = ▢ : 8 = ▢ : 2$

즉 $\overline{AB} : \overline{AD}$ ($=$, $\neq$) $\overline{AC} : \overline{AE}$이므로

$\overline{BC}$와 $\overline{DE}$는 (평행하다, 평행하지 않다).

2-2 다음 그림에서 $\overline{BC}$와 $\overline{DE}$가 평행하면 '○'를, 평행하지 않으면 '×'를 ( ) 안에 써넣으시오.

(1)

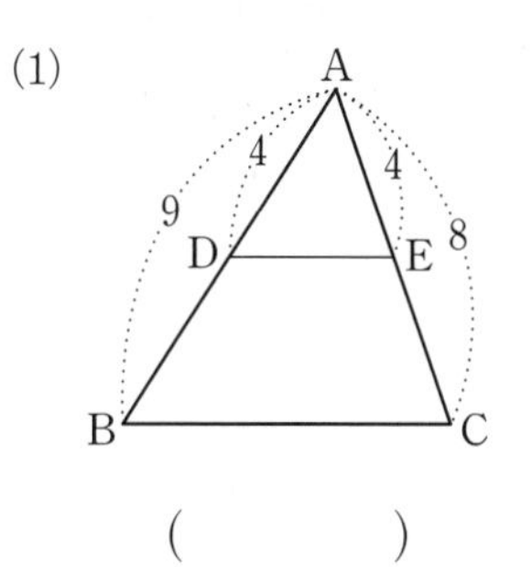

( )

(2)

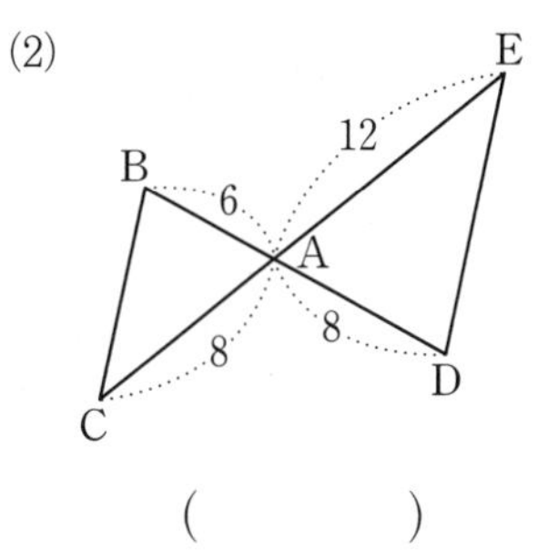

( )

(3)

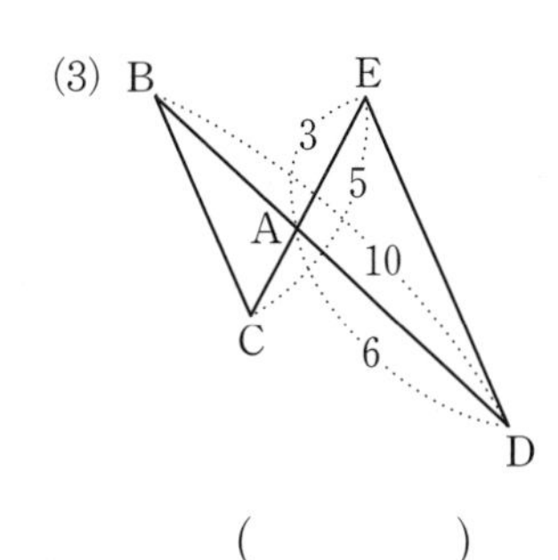

( )

(4)

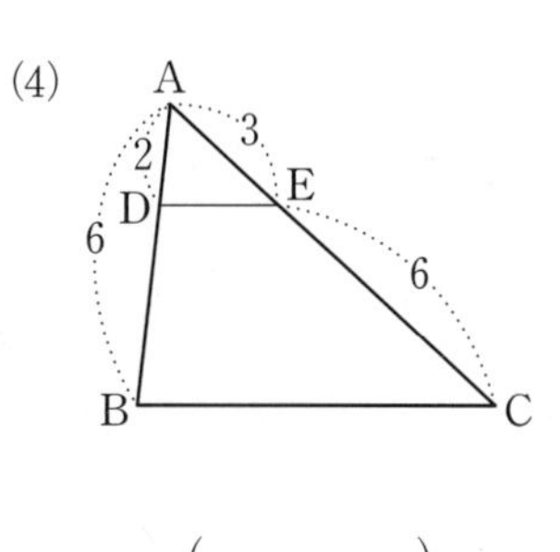

( )

3주 3일

6. 삼각형에서 평행선과 선분의 길이의 비 (2)

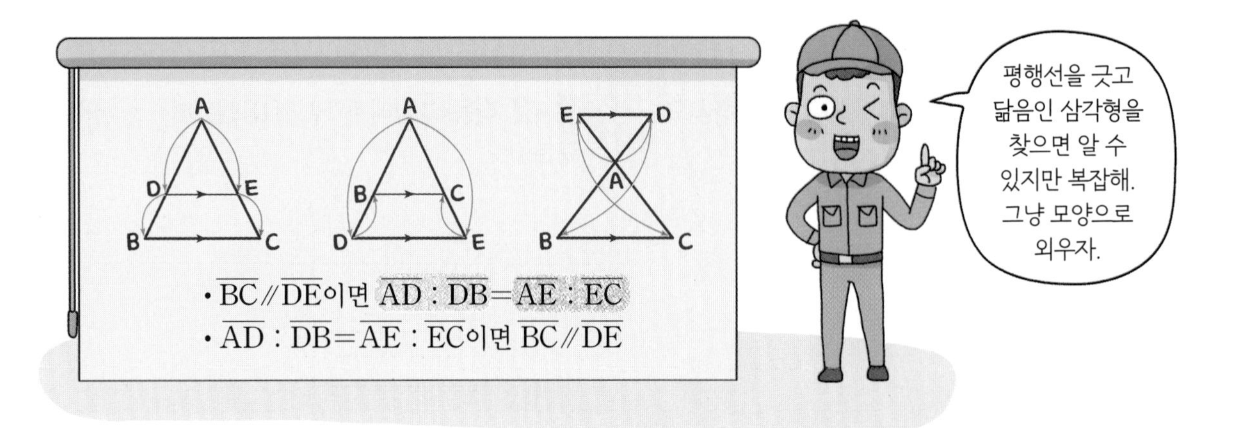

회색 글씨를 따라 쓰면서 개념을 정리해 보세요.

△ABC에서 $\overline{AB}$와 $\overline{AC}$ 또는 그 연장선 위에 각각 점 D, E가 있을 때

(1) $\overline{BC}//\overline{DE}$이면 $\overline{AD}:\overline{DB}=$ $\boxed{\overline{AE}}$ $:\overline{EC}$

(2) $\overline{AD}:\overline{DB}=\overline{AE}:\overline{EC}$이면 $\overline{BC}$ $\boxed{//}$ $\overline{DE}$

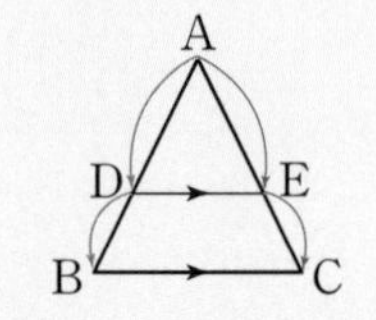

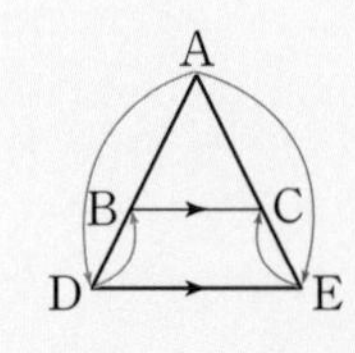

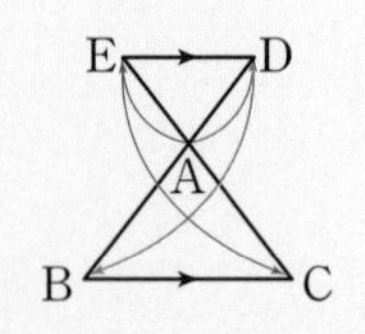

개념 원리 확인

○ 정답과 풀이 30쪽

삼각형에서 평행선과 선분의 길이의 비 (2)

3-1 다음 그림에서 $\overline{BC} /\!/ \overline{DE}$일 때, x의 값을 구하시오.

(1)

(2)

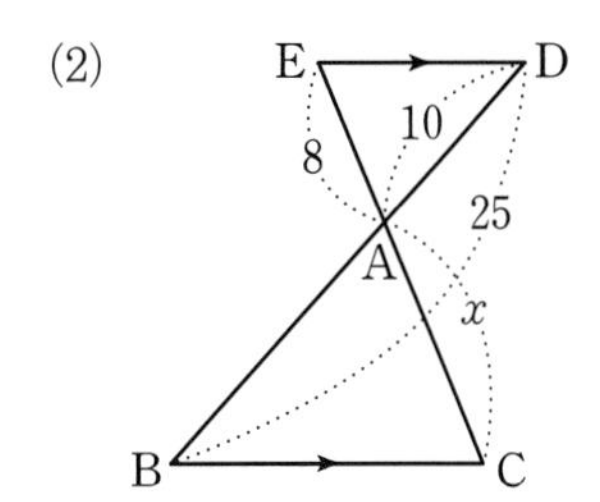

3-2 다음 그림에서 $\overline{BC} /\!/ \overline{DE}$일 때, x의 값을 구하시오.

(1)

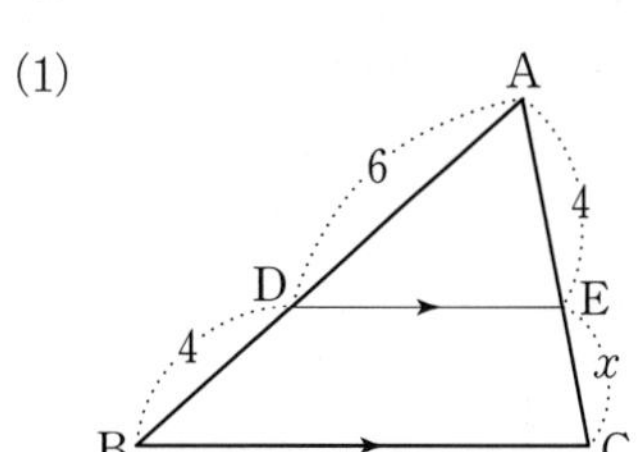

(2)

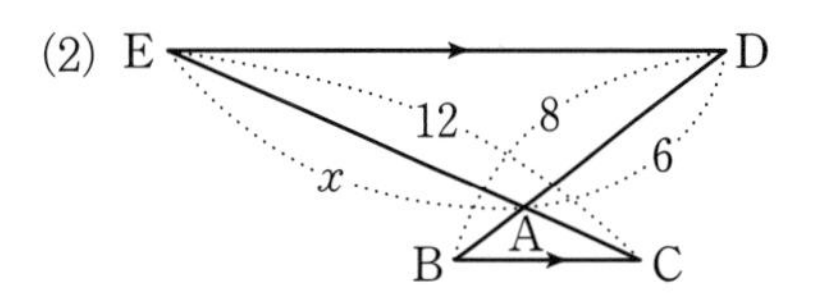

삼각형에서 평행한 선분 찾기 (2)

4-1 다음은 $\overline{BC}$와 $\overline{DE}$가 평행한지 알아보는 과정이다. ☐ 안에 알맞은 수를 써넣고, 알맞은 것에 ○표를 하시오.

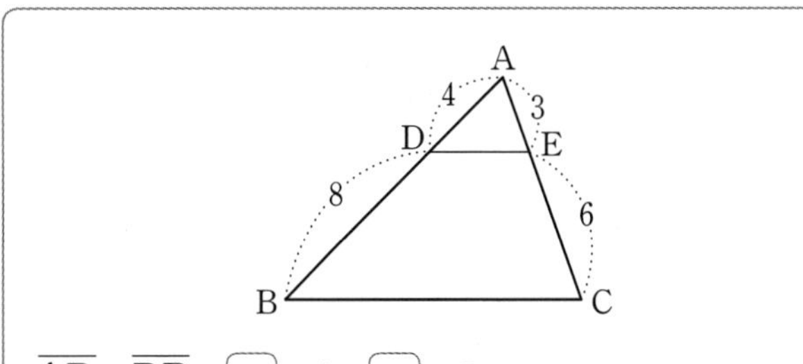

$\overline{AD} : \overline{DB} = ☐ : 8 = ☐ : 2$

$\overline{AE} : \overline{EC} = 3 : ☐ = 1 : ☐$

즉 $\overline{AD} : \overline{DB}$ $(=, \neq)$ $\overline{AE} : \overline{EC}$이므로

$\overline{BC}$와 $\overline{DE}$는 (평행하다, 평행하지 않다).

4-2 다음 그림에서 $\overline{BC}$와 $\overline{DE}$가 평행하면 '○'를, 평행하지 않으면 '×'를 (　　) 안에 써넣으시오.

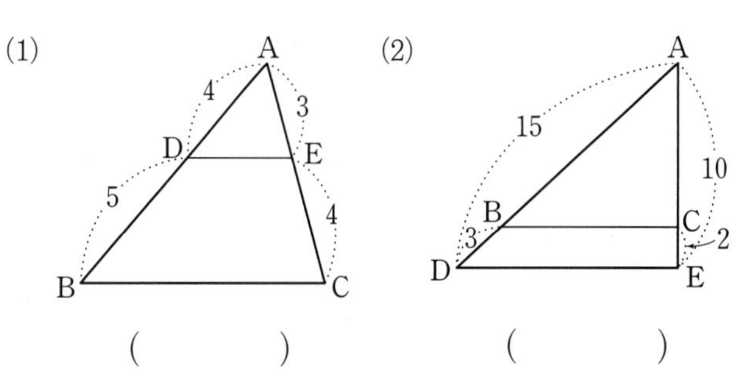

(1) (　　　)　　(2) (　　　)

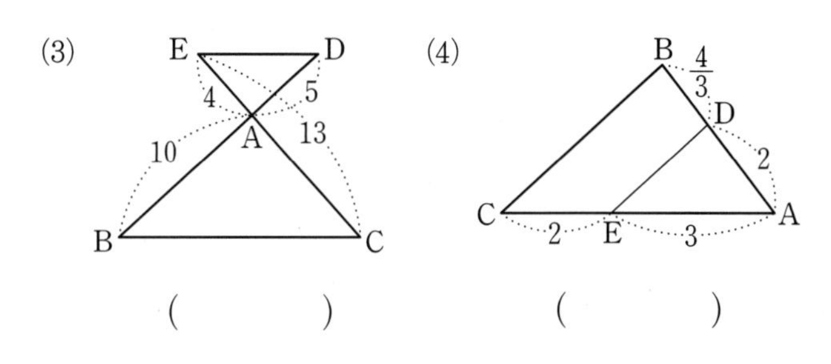

(3) (　　　)　　(4) (　　　)

3주 3일 기초 집중 연습

○ 정답과 풀이 31쪽

개념 01 삼각형에서 평행선과 선분의 길이의 비를 이용하여 선분의 길이를 구할 수 있는가?

$\triangle ABC$에서 $\overline{AB}$, $\overline{AC}$ 또는 그 연장선 위에 각각 점 D, E가 있을 때, 다음이 성립한다.

(1) $\overline{BC} /\!/ \overline{DE}$이면 $a : a' = b : b' = c : c'$

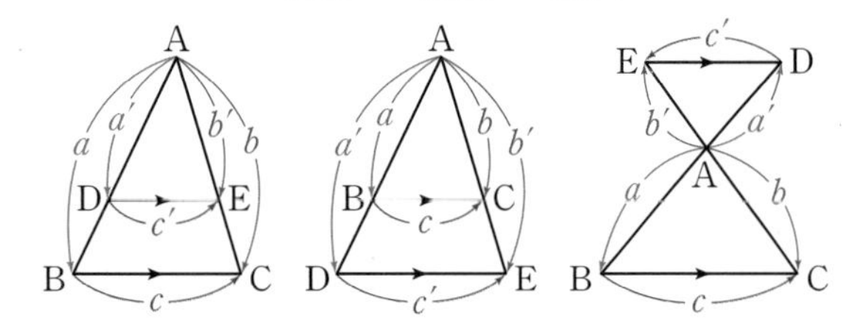

(2) $\overline{BC} /\!/ \overline{DE}$이면 $a : a' = b : b'$

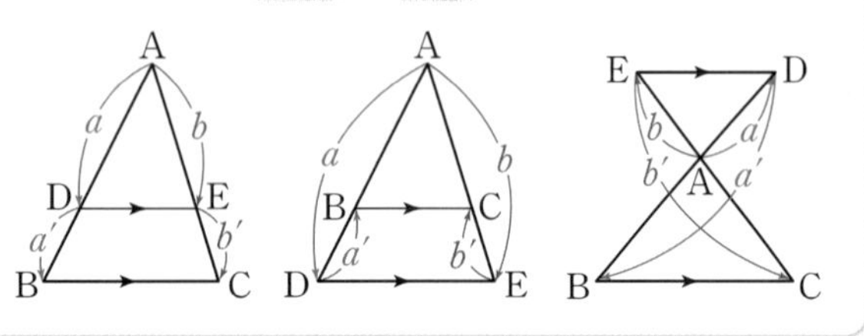

1-1

다음 그림에서 $\overline{BC} /\!/ \overline{DE}$일 때, x의 값을 구하시오.

(1)

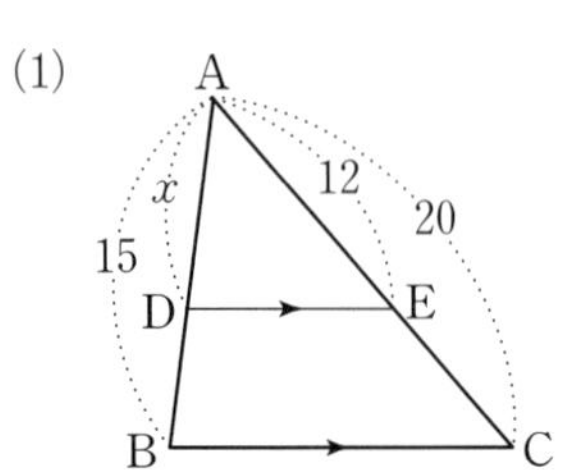

(2)

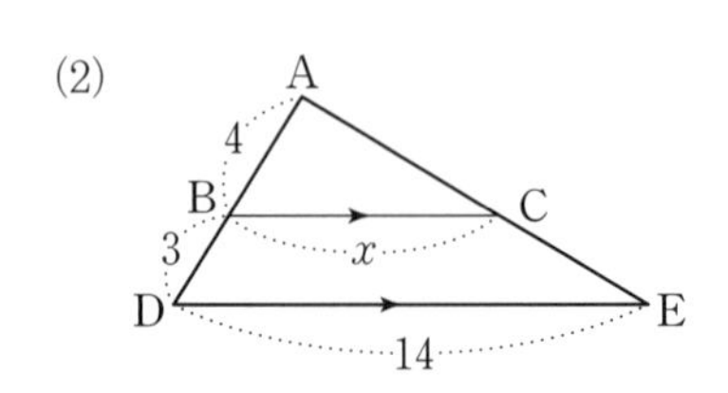

(3)

E 4 D 2 5 A B C x

(4)

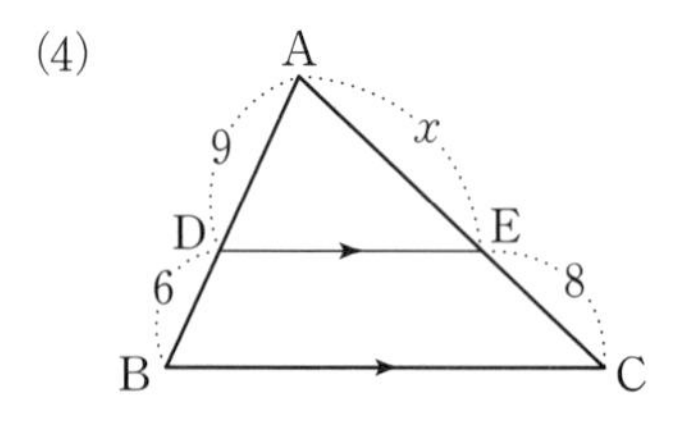

(5)

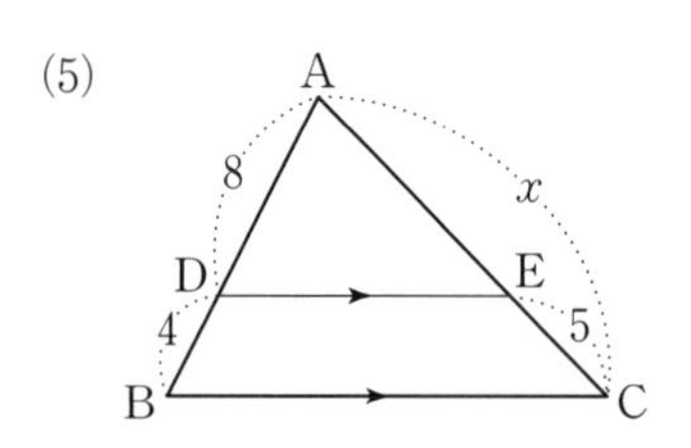

(6)

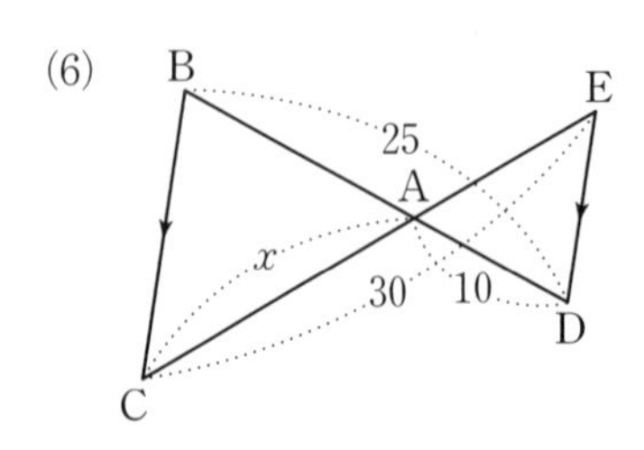

1-2

오른쪽 그림에서 $\overline{BC}/\!/\overline{DE}$일 때, $x+y$의 값을 구하시오.

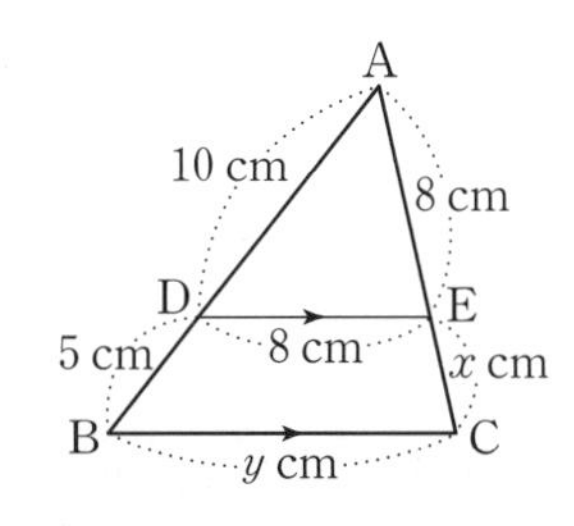

1-3

오른쪽 그림에서 두 점 D, E는 각각 $\overline{AB}$, $\overline{AC}$의 연장선 위의 점이고 $\overline{BC}/\!/\overline{DE}$일 때, $x-y$의 값을 구하시오.

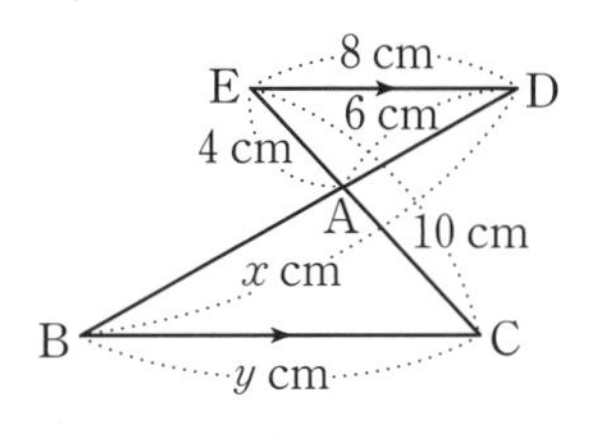

1-4

오른쪽 그림에서 $\overline{BC}/\!/\overline{DE}$일 때, x의 값을 구하시오.

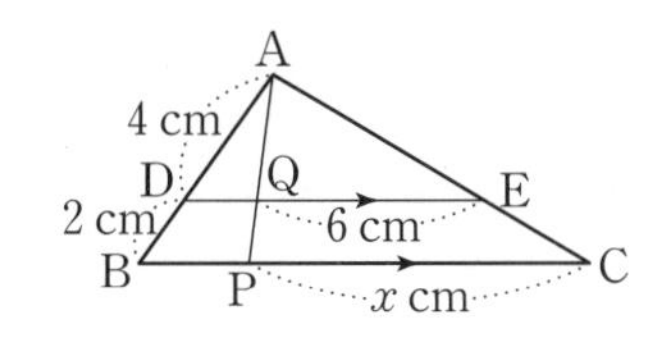

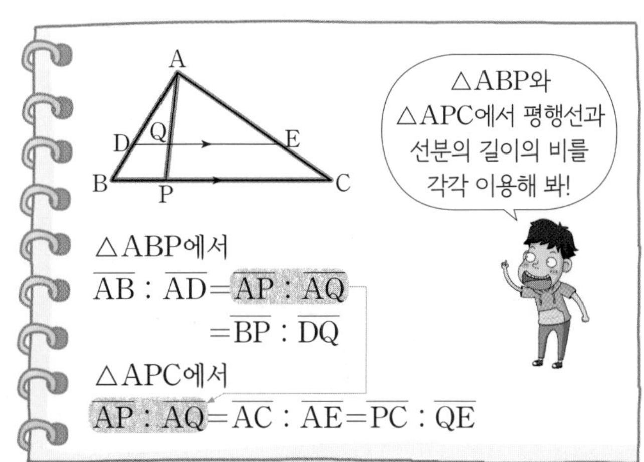

개념 02 삼각형에서 $\overline{DE}$에 의하여 생기는 선분의 길이의 비를 이용하여 $\overline{BC}/\!/\overline{DE}$임을 알 수 있는가?

△ABC에서 $\overline{AB}$, $\overline{AC}$ 또는 그 연장선 위에 각각 점 D, E가 있을 때, 다음이 성립한다.

(1) $a : a'=b : b'$이면 $\overline{BC}/\!/\overline{DE}$

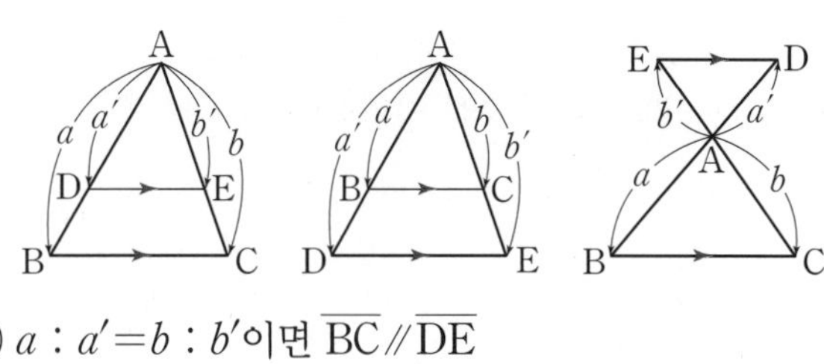

(2) $a : a'=b : b'$이면 $\overline{BC}/\!/\overline{DE}$

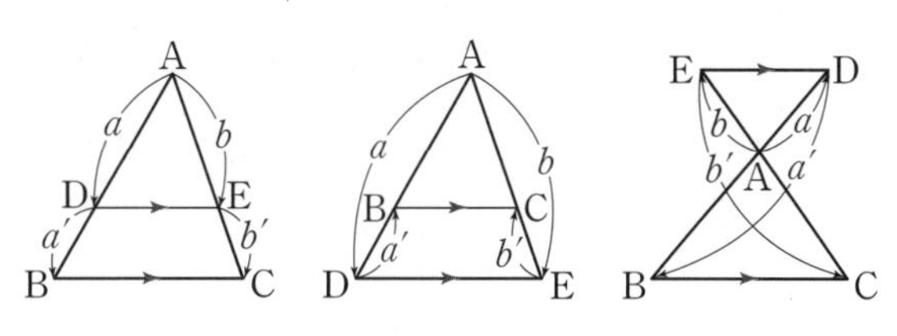

2-1

다음 그림에서 $\overline{BC}/\!/\overline{DE}$인 것을 모두 고르면? (정답 2개)

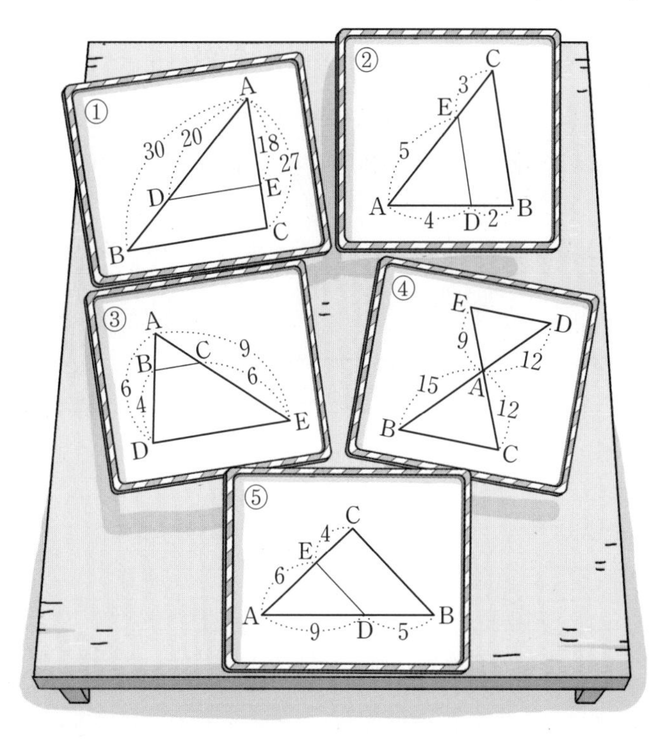

7. 삼각형의 두 변의 중점을 연결한 선분의 성질

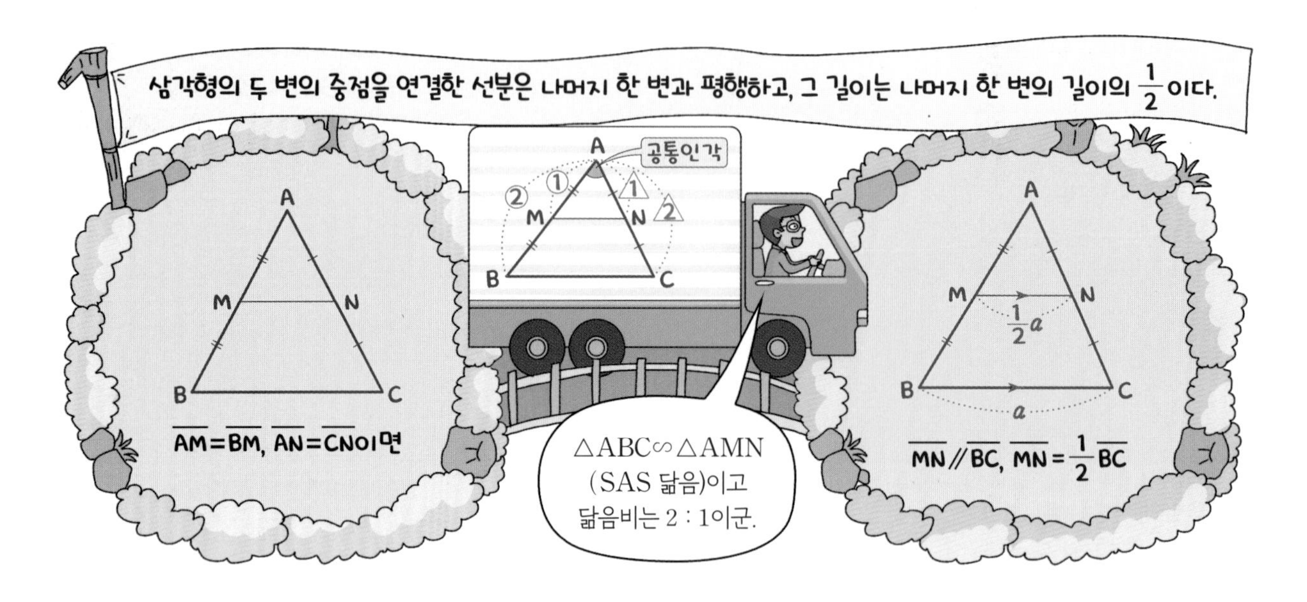

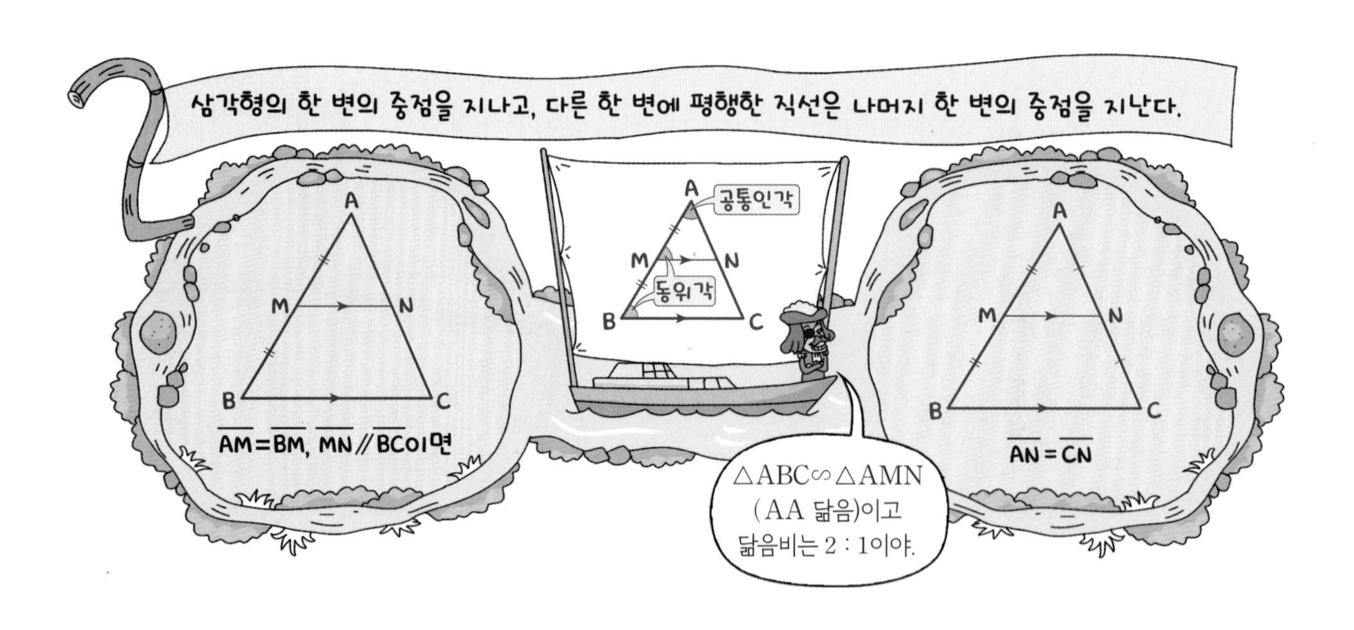

회색 글씨를 따라 쓰면서 개념을 정리해 보세요.

1 △ABC에서 $\overline{AB}$, $\overline{AC}$의 중점을 각각 M, N이라고 하면

$\overline{MN}$ // $\overline{BC}$, $\overline{MN}$ = $\frac{1}{2}$ $\overline{BC}$

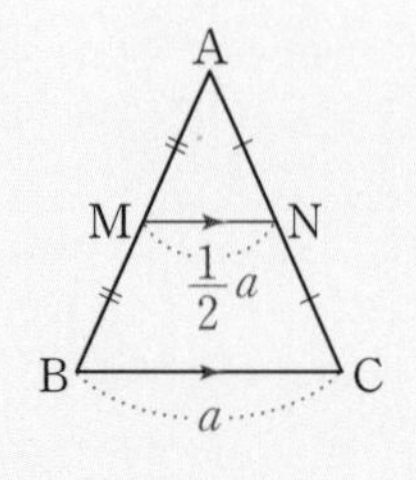

2 △ABC에서 $\overline{AB}$의 중점 M을 지나고 $\overline{BC}$에 평행한 직선이 $\overline{AC}$와 만나는 점을 N이라고 하면 $\overline{AN}$ = $\overline{CN}$

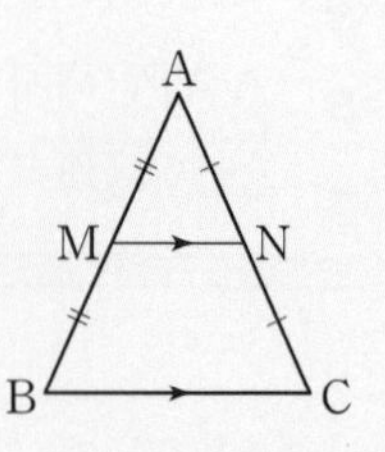

개념 원리 확인

○ 정답과 풀이 32쪽

삼각형의 두 변의 중점을 연결한 선분의 성질 (1)

1-1 다음 그림의 $\triangle ABC$에서 두 점 M, N이 각각 $\overline{AB}$, $\overline{AC}$의 중점일 때, x의 값을 구하시오.

(1)

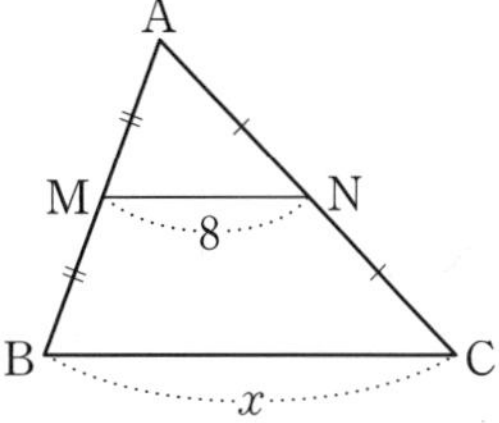

➡ $\overline{AM}=\overline{BM}$, $\overline{AN}=\overline{CN}$이므로 $\overline{MN}=\square\,\overline{BC}$

(2)

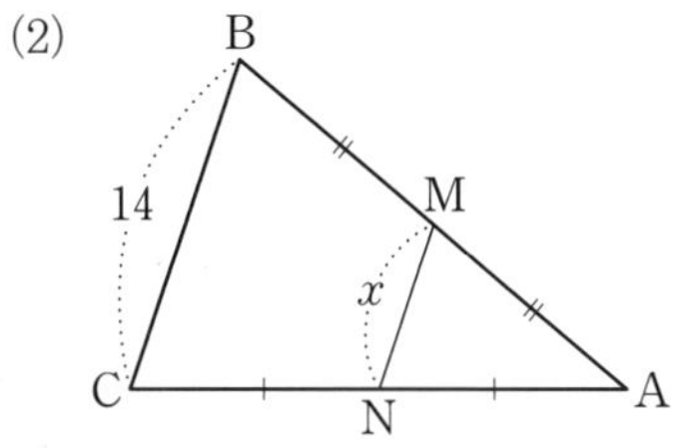

1-2 다음 그림의 $\triangle ABC$에서 두 점 M, N이 각각 $\overline{AB}$, $\overline{AC}$의 중점일 때, x의 값을 구하시오.

(1)

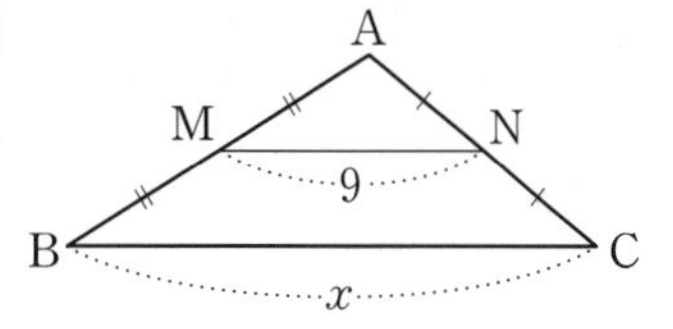

(2)

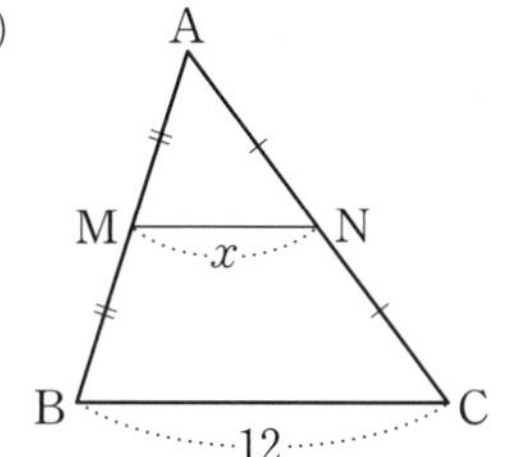

삼각형의 두 변의 중점을 연결한 선분의 성질 (2)

2-1 다음 그림의 $\triangle ABC$에서 점 M이 $\overline{AB}$의 중점이고 $\overline{MN} /\!/ \overline{BC}$일 때, x, y의 값을 각각 구하시오.

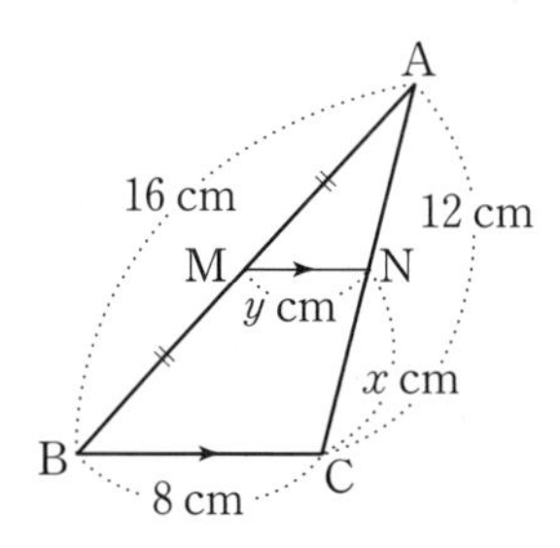

➡ $\overline{AM}=\overline{BM}$, $\overline{MN} /\!/ \overline{BC}$이므로 $\overline{AN}=\square$

$\overline{AM}=\overline{BM}$, $\overline{AN}=\square$이므로 $\overline{MN}=\square\,\overline{BC}$

2-2 다음 그림의 $\triangle ABC$에서 점 M이 $\overline{AB}$의 중점이고 $\overline{MN} /\!/ \overline{BC}$일 때, x, y의 값을 각각 구하시오.

(1)

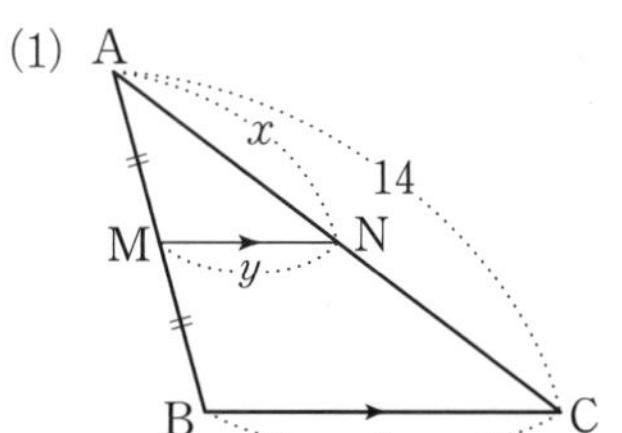

(2)

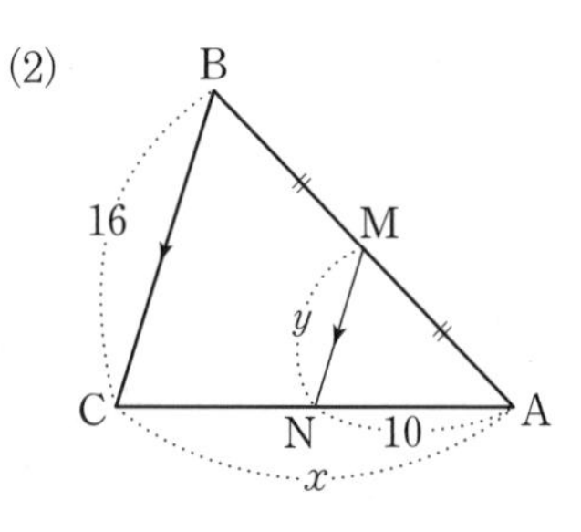

평행한 세 직선이 다른 두 직선과 만날 때, 평행선 사이의 선분의 길이의 비는 같다.

➡ $l /\!/ m /\!/ n$이면 $a : b = c : d$

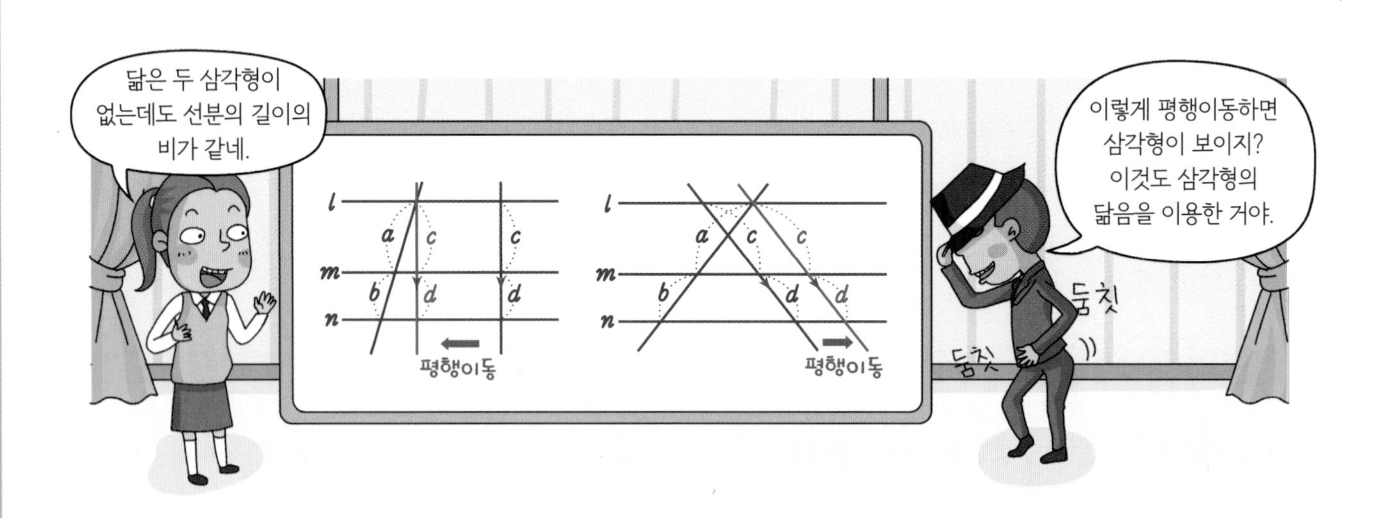

회색 글씨를 따라 쓰면서 개념을 정리해 보세요.

$l /\!/ m /\!/ n$이면 $a : b = c : d$

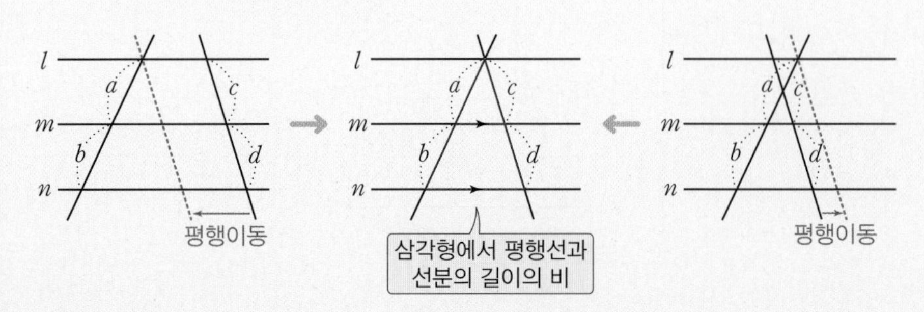

개념 원리 확인

○정답과 풀이 32쪽

평행선 사이의 선분의 길이의 비 (1)

3-1 다음 그림에서 $l /\!/ m /\!/ n$일 때, x의 값을 구하시오.

(1)

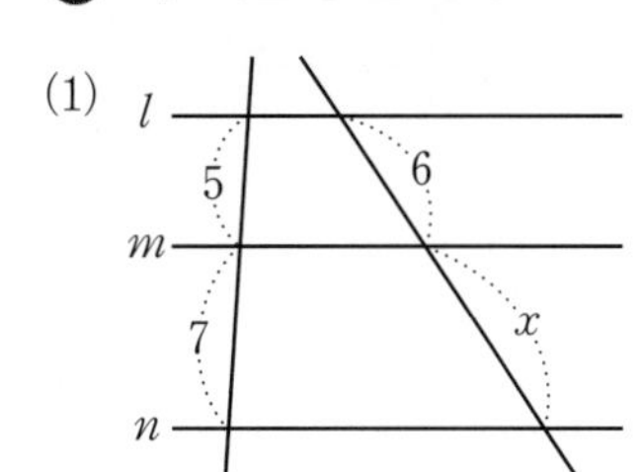

(2)

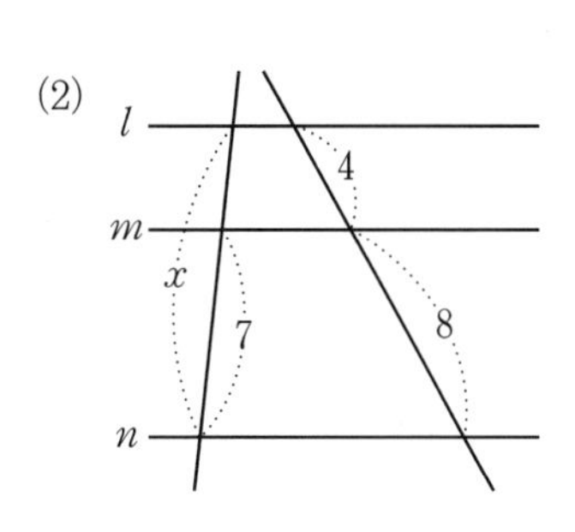

3-2 다음 그림에서 $l /\!/ m /\!/ n$일 때, x의 값을 구하시오.

(1)

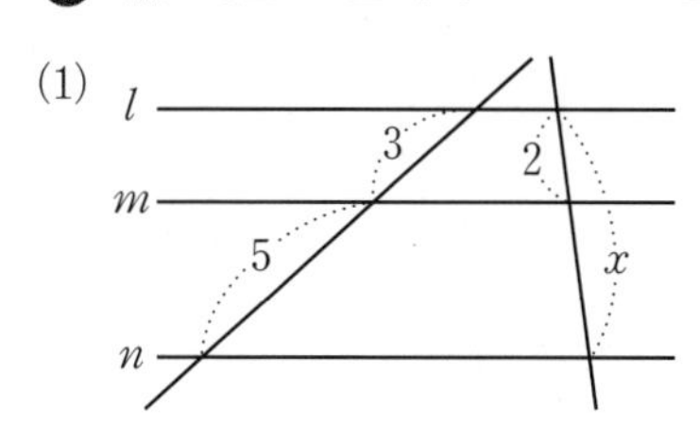

(2)

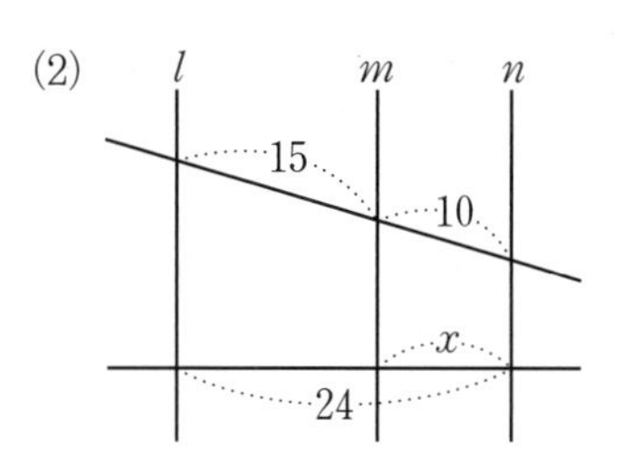

평행선 사이의 선분의 길이의 비 (2)

4-1 다음 그림에서 $l /\!/ m /\!/ n$일 때, x의 값을 구하시오.

(1)

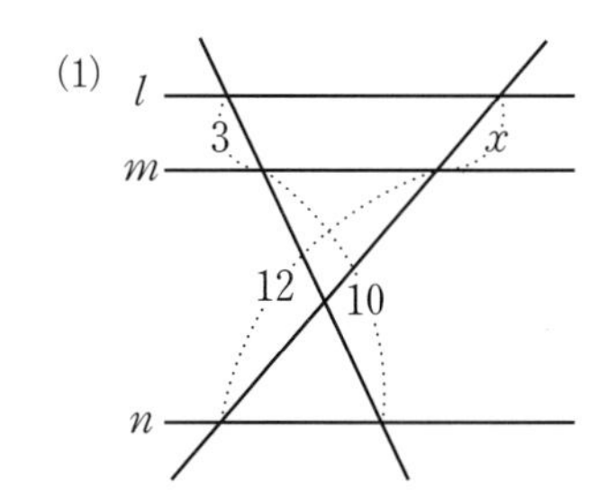

(2)

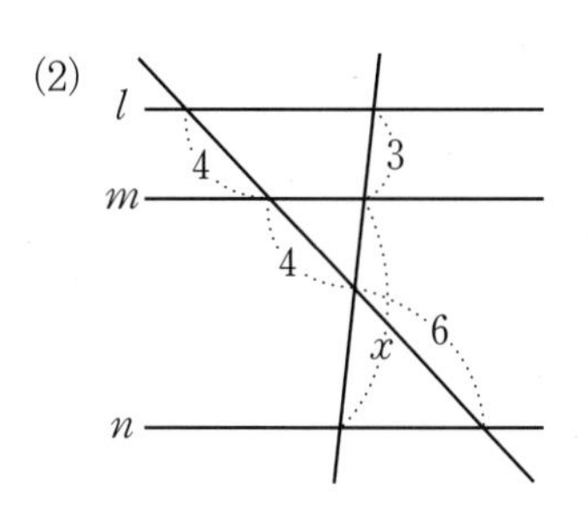

4-2 다음 그림에서 $l /\!/ m /\!/ n$일 때, x의 값을 구하시오.

(1)

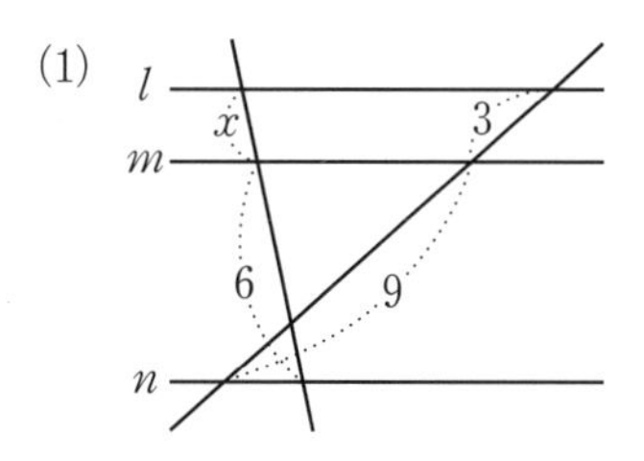

(2)

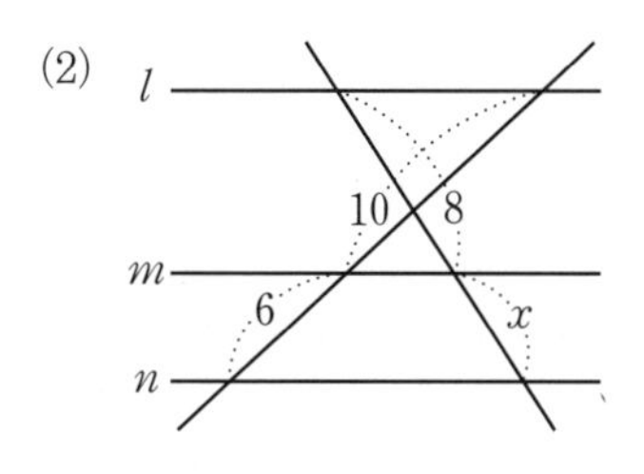

개념 01 삼각형의 두 변의 중점을 연결한 선분의 길이를 구할 수 있는가?

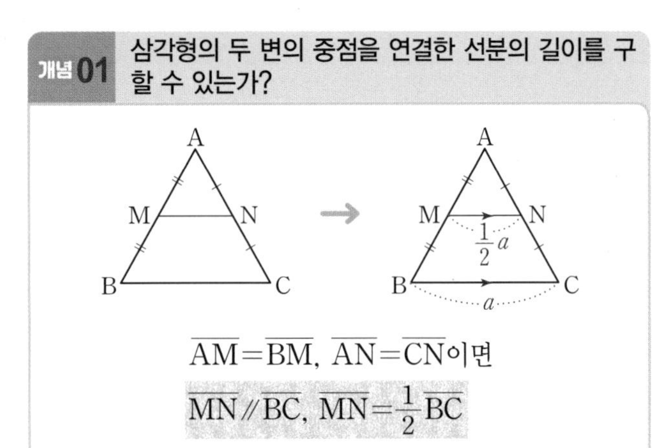

1-1

다음은 삼각형의 두 변의 중점을 연결한 선분의 성질을 설명하는 과정이다. ㈎~㈑에 알맞은 것을 써넣으시오.

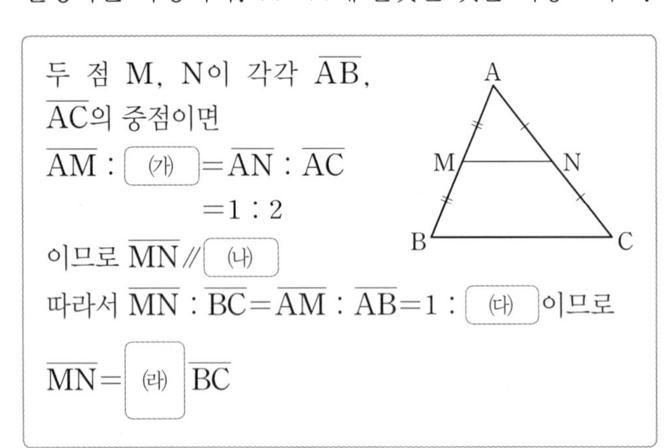

1-2

오른쪽 그림의 $\triangle ABC$에서 $\overline{AM}=\overline{BM}$, $\overline{AN}=\overline{CN}$이고 $\overline{BC}=10$ cm일 때, x의 값을 구하시오.

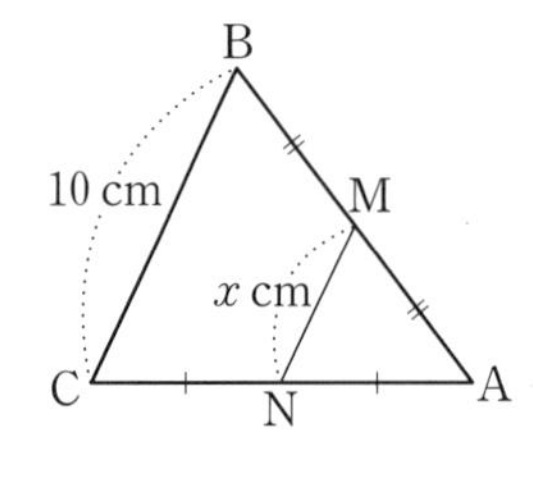

1-3

오른쪽 그림과 같은 $\triangle ABC$에서 $\overline{AB}$, $\overline{BC}$, $\overline{CA}$의 중점을 각각 D, E, F라고 할 때, 다음을 구하시오.

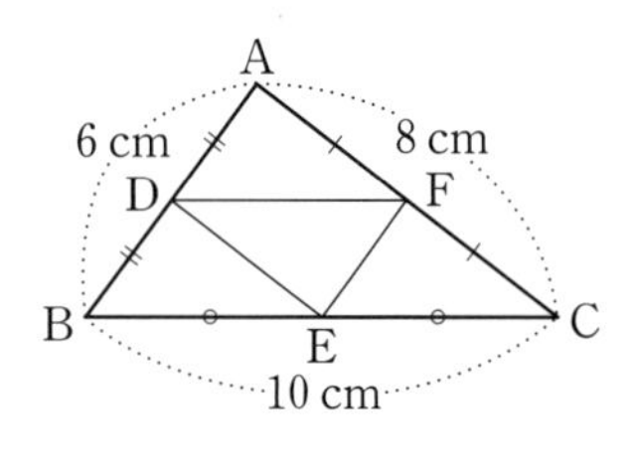

(1) $\overline{DE}$의 길이 (2) $\overline{EF}$의 길이

(3) $\overline{DF}$의 길이 (4) $\triangle DEF$의 둘레의 길이

1-4

오른쪽 그림의 두 삼각형 ABC, DBC에서 네 점 M, N, P, Q는 각각 $\overline{AB}$, $\overline{AC}$, $\overline{DB}$, $\overline{DC}$의 중점이다. $\overline{MN}=9$ cm일 때, $\overline{PQ}$의 길이를 구하시오.

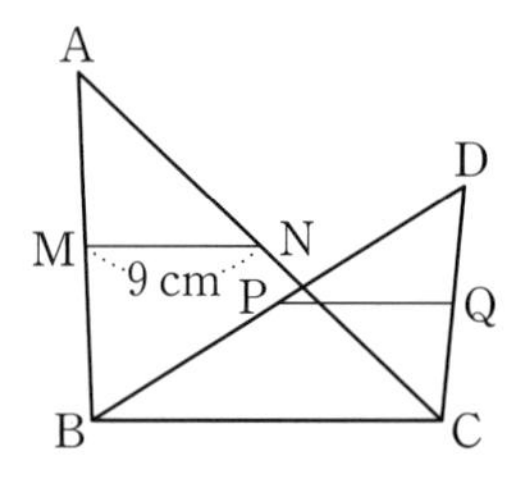

개념 02 삼각형의 한 변의 중점을 지나고, 다른 한 변에 평행한 직선은 나머지 한 변의 중점을 지남을 알고 있는가?

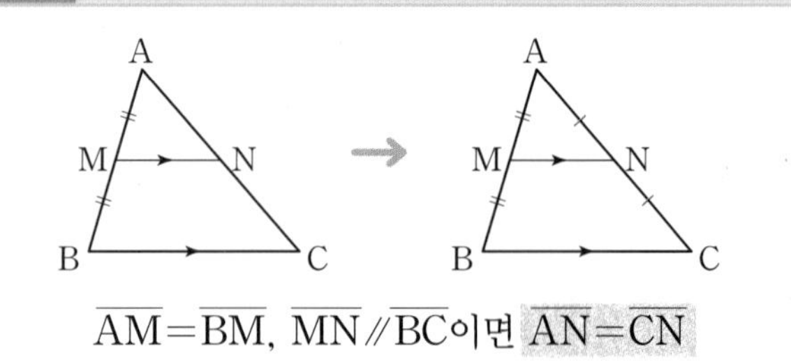

2-1

오른쪽 그림과 같은 $\triangle$ABC에서 $\overline{AM}=\overline{BM}$, $\overline{MN}/\!/\overline{BC}$일 때, 다음을 구하시오.

(1) $\overline{AN}$의 길이

(2) $\overline{BC}$의 길이

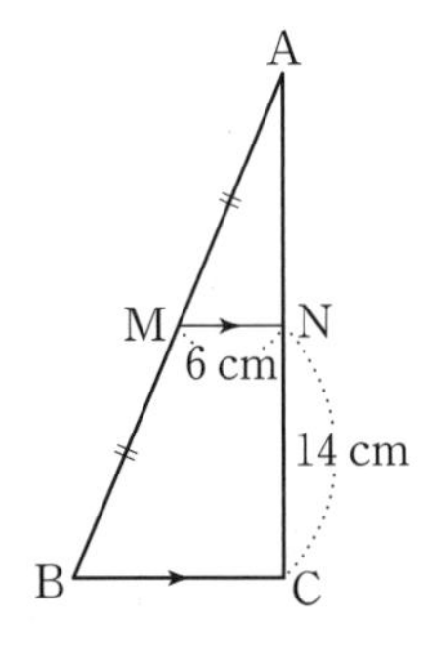

2-2

다음 그림의 $\triangle$ABC에서 $\overline{BN}=\overline{CN}$, $\overline{MN}/\!/\overline{AC}$일 때, x, y의 값을 각각 구하시오.

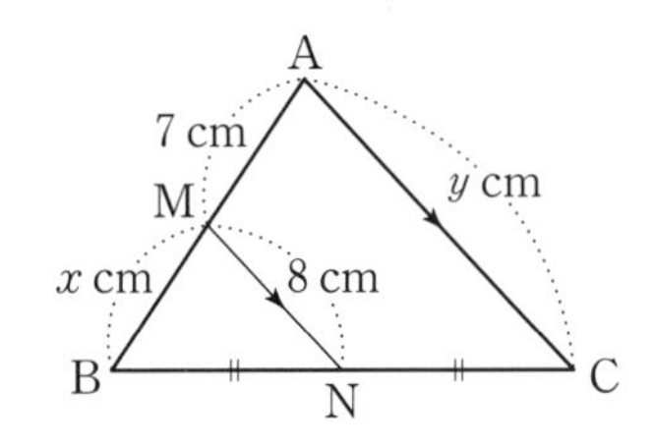

개념 03 평행선 사이의 선분의 길이의 비를 이용하여 선분의 길이를 구할 수 있는가?

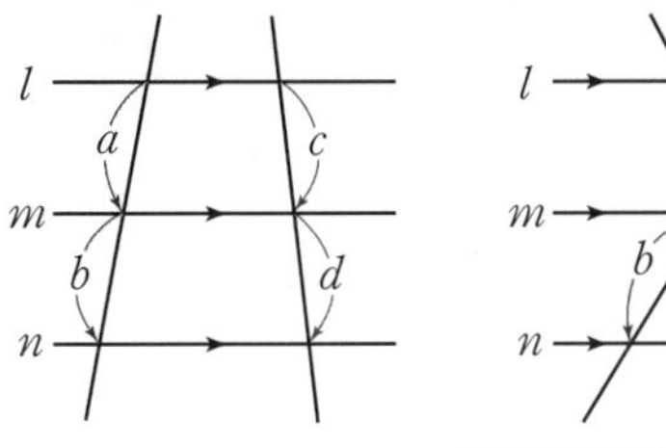

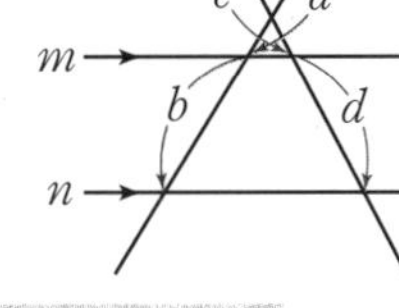

$l/\!/m/\!/n$이면 $a:b=c:d$

3-1

오른쪽 그림에서 $l/\!/m/\!/n$일 때, x의 값을 구하시오.

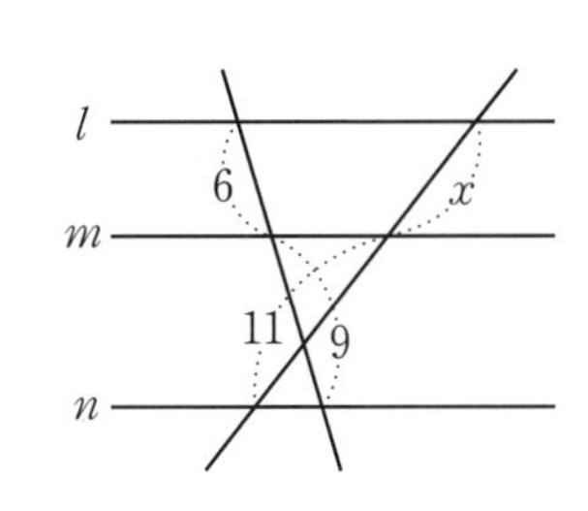

3-2

오른쪽 그림에서 $l/\!/m/\!/n$일 때, x, y의 값을 각각 구하려고 한다. 다음 □ 안에 알맞은 것을 써넣으시오.

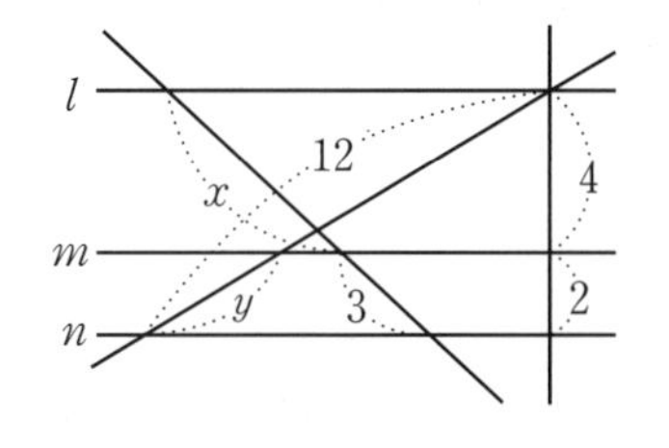

➡ x : □$=4:2$ $\quad\therefore x=$□

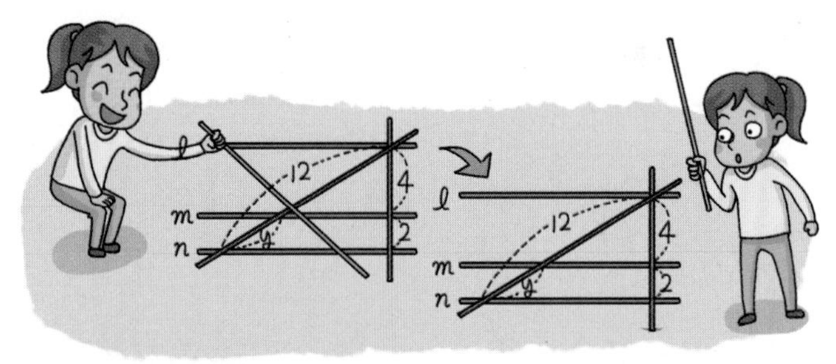

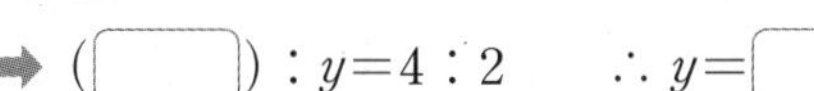

➡ (□) : $y=4:2$ $\quad\therefore y=$□

3-3

다음 그림에서 $l/\!/m/\!/n$일 때, x, y의 값을 각각 구하시오.

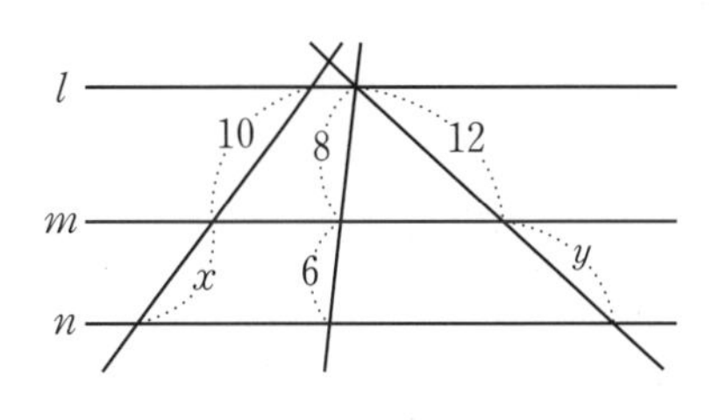

삼각형의 중선

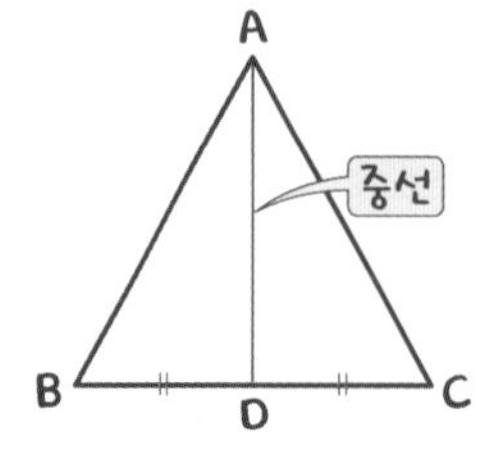

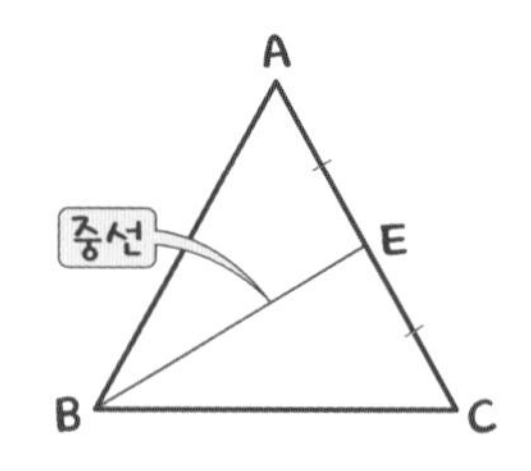

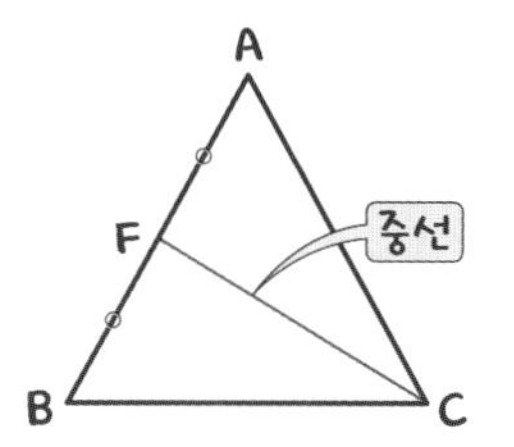

참고 중선에 의하여 나누어진 두 삼각형의 넓이는 같다.

➡ $\triangle ABD = \triangle ACD = \frac{1}{2}\triangle ABC$

삼각형의 무게중심

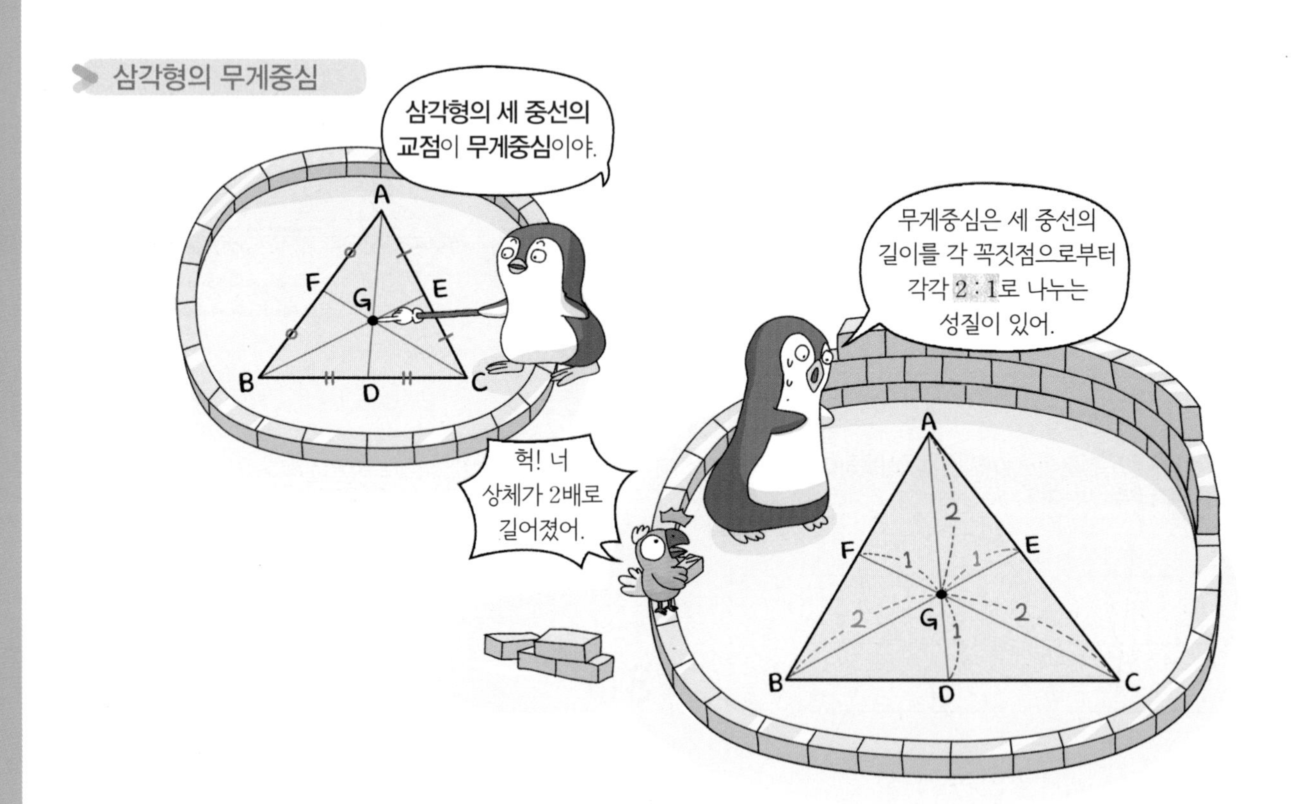

회색 글씨를 따라 쓰면서 개념을 정리해 보세요.

❖ 삼각형의 무게중심의 성질

(1) 삼각형의 세 중선은 한 점에서 만난다.

(2) 삼각형의 무게중심은 세 중선의 길이를 각 꼭짓점으로부터 각각 2 : 1로 나눈다.

➡ $\overline{AG} : \overline{GD} = \overline{BG} : \overline{GE} = \overline{CG} : \overline{GF} =$ 2 : 1

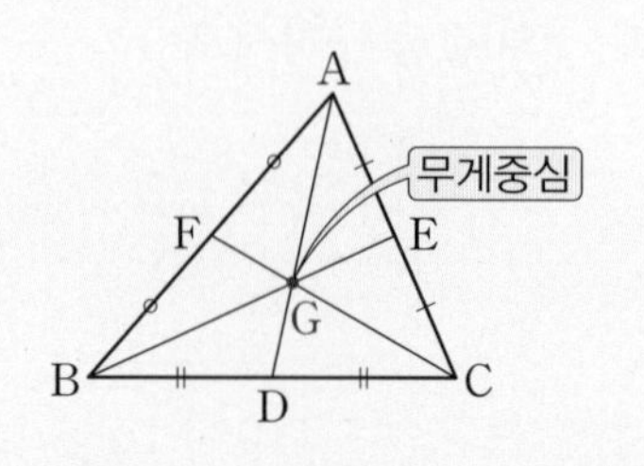

개념 원리 확인

○ 정답과 풀이 33쪽

삼각형의 무게중심 (1)

1-1 다음 그림에서 점 G가 $\triangle ABC$의 무게중심일 때, x의 값을 구하시오.

(1)

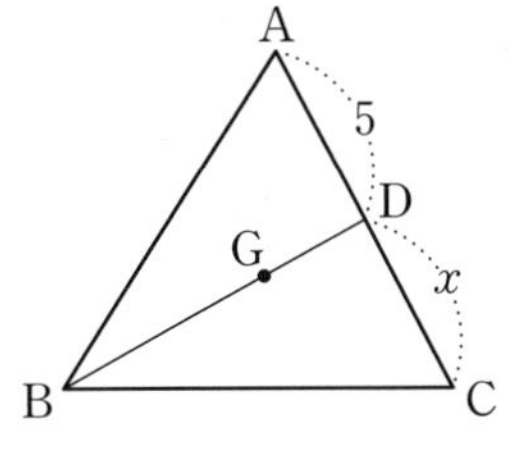

(2)

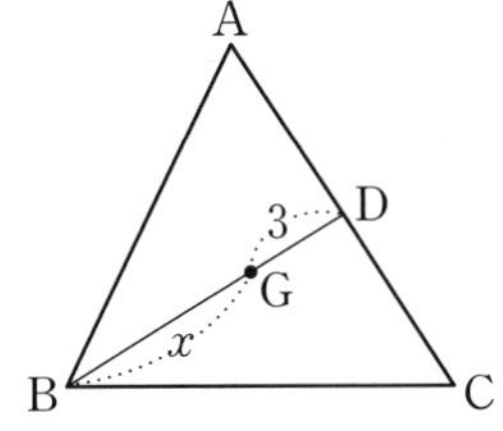

1-2 다음 그림에서 점 G가 $\triangle ABC$의 무게중심일 때, x의 값을 구하시오.

(1)

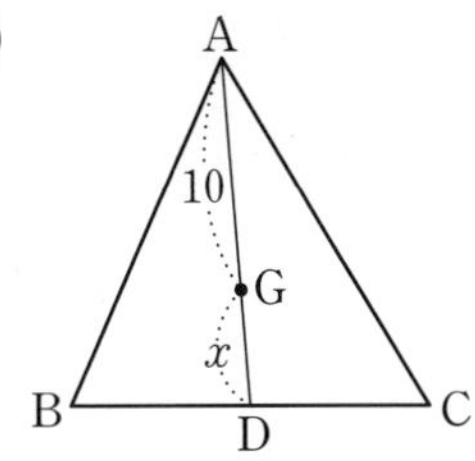

(2)

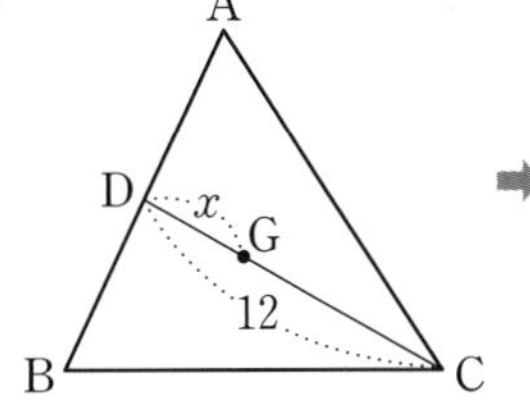

➡ $\overline{CG} : \overline{GD} = 2 : 1$이므로

$\overline{GD} = \frac{\square}{2+1}\overline{CD} = \square\,\overline{CD}$

삼각형의 무게중심 (2)

2-1 오른쪽 그림에서 점 G가 $\triangle ABC$의 무게중심일 때, □ 안에 알맞은 수를 써넣으시오.

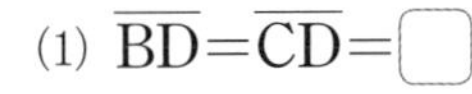

(1) $\overline{BD} = \overline{CD} = \square$

(2) $\overline{BG} : \overline{GE} = 2 : \square$이므로

$\square : \overline{GE} = 2 : \square$

$2\overline{GE} = \square \qquad \therefore \overline{GE} = \square$

(3) $\overline{AG} : \overline{GD} = 2 : 1$이므로

$\overline{AG} = \frac{\square}{2+1}\overline{AD} = \square \times \square = \square$

2-2 다음 그림에서 점 G가 $\triangle ABC$의 무게중심일 때, x, y의 값을 각각 구하시오.

(1)

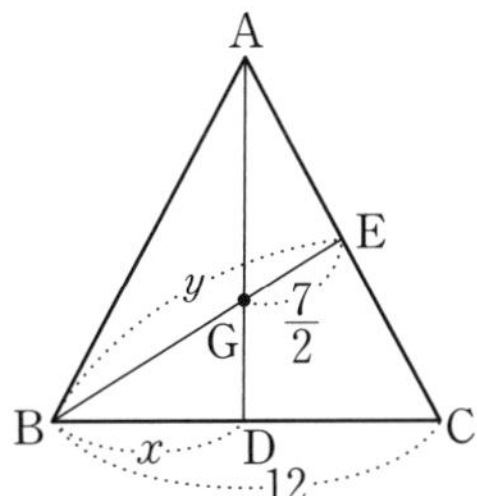

(2)

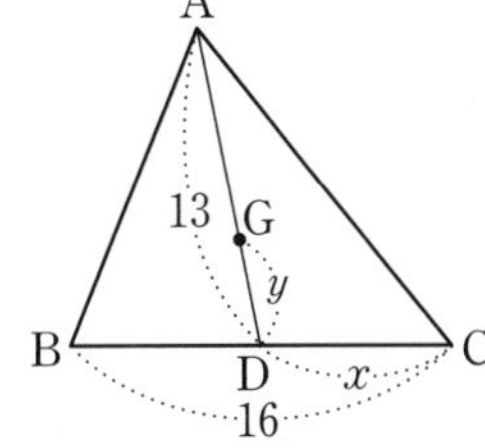

3주 5일

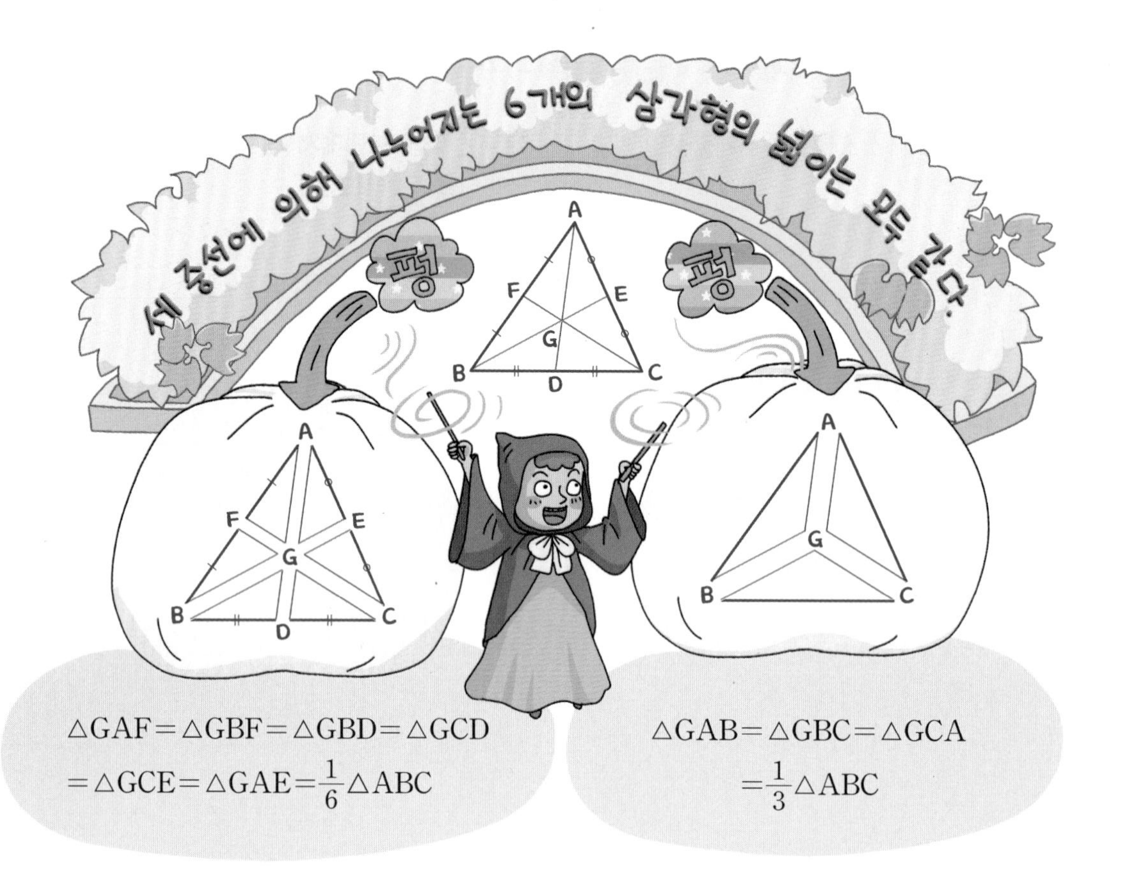

$\triangle GAF = \triangle GBF = \triangle GBD = \triangle GCD = \triangle GCE = \triangle GAE = \frac{1}{6}\triangle ABC$

$\triangle GAB = \triangle GBC = \triangle GCA = \frac{1}{3}\triangle ABC$

참고

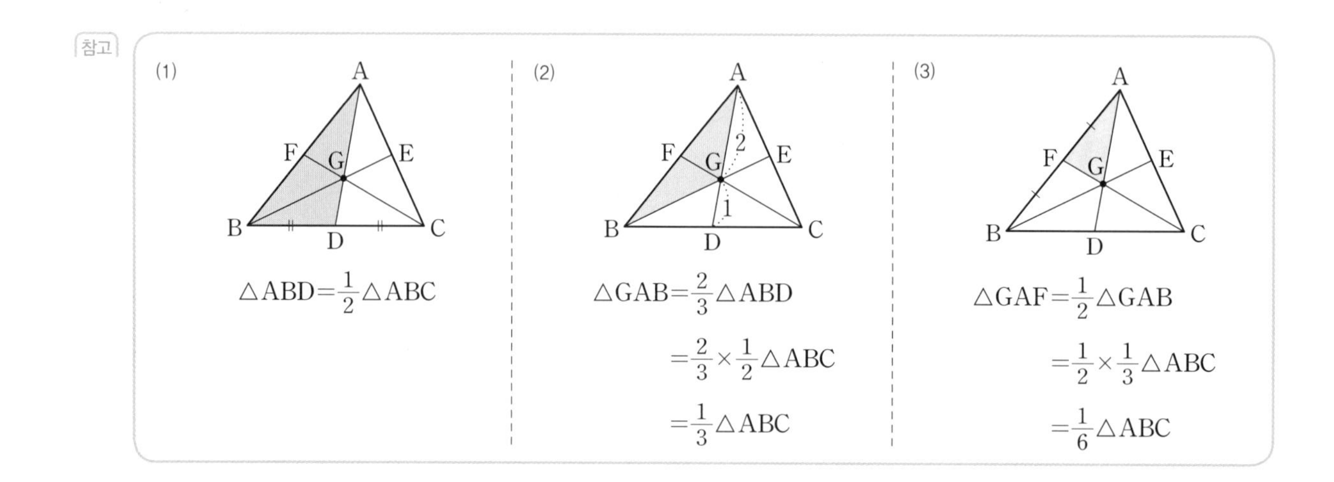

(1) $\triangle ABD = \frac{1}{2}\triangle ABC$

(2) $\triangle GAB = \frac{2}{3}\triangle ABD = \frac{2}{3}\times\frac{1}{2}\triangle ABC = \frac{1}{3}\triangle ABC$

(3) $\triangle GAF = \frac{1}{2}\triangle GAB = \frac{1}{2}\times\frac{1}{3}\triangle ABC = \frac{1}{6}\triangle ABC$

회색 글씨를 따라 쓰면서 개념을 정리해 보세요.

오른쪽 그림과 같이 세 중선에 의해 나누어지는 6개의 삼각형의 넓이는 모두 같다.

(1) $\triangle GAF = \triangle GBF = \triangle GBD = \triangle GCD = \triangle GCE = \triangle GAE = \boxed{\frac{1}{6}}\triangle ABC$

(2) $\triangle GAB = \triangle GBC = \triangle GCA = \boxed{\frac{1}{3}}\triangle ABC$

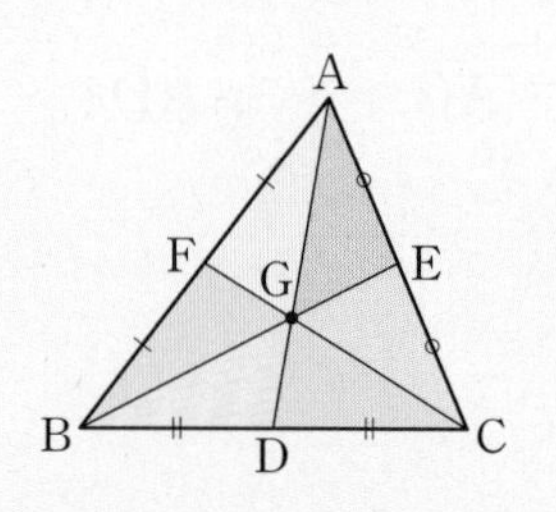

정답과 풀이 34쪽

삼각형의 무게중심과 넓이 (1)

3-1 다음은 점 G가 $\triangle$ABC의 무게중심이고 $\triangle$ABC의 넓이가 18 cm^2일 때, $\triangle$GBD의 넓이를 구하는 과정이다. ☐ 안에 알맞은 수를 써넣으시오.

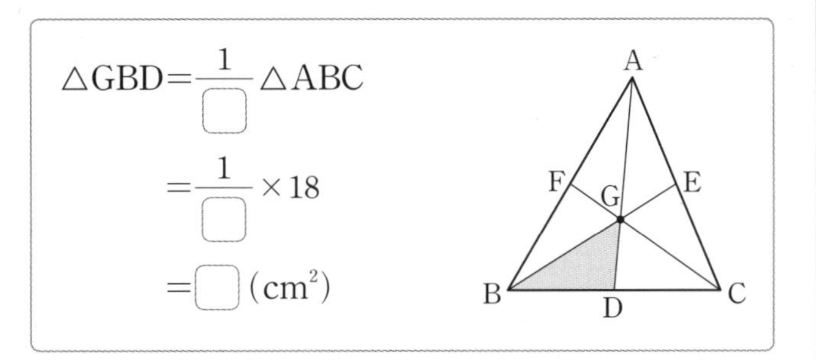

3-2 오른쪽 그림에서 점 G가 $\triangle$ABC의 무게중심이고 $\triangle$ABC의 넓이가 54 cm^2일 때, 다음 삼각형의 넓이를 구하시오.

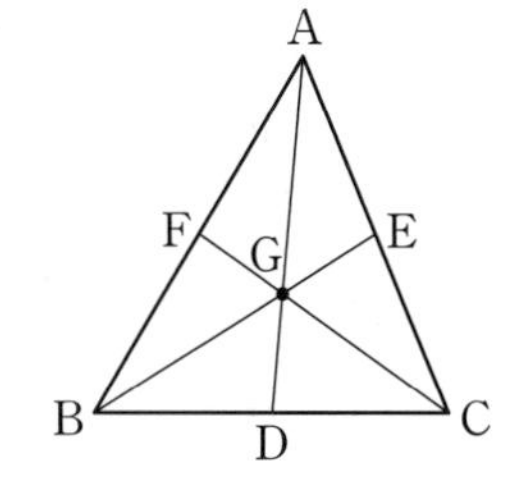

(1) $\triangle$ABG

(2) $\triangle$AGE

삼각형의 무게중심과 넓이 (2)

4-1 오른쪽 그림에서 점 G가 $\triangle$ABC의 무게중심이고 $\triangle$ABC의 넓이가 30 cm^2일 때, 색칠한 부분의 넓이를 구하시오.

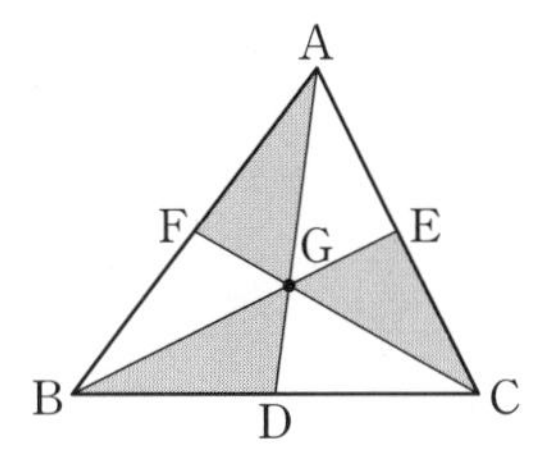

4-2 오른쪽 그림에서 점 G가 $\triangle$ABC의 무게중심이고 $\triangle$ABC의 넓이가 42 cm^2일 때, 색칠한 부분의 넓이를 구하시오.

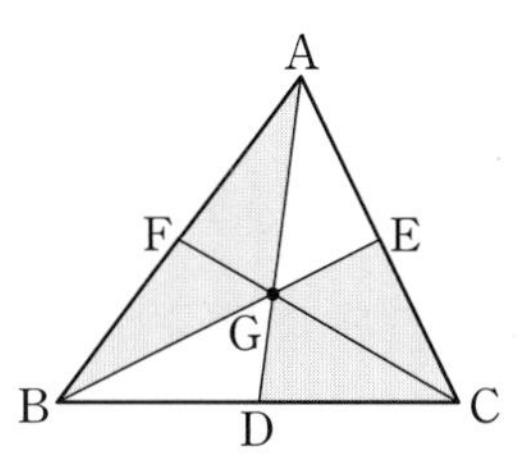

삼각형의 무게중심과 넓이 (3)

5-1 오른쪽 그림에서 점 G가 $\triangle$ABC의 무게중심이고 $\triangle$GBD의 넓이가 4 cm^2일 때, $\triangle$ABC의 넓이를 구하시오.

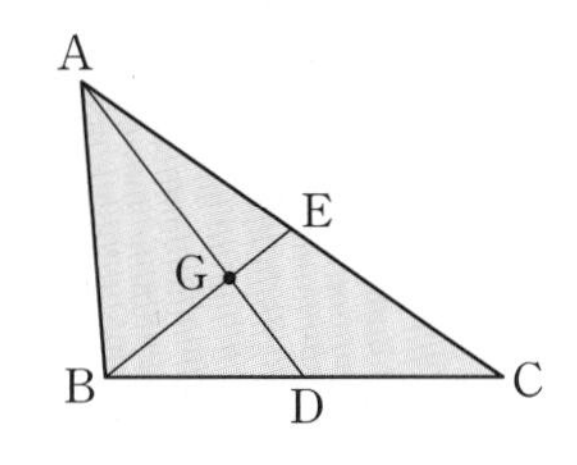

5-2 오른쪽 그림에서 점 G가 $\triangle$ABC의 무게중심이고 $\triangle$ABG의 넓이가 10 cm^2일 때, $\triangle$ABC의 넓이를 구하시오.

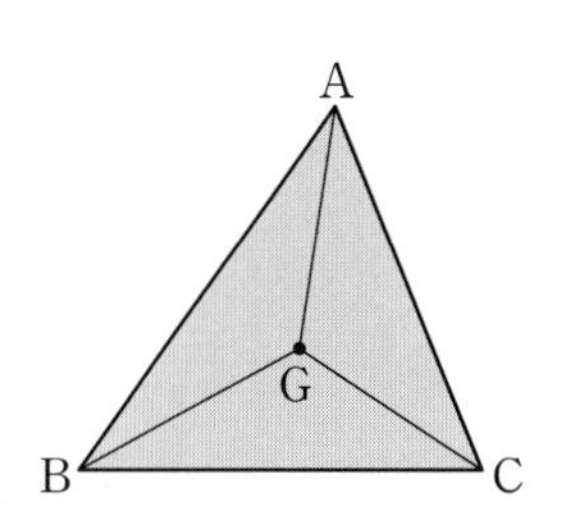

3주 5일 기초 집중 연습

개념 01 삼각형의 무게중심을 알고 있는가?

삼각형의 무게중심은 삼각형의 세 중선의 교점이다.

➡ $\overline{AG} : \overline{GD} = \overline{BG} : \overline{GE}$
$= \overline{CG} : \overline{GF}$
$= 2 : 1$

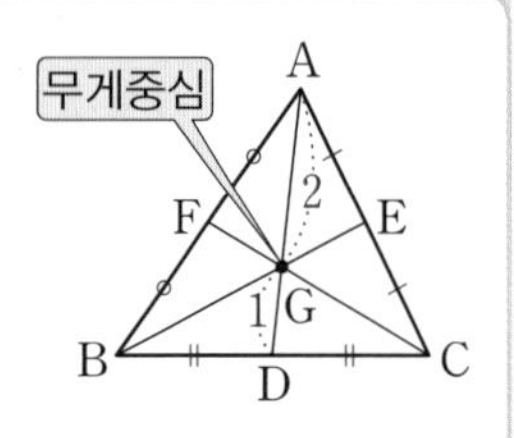

1-1

오른쪽 그림에서 $\overline{AD}$는 $\triangle ABC$의 중선이다. $\triangle ABC$의 넓이가 $26\ cm^2$일 때, $\triangle ACD$의 넓이를 구하시오.

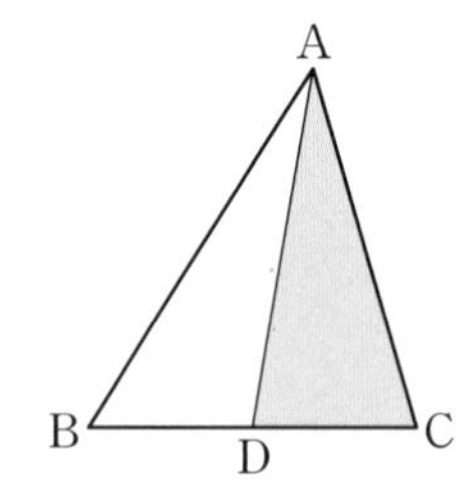

1-2

다음 그림에서 점 G가 $\triangle ABC$의 무게중심일 때, x, y의 값을 각각 구하시오.

(1)

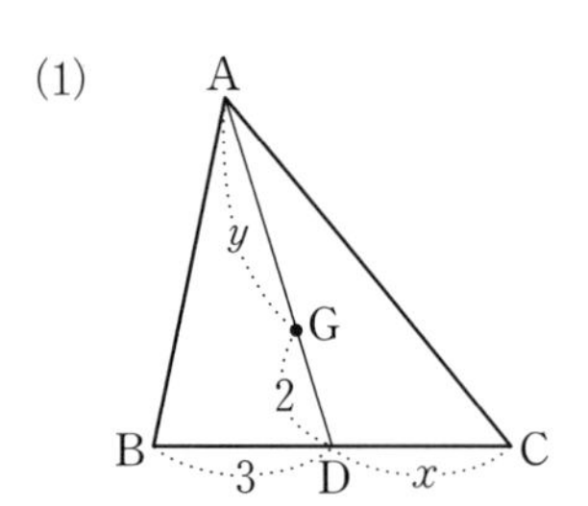

(2)

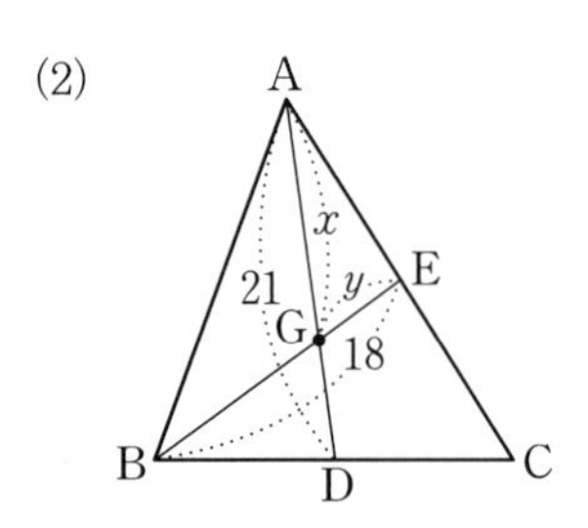

1-3

오른쪽 그림과 같이 $\angle C = 90°$인 직각삼각형 ABC에서 점 G는 $\triangle ABC$의 무게중심이다. x의 값을 구하시오.

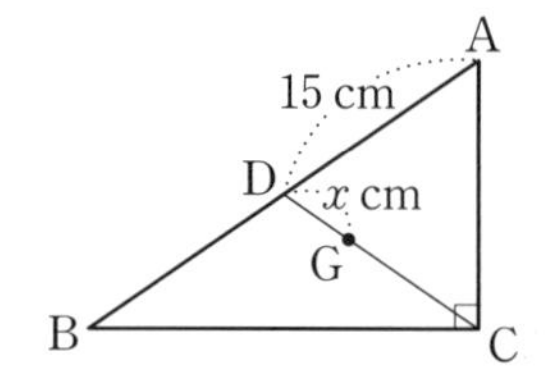

➡ 직각삼각형의 빗변의 중점은 그 삼각형의 외심과 일치하므로 점 D는 $\triangle ABC$의 외심이다.

$\therefore \overline{CD} = \overline{BD} = \overline{AD} =$ ☐ cm

이때 $\overline{CG} : \overline{GD} =$ ☐ $: 1$

1-4

오른쪽 그림과 같이 $\angle A = 90°$인 직각삼각형 ABC에서 점 G는 $\triangle ABC$의 무게중심이다. $\overline{AG} = 6\ cm$일 때, $\overline{BC}$의 길이를 구하시오.

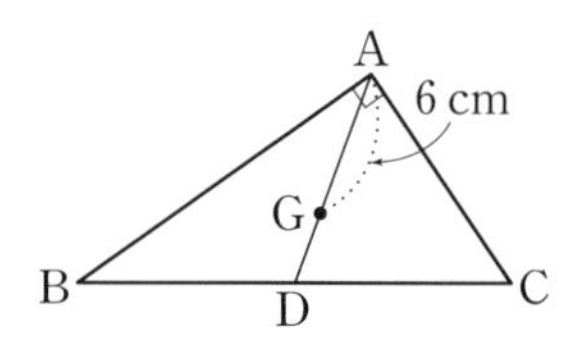

1-5

오른쪽 그림에서 점 G는 $\triangle ABC$의 무게중심이고, 점 G′은 $\triangle GBC$의 무게중심이다. $\overline{AD} = 24\ cm$일 때, $\overline{GG'}$의 길이를 구하시오.

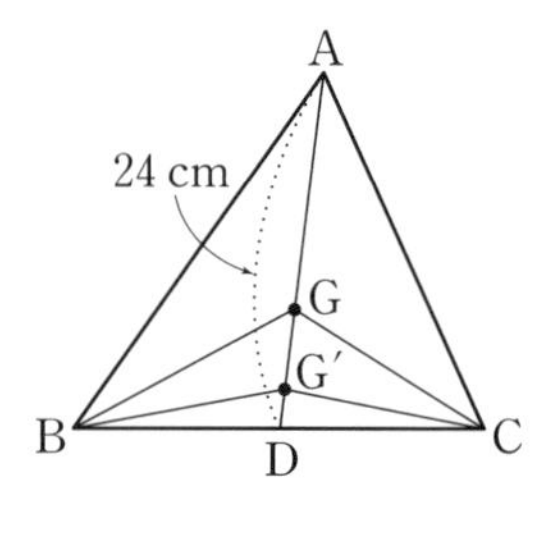

이렇게 나눠서 생각해 볼까?

점 G가 $\triangle ABC$의 무게중심이므로 $\overline{GD} = \frac{1}{3}\overline{AD}$

점 G′이 $\triangle GBC$의 무게중심이므로 $\overline{GG'} = \frac{2}{3}\overline{GD}$

개념 02 삼각형의 무게중심과 넓이 사이의 관계를 알고 있는가?

점 G가 △ABC의 무게중심일 때

(1)

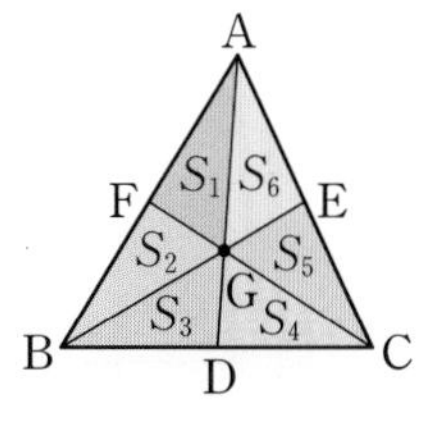

$S_1=S_2=S_3=S_4=S_5=S_6=\frac{1}{6}\triangle ABC$

(2)

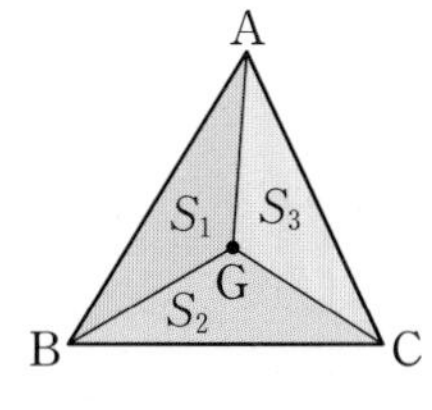

$S_1=S_2=S_3=\frac{1}{3}\triangle ABC$

2-1

오른쪽 그림에서 점 G가 △ABC의 무게중심이고 △ABC의 넓이가 12 cm^2일 때 △GBD의 넓이를 구하시오.

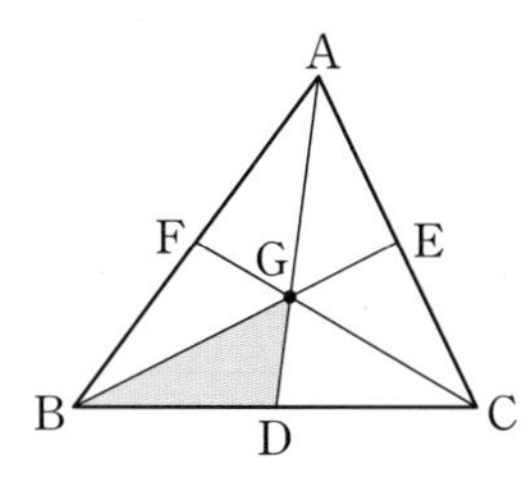

2-2

오른쪽 그림에서 점 G가 △ABC의 무게중심이고 △GBC의 넓이가 9 cm^2일 때, △ABC의 넓이를 구하시오.

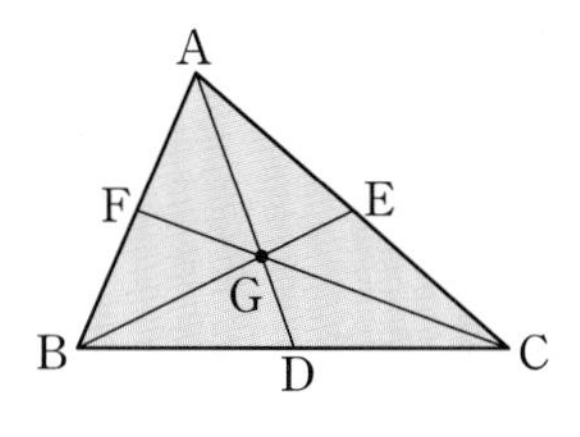

2-3

오른쪽 그림에서 점 G가 △ABC의 무게중심이고 □BDGF의 넓이가 12 cm^2일 때, △ABC의 넓이를 구하시오.

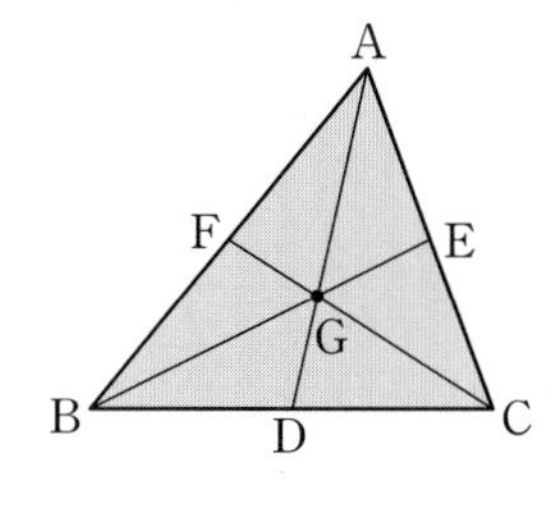

2-4

오른쪽 그림에서 점 G가 △ABC의 무게중심이고 △GDC의 넓이가 16 cm^2일 때, △ABG의 넓이를 구하시오.

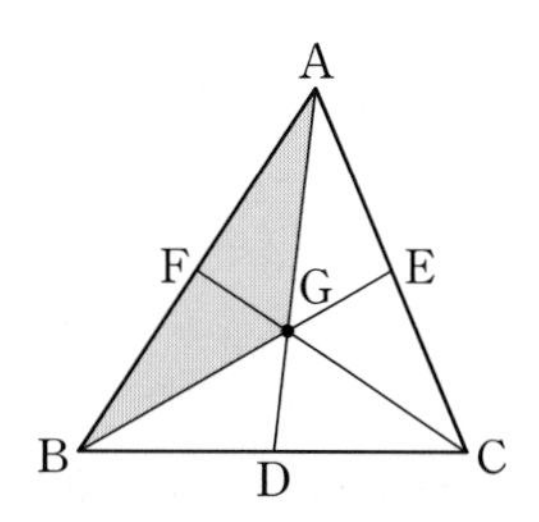

2-5

오른쪽 그림에서 점 G가 △ABC의 무게중심이고 △ABC의 넓이가 48 cm^2일 때, □GDCE의 넓이를 구하시오.

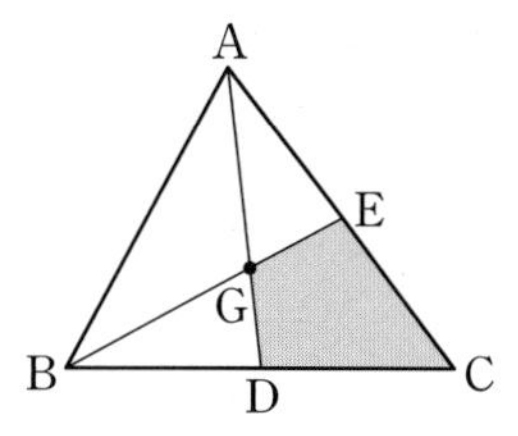

2-6

오른쪽 그림에서 점 G는 △ABC의 무게중심이고 $\overline{AP}=\overline{GP}$이다. △ABC의 넓이가 60 cm^2일 때, 다음 삼각형의 넓이를 구하시오.

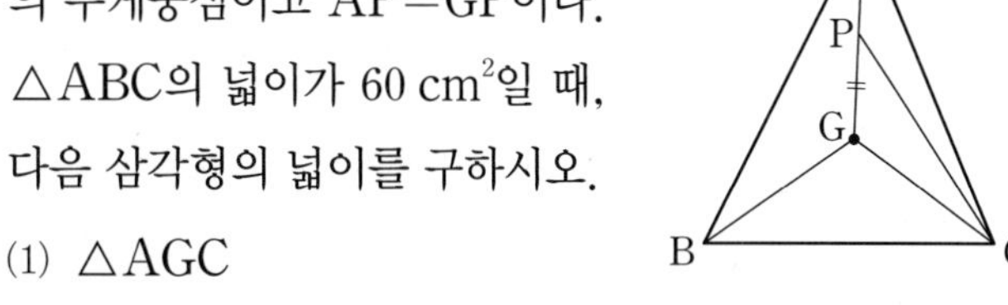

(1) △AGC

(2) △GCP

누구나 100점 테스트

01 다음 그림에서 □ABCD∽□EFGH일 때, $\overline{CD}$의 길이와 ∠F의 크기를 각각 구하시오.

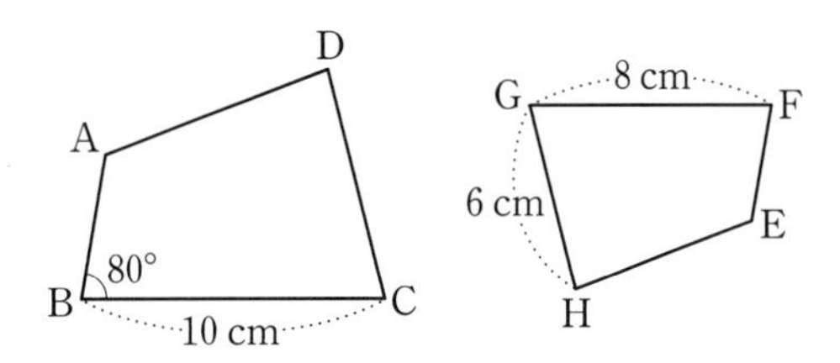

02 아래 그림에서 두 삼각기둥은 닮은 도형이다. $\overline{AC}$에 대응하는 모서리가 $\overline{A'C'}$일 때, 다음 중 잘못 설명한 학생을 모두 말하시오.

03 다음 중 오른쪽 보기의 삼각형과 서로 닮음인 것은?

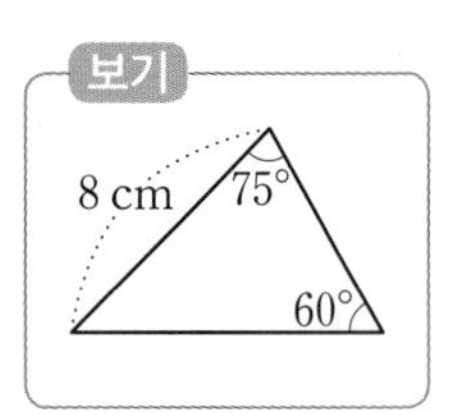

①

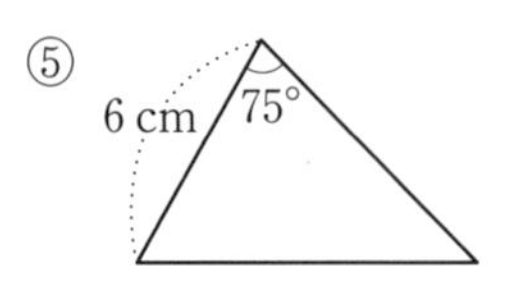

②

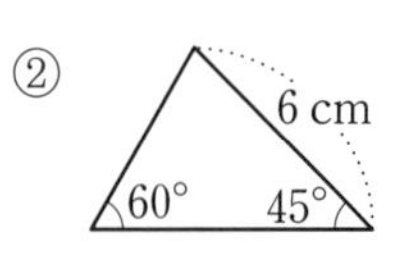

③

④

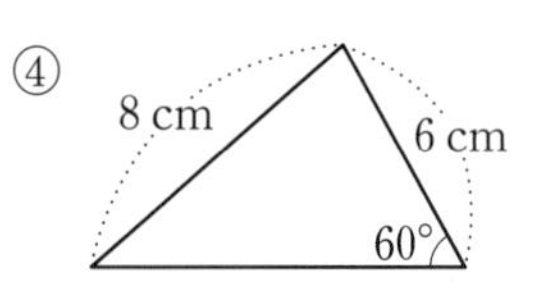

⑤

04 다음 그림과 같은 △ABC에서 ∠C=∠BDE일 때, 물음에 답하시오.

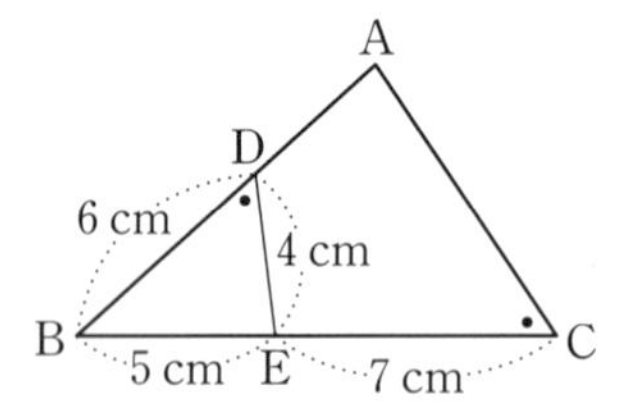

(1) 서로 닮음인 삼각형을 찾아 기호 ∽를 사용하여 나타내고, 그때의 닮음 조건을 말하시오.

(2) $\overline{AC}$의 길이를 구하시오.

05 오른쪽 그림과 같은 $\triangle ABC$에서 $\overline{BC} /\!/ \overline{DE}$일 때, $y-x$의 값을 구하시오.

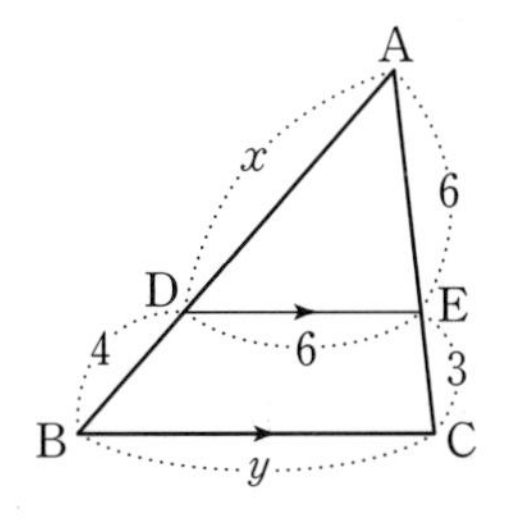

06 다음 보기 에서 $\overline{BC} /\!/ \overline{DE}$인 것을 모두 고르시오.

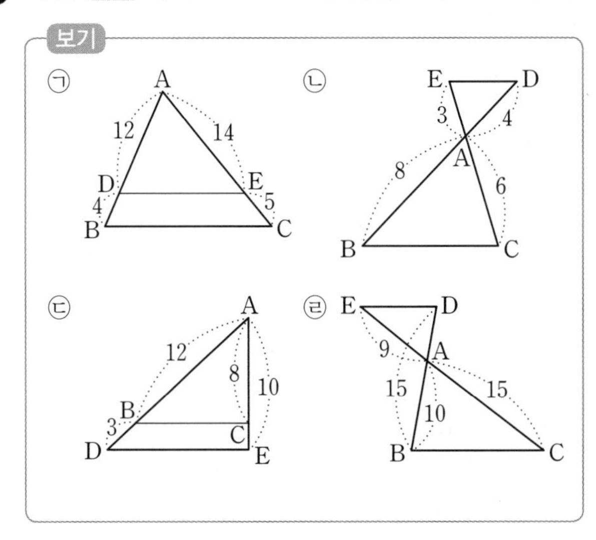

07 오른쪽 그림과 같이 $\triangle ABC$의 세 변의 중점을 각각 D, E, F라고 할 때, $\triangle DEF$의 둘레의 길이를 구하시오.

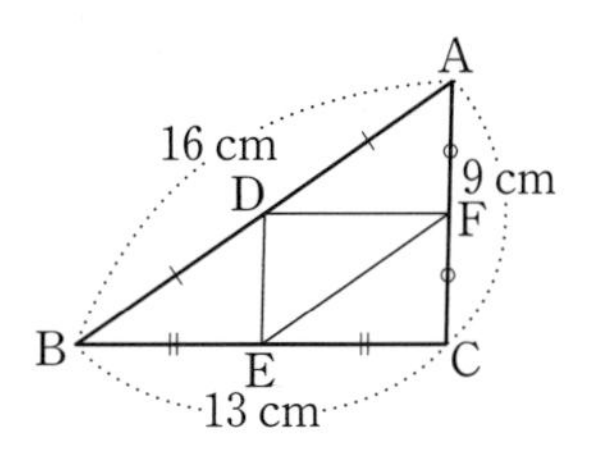

08 다음 그림에서 $l /\!/ m /\!/ n$일 때, x의 값을 구하시오.

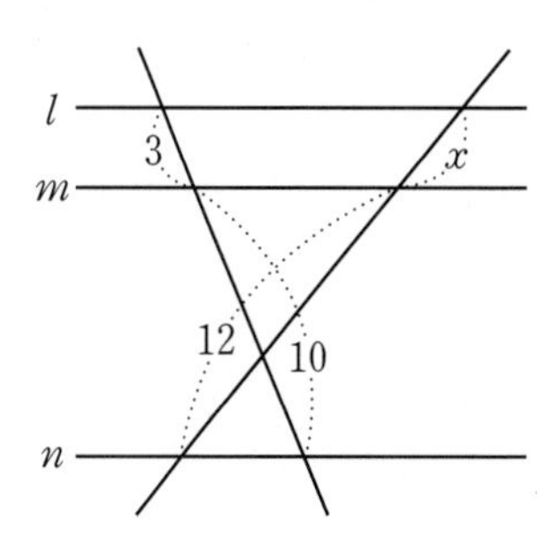

09 다음 그림에서 점 G가 $\triangle ABC$의 무게중심일 때, $x+y$의 값을 구하시오.

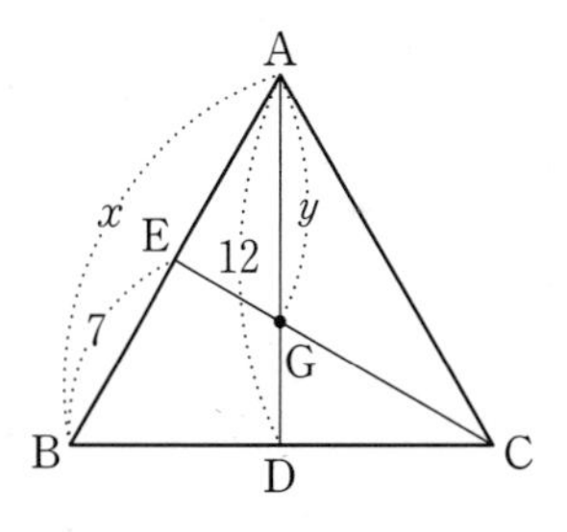

10 오른쪽 그림에서 점 G가 $\triangle ABC$의 무게중심이고 $\triangle ABC$의 넓이가 57 cm^2일 때, $\square AEGD$의 넓이를 구하시오.

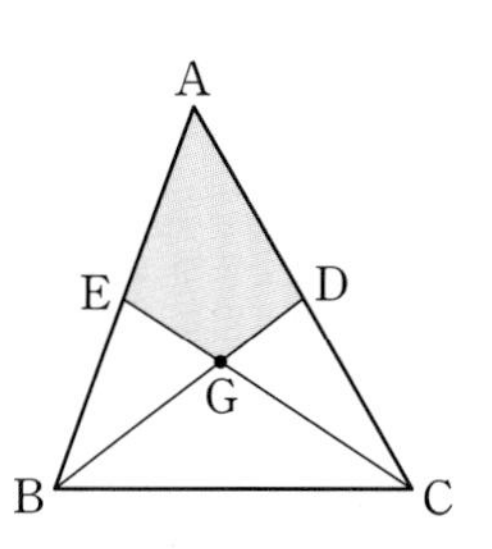

특강 | 창의, 융합, 코딩

1 다음 ☐ 안에 알맞은 것을 써넣으시오.

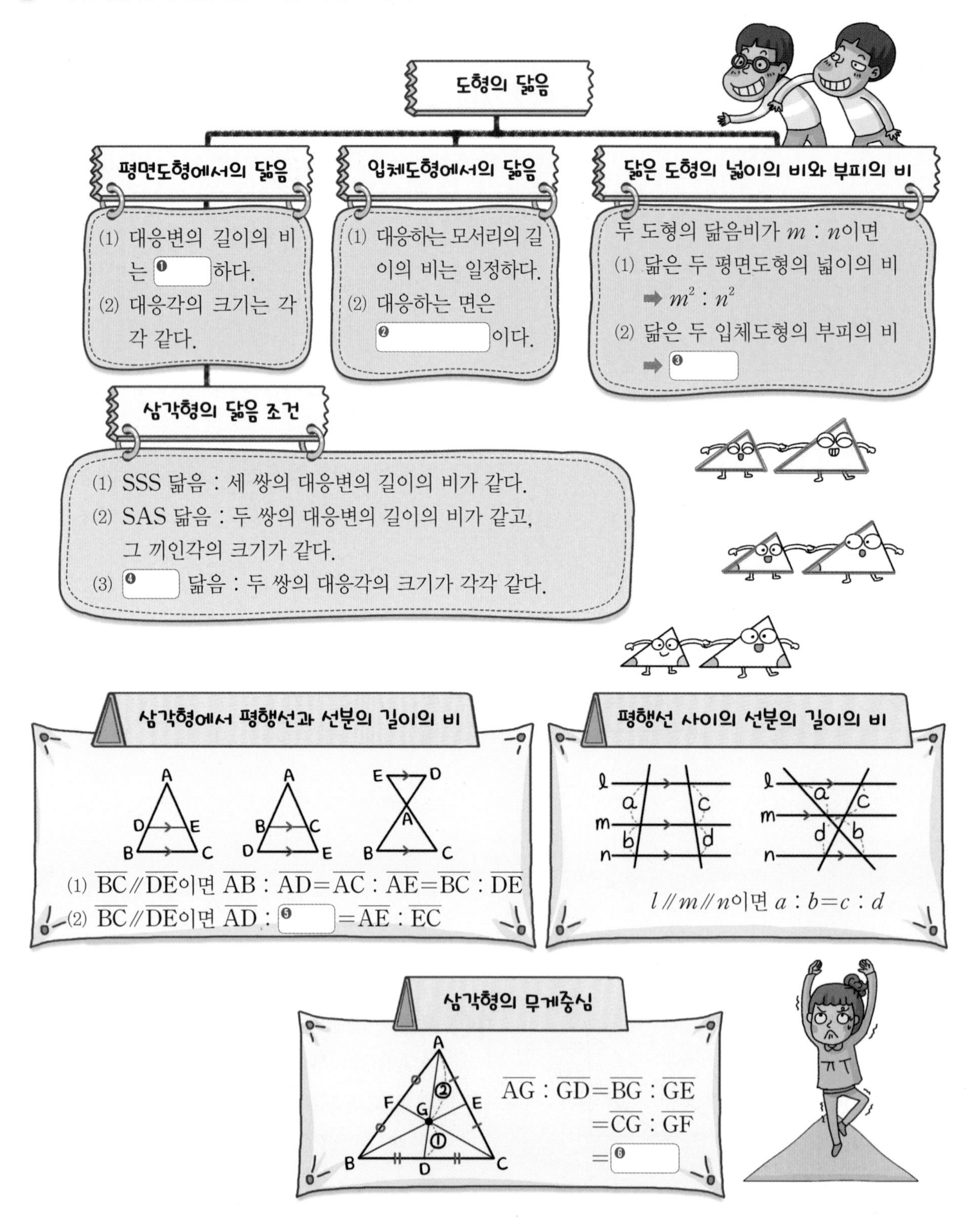

정답과 풀이 36쪽

2 다음은 가로의 길이가 50 cm, 세로의 길이가 40 cm인 액자를 보고 소연이와 지우가 나누는 대화이다. 액자의 테두리의 폭이 10 cm로 일정할 때, 물음에 답하시오.

(1) 직사각형 EFGH에서 $\overline{EH}$의 길이와 $\overline{EF}$의 길이를 각각 구하시오.

(2) $\overline{AD}:\overline{EH}$를 가장 간단한 자연수의 비로 나타내시오.

(3) $\overline{AB}:\overline{EF}$를 가장 간단한 자연수의 비로 나타내시오.

(4) 소연이의 질문에 대한 답을 말하고, 그 이유를 쓰시오.

3 주

3 민기네 반은 다음 그림에서 닮은 도형에 관련된 설명으로 알맞은 경로를 따라가며 마지막에 나온 장소로 체험학습을 가려고 한다. 민기네 반이 가게 될 체험학습 장소를 구하시오.

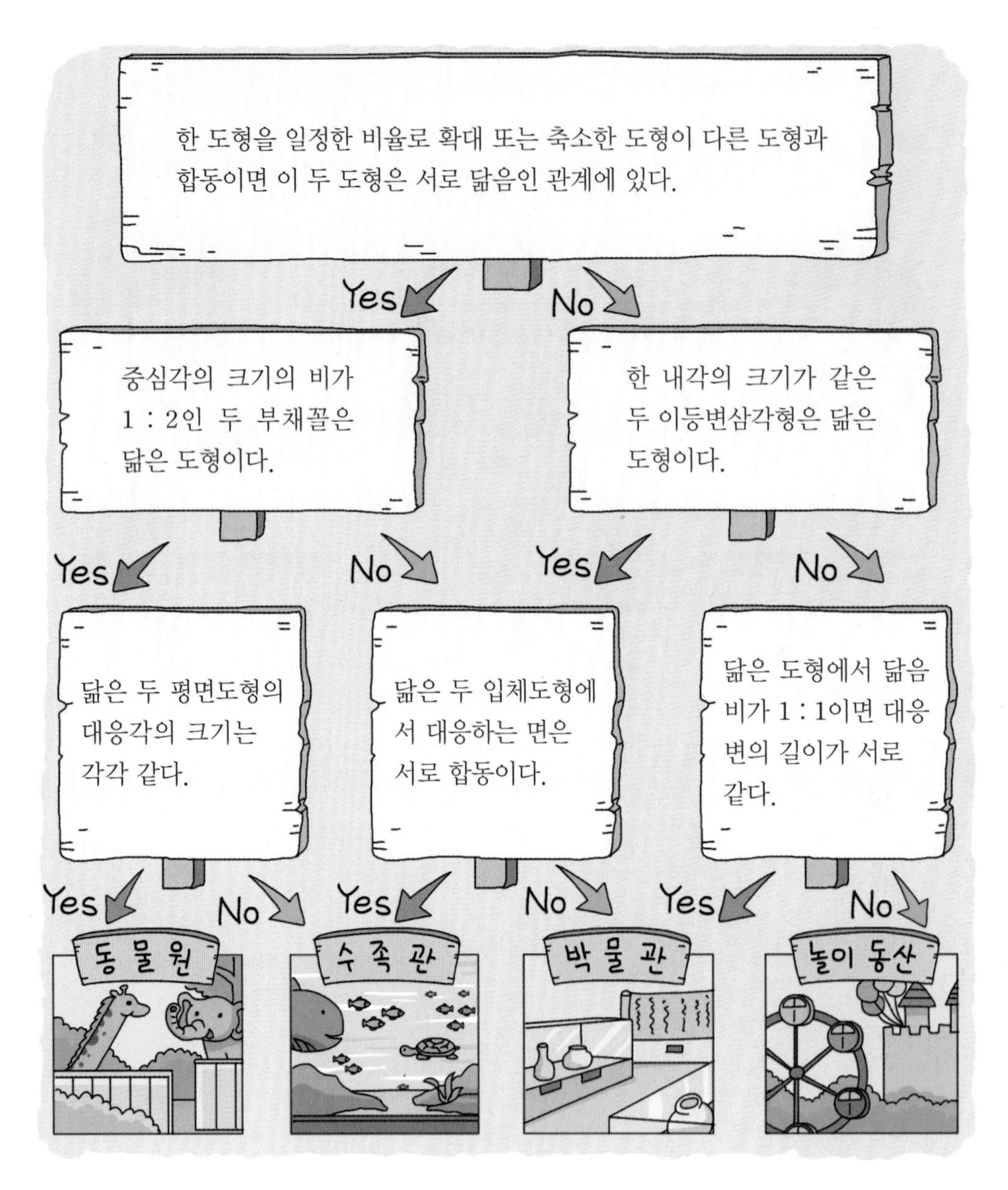

4 소현, 중기, 태리 3명이 함께 수학 체험 전시회에서 닮은 도형 체험관에 방문했다. 체험관 바닥에 그려진 여러 개의 삼각형 중 닮은 도형만 찾아서 밟으라고 되어 있었다. 세 사람이 출구까지 밟는 삼각형을 차례로 나열하시오.

5 다음과 같이 주어진 도형에서 x의 값을 구한 후, 이에 해당하는 수를 아래 카드에서 찾아 연결된 알파벳을 해당 번호의 ▢ 안에 써넣어 영어 단어를 완성하시오.

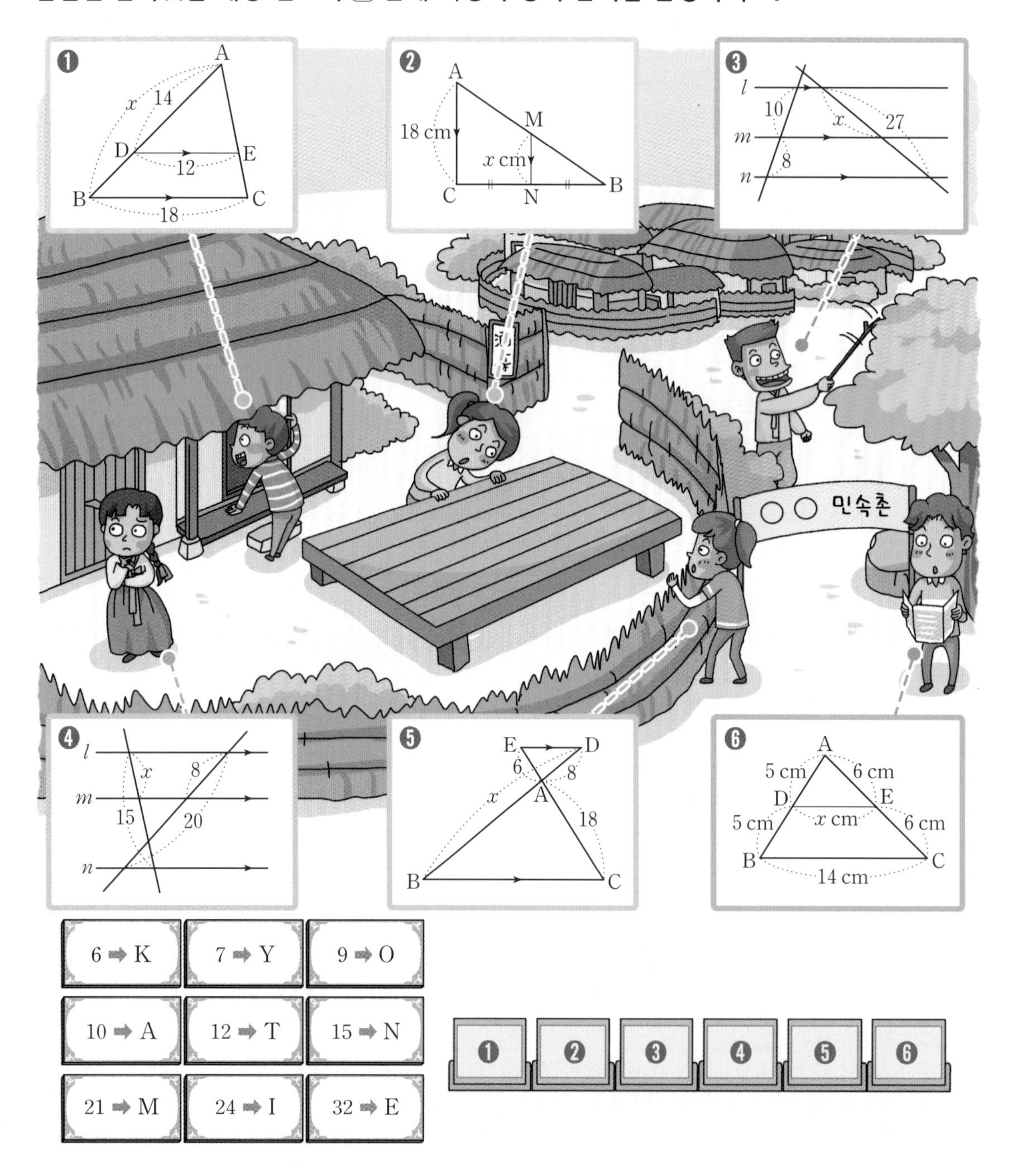

정답과 풀이 36쪽

6 민희, 성민, 소영이는 두꺼운 종이를 이용하여 삼각형 모양의 팽이를 만들었다. 세 사람이 만든 삼각형 모양은 서로 합동이고 축의 위치가 다음과 같다고 한다.

아래의 대화를 읽고, 물음에 답하시오.

(1) 민희, 성민, 소영이가 만든 팽이 중 누구의 팽이가 가장 오래 도는지 말하시오.

(2) 위의 (1)에서 말한 팽이의 축을 찾는 방법을 말하시오.

4주에는 무엇을 공부할까? ①

• **이번 주에 공부할 내용**
피타고라스 정리 / 경우의 수 / 확률

1일

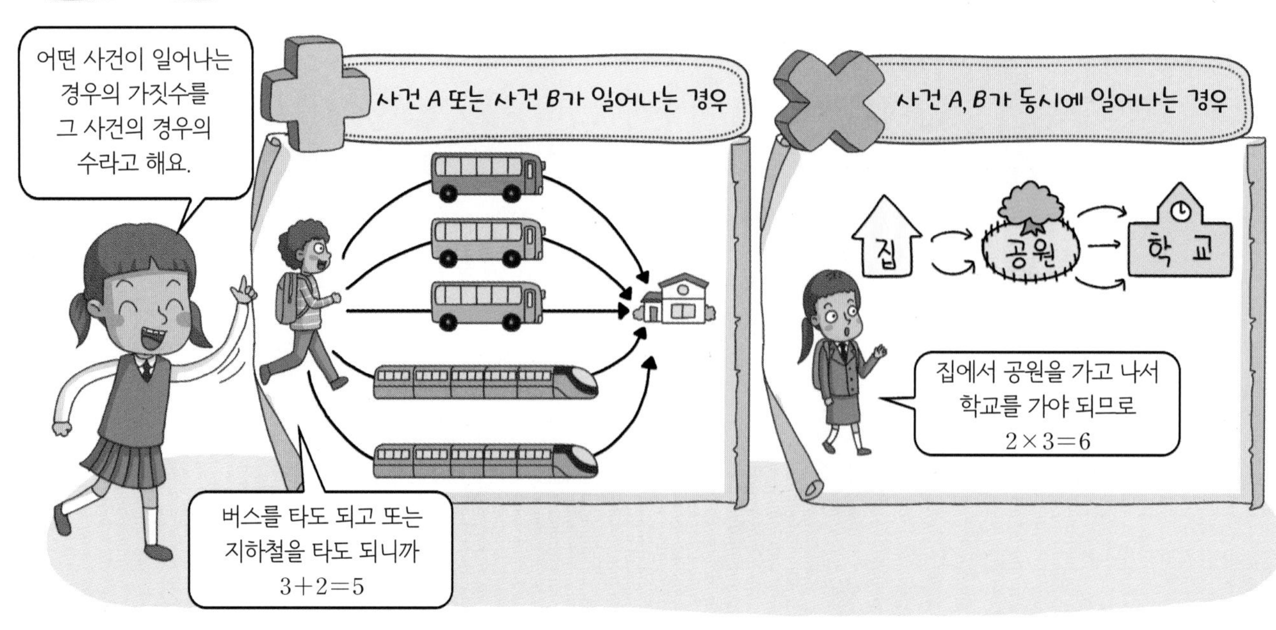

3일
4명을 한 줄로 세우는 경우의 수
4개의 자리가 필요하겠지?
경우의 수 ⇨ 4 × 3 × 2 × 1 = 24

4일

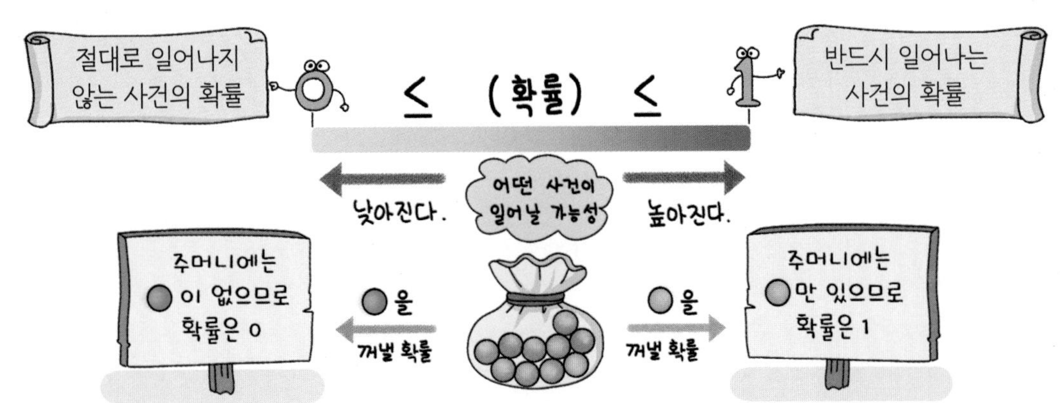
절대로 일어나지 않는 사건의 확률
0 ≤ (확률) ≤ 1
반드시 일어나는 사건의 확률
낮아진다.
어떤 사건이 일어날 가능성
높아진다.
주머니에는 ● 이 없으므로 확률은 0
●을 꺼낼 확률
●을 꺼낼 확률
주머니에는 ●만 있으므로 확률은 1

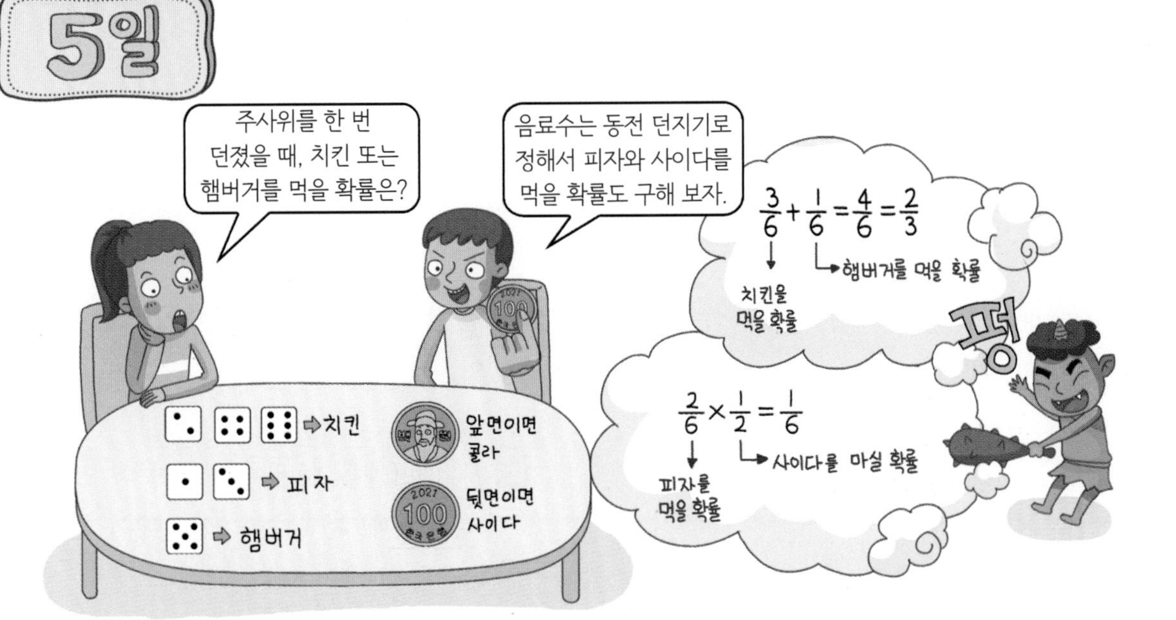
5일
주사위를 한 번 던졌을 때, 치킨 또는 햄버거를 먹을 확률은?
음료수는 동전 던지기로 정해서 피자와 사이다를 먹을 확률도 구해 보자.
$\frac{3}{6}+\frac{1}{6}=\frac{4}{6}=\frac{2}{3}$
치킨을 먹을 확률
햄버거를 먹을 확률
펑
$\frac{2}{6}\times\frac{1}{2}=\frac{1}{6}$
피자를 먹을 확률
사이다를 마실 확률
⇨ 치킨
⇨ 피자
⇨ 햄버거
앞면이면 콜라
뒷면이면 사이다

4주에는 무엇을 공부할까? ❷

삼각형의 세 변의 길이 사이의 관계를 알고 있는가?

1-1

다음 표를 완성하고, 삼각형을 만들 수 있는 세 변의 길이를 말하시오.

세 변의 길이	가장 긴 변의 길이	대소 비교	나머지 두 변의 길이의 합
2, 4, 7	7	$>$	$2+4$
5, 7, 11			
4, 9, 13			

삼각형의 세 변의 길이 사이의 관계
세 변의 길이가 주어질 때 삼각형이 될 수 있는 조건
➡ (가장 긴 변의 길이) $<$ (나머지 두 변의 길이의 합)

1-2

세 변의 길이가 다음과 같을 때, 삼각형을 만들 수 있으면 '○'를, 만들 수 없으면 '×'를 ( ) 안에 써넣으시오.

(1) 1 cm, 3 cm, 5 cm ( )

(2) 2 cm, 5 cm, 6 cm ( )

(3) 5 cm, 8 cm, 15 cm ( )

(4) 6 cm, 6 cm, 6 cm ( )

비율의 뜻을 알고, 구할 수 있는가?

2-1

다음 표에서 남학생 수에 대한 여학생 수의 비율을 구하시오.

	남학생	여학생
학생 수(명)	20	17

➡ (비율) $=\dfrac{(\text{여학생 수})}{(\text{남학생 수})}=\square$

비율 : 기준량에 대한 비교하는 양의 크기
즉 비교하는 양을 기준량으로 나눈 값
➡ (비율) $=\dfrac{(\text{비교하는 양})}{(\text{기준량})}$

2-2

다음을 구하시오.

(1) 어느 양궁 선수가 화살 10개를 쏘아 7개를 명중시켰을 때, 명중시킨 비율

(2) 동전 한 개를 20번 던져 앞면이 12번 나왔을 때, 앞면이 나온 비율

(3) 주사위 한 개를 10번 던져 눈의 수가 5인 경우가 4번 나왔을 때, 눈의 수가 5인 경우가 나온 비율

정답과 풀이 37쪽

가능성의 뜻을 알고, 어떤 일이 일어날 가능성을 구할 수 있는가?

3-1

흰색 구슬 1개, 검은색 구슬 2개, 파란색 구슬 1개가 들어 있는 주머니에서 한 개의 구슬을 꺼낼 때, 다음 물음에 답하시오.

(1) 꺼낸 구슬이 흰색일 가능성을 수로 나타내시오.

(2) 꺼낸 구슬이 검은색이 아닐 가능성을 수로 나타내시오.

가능성 : 어떠한 상황에서 특정한 일이 일어나길 기대할 수 있는 정도

➡ $(\text{가능성})=\dfrac{(\text{어떤 일이 일어날 수 있는 가짓수})}{(\text{모든 일이 일어날 수 있는 가짓수})}$

3-2

아래와 같은 4장의 숫자 카드를 숫자가 보이지 않게 뒤집어 놓았다. 다음 물음에 답하시오.

(1) 숫자가 보이게 한 장 뒤집었을 때, 뒤집은 카드에 적힌 숫자가 홀수일 가능성을 수로 나타내시오.

(2) 숫자가 보이게 한 장 뒤집었을 때, 뒤집은 카드에 적힌 숫자가 4보다 작을 가능성을 수로 나타내시오.

상대도수의 뜻을 알고, 구할 수 있는가?

4-1

어느 도수분포표에서 도수의 총합이 40일 때, 도수가 6인 계급의 상대도수를 구하시오.

➡ $(\text{상대도수})=\dfrac{(\text{계급의 도수})}{(\text{도수의 총합})}=\square$

- **상대도수** : 도수분포표에서 전체 도수에 대한 각 계급의 도수의 비율

  ➡ $(\text{어떤 계급의 상대도수})=\dfrac{(\text{그 계급의 도수})}{(\text{도수의 총합})}$
- **상대도수의 특징**

  ① 상대도수의 총합은 항상 1이다.

  ② 전체 도수가 다른 여러 집단의 분포 상태를 비교할 때 편리하다.

4-2

다음 표는 학생 40명의 수면 시간을 조사하여 나타낸 상대도수의 분포표이다. A~E에 알맞은 수를 써넣으시오.

수면 시간(시간)	학생 수(명)	상대도수
4 이상 ~ 5 미만	4	0.1
5 ~ 6	12	A
6 ~ 7	14	B
7 ~ 8	8	C
8 ~ 9	2	D
합계	40	E

회색 글씨를 따라 쓰면서 개념을 정리해 보세요.

❖ 피타고라스 정리

직각삼각형 ABC에서 직각을 낀 두 변의 길이를 각각 a, b라 하고

빗변의 길이를 c라고 하면 $a^2+b^2=c^2$

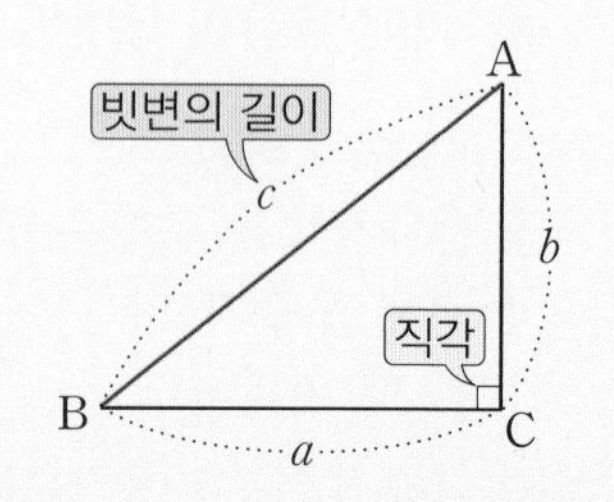

개념 원리 확인

○ 정답과 풀이 38쪽

피타고라스 정리

1-1 다음 직각삼각형에서 x의 값을 구하시오.

(1)

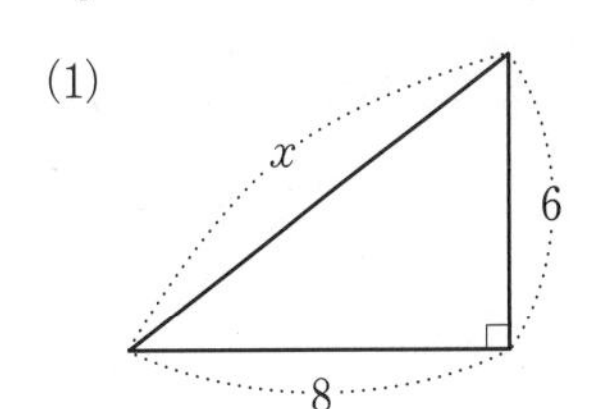

(2)

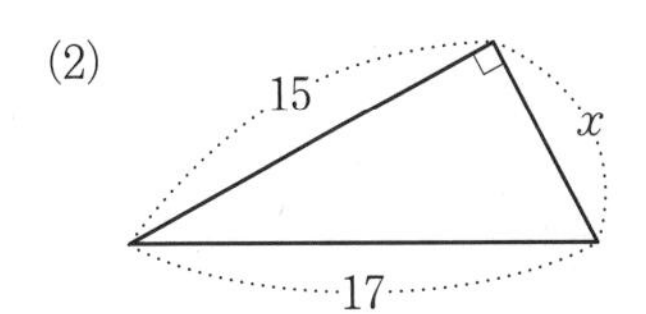

1-2 다음 직각삼각형에서 x의 값을 구하시오.

(1)

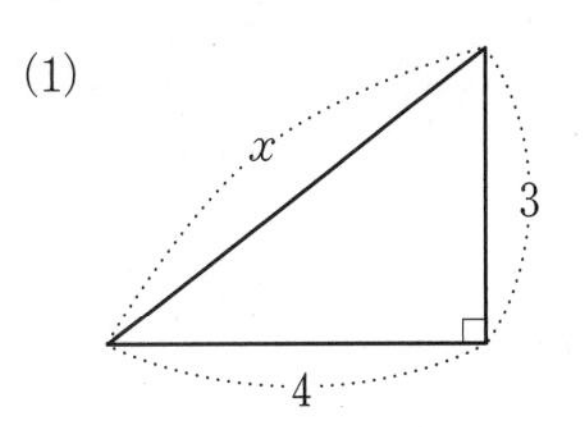

(2)

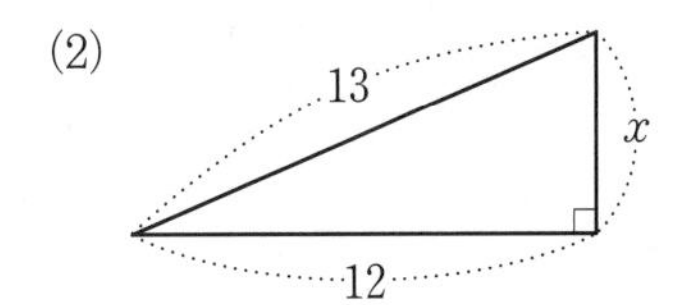

직각삼각형에서 세 정사각형 사이의 관계 이해하기

2-1 오른쪽 그림은 직각삼각형 ABC의 각 변을 한 변으로 하는 세 정사각형을 그리고, 그 넓이를 나타낸 것이다. x의 값을 구하시오.

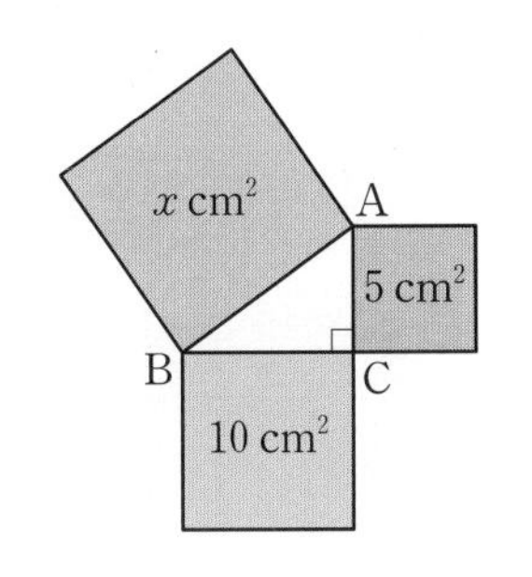

2-2 오른쪽 그림은 직각삼각형 ABC의 각 변을 한 변으로 하는 세 정사각형을 그리고, 그 넓이를 나타낸 것이다. x의 값을 구하시오.

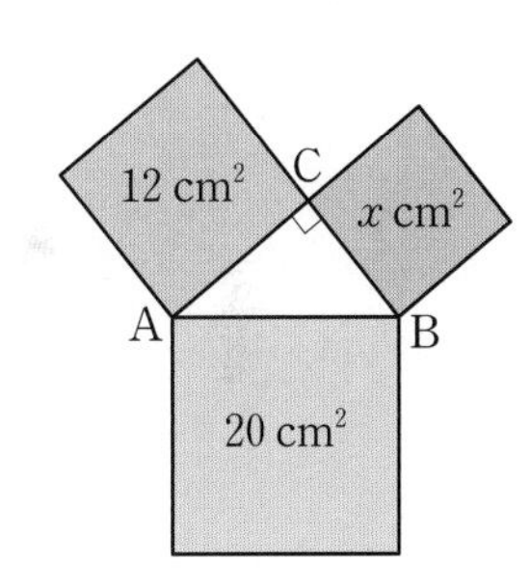

1일

피타고라스 정리의 설명 이해하기

3-1 오른쪽 그림에서 □ABCD는 정사각형이고, $\overline{AE}=\overline{BF}=\overline{CG}=\overline{DH}$이다. 다음을 구하시오.

(1) $\overline{EH}$의 길이

(2) □EFGH의 넓이

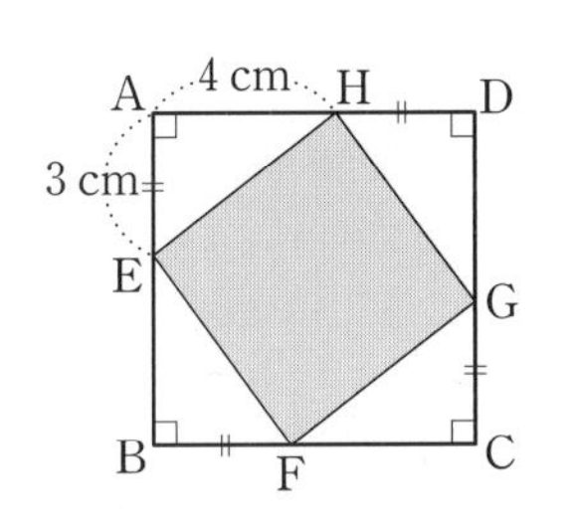

3-2 오른쪽 그림에서 □ABCD는 정사각형이고, $\overline{AE}=\overline{BF}=\overline{CG}=\overline{DH}$이다. □EFGH의 넓이가 169 cm^2일 때, 다음을 구하시오.

(1) $\overline{EH}$의 길이

(2) $\overline{AH}$의 길이

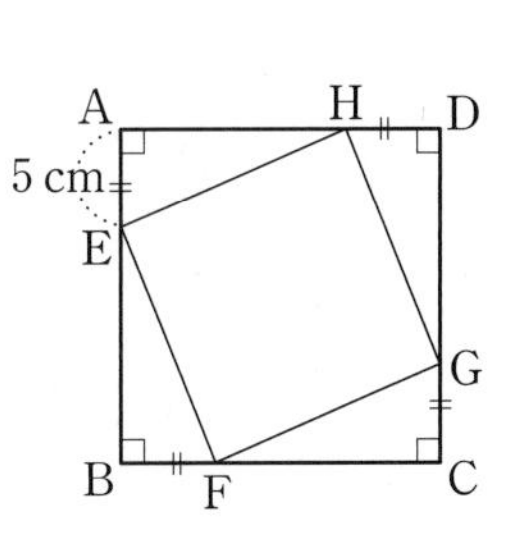

직각삼각형이 되는 조건

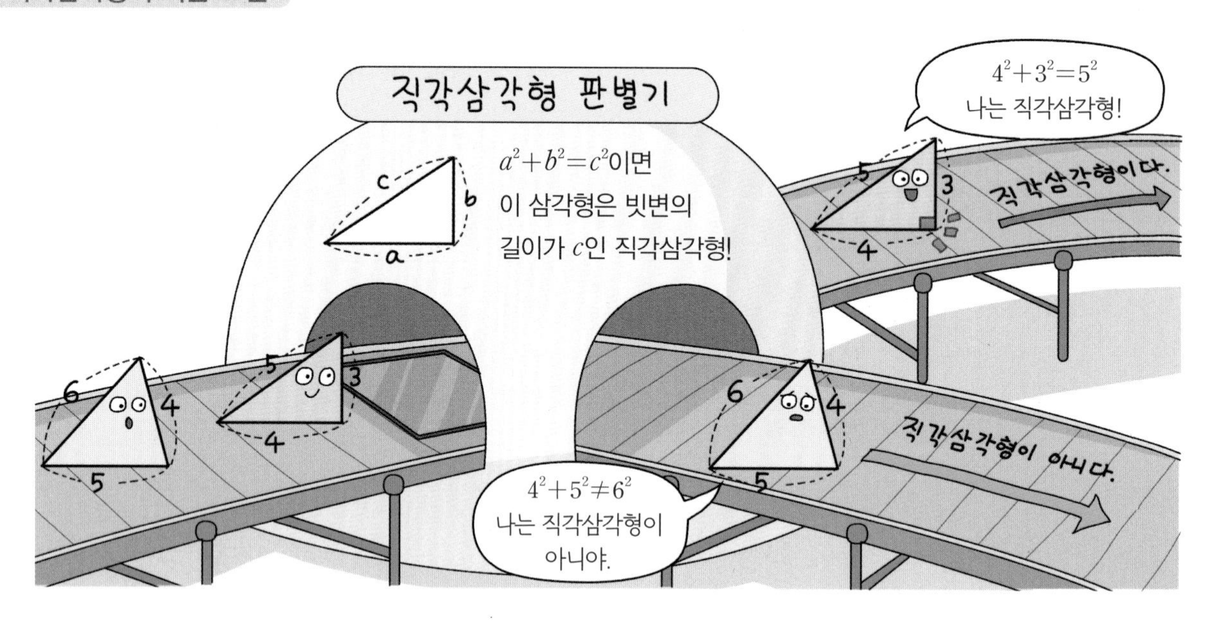

삼각형의 변의 길이와 각의 크기 사이의 관계

회색 글씨를 따라 쓰면서 개념을 정리해 보세요.

❖ 직각삼각형인지 판별하기

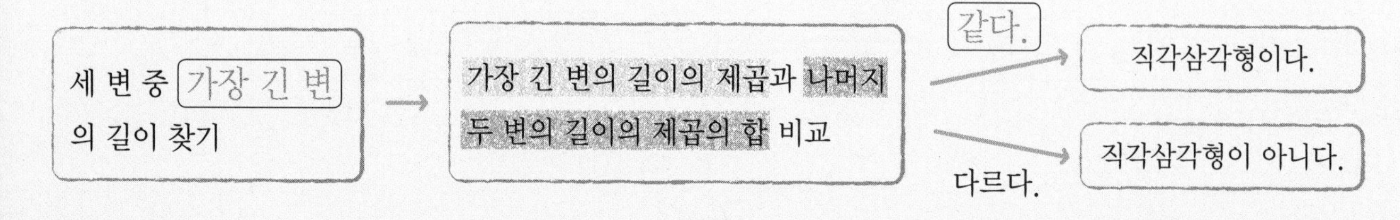

개념 원리 확인

정답과 풀이 38쪽

직각삼각형인지 판별하기

4-1 다음 보기에서 알맞은 것을 찾아 □ 안에 써넣으시오.

보기
=, ≠, 직각삼각형이다, 직각삼각형이 아니다

(1) 삼각형의 세 변의 길이가 각각 4 cm, 6 cm, 8 cm 이면

$$4^2+6^2 \ \square \ 8^2$$

이므로 이 삼각형은 □.

(2) 삼각형의 세 변의 길이가 각각 8 cm, 15 cm, 17 cm 이면

$$8^2+15^2 \ \square \ 17^2$$

이므로 이 삼각형은 □.

4-2 삼각형의 세 변의 길이가 각각 다음과 같을 때, 직각삼각형인 것에는 '○'를, 직각삼각형이 아닌 것에는 '×'를 ( ) 안에 써넣으시오.

(1) 6 cm, 6 cm, 10 cm ( )

(2) 3 cm, 4 cm, 5 cm ( )

(3) 4 cm, 5 cm, 7 cm ( )

(4) 5 cm, 12 cm, 13 cm ( )

예각삼각형, 직각삼각형, 둔각삼각형 판별하기

5-1 삼각형의 세 변의 길이가 각각 다음과 같을 때, ● 안에 >, =, < 중 알맞은 것을 써넣고, □ 안에 예각, 직각, 둔각 중 알맞은 것을 써넣으시오.

(1) 2 cm, 5 cm, 6 cm

➡ 6^2 ● 2^2+5^2이므로 □삼각형이다.

(2) 6 cm, 8 cm, 9 cm

➡ 9^2 ● 6^2+8^2이므로 □삼각형이다.

(3) 9 cm, 12 cm, 15 cm

➡ 15^2 ● 9^2+12^2이므로 □삼각형이다.

5-2 세 변의 길이가 각각 다음과 같은 삼각형은 예각삼각형, 직각삼각형, 둔각삼각형 중 어떤 삼각형인지 말하시오.

(1) 7 cm, 9 cm, 11 cm

(2) 7 cm, 24 cm, 25 cm

(3) 12 cm, 15 cm, 20 cm

정답과 풀이 39쪽

개념 01 피타고라스 정리를 이용하여 직각삼각형에서 변의 길이를 구할 수 있는가?

직각삼각형에서 두 변의 길이를 알면 피타고라스 정리를 이용하여 나머지 한 변의 길이를 구할 수 있다.

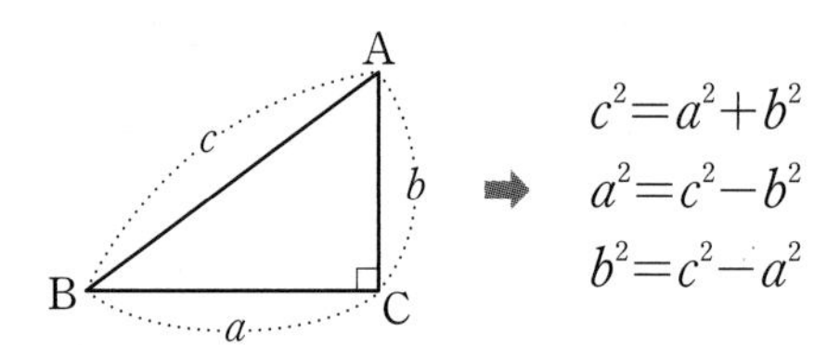

$c^2=a^2+b^2$ ➡ $a^2=c^2-b^2$, $b^2=c^2-a^2$

1-1

다음 직각삼각형에서 x의 값을 구하시오.

(1)

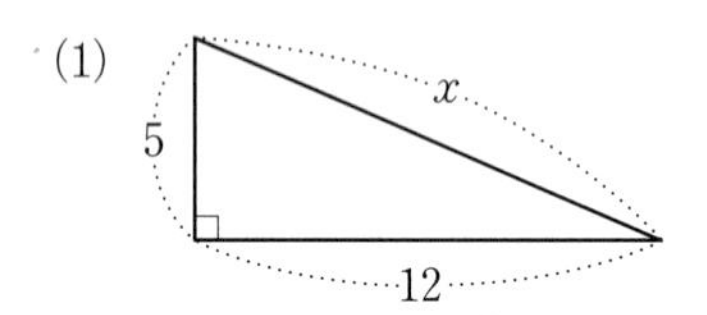

(2)

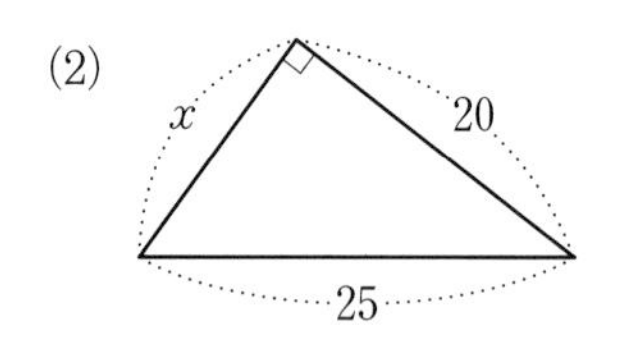

1-2

오른쪽 그림은 $\angle C=90°$인 직각삼각형 ABC의 세 변을 각각 한 변으로 하는 정사각형을 그린 것이다.

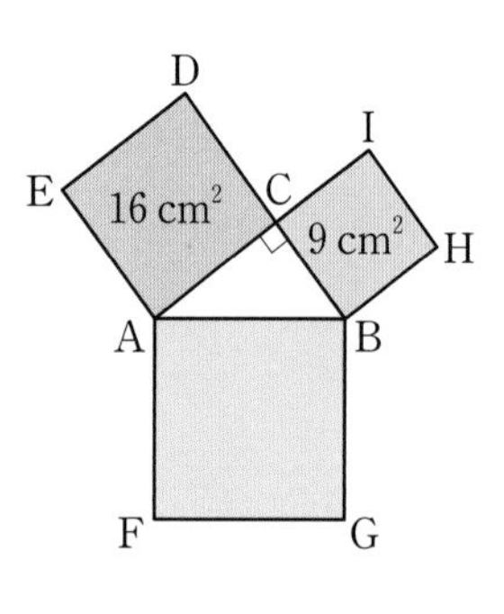

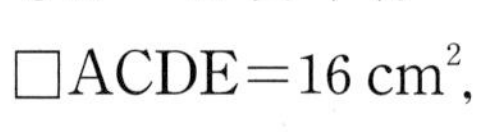

□ACDE$=16\text{ cm}^2$, □BHIC$=9\text{ cm}^2$일 때, 다음을 구하시오.

(1) □AFGB의 넓이

(2) $\overline{AB}$의 길이

1-3

오른쪽 그림에서 □ABCD는 정사각형이고 $\overline{AE}=\overline{BF}=\overline{CG}=\overline{DH}$일 때, □EFGH의 넓이를 구하시오.

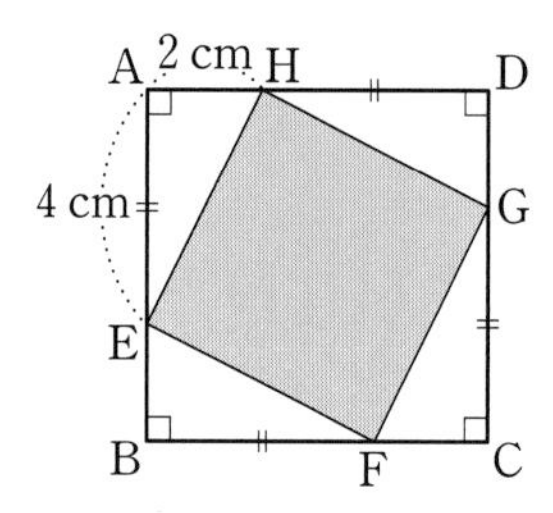

1-4

오른쪽 그림에서 $\overline{AB}=4\text{ cm}$, $\overline{BC}=3\text{ cm}$, $\overline{CD}=12\text{ cm}$일 때, $\overline{AD}$의 길이를 구하시오.

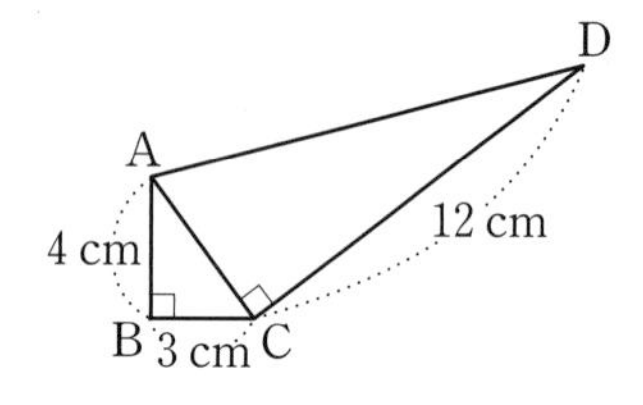

개념 02 두 개의 직각삼각형에서 변의 길이를 구할 수 있는가?

(1)

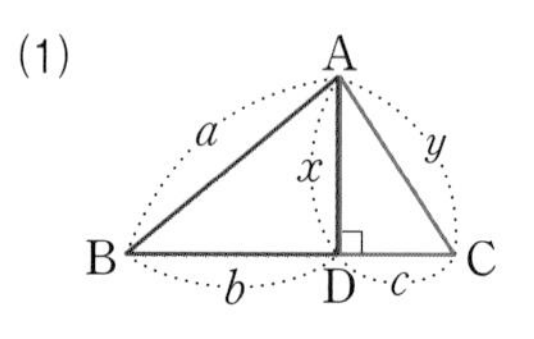

① 직각삼각형 ABD에서 $b^2+x^2=a^2$

② 직각삼각형 ADC에서 $c^2+x^2=y^2$

(2)

① 직각삼각형 ADC에서 $b^2+x^2=a^2$

② 직각삼각형 ABC에서 $(y+b)^2+x^2=c^2$

2-1

오른쪽 그림과 같이 △ABC의 꼭짓점 A에서 $\overline{BC}$에 내린 수선의 발을 D라고 하자. $\overline{AB}=5$, $\overline{BC}=8$, $\overline{AD}=4$일 때, x^2의 값을 구하시오.

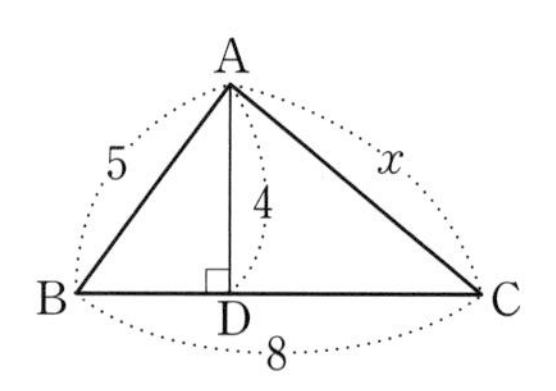

2-2

오른쪽 그림과 같이 $\angle B=90^\circ$인 직각삼각형 ABC에서 $\overline{AB}=15$, $\overline{AD}=17$, $\overline{AC}=25$일 때, x, y의 값을 각각 구하시오.

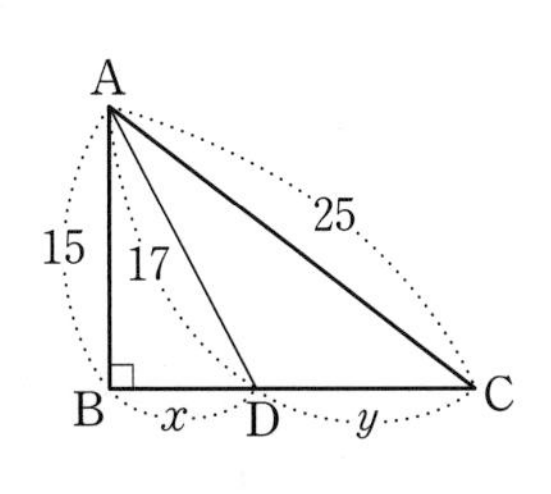

개념 03 직각삼각형이 되는 조건을 알고 있는가?

$a^2+b^2=c^2$ → $\angle C=90^\circ$ ($\overline{AB}$가 빗변)

3-1

다음 만화에 나온 삼각형이 직각삼각형인지 아닌지 말하시오.

3-2

세 변의 길이가 각각 다음과 같은 삼각형 중에서 직각삼각형인 것은?

① 2, 3, 4 ② 6, 8, 9 ③ 8, 8, 12
④ 9, 12, 15 ⑤ 10, 12, 15

개념 04 변의 길이에 따른 삼각형의 종류를 알고 있는가?

삼각형의 세 변의 길이가 주어지면 가장 긴 변의 길이의 제곱과 나머지 두 변의 길이의 제곱의 합의 대소를 비교한다.
즉 $\triangle ABC$에서 $\overline{AB}=c$, $\overline{BC}=a$, $\overline{CA}=b$이고 c가 가장 긴 변의 길이일 때
① $c^2<a^2+b^2$이면 $\angle C<90^\circ$ (예각삼각형)
② $c^2=a^2+b^2$이면 $\angle C=90^\circ$ (직각삼각형)
③ $c^2>a^2+b^2$이면 $\angle C>90^\circ$ (둔각삼각형)

4-1

$\overline{AB}=3\text{ cm}$, $\overline{BC}=5\text{ cm}$, $\overline{AC}=7\text{ cm}$인 $\triangle ABC$는 어떤 삼각형인가?

① $\angle A=90^\circ$인 직각삼각형
② $\angle A>90^\circ$인 둔각삼각형
③ $\angle B>90^\circ$인 둔각삼각형
④ $\angle C=90^\circ$인 직각삼각형
⑤ 예각삼각형

4-2

세 변의 길이가 각각 다음 보기와 같은 삼각형 중에서 예각삼각형인 것을 모두 고르시오.

보기
ㄱ 5, 6, 7 ㄴ 7, 7, 10
ㄷ 8, 10, 12 ㄹ 7, 24, 25

4-3

둔각삼각형의 세 변의 길이가 각각 6, x, 10일 때, 다음 중 x의 값이 될 수 없는 것을 모두 고르면? (정답 2개)

① 5 ② 6 ③ 7 ④ 8 ⑤ 9

회색 글씨를 따라 쓰면서 개념을 정리해 보세요.

❶ 실험, 관찰	❷ 사건	❸ 경우	❹ 경우의 수
주사위 한 개를 던진다.	짝수의 눈이 나온다.	짝수의 눈이 나오는 경우	짝수의 눈이 나오는 경우의 가짓수
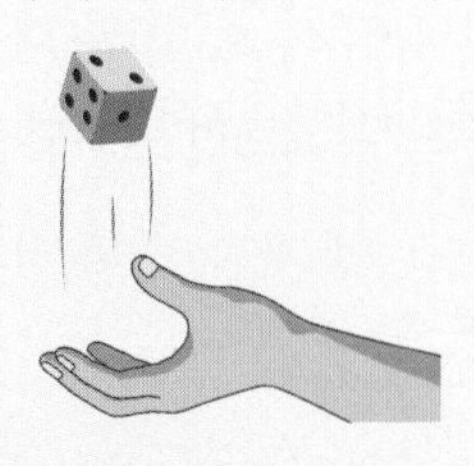			3

개념 원리 확인

○ 정답과 풀이 40쪽

경우의 수

1-1 주사위 한 개를 던질 때, 다음 사건이 일어나는 경우의 수를 구하시오.

(1) 3보다 작은 수의 눈이 나온다.

➡ 눈의 수가 3보다 작은 경우는 1, □이므로 구하는 경우의 수는 □이다.

(2) 소수의 눈이 나온다.

➡ 눈의 수가 소수인 경우는 2, □, □이므로 구하는 경우의 수는 □이다.

소수는 1보다 큰 자연수 중 약수가 1과 자기 자신뿐인 수야.

1-2 각 면에 1부터 4까지의 자연수가 각각 하나씩 적힌 정사면체 모양의 주사위 한 개를 던질 때, 다음 사건이 일어나는 경우의 수를 구하시오.

(1) 짝수가 적힌 면이 나온다.

(2) 소수가 적힌 면이 나온다.

(3) 4의 약수가 적힌 면이 나온다.

여러 개의 동전 또는 주사위를 동시에 던질 때, 경우의 수

2-1 아래는 서로 다른 두 개의 동전 A, B를 동시에 던질 때, 나올 수 있는 모든 경우를 나타낸 것이다. □ 안에 알맞은 것을 써넣고, 다음을 구하시오.

동전 A	동전 B		동전 A, 동전 B
앞면	앞면	➡	(앞면 , 앞면)
	□	➡	(앞면 , □)
뒷면	□	➡	(뒷면 , □)
	뒷면	➡	(뒷면 , 뒷면)

(1) 앞면이 2개 나오는 경우의 수

(2) 앞면이 1개만 나오는 경우의 수

(3) 서로 같은 면이 나오는 경우의 수

2-2 서로 다른 두 개의 주사위 A, B를 동시에 던질 때, 다음을 구하시오.

(1) 일어나는 모든 경우의 수

➡

A \ B	⚀	⚁	⚂	⚃	⚄	⚅
⚀	(1, 1)	(1, 2)	(1, 3)	(1, 4)		
⚁	(2, 1)	(2, 2)	(2, 3)			
⚂	(3, 1)	(3, 2)				
⚃	(4, 1)					
⚄						
⚅						

(2) 두 눈의 수가 서로 같은 경우의 수

(3) 두 눈의 수의 합이 5인 경우의 수

2일

사건 A 또는 사건 B가 일어나는 경우의 수

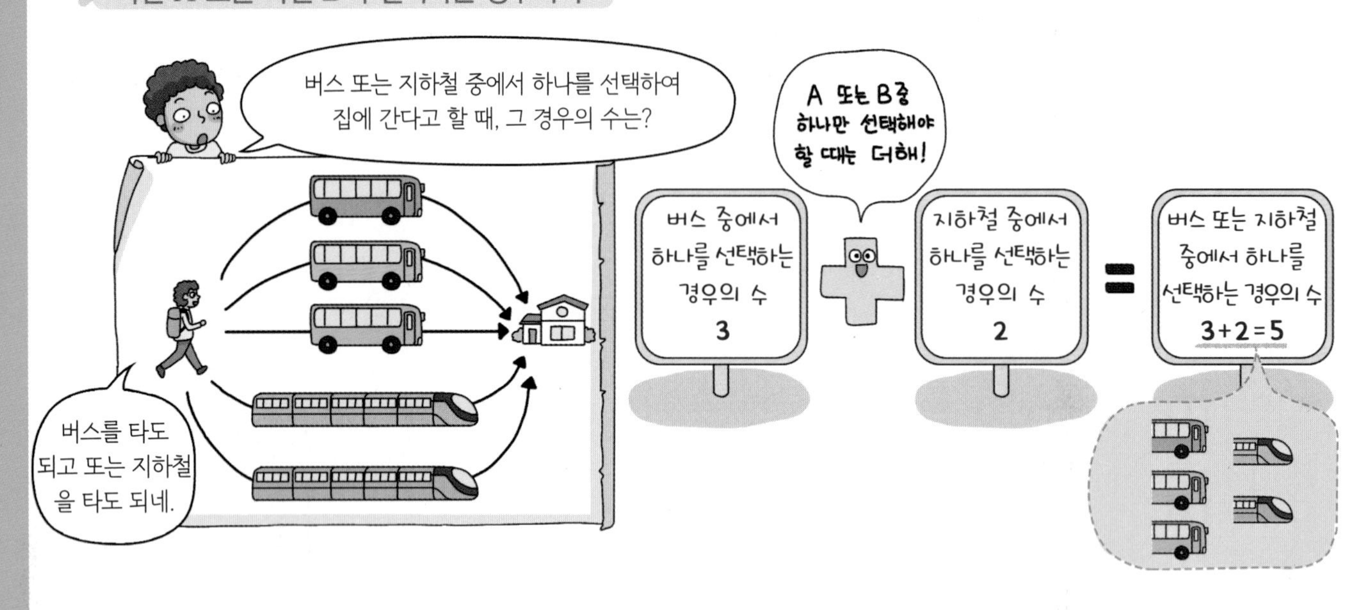

사건 A와 사건 B가 동시에 일어나는 경우의 수

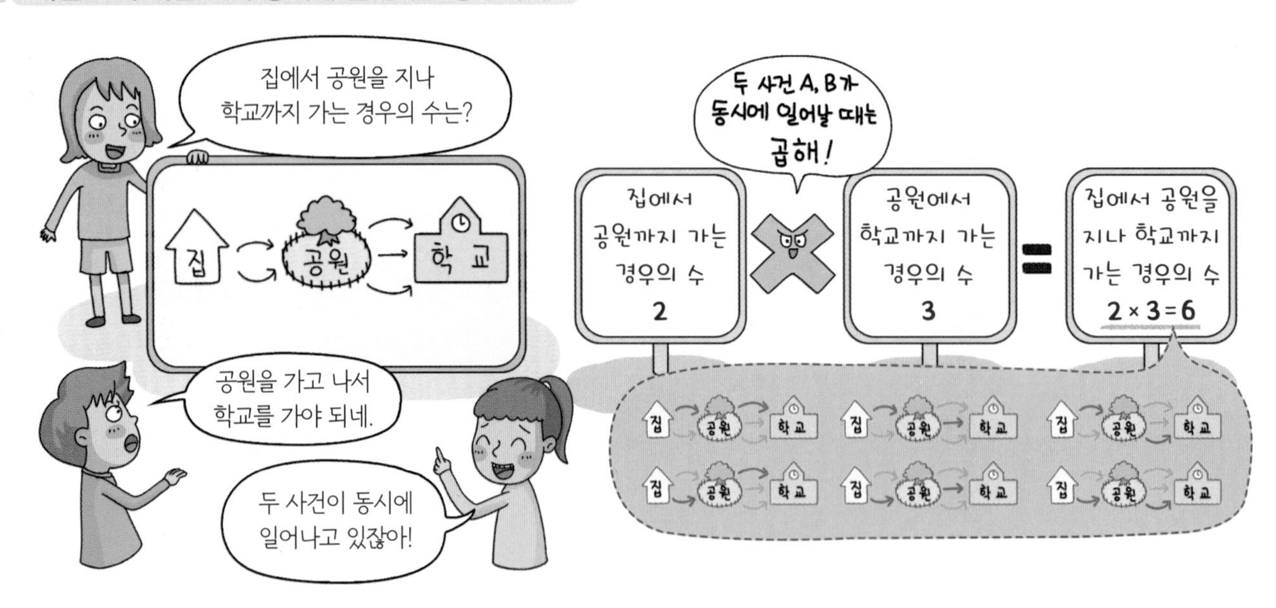

회색 글씨를 따라 쓰면서 개념을 정리해 보세요.

사건 A가 일어나는 경우의 수가 m, 사건 B가 일어나는 경우의 수가 n이면

두 사건 A, B가 동시에 일어나지 않을 때	두 사건 A, B가 동시에 일어날 때
(사건 A 또는 사건 B가 일어나는 경우의 수)= $m+n$	(사건 A와 사건 B가 동시에 일어나는 경우의 수)= $m\times n$
참고 문제에 '또는', '~이거나'와 같은 표현이 있다.	참고 문제에 '동시에', '그리고', '~하고 나서'와 같은 표현이 있다.

개념 원리 확인

○정답과 풀이 40쪽

사건 A 또는 사건 B가 일어나는 경우의 수

3-1 다음 그림과 같이 1부터 10까지의 자연수가 각각 하나씩 적힌 10장의 카드가 있다. 이 카드 중에서 한 장을 뽑을 때, 다음을 구하시오.

1	2	3	4	5
6	7	8	9	10

(1) 3의 배수가 적힌 카드가 나오는 경우의 수

(2) 5의 배수가 적힌 카드가 나오는 경우의 수

(3) 3의 배수 또는 5의 배수가 적힌 카드가 나오는 경우의 수

10 이하의 자연수 중 3의 배수이면서 5의 배수인 수는 없어. 즉 두 사건은 동시에 일어날 수 없으므로 각 경우의 수를 더해야 해.

3-2 주사위 한 개를 던질 때, 다음을 구하시오.

(1) 3보다 작은 수의 눈이 나오는 경우의 수

(2) 5보다 큰 수의 눈이 나오는 경우의 수

(3) 3보다 작거나 5보다 큰 수의 눈이 나오는 경우의 수

4주 2일

사건 A와 사건 B가 동시에 일어나는 경우의 수

4-1 동전 한 개와 주사위 한 개를 동시에 던질 때, 다음을 구하시오.

(1) 동전에서 앞면이 나오는 경우의 수

(2) 주사위에서 홀수의 눈이 나오는 경우의 수

(3) 동전은 앞면이 나오고 주사위는 홀수의 눈이 나오는 경우의 수

두 사건은 동시에 일어나므로 각 경우의 수를 곱해야 해!

4-2 서로 다른 두 개의 주사위 A, B를 동시에 던질 때, 다음을 구하시오.

(1) A 주사위에서 3의 배수의 눈이 나오는 경우의 수

(2) B 주사위에서 4 이하의 수의 눈이 나오는 경우의 수

(3) A 주사위에서 3의 배수의 눈이 나오고 B 주사위에서 4 이하의 수의 눈이 나오는 경우의 수

4주 2일 기초 집중 연습

○ 정답과 풀이 41쪽

개념 01 경우의 수의 뜻을 알고, 구할 수 있는가?

경우의 수를 구할 때에는 구체적인 경우를 모두 따져 빠짐없이 구한다. 이때 중복되는 경우는 한 번만 센다.

주의 서로 다른 두 개의 주사위 A, B를 던질 때, 다음은 서로 다른 경우이다.

1-1

오른쪽 그림과 같이 1부터 9까지의 자연수가 각각 하나씩 적힌 9개의 공이 들어 있는 상자에서 한 개의 공을 꺼낼 때, 다음을 구하시오.

(1) 3의 약수가 적힌 공이 나오는 경우의 수

(2) 5 이상의 수가 적힌 공이 나오는 경우의 수

(3) 4 이상 8 미만의 수가 적힌 공이 나오는 경우의 수

1-2

서로 다른 두 개의 주사위를 동시에 던질 때, 나오는 두 눈의 수의 합이 6인 경우의 수를 구하시오.

1-3

서로 다른 세 개의 동전을 동시에 던질 때, 뒷면이 한 개만 나오는 경우의 수를 구하시오.

1-4

우빈이가 어느 문구점에서 3000원짜리 필통 1개를 사려고 한다. 우빈이가 500원짜리 동전 4개와 1000원짜리 지폐 4장을 가지고 있을 때, 다음 물음에 답하시오.

(1) 아래는 우빈이가 가지고 있는 돈으로 3000원을 지불하는 경우를 표로 나타낸 것이다. 표를 완성하시오.

1000원짜리 지폐(장)			
500원짜리 동전(개)			

(2) 3000원을 지불하는 경우의 수를 구하시오.

개념 02 사건 A 또는 사건 B가 일어나는 경우의 수를 구할 수 있는가?

두 사건 A, B가 동시에 일어나지 않을 때, 사건 A가 일어나는 경우의 수가 m, 사건 B가 일어나는 경우의 수가 n이면

(사건 A 또는 사건 B가 일어나는 경우의 수)$=m+n$

참고 문제에 '또는', '~이거나'와 같은 표현이 있으면 각 사건의 경우의 수를 더한다.

2-1

오른쪽 그림은 어느 분식집에서 판매하는 음식이 적힌 메뉴판이다. 이 분식집에서 면류 또는 밥류 중 한 가지 음식을 주문하는 경우의 수를 구하시오.

2-2

1부터 20까지의 숫자가 각각 하나씩 적힌 20개의 공이 들어 있는 주머니에서 한 개의 공을 꺼낼 때, 4의 배수 또는 소수가 적힌 공이 나오는 경우의 수를 구하시오.

2-3

서로 다른 두 개의 주사위를 동시에 던질 때, 나오는 두 눈의 수의 합이 4 또는 9인 경우의 수를 구하시오.

개념 03 사건 A와 사건 B가 동시에 일어나는 경우의 수를 구할 수 있는가?

사건 A가 일어나는 경우의 수가 m, 사건 B가 일어나는 경우의 수가 n이면
(사건 A와 사건 B가 동시에 일어나는 경우의 수)
$=m\times n$

참고 문제에 '동시에', '그리고', '~하고 나서'와 같은 표현이 있으면 각 사건의 경우의 수를 곱한다.

3-1

다음 그림과 같이 집에서 도서관까지 가는 길이 4가지 있고, 도서관에서 학교까지 가는 길이 3가지 있다. 집에서 도서관을 거쳐 학교까지 가는 경우의 수를 구하시오.

(단, 한 번 지나간 장소는 다시 지나지 않는다.)

3-2

다음 그림과 같이 3개의 자음과 3개의 모음이 각각 하나씩 적힌 6장의 카드가 있다. 자음이 적힌 카드와 모음이 적힌 카드를 각각 한 장씩 사용하여 만들 수 있는 글자의 개수를 구하시오.

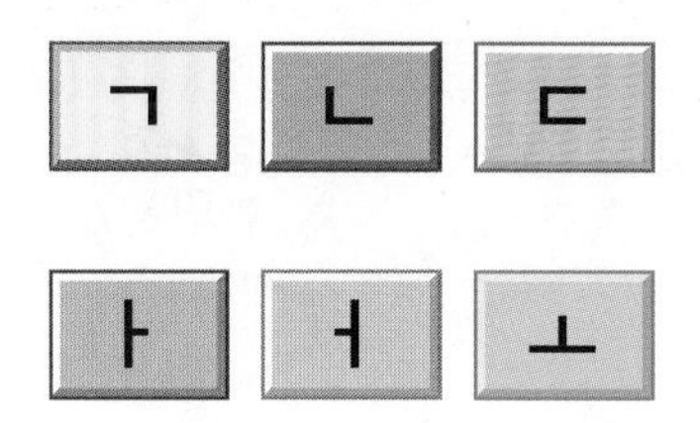

3-3

서로 다른 두 개의 주사위 A, B를 동시에 던질 때, A 주사위에서는 3 이하의 수의 눈이 나오고 B 주사위에서는 6의 약수의 눈이 나오는 경우의 수를 구하시오.

3-4

다음 만화를 읽고, ☐ 안에 알맞은 수를 구하시오.

한 줄로 세우는 경우의 수

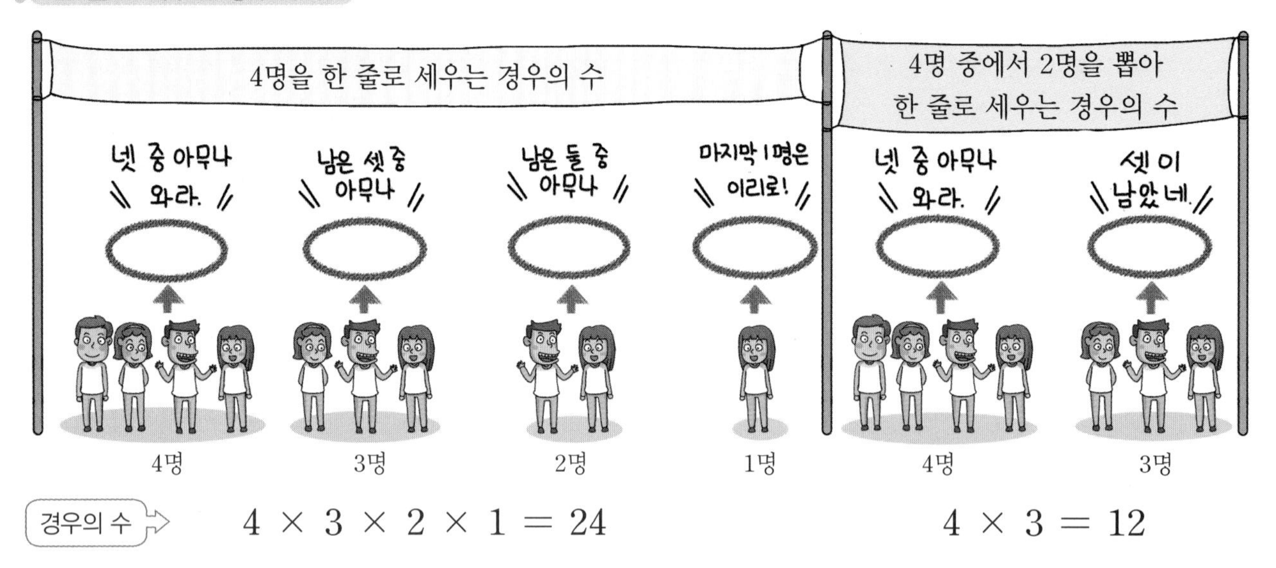

이웃하여 한 줄로 세우는 경우의 수

회색 글씨를 따라 쓰면서 개념을 정리해 보세요.

1 한 줄로 세우는 경우의 수

(1) n명을 한 줄로 세우는 경우의 수

➡ $n\times(n-1)\times(\boxed{n-2})\times\cdots\times2\times1$

(2) n명 중에서 2명을 뽑아 한 줄로 세우는 경우의 수 ➡ $n\times(\boxed{n-1})$

2 이웃하여 한 줄로 세우는 경우의 수

❶ 이웃하는 것을 [하나로 묶어] 한 줄로 세우는 경우의 수를 구한다.

❷ 묶음 안에서 [자리를 바꾸는 경우의 수]를 구한다.

❸ ❶과 ❷의 경우의 수를 곱한다.

개념 원리 확인

정답과 풀이 42쪽

한 줄로 세우는 경우의 수

1-1 A, B, C 3명이 있을 때, 다음을 구하려고 한다. □ 안에 알맞은 수를 써넣으시오.

(1) 3명을 한 줄로 세우는 경우의 수

첫 번째 | 두 번째 | 세 번째

$3 \times \square \times \square = \square$

3명 중 1명 / 첫 번째에 선 사람을 제외한 2명 중 1명 / 마지막에 남은 1명

(2) 3명 중에서 2명을 뽑아 한 줄로 세우는 경우의 수

첫 번째 | 두 번째

$\square \times \square = \square$

1-2 A, B, C, D 4명이 있을 때, 다음을 구하려고 한다. □ 안에 알맞은 수를 써넣으시오.

(1) 4명을 한 줄로 세우는 경우의 수

첫 번째 | 두 번째 | 세 번째 | 네 번째

$\square \times \square \times \square \times \square = \square$

4명 중 1명 / 첫 번째에 선 사람을 제외한 3명 중 1명 / 앞에 선 두 사람을 제외한 2명 중 1명 / 마지막에 남은 1명

(2) 4명 중에서 3명을 뽑아 한 줄로 세우는 경우의 수

첫 번째 | 두 번째 | 세 번째

$\square \times \square \times \square = \square$

이웃하여 한 줄로 세우는 경우의 수

2-1 A, B, C, D 4명을 한 줄로 세울 때, 다음을 구하시오.

(1) A, C를 이웃하게 세우는 경우의 수

➡ ❶ A, C를 한 명으로 생각하여 (A, C)와 B, D 3명을 한 줄로 세우는 경우의 수는

$3 \times \square \times 1 = \square$

❷ A, C가 자리를 바꾸는 경우의 수는

$\square \times 1 = \square$ ← A, C 2명을 한 줄로 세우는 경우의 수와 같다.

❸ 따라서 구하는 경우의 수는 $\square \times 2 = \square$

(2) A, B, C를 이웃하게 세우는 경우의 수

➡ ❶ A, B, C를 한 명으로 생각하여 (A, B, C)와 D □명을 한 줄로 세우는 경우의 수는

$\square \times 1 = \square$

❷ A, B, C가 자리를 바꾸는 경우의 수는

$\square \times 2 \times \square = \square$ ← A, B, C 3명을 한 줄로 세우는 경우의 수와 같다.

❸ 따라서 구하는 경우의 수는 $\square \times \square = \square$

2-2 A, B, C, D, E 5명을 한 줄로 세울 때, 다음을 구하시오.

(1) B, C를 이웃하게 세우는 경우의 수

(2) B, C, D를 이웃하게 세우는 경우의 수

6. 자연수의 개수와 대표를 뽑는 경우의 수

자연수의 개수

서로 다른 한 자리의 숫자가 각각 하나씩 적힌 n장의 카드 중에서 서로 다른 2장을 뽑아 만들 수 있는 두 자리 자연수의 개수는 다음과 같다.

(1) 0을 포함하지 않는 경우

n장 중에서 1장을 뽑는 경우의 수

$n \times (n-1)$

십의 자리에서 뽑은 것을 제외한 (n−1)장 중에서 1장을 뽑는 경우의 수

예 1, 2, 3, 4의 4장의 카드 중에서 2장을 뽑아 만들 수 있는 자연수의 개수

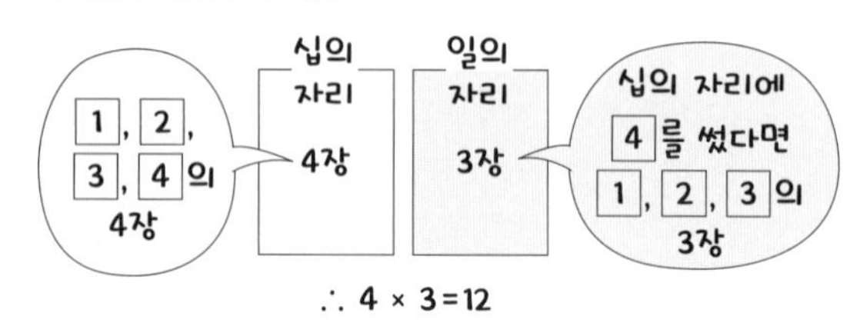

∴ 4 × 3 = 12

(2) 0을 포함하는 경우

0을 제외한 (n−1)장 중에서 1장을 뽑는 경우의 수

$(n-1) \times (n-1)$

십의 자리에서 뽑은 것을 제외하고 0을 포함한 (n−1)장 중에서 1장을 뽑는 경우의 수

예 0, 1, 2, 3의 4장의 카드 중에서 2장을 뽑아 만들 수 있는 자연수의 개수

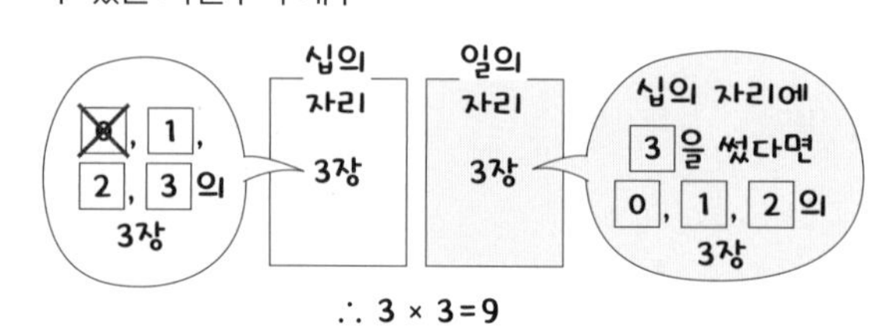

∴ 3 × 3 = 9

대표를 뽑는 경우의 수

(1) n명 중에서 자격이 다른 대표 2명을 뽑는 경우의 수

n명 중에서 1명을 뽑는 경우의 수

$n \times (n-1)$

1명을 뽑고 남은 (n−1)명 중에서 1명을 뽑는 경우의 수

(2) n명 중에서 자격이 같은 대표 2명을 뽑는 경우의 수

자격이 다른 대표 2명을 뽑는 경우의 수

$$\frac{n \times (n-1)}{2 \times 1}$$

중복되는 경우의 수

회색 글씨를 따라 쓰면서 개념을 정리해 보세요.

1 n장의 카드 중에서 서로 다른 2장을 뽑아 만들 수 있는 두 자리 자연수의 개수

(1) 0을 포함하지 않는 경우 ➡ $\boxed{n} \times (n-1)$

(2) 0을 포함하는 경우 ➡ $(\boxed{n-1}) \times (n-1)$

2 n명 중에서 대표 2명을 뽑는 경우의 수

(1) 자격이 다른 경우 ➡ $n \times (\boxed{n-1})$

(2) 자격이 같은 경우 ➡ $\dfrac{n \times (n-1)}{\boxed{2}}$

개념 원리 확인

○ 정답과 풀이 42쪽

자연수의 개수

3-1 다음 그림과 같이 주어진 3장의 카드 중에서 서로 다른 2장을 뽑아 만들 수 있는 두 자리 자연수의 개수를 구하려고 한다. ☐ 안에 알맞은 수를 써넣으시오.

(1) 1 2 3

십의 자리 일의 자리

☐ × ☐ = ☐

모두 가능 / 십의 자리에 온 숫자를 제외한 나머지

(2)

☐ × ☐ = ☐

0을 제외한 나머지 / 십의 자리에 온 숫자를 제외한 나머지

3-2 다음 그림과 같이 주어진 4장의 카드 중에서 서로 다른 3장을 뽑아 만들 수 있는 세 자리 자연수의 개수를 구하려고 한다. ☐ 안에 알맞은 수를 써넣으시오.

(1)

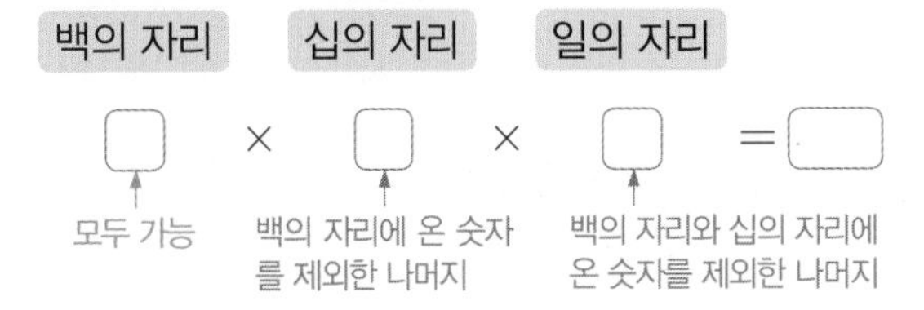

☐ × ☐ × ☐ = ☐

모두 가능 / 백의 자리에 온 숫자를 제외한 나머지 / 백의 자리와 십의 자리에 온 숫자를 제외한 나머지

(2) 0 1 2 3

백의 자리 십의 자리 일의 자리

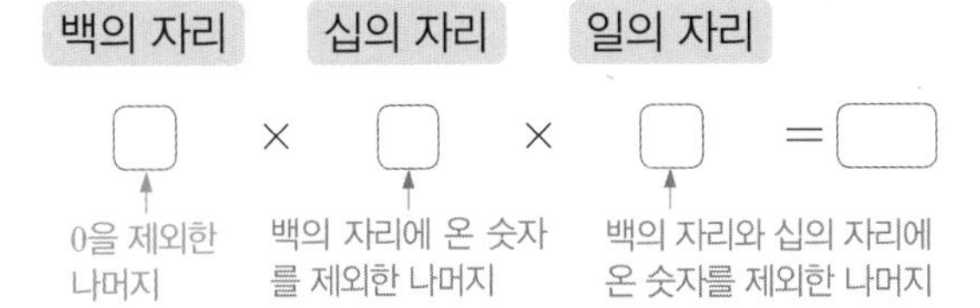

대표를 뽑는 경우의 수

4-1 A, B, C, D 4명이 있을 때, 다음을 구하려고 한다. ☐ 안에 알맞은 것을 써넣으시오.

(1) 회장 1명, 부회장 1명을 뽑는 경우의 수

회장 부회장

☐ × ☐ = ☐

(2) 대표 2명을 뽑는 경우의 수

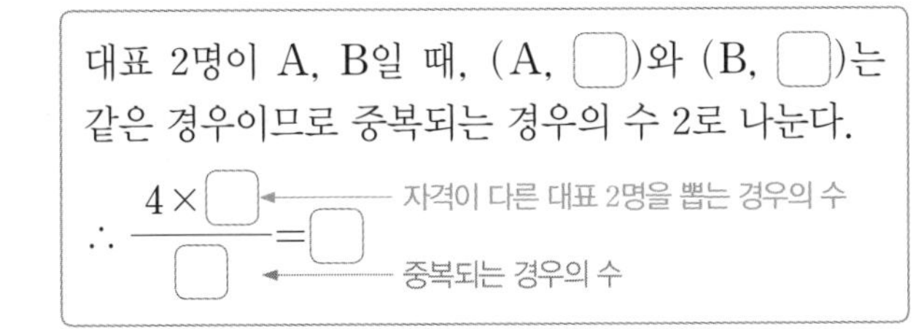

대표 2명이 A, B일 때, (A, ☐)와 (B, ☐)는 같은 경우이므로 중복되는 경우의 수 2로 나눈다.

$\therefore \dfrac{4\times\square}{\square}=\square$ (분자: 자격이 다른 대표 2명을 뽑는 경우의 수, 분모: 중복되는 경우의 수)

4-2 A, B, C, D 4명이 있을 때, 다음을 구하려고 한다. ☐ 안에 알맞은 수를 써넣으시오.

(1) 회장 1명, 부회장 1명, 총무 1명을 뽑는 경우의 수

회장 부회장 총무

☐ × ☐ × ☐ = ☐

(2) 대표 3명을 뽑는 경우의 수

대표 3명이 A, B, C일 때, 다음은 모두 같은 경우이다.
(A, B, C), (A, C, B), (B, A, C), (B, C, A), (C, A, B), (C, B, A)
따라서 중복되는 경우의 수 6으로 나눈다.
→ $3\times2\times1=6$

$\therefore \dfrac{4\times\square\times\square}{\square}=\square$

4주 3일

개념 01 한 줄로 세우는 경우의 수를 구할 수 있는가?

(1) n명을 한 줄로 세우는 경우의 수
➡ $n\times(n-1)\times(n-2)\times\cdots\times2\times1$

(2) n명 중에서 2명을 뽑아 한 줄로 세우는 경우의 수
➡ $n\times(n-1)$

(3) n명 중에서 3명을 뽑아 한 줄로 세우는 경우의 수
➡ $n\times(n-1)\times(n-2)$

(4) 한 줄로 세울 때 특정한 것을 이웃하게 세우는 경우의 수
➡ (이웃하는 것을 하나로 묶어 한 줄로 세우는 경우의 수) × (묶음 안에서 이웃하는 것끼리 자리를 바꾸는 경우의 수)

└ 묶음 안에서 한 줄로 세우는 경우의 수와 같다.

1-1

A, B, C, D, E 5명이 있을 때, 다음을 구하시오.

(1) 5명을 한 줄로 세우는 경우의 수

(2) 5명 중에서 2명을 뽑아 한 줄로 세우는 경우의 수

(3) 5명 중에서 3명을 뽑아 한 줄로 세우는 경우의 수

(4) 5명을 한 줄로 세울 때, A, C를 이웃하게 세우는 경우의 수

(5) 5명을 한 줄로 세울 때, C, D, E를 이웃하게 세우는 경우의 수

1-2

어느 중학교 체육대회의 400 m 이어달리기 2학년 대표로 혜원, 경호, 보미, 우성 4명의 학생을 뽑았다. 이때 4명의 학생이 달리는 순서를 정하는 경우의 수를 구하시오.

1-3

A, B, C, D, E 5명의 학생을 한 줄로 세울 때, 다음을 구하시오.

(1) A를 한가운데 세우는 경우의 수
➡ 아래와 같이 A를 한가운데 고정시키고, 나머지 B, C, D, E 4명을 한 줄로 세운다.

(2) B를 맨 앞에, D를 맨 뒤에 세우는 경우의 수

1-4

학교 축제에 중창단으로 가희, 수연, 우빈, 서준, 지우, 창민 6명이 한 팀을 이루어 나가기로 하였다. 6명이 한 줄로 무대에 설 때, 수연, 지우, 창민이 이웃하여 서는 경우의 수를 구하시오.

개념 02 자연수를 만드는 경우의 수를 구할 수 있는가?

서로 다른 한 자리 숫자가 각각 하나씩 적힌 n장의 카드 중에서 서로 다른 2장을 뽑아 만들 수 있는 두 자리 자연수의 개수는 다음과 같다.

(1) 0을 포함하지 않는 경우 ➡ $n\times(n-1)$

(2) 0을 포함하는 경우 ➡ $(n-1)\times(n-1)$

└ 맨 앞자리에는 0이 올 수 없다.

2-1

1, 2, 3, 4, 5의 숫자가 각각 하나씩 적힌 5장의 카드가 있다. 다음을 구하시오.

(1) 서로 다른 2장을 뽑아 만들 수 있는 두 자리 자연수의 개수

(2) 서로 다른 3장을 뽑아 만들 수 있는 세 자리 자연수의 개수

2-2

0, 1, 2, 3, 4의 숫자가 각각 하나씩 적힌 5장의 카드가 있다. 다음을 구하시오.

(1) 서로 다른 2장을 뽑아 만들 수 있는 두 자리 자연수의 개수

(2) 서로 다른 3장을 뽑아 만들 수 있는 세 자리 자연수의 개수

2-3

0, 1, 2, 3의 숫자가 각각 하나씩 적힌 4장의 카드 중에서 서로 다른 2장을 뽑아 만들 수 있는 두 자리 자연수 중 짝수의 개수를 구하시오.

일의 자리에 올 수 있는 숫자부터 생각해!

개념 03 대표를 뽑는 경우의 수를 구할 수 있는가?

(1) n명 중에서 자격이 다른 대표 2명을 뽑는 경우의 수

➡ $n\times(n-1)$ → n명 중에서 2명을 뽑아 한 줄로 세우는 경우의 수와 같다.

(2) n명 중에서 자격이 같은 대표 2명을 뽑는 경우의 수

➡ $\frac{n\times(n-1)}{2}$ → (A, B)를 뽑는 것과 (B, A)를 뽑는 것 2가지는 같은 경우이다.

3-1

어느 학급 선거에 출마한 5명의 학생이 있다. 다음을 구하시오.

(1) 회장 1명, 부회장 1명을 뽑는 경우의 수

(2) 회장 1명, 부회장 1명, 총무 1명을 뽑는 경우의 수

(3) 대표 2명을 뽑는 경우의 수

(4) 대표 3명을 뽑는 경우의 수

3-2

어느 중학교 2학년 학급에서 교내 체육대회의 야구 대표 중 2루수, 유격수를 각각 한 명씩 선발하려고 한다. 총 8명의 지원자 중에서 2루수와 유격수를 뽑는 경우의 수를 구하시오.

3-3

6명의 학생들이 단체 줄넘기를 하려고 한다. 이때 6명 중에서 줄을 돌릴 2명을 뽑는 경우의 수를 구하시오.

3-4

남학생 4명과 여학생 2명이 있다. 남학생 중에서 대표 2명을 뽑고, 여학생 중에서 대표 1명을 뽑는 경우의 수를 구하시오.

3일

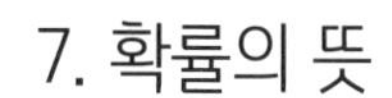

7. 확률의 뜻

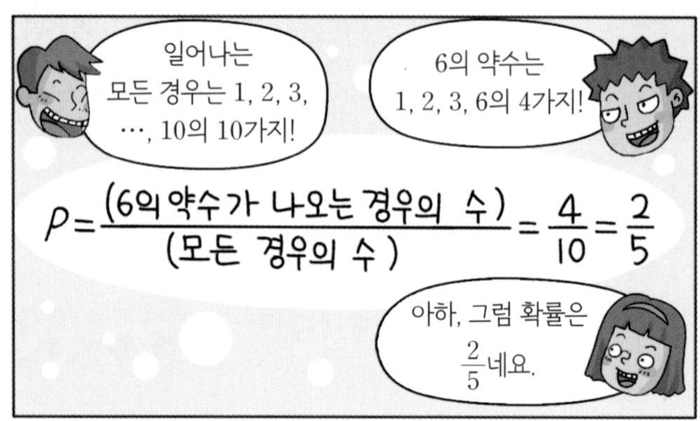

회색 글씨를 따라 쓰면서 개념을 정리해 보세요.

❖ 사건 A가 일어날 확률

모든 경우가 일어날 가능성이 같은 어떤 실험이나 관찰에서

$$(\text{사건 } A\text{가 일어날 } \boxed{\text{확률}}) = \frac{(\boxed{\text{사건 } A\text{가 일어나는 경우의 수}})}{(\text{모든 경우의 수})}$$

개념 원리 확인

○ 정답과 풀이 43쪽

주머니에서 공을 꺼낼 때의 확률

1-1 1부터 20까지의 자연수가 각각 하나씩 적힌 20개의 공이 들어 있는 상자에서 한 개의 공을 임의로 꺼낼 때, 다음을 구하시오.

(1) 3의 배수가 적힌 공이 나올 확률

➡ ❶ 20개의 공 중에서 한 개의 공을 꺼내는 경우이므로 모든 경우의 수는 ☐

❷ 공에 적힌 수가 3의 배수인 경우는 3, 6, 9, ☐의 ☐가지

❸ 따라서 구하는 확률은 $\frac{❷}{❶}$= ☐

(2) 소수가 적힌 공이 나올 확률

1-2 빨간 공 5개, 노란 공 6개, 파란 공 4개가 들어 있는 주머니에서 한 개의 공을 임의로 꺼낼 때, 다음을 구하시오.

(1) 빨간 공이 나올 확률

(2) 노란 공이 나올 확률

(3) 파란 공이 나올 확률

주사위, 동전을 던질 때의 확률

2-1 서로 다른 두 개의 주사위를 동시에 던질 때, 다음을 구하시오.

(1) 두 눈의 수의 합이 8일 확률

➡ ❶ 모든 경우의 수는 $6\times6=36$

❷ 두 눈의 수의 합이 8인 경우는 (2, 6), (3, 5), (4, 4), ☐의 ☐가지

❸ 따라서 구하는 확률은 $\frac{❷}{❶}$= ☐

(2) 두 눈의 수가 서로 같을 확률

2-2 500원짜리 동전 1개와 100원짜리 동전 1개를 동시에 던질 때, 다음을 구하시오.

(1) 모두 뒷면이 나올 확률

(2) 한 개만 앞면이 나올 확률

(3) 500원짜리 동전은 앞면이 나오고 100원짜리 동전은 뒷면이 나올 확률

확률의 기본 성질

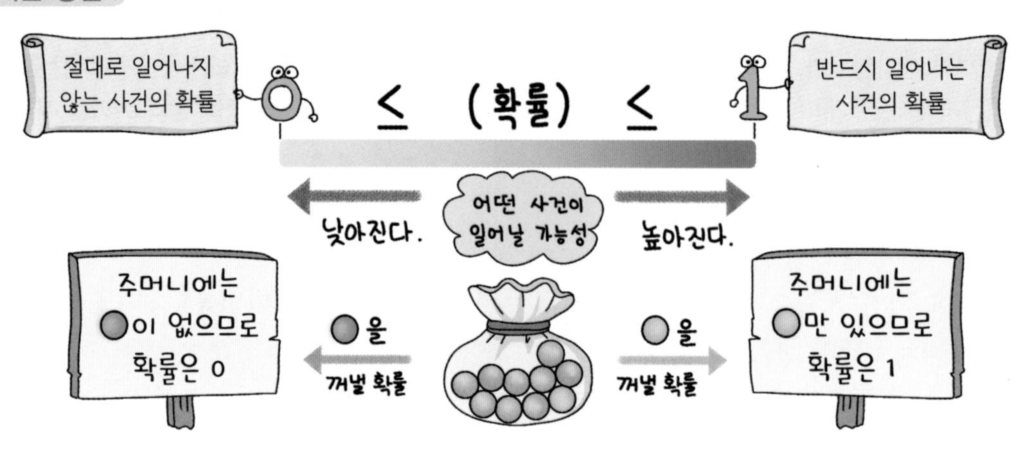

어떤 사건이 일어나지 않을 확률

회색 글씨를 따라 쓰면서 개념을 정리해 보세요.

어떤 사건 A가 일어날 확률을 p라고 하면

(1) $0 \le p \le 1$

(2) 절대로 일어나지 않는 사건의 확률은 0이다.

(3) 반드시 일어나는 사건의 확률은 1이다.

(4) (사건 A가 일어나지 않을 확률)$=1-p$

○ 정답과 풀이 44쪽

확률의 기본 성질

3-1 한 개의 주사위를 던질 때, 다음을 구하시오.

(1) 3의 약수의 눈이 나올 확률

(2) 7의 눈이 나올 확률

(3) 6 이하의 자연수의 눈이 나올 확률

3-2 빨간 공 3개, 검은 공 2개가 들어 있는 주머니에서 한 개의 공을 임의로 꺼낼 때, 다음을 구하시오.

(1) 빨간 공이 나올 확률

(2) 검은 공이 나올 확률

(3) 빨간 공 또는 검은 공이 나올 확률

(4) 흰 공이 나올 확률

어떤 사건이 일어나지 않을 확률

4-1 1부터 20까지의 자연수가 각각 하나씩 적힌 20장의 카드 중에서 한 장을 임의로 뽑을 때, 다음을 구하시오.

(1) 6의 배수가 적힌 카드를 뽑을 확률

(2) 6의 배수가 아닌 수가 적힌 카드를 뽑을 확률

➡ (6의 배수가 아닌 수가 적힌 카드를 뽑을 확률)

=1−(6의 배수가 적힌 카드를 뽑을 확률)

=1−☐=☐

4-2 진희가 입학 시험에 합격할 확률이 $\frac{5}{6}$일 때, 진희가 입학 시험에 합격하지 못할 확률을 구하시오.

4-3 서로 다른 두 개의 동전을 동시에 던질 때, 다음을 구하시오.

(1) 모두 뒷면이 나올 확률

(2) 모두 뒷면이 나오지 않을 확률

○정답과 풀이 45쪽

개념 01 어떤 사건이 일어날 확률을 구할 수 있는가?

사건 A가 일어날 확률 p는 다음과 같은 순서로 구한다.

❶ 일어나는 모든 경우의 수를 구한다.

❷ 사건 A가 일어나는 경우의 수를 구한다.

❸ $p=\dfrac{(\text{사건 }A\text{가 일어나는 경우의 수})}{(\text{일어나는 모든 경우의 수})}$

1-1

한 개의 주사위를 던질 때, 다음을 구하시오.

(1) 2의 배수의 눈이 나올 확률

(2) 6의 약수의 눈이 나올 확률

1-2

노란 공 3개, 빨간 공 5개, 파란 공 7개가 들어 있는 주머니에서 한 개의 공을 임의로 꺼낼 때, 파란 공이 나올 확률을 구하시오.

1-3

서로 다른 두 개의 동전을 동시에 던질 때, 서로 같은 면이 나올 확률을 구하시오.

1-4

선아와 지호가 가위바위보를 할 때, 다음 그림을 보고 선아가 이길 확률을 구하시오.

1-5

다음은 A, B, C, D, E 5명의 학생 중에서 2명의 학급 임원을 임의로 뽑을 때, 학생 D가 학급 임원으로 뽑힐 확률을 구하는 과정이다. ☐ 안에 알맞은 것을 써넣으시오.

❶ 5명 중에서 2명의 학급 임원을 뽑는 경우의 수는 $\dfrac{5\times4}{2}=$☐

❷ 학생 D가 학급 임원으로 뽑히는 경우의 수는 나머지 4명 중에서 1명의 학급 임원을 뽑는 경우의 수와 같으므로 ☐

❸ 따라서 구하는 확률은 $\dfrac{❷}{❶}=$☐

1-6

1, 2, 3, 4, 5의 숫자가 각각 하나씩 적힌 5장의 카드 중에서 서로 다른 2장을 임의로 뽑아 두 자리 자연수를 만들 때, 그 수가 짝수일 확률을 구하시오.

개념 02 확률의 기본 성질을 알고 있는가?

(1) 어떤 사건이 일어날 확률을 p라고 하면 $0 \le p \le 1$
(2) 절대로 일어나지 않는 사건의 확률은 0이다.
(3) 반드시 일어나는 사건의 확률은 1이다.

2-1

다음 중 확률이 1인 것에는 '○'를, 확률이 1이 아닌 것은 그 확률을 (　　) 안에 써넣으시오.

(1) 한 개의 주사위를 던질 때, 1 이상의 자연수의 눈이 나올 확률 (　　)

(2) 한 개의 주사위를 던질 때, 6 이상의 수의 눈이 나올 확률 (　　)

(3) 흰 구슬이 5개 들어 있는 주머니에서 구슬 한 개를 임의로 꺼낼 때, 검은 구슬이 나올 확률 (　　)

2-2

빨간 공 2개, 파란 공 5개가 들어 있는 주머니에서 한 개의 공을 임의로 꺼낼 때, 다음 중 옳은 것은?

① 빨간 공이 나올 확률은 $\frac{5}{7}$이다.
② 노란 공이 나올 확률은 1이다.
③ 파란 공이 나올 확률은 0이다.
④ 빨간 공 또는 파란 공이 나올 확률은 1이다.
⑤ 빨간 공과 파란 공이 나올 확률은 같다.

개념 03 어떤 사건이 일어나지 않을 확률을 구할 수 있는가?

사건 A가 일어날 확률을 p라고 하면
(사건 A가 일어나지 않을 확률)$=1-p$

참고 '~가 아닌', '적어도~', '최소한~' 등의 표현이 보이면 어떤 사건이 일어나지 않을 확률을 이용한다.

3-1

내일 비가 올 확률이 $\frac{2}{3}$일 때, 내일 비가 오지 않을 확률을 구하시오.

3-2

서로 다른 두 개의 주사위를 동시에 던질 때, 두 주사위의 눈의 수가 서로 다를 확률을 구하시오.

3-3

서로 다른 3개의 동전을 동시에 던질 때, 다음을 구하시오.

(1) 모두 뒷면이 나올 확률

(2) 적어도 한 개는 앞면이 나올 확률

적어도 하나는 앞면이 나온다는 말의 의미는 다음과 같아!

서로 다른 3개의 동전을 동시에 던질 때, 나오는 모든 경우는 다음과 같다.

① 앞면이 0개　　② 앞면이 1개
③ 앞면이 2개　　④ 앞면이 3개

이때 적어도 하나는 앞면이 나오는 경우는 ② 또는 ③ 또는 ④인 경우를 의미한다. 즉 ①을 제외한 모든 경우를 의미한다.

9. 사건 A 또는 사건 B가 일어날 확률

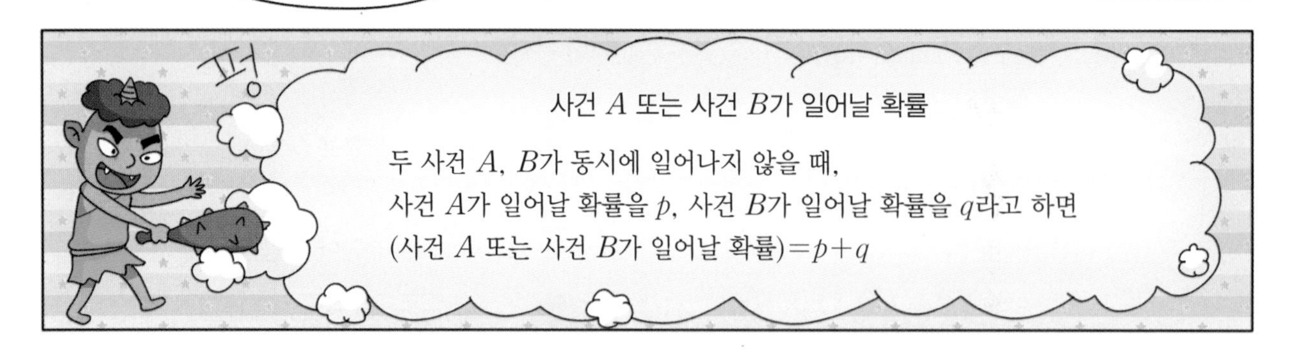

회색 글씨를 따라 쓰면서 개념을 정리해 보세요.

두 사건 A, B가 동시에 일어나지 않을 때,

사건 A가 일어날 확률을 p, 사건 B가 일어날 확률을 q라고 하면

(사건 A 또는 사건 B가 일어날 확률)= $p+q$

사건 A (확률 p) (또는 / ~이거나) 사건 B (확률 q) → $p+q$

개념 원리 확인

정답과 풀이 46쪽

사건 A 또는 사건 B가 일어날 확률 - 뽑기

1-1 흰 공 3개, 노란 공 5개, 파란 공 4개가 들어 있는 주머니에서 한 개의 공을 임의로 꺼낼 때, 다음을 구하시오.

(1) 흰 공이 나올 확률

(2) 파란 공이 나올 확률

(3) 흰 공 또는 파란 공이 나올 확률

1-2 1부터 20까지의 자연수가 각각 하나씩 적힌 20장의 카드 중에서 한 장을 임의로 뽑을 때, 다음을 구하시오.

(1) 5의 배수가 적힌 카드가 나올 확률

(2) 6의 배수가 적힌 카드가 나올 확률

(3) 5의 배수 또는 6의 배수가 적힌 카드가 나올 확률

사건 A 또는 사건 B가 일어날 확률 - 주사위 던지기

2-1 한 개의 주사위를 던질 때, 다음을 구하시오.

(1) 2 이하의 수의 눈이 나올 확률

(2) 4 이상의 수의 눈이 나올 확률

(3) 2 이하 또는 4 이상의 수의 눈이 나올 확률

2-2 서로 다른 두 개의 주사위를 동시에 던질 때, 다음을 구하시오.

(1) 두 눈의 수의 합이 3일 확률

(2) 두 눈의 수의 합이 7일 확률

(3) 두 눈의 수의 합이 3 또는 7일 확률

5일

사건 A 또는 사건 B가 일어날 확률 - 실생활

3-1 다음 표는 명준이네 반 학생들의 혈액형을 조사한 것이다. 이 학생들 중에서 한 명을 임의로 선택할 때, 그 학생의 혈액형이 O형 또는 AB형일 확률을 구하시오.

혈액형	A형	B형	O형	AB형	합계
학생 수(명)	13	11	9	3	36

3-2 다음 표는 효정이네 반 학생 30명이 좋아하는 색을 조사한 것이다. 이 학생들 중에서 한 명을 임의로 선택할 때, 좋아하는 색이 노랑 또는 보라일 확률을 구하시오.

좋아하는 색	빨강	노랑	파랑	보라	합계
학생 수(명)	8	6	7	9	30

10. 사건 A와 사건 B가 동시에 일어날 확률

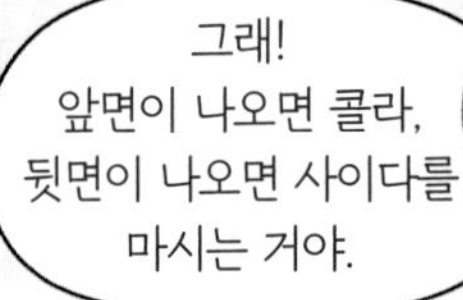

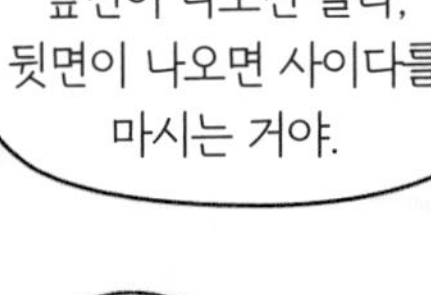

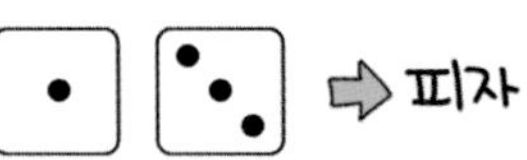

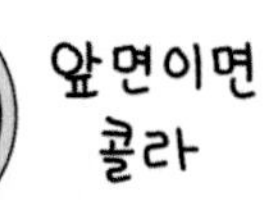

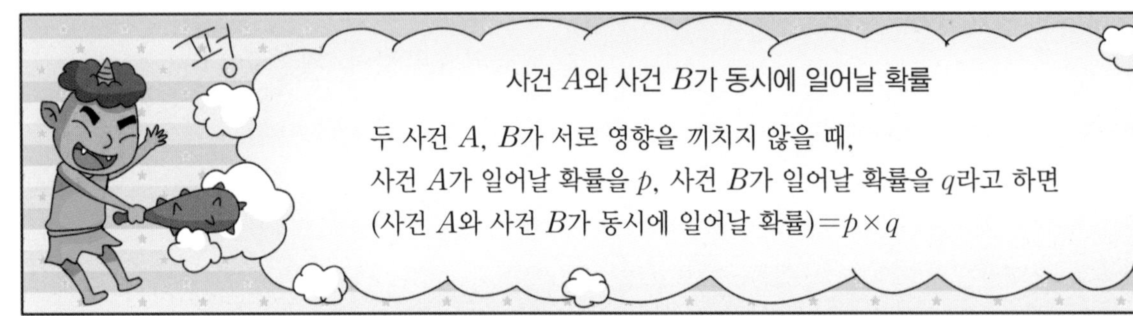

회색 글씨를 따라 쓰면서 개념을 정리해 보세요.

두 사건 A, B가 서로 영향을 끼치지 않을 때,
사건 A가 일어날 확률을 p, 사건 B가 일어날 확률을 q라고 하면
(사건 A와 사건 B가 동시에 일어날 확률)$=$ $p\times q$

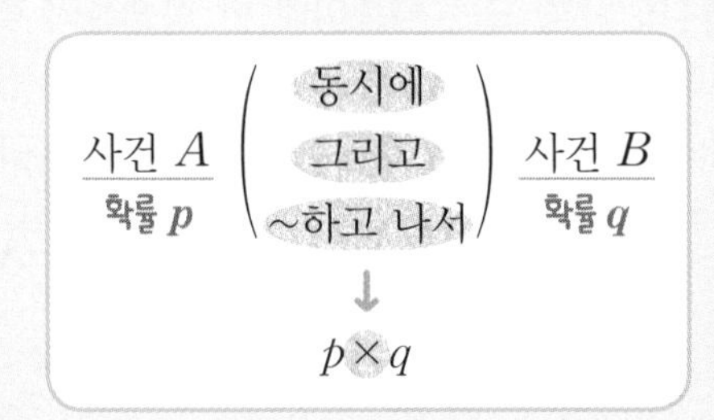

개념 원리 확인

○ 정답과 풀이 47쪽

사건 A와 사건 B가 동시에 일어날 확률 – 동전, 주사위 던지기

4-1 한 개의 주사위를 두 번 던질 때, 첫 번째에는 소수의 눈이 나오고 두 번째에는 짝수의 눈이 나올 확률을 구하시오.

➡ ❶ 첫 번째에 소수의 눈이 나오는 경우는 2, 3, 5의 3가지이므로 그 확률은 $\frac{3}{6}=\frac{1}{2}$

❷ 두 번째에 짝수의 눈이 나오는 경우는 2, 4, 6의 3가지이므로 그 확률은 $\frac{3}{6}=\square$

❸ 두 사건은 서로 영향을 끼치지 않으므로 구하는 확률은

❶×❷$=\frac{1}{2}\times\square=\square$

4-2 동전 한 개와 주사위 한 개를 동시에 던질 때, 다음을 구하시오.

(1) 동전은 앞면이 나오고 주사위는 홀수의 눈이 나올 확률

(2) 동전은 뒷면이 나오고 주사위는 6의 약수의 눈이 나올 확률

사건 A와 사건 B가 동시에 일어날 확률 – 뽑기

5-1 다음 그림과 같이 상자 A에는 흰 공 4개, 검은 공 5개가 들어 있고, 상자 B에는 흰 공 3개, 검은 공 6개가 들어 있다.

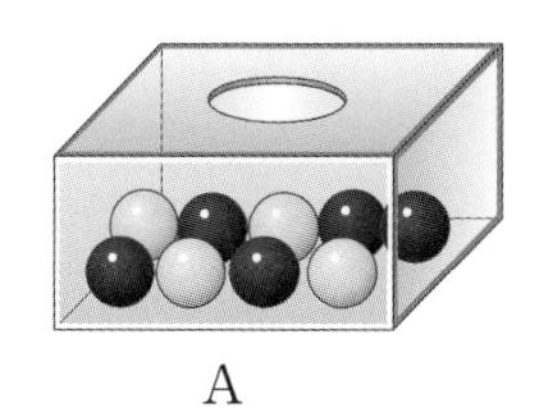

A

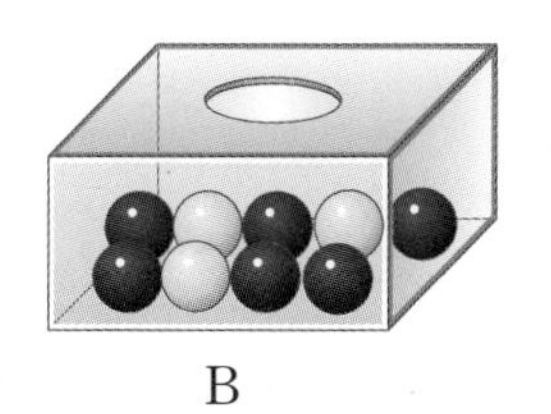

B

두 상자에서 공을 각각 한 개씩 임의로 꺼낼 때, 두 개 모두 흰 공이 나올 확률을 구하시오.

➡ ❶ 상자 A에는 흰 공이 4개 들어 있으므로 상자 A에서 흰 공이 나올 확률은 $\frac{4}{4+5}=\frac{4}{9}$

❷ 상자 B에는 흰 공이 3개 들어 있으므로 상자 B에서 흰 공이 나올 확률은 $\frac{3}{3+6}=\square$

❸ 두 사건은 서로 영향을 끼치지 않으므로 구하는 확률은

❶×❷$=\frac{4}{9}\times\square=\square$

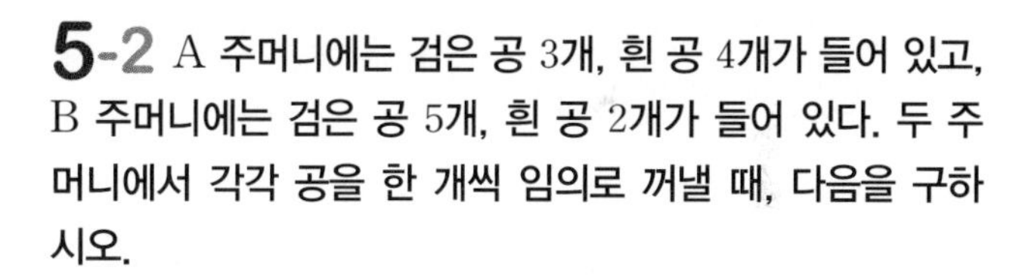

5-2 A 주머니에는 검은 공 3개, 흰 공 4개가 들어 있고, B 주머니에는 검은 공 5개, 흰 공 2개가 들어 있다. 두 주머니에서 각각 공을 한 개씩 임의로 꺼낼 때, 다음을 구하시오.

(1) A 주머니에서 흰 공이 나오고 B 주머니에서 검은 공이 나올 확률

(2) A, B 주머니에서 모두 검은 공이 나올 확률

5일

4주 5일 기초 집중 연습

정답과 풀이 47쪽

개념 01 사건 A 또는 사건 B가 일어날 확률을 구할 수 있는가?

두 사건 A, B가 동시에 일어나지 않을 때, 사건 A가 일어날 확률을 p, 사건 B가 일어날 확률을 q라고 하면
(사건 A 또는 사건 B가 일어날 확률)$=p+q$

참고 문제에 '또는', '~이거나'와 같은 표현이 있으면 각 사건이 일어날 확률을 더한다.

1-1

1부터 10까지의 자연수가 각각 하나씩 적힌 10개의 공이 들어 있는 주머니에서 한 개의 공을 임의로 꺼낼 때, 다음을 구하시오.

(1) 4보다 작거나 8 이상의 수가 적힌 공이 나올 확률

(2) 1 또는 소수가 적힌 공이 나올 확률

(3) 3의 배수 또는 5의 배수가 적힌 공이 나올 확률

1-2

서로 다른 두 개의 주사위를 동시에 던질 때, 두 눈의 수의 합이 4 또는 12일 확률을 구하시오.

1-3

오른쪽 그림은 어느 해 11월의 달력이다. 이 달력의 날짜 중에서 하루를 임의로 선택할 때, 화요일 또는 목요일을 선택할 확률을 구하시오.

NOVEMBER 11월

일	월	화	수	목	금	토
	1	2	3	4	5	6
7	8	9	10	11	12	13
14	15	16	17	18	19	20
21	22	23	24	25	26	27
28	29	30				

1-4

다음 만화에서 나무꾼이 보따리들 중에서 보따리 1개를 임의로 선택하였을 때, 금도끼 또는 은도끼를 얻을 확률을 구하시오. (단, 각 보따리에는 도끼가 한 자루 들어 있다.)

1-5

수호, 영재, 진희, 유나 4명을 한 줄로 세울 때, 다음을 구하시오.

(1) 수호가 맨 앞에 설 확률

(2) 유나가 맨 앞에 설 확률

(3) 수호 또는 유나가 맨 앞에 설 확률

개념 02 사건 A와 사건 B가 동시에 일어날 확률을 구할 수 있는가?

두 사건 A, B가 서로 영향을 끼치지 않을 때, 사건 A가 일어날 확률을 p, 사건 B가 일어날 확률을 q라고 하면
(사건 A와 사건 B가 동시에 일어날 확률)$=p\times q$

참고 문제에 '동시에', '그리고', '~와', '~하고 나서'와 같은 표현이 있으면 각 사건이 일어날 확률을 곱한다.

2-1

서로 다른 두 개의 주사위 A, B를 동시에 던질 때, 다음을 구하시오.

(1) A 주사위는 5의 약수의 눈이 나오고 B 주사위는 3의 배수의 눈이 나올 확률

(2) A 주사위는 소수의 눈이 나오고 B 주사위는 5 이상의 수의 눈이 나올 확률

2-2

서로 다른 동전 두 개와 주사위 한 개를 동시에 던질 때, 동전은 앞면이 2개 나오고 주사위는 짝수의 눈이 나올 확률을 구하시오.

2-3

다음 그림과 같이 A 주머니에는 10개의 제비 중 당첨 제비가 2개 들어 있고, B 주머니에는 5개의 제비 중 당첨 제비가 3개 들어 있다. 각 주머니에서 제비를 한 개씩 임의로 뽑을 때, 모두 당첨 제비를 뽑을 확률을 구하시오.

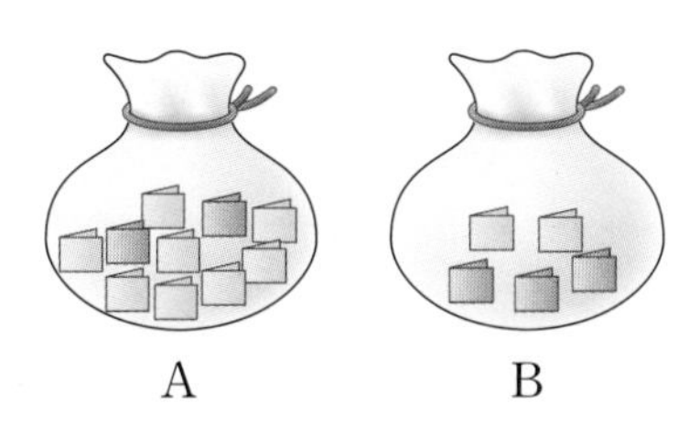

2-4

은정이가 A 문제를 맞힐 확률이 $\frac{1}{3}$, B 문제를 맞힐 확률이 $\frac{3}{4}$이다. 은정이가 두 문제 A, B를 풀 때, 다음을 구하시오.

(1) 두 문제를 모두 맞힐 확률

(2) 두 문제를 모두 맞히지 못할 확률

(3) 두 문제 중 적어도 한 문제는 맞힐 확률

2-5

이번 주 토요일에 비가 올 확률은 $\frac{1}{5}$, 일요일에 비가 올 확률은 $\frac{2}{5}$라고 한다. 이번 주 토요일에 비가 오고, 일요일에는 비가 오지 않을 확률을 구하시오.

누구나 100점 테스트

01 오른쪽 그림은 직각삼각형 ABC의 각 변을 한 변으로 하는 세 개의 정사각형을 그린 것이다. □AFGB$=81\text{ cm}^2$, □BHIC$=45\text{ cm}^2$일 때, $\overline{AC}$의 길이를 구하시오.

02 오른쪽 그림에서 $\overline{AB}=1\text{ cm}$, $\overline{AD}=7\text{ cm}$이고 $\overline{BC}=\overline{CD}$일 때, $\overline{BC}$의 길이를 구하시오.

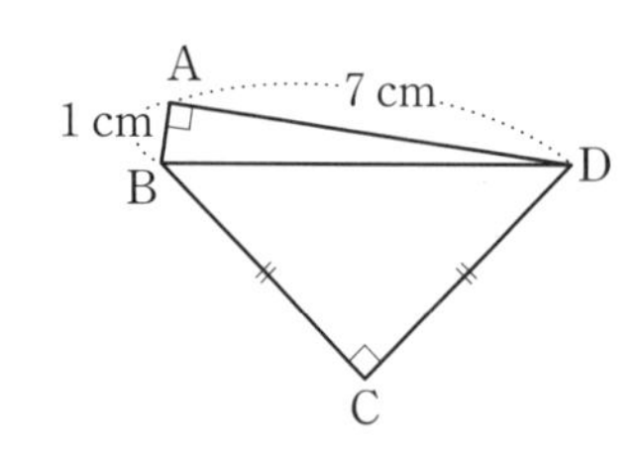

03 세 변의 길이가 각각 다음과 같은 삼각형 중에서 직각삼각형인 것은?

① 5 cm, 6 cm, 8 cm
② 5 cm, 7 cm, 8 cm
③ 6 cm, 9 cm, 12 cm
④ 7 cm, 21 cm, 24 cm
⑤ 9 cm, 12 cm, 15 cm

04 서로 다른 두 개의 주사위를 동시에 던질 때, 나온 두 눈의 수의 합이 7 또는 11인 경우의 수는?

① 7　② 8　③ 9
④ 10　⑤ 11

05 다음은 어느 아이스크림 가게의 메뉴판이다. 이때 컵을 하나 선택하여 아이스크림을 담는 경우의 수를 구하시오.

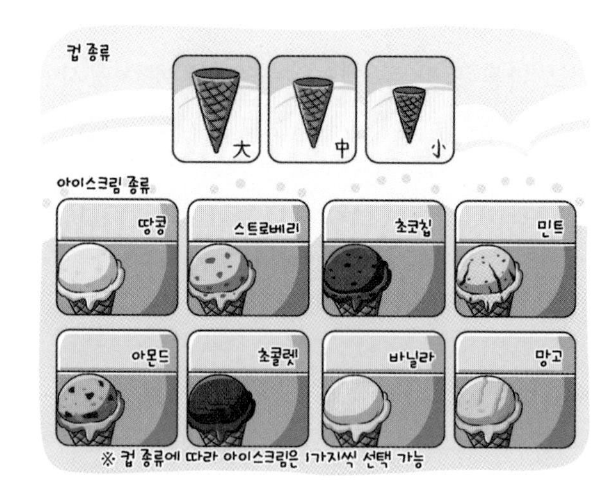

정답과 풀이 49쪽

06 어머니, 아버지, 언니, 오빠, 동생, 나 6명이 가족 사진을 찍으려고 한다. 긴 의자에 한 줄로 앉을 때, 어머니, 아버지가 이웃하여 앉는 경우의 수는?

① 48 ② 60 ③ 120
④ 240 ⑤ 256

07 6명의 후보 중에서 회장 1명, 부회장 1명을 뽑는 경우의 수를 x, 대표 2명을 뽑는 경우의 수를 y라고 할 때, $x-y$의 값은?

① 14 ② 15 ③ 16
④ 18 ⑤ 20

08 다음 중 확률이 나머지 넷과 다른 하나는?

① 주사위 한 개를 던질 때, 짝수의 눈이 나올 확률
② 동전 한 개를 던질 때, 앞면이 나올 확률
③ 서로 다른 동전 두 개를 동시에 던질 때, 서로 다른 면이 나올 확률
④ 주사위 한 개를 던져서 8의 약수의 눈이 나올 확률
⑤ A, B, C, D 4명의 학생이 한 줄로 설 때, A가 맨 뒤에 서지 않을 확률

09 다음 그림과 같이 숫자 카드가 들어 있는 두 상자 A, B에서 각각 한 장의 카드를 임의로 꺼낼 때, 카드에 적힌 두 수의 합이 6 또는 9일 확률은?

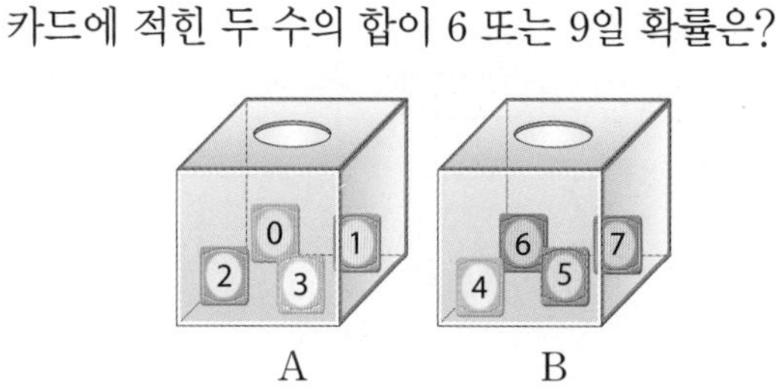

① $\frac{1}{8}$ ② $\frac{3}{16}$ ③ $\frac{1}{4}$
④ $\frac{5}{16}$ ⑤ $\frac{3}{8}$

10 상우와 태영이가 함께 영화를 보기로 약속하였다. 상우와 태영이가 약속을 지킬 확률이 각각 $\frac{4}{5}$, $\frac{1}{3}$일 때, 두 사람이 함께 영화를 보게 될 확률은?

① $\frac{1}{15}$ ② $\frac{2}{15}$ ③ $\frac{4}{15}$
④ $\frac{8}{15}$ ⑤ $\frac{14}{15}$

두 사람이 함께 영화를 보려면 두 사람 모두 약속을 지켜야 돼.

특강 | 창의, 융합, 코딩

1 다음 ☐ 안에 알맞은 것을 써넣으시오.

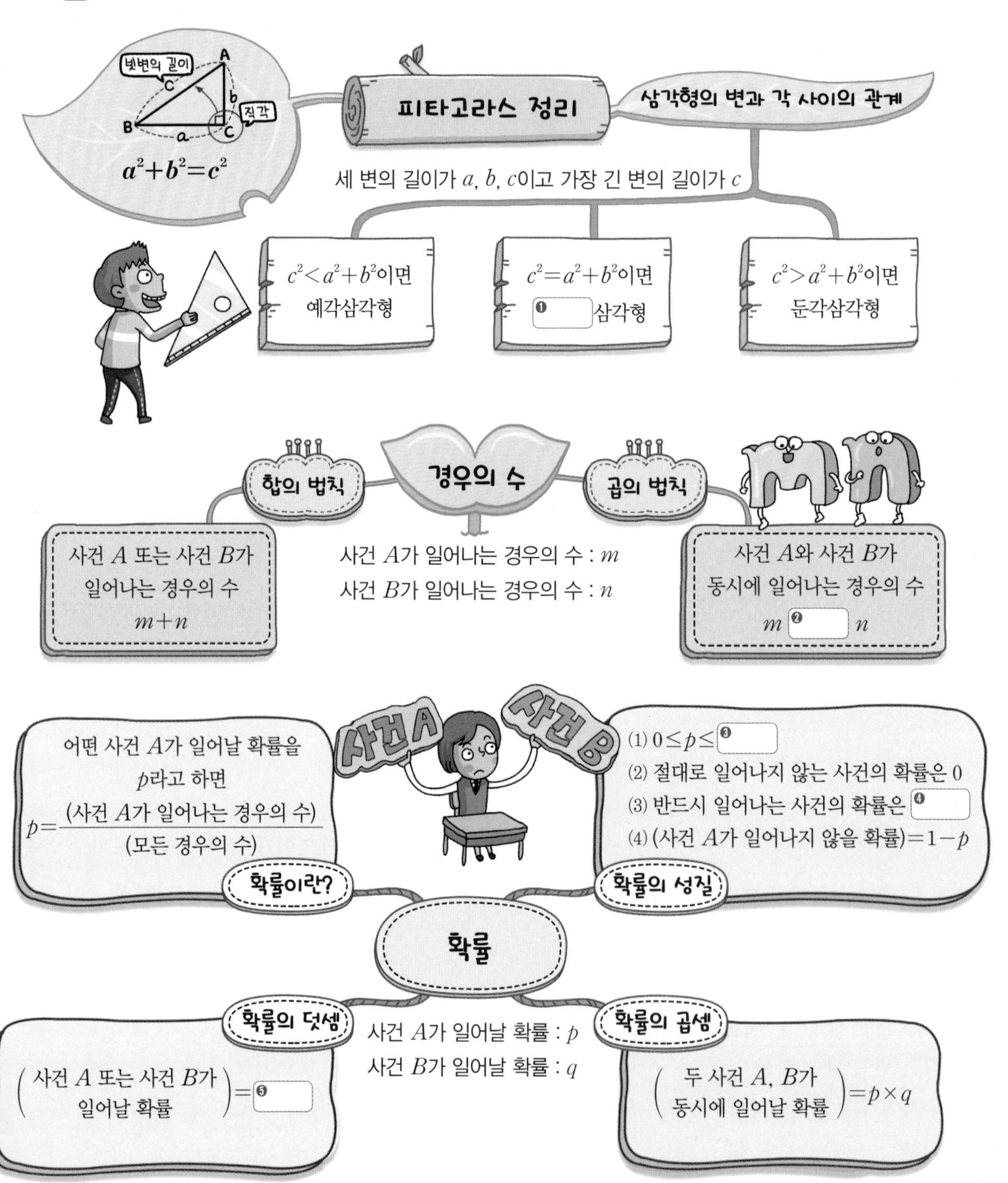

2 다혜는 학교에서 연극, 밴드, 미술, 독서, 사물놀이, 댄스 중 하나를 정해 동아리에 가입하였다. 다음 그림에서 주어진 세 변의 길이로 만든 삼각형이 직각삼각형이면 ↓ 방향으로, 직각삼각형이 아니면 ➡ 방향으로 이동하면 다혜가 가입한 동아리를 알 수 있다. 다혜가 가입한 동아리를 구하시오.

3 다음을 읽고 윷가락의 겉면을 등, 안면을 배라고 할 때, 다음 ☐ 안에 알맞은 것을 써넣으시오.

(1) '도'가 나오는 경우는 (등, 등, 등, 배), ☐ 이므로 구하는 경우의 수는 ☐이다.

(2) '개'가 나오는 경우는 (등, 등, 배, 배), ☐ 이므로 구하는 경우의 수는 ☐이다.

(3) '걸'이 나오는 경우는 (등, 배, 배, 배), ☐ 이므로 구하는 경우의 수는 ☐이다.

(4) '윷'이 나오는 경우는 ☐이므로 구하는 경우의 수는 ☐이다.

(5) '모'가 나오는 경우는 ☐이므로 구하는 경우의 수는 ☐이다.

○ 정답과 풀이 50쪽

4 **다음 (1)~(5)의 ☐ 안에 알맞은 수를 써넣고, 아래 숫자판에서 그 수가 있는 칸을 찾아 색칠하시오. 이때 숫자판에 나타나는 글자를 말하시오.**

(1) 주사위 한 개를 던질 때, 5 이상의 수의 눈이 나오는 경우의 수는 ☐이다.

(2) 서로 다른 두 개의 주사위를 동시에 던질 때, 두 눈의 수의 합이 5 또는 7인 경우의 수는 ☐이다.

(3) 서로 다른 티셔츠 4종류와 바지 2종류 중에서 각각 하나씩 골라 입는 경우의 수는 ☐이다.

(4) A, B, C, D, E 5명이 이어달리기를 할 때, A가 맨 마지막에 달리는 경우의 수는 ☐이다.

(5) A, B 두 사람이 가위바위보를 할 때, 승부가 나지 않는 경우의 수는 ☐이다.

1	6	4	3	15	42	36
42	16	8	7	24	4	25
36	24	25	7	9	3	1
2	6	13	42	13	15	10
6	9	16	3	6	13	25
7	15	42	10	4	7	16
24	3	8	24	2	3	8
1	25	15	4	1	13	36

4주

5 소영, 대성, 시온이는 아래 그림과 같은 게임을 하고 있다. 이 게임은 서로 다른 두 개의 주사위를 동시에 던져 나온 두 눈의 수의 합만큼 시계 방향으로 말을 옮기는 게임이다. 세 사람의 말의 위치가 아래와 같고 서로 다른 두 개의 주사위를 한 번씩 던질 때, 다음 물음에 답하시오.

(1) 소영이의 말이 무인도에 가게 될 확률을 구하시오.

(2) 대성이의 말이 무인도에 가게 될 확률을 구하시오.

(3) 시온이의 말이 무인도에 가게 될 확률을 구하시오.

(4) 소영, 대성, 시온이의 말 중에서 무인도에 가게 될 가능성이 가장 높은 것은 누구의 말인지 말하시오.

6 다음 만화를 보고, 물음에 답하시오.

민호의 사물함 비밀번호는 네 자리의 수 36□□이다. 각 자리에 0부터 9까지의 숫자 중 하나를 사용하여 사물함 비밀번호를 만들었다고 할 때, 민호가 한 번에 사물함 비밀번호를 맞힐 확률을 구하시오. (단, 같은 숫자를 여러 번 사용해도 된다.)

Memo

Memo

Memo

천재교육

정답과 풀이

중학★바탕 학습

수학 2-2

시작은

하루 수학

정답과 풀이

▶ 혼자서도 이해할 수 있는 친절한 문제 풀이

중2-2

하루 수학

정답과 풀이

정답과 풀이

1주

1주에는 무엇을 공부할까? ❷ p8 ~ p9

1-1 (1) 이등변삼각형 (2) 직각삼각형
1-2 (1) 가, 라 (2) 다 (3) 라
2-1 180, 30
2-2 (1) $65°$ (2) $35°$
3-1 $\triangle ABC \equiv \triangle DFE$ (SAS 합동)
3-2 $\triangle ABC \equiv \triangle KLJ$ (SSS 합동), $\triangle DEF \equiv \triangle HGI$ (ASA 합동)
4-1 75, 75, 43
4-2 (1) $120°$ (2) $45°$

1-1 (1) 두 변의 길이가 같으므로 이등변삼각형이다.
(2) 한 각이 직각이므로 직각삼각형이다.

1-2 (1) 예각삼각형은 세 각이 모두 예각인 삼각형이므로 가, 라이다.
(2) 둔각삼각형은 한 각이 둔각인 삼각형이므로 다이다.
(3) 정삼각형은 세 변의 길이가 모두 같은 삼각형이므로 라이다.

2-2 (1) $\angle x + 70° + 45° = 180°$이므로 $\angle x = 65°$
(2) $40° + \angle x + 3\angle x = 180°$이므로
$4\angle x = 140°$ $\therefore \angle x = 35°$

3-1 $\triangle ABC$와 $\triangle DFE$에서
$\overline{BC} = \overline{FE} = 6$ cm, $\overline{AC} = \overline{DE} = 5$ cm,
$\angle C = \angle E = 60°$
즉 대응하는 두 변의 길이가 각각 같고, 그 끼인각의 크기가 같으므로
$\triangle ABC \equiv \triangle DFE$ (SAS 합동)

3-2 (i) $\triangle ABC$와 $\triangle KLJ$에서
$\overline{AB} = \overline{KL} = 7$ cm, $\overline{BC} = \overline{LJ} = 6$ cm,
$\overline{CA} = \overline{JK} = 5$ cm
즉 대응하는 세 변의 길이가 각각 같으므로
$\triangle ABC \equiv \triangle KLJ$ (SSS 합동)
(ii) $\triangle DEF$와 $\triangle HGI$에서
$\overline{DE} = \overline{HG} = 7$ cm, $\angle D = \angle H = 70°$,
$\angle G = 180° - (70° + 60°) = 50° = \angle E$
즉 대응하는 한 변의 길이가 같고, 그 양 끝 각의 크기가 각각 같으므로
$\triangle DEF \equiv \triangle HGI$ (ASA 합동)

4-2 (1) $\angle x = 80° + 40° = 120°$
(2) $\angle x + 40° = 85°$이므로 $\angle x = 45°$

1일

1. 이등변삼각형의 성질 (1)

개념 원리 확인 p11

1-1 (1) $\angle B$ (2) $\overline{AC}$ (3) $\angle A$와 $\angle C$
1-2 (1) $\angle A$ (2) $\overline{BC}$ (3) $\angle B$와 $\angle C$
2-1 12 **2-2** 5
3-1 (1) $40°$ (2) $56°$ **3-2** (1) $50°$ (2) $65°$

1-1 (1) 꼭지각은 길이가 같은 두 변인 $\overline{AB}$와 $\overline{BC}$로 이루어진 각이므로 $\angle B$이다.
(2) 밑변은 꼭지각인 $\angle B$의 대변이므로 $\overline{AC}$이다.
(3) 밑각은 밑변인 $\overline{AC}$의 양 끝 각이므로 $\angle A$와 $\angle C$이다.

1-2 (1) 꼭지각은 길이가 같은 두 변인 $\overline{AB}$와 $\overline{AC}$로 이루어진 각이므로 $\angle A$이다.
(2) 밑변은 꼭지각인 $\angle A$의 대변이므로 $\overline{BC}$이다.
(3) 밑각은 밑변인 $\overline{BC}$의 양 끝 각이므로 $\angle B$와 $\angle C$이다.

2-1 $\angle B$가 꼭지각이므로 $\angle B$를 끼인각으로 하는 두 변의 길이가 같다.
즉 $\overline{AB} = \overline{BC} = 12$ cm $\therefore x = 12$

2-2 ∠A가 꼭지각이므로 ∠A를 끼인각으로 하는 두 변의 길이가 같다.
즉 $\overline{AB}=\overline{AC}=5$ cm　$\therefore x=5$

3-1 (1) △ABC가 $\overline{AB}=\overline{AC}$인 이등변삼각형이므로
$\angle B=\angle C=\frac{1}{2}\times(180°-100°)=40°$
$\therefore \angle x=40°$
(2) $\angle ACB=180°-118°=62°$
이때 △ABC가 $\overline{AB}=\overline{AC}$인 이등변삼각형이므로
$\angle B=\angle ACB=62°$
$\therefore \angle x=180°-(62°+62°)=56°$

3-2 (1) △ABC가 $\overline{AB}=\overline{AC}$인 이등변삼각형이므로
$\angle C=\angle B=50°$　$\therefore \angle x=50°$
(2) $\angle ACB=180°-115°=65°$
이때 △ABC가 $\overline{AB}=\overline{AC}$인 이등변삼각형이므로
$\angle B=\angle ACB=65°$　$\therefore \angle x=65°$

2. 이등변삼각형의 성질 (2)와 이등변삼각형이 되는 조건

개념 원리 확인 p13

4-1 (1) 90° (2) 55° (3) 4 cm
4-2 (1) $x=90$, $y=6$ (2) $x=28$, $y=10$
5-1 (개) C (내) ADC (대) ASA (래) $\overline{AC}$
5-2 (1) 10 (2) 4

4-1 (1), (3) 이등변삼각형의 꼭지각의 이등분선은 밑변을 수직이등분하므로
$\angle ADC=90°$, $\overline{BD}=\frac{1}{2}\overline{BC}=\frac{1}{2}\times8=4$ (cm)
(2) △ADC에서 $\angle CAD=\angle BAD=35°$이므로
$\angle C=180°-(90°+35°)=55°$

4-2 (1) $\overline{AD}\perp\overline{BC}$이므로 $x=90$
$\overline{DC}=\frac{1}{2}\overline{BC}=\frac{1}{2}\times12=6$ (cm)　$\therefore y=6$
(2) △ADC에서 $\angle ADC=90°$이므로
$\angle CAD=180°-(90°+62°)=28°$
$\therefore x=28$
$\overline{BC}=2\overline{BD}=2\times5=10$ (cm)
$\therefore y=10$

5-2 (1) $\angle A=\angle C$이므로 △ABC는 $\overline{AB}=\overline{BC}=10$ cm인 이등변삼각형이다.
$\therefore x=10$
(2) $\angle C=180°-(100°+40°)=40°$
즉 $\angle B=\angle C$이므로 △ABC는 $\overline{AB}=\overline{AC}=4$ cm인 이등변삼각형이다.
$\therefore x=4$

1일 기초 집중 연습 p14 ~ p15

1-1 (1) 48° (2) 8 cm (3) 66°
1-2 (1) 4 (2) 10
2-1 (1) $\angle x=53°$, $\angle y=74°$ (2) $\angle x=118°$, $\angle y=56°$
2-2 25°　**2-3** 30°
3-1 $x=14$, $y=68$　**3-2** 예은, 채희
4-1 ⑤　**4-2** $x=65$, $y=10$
4-3 $x=60$, $y=7$

1-1 (1) 꼭지각은 ∠B이므로 $\angle B=48°$
(2) 밑변은 $\overline{AC}$이므로 $\overline{AC}=8$ cm
(3) 밑각은 ∠A와 ∠C이고
$\angle A=180°-(48°+66°)=66°$
$\therefore \angle A=\angle C=66°$

1-2 ∠A가 꼭지각이므로 ∠A를 끼인각으로 하는 두 변의 길이가 같다.
(1) $\overline{AC}=\overline{AB}=4$ cm　$\therefore x=4$
(2) $\overline{AB}=\overline{AC}=10$ cm　$\therefore x=10$

2-1 (1) △ABC가 $\overline{AB}=\overline{AC}$인 이등변삼각형이므로
$\angle B=\angle C=53°$　$\therefore \angle x=53°$
$\therefore \angle y=180°-(53°+53°)=74°$

(2) $\triangle ABC$가 $\overline{AB}=\overline{AC}$인 이등변삼각형이므로
$\angle BCA=\angle B=62^\circ$
$\therefore \angle x=180^\circ-62^\circ=118^\circ$,
$\angle y=180^\circ-(62^\circ+62^\circ)=56^\circ$

2-2 $\triangle ABC$가 $\overline{AB}=\overline{AC}$인 이등변삼각형이므로
$\angle C=\angle B=3\angle x$
$(\angle x+5^\circ)+3\angle x+3\angle x=180^\circ$에서
$7\angle x=175^\circ \quad \therefore \angle x=25^\circ$

2-3 $\triangle ABC$가 $\overline{AB}=\overline{AC}$인 이등변삼각형이므로
$\angle ABC=\angle C=70^\circ$
$\triangle BCD$가 $\overline{BC}=\overline{BD}$인 이등변삼각형이므로
$\angle BDC=\angle C=70^\circ$
이때 $\triangle BCD$에서
$\angle DBC=180^\circ-(70^\circ+70^\circ)=40^\circ$
$\therefore \angle x=\angle ABC-\angle DBC=70^\circ-40^\circ=30^\circ$

3-1 $\overline{BC}=2\overline{BD}=2\times7=14\text{ (cm)} \quad \therefore x=14$
$\triangle ADC$에서 $\angle ADC=90^\circ$이므로
$\angle C=180^\circ-(22^\circ+90^\circ)=68^\circ \quad \therefore y=68$

3-2 예은 : $\overline{AB}$와 $\overline{AD}$의 길이는 같지 않다.
채희 : $\angle BAD=25^\circ$이면 $\angle CAD=\angle BAD=25^\circ$이고 $\triangle ADC$에서 $\angle ADC=90^\circ$이므로
$\angle C=180^\circ-(25^\circ+90^\circ)=65^\circ$

4-1 ① $\angle C=180^\circ-(40^\circ+70^\circ)=70^\circ$이므로 $\angle B=\angle C$
즉 두 내각의 크기가 같으므로 $\triangle ABC$는 $\overline{AB}=\overline{AC}$인 이등변삼각형이다.
② $\angle C=128^\circ-64^\circ=64^\circ$이므로 $\angle A=\angle C$
즉 두 내각의 크기가 같으므로 $\triangle ABC$는 $\overline{AB}=\overline{BC}$인 이등변삼각형이다.
③ $\angle B=180^\circ-(38^\circ+104^\circ)=38^\circ$이므로 $\angle A=\angle B$
즉 두 내각의 크기가 같으므로 $\triangle ABC$는 $\overline{AC}=\overline{BC}$인 이등변삼각형이다.
④ $\angle C=180^\circ-(35^\circ+35^\circ+55^\circ)=55^\circ$이므로
$\angle B=\angle C$, 즉 두 내각의 크기가 같으므로 $\triangle ABC$는 $\overline{AB}=\overline{AC}$인 이등변삼각형이다.
⑤ $\angle BAC=180^\circ-100^\circ=80^\circ$
$\angle C=100^\circ-45^\circ=55^\circ$
즉 어떠한 두 내각도 크기가 같지 않으므로 $\triangle ABC$는 이등변삼각형이 아니다.
따라서 $\triangle ABC$가 이등변삼각형이 아닌 것은 ⑤이다.

4-2 $\angle B=180^\circ-(50^\circ+65^\circ)=65^\circ$이므로 $x=65$
즉 $\angle B=\angle C$이므로 $\triangle ABC$는 $\overline{AB}=\overline{AC}=10\text{ cm}$인 이등변삼각형이다.
$\therefore y=10$

4-3 $\angle B=\angle DCB=30^\circ$이므로
$\triangle DBC$는 $\overline{DB}=\overline{DC}$인 이등변삼각형이다.
$\therefore \overline{DC}=\overline{DB}=7\text{ cm}$
한편, $\angle ADC=30^\circ+30^\circ=60^\circ$이므로 $x=60$
즉 $\angle A=\angle ADC=60^\circ$이므로 $\triangle ADC$는 $\overline{CA}=\overline{CD}=7\text{ cm}$인 이등변삼각형이다.
$\therefore y=7$

2일

3. 직각삼각형의 합동 조건 (1) – RHA 합동

개념 원리 확인 p17

1-1 E, $\overline{FD}$, D, RHA
1-2 (1) $\triangle ABC\equiv\triangle EDF$ (RHA 합동)
(2) $\triangle ABC\equiv\triangle EFD$ (RHA 합동)
2-1 D, RHA, 3
2-2 (1) 4 (2) 6

1-2 (1) $\triangle ABC$와 $\triangle EDF$에서
$\angle C=\angle F=90^\circ$, $\overline{AB}=\overline{ED}=3\text{ cm}$,
$\angle B=\angle D=50^\circ$
이므로 $\triangle ABC\equiv\triangle EDF$ (RHA 합동)
(2) $\triangle ABC$와 $\triangle EFD$에서
$\angle B=\angle F=90^\circ$, $\overline{AC}=\overline{ED}=7\text{ cm}$,
$\angle C=90^\circ-52^\circ=38^\circ=\angle D$
이므로 $\triangle ABC\equiv\triangle EFD$ (RHA 합동)

2-2 (1) $\triangle ABC$와 $\triangle DFE$에서
$\angle C=\angle E=90°$, $\overline{AB}=\overline{DF}=5$ cm,
$\angle B=\angle F=35°$
이므로 $\triangle ABC \equiv \triangle DFE$ (RHA 합동)
$\therefore \overline{EF}=\overline{CB}=4$ cm, 즉 $x=4$
(2) $\triangle ABC$와 $\triangle EFD$에서
$\angle B=\angle F=90°$, $\overline{AC}=\overline{ED}=11$ cm,
$\angle A=90°-35°=55°=\angle E$
이므로 $\triangle ABC \equiv \triangle EFD$ (RHA 합동)
$\therefore \overline{EF}=\overline{AB}=6$ cm, 즉 $x=6$

4. 직각삼각형의 합동 조건 (2) – RHS 합동

개념 원리 확인 p19

3-1 F, $\overline{ED}$, $\overline{EF}$, RHS
3-2 (1) $\triangle ABC \equiv \triangle DFE$ (RHS 합동)
(2) $\triangle ABC \equiv \triangle EFD$ (RHS 합동)
4-1 $\overline{AC}$, RHS, 2
4-2 (1) 5 (2) 7

3-2 (1) $\triangle ABC$와 $\triangle DFE$에서
$\angle C=\angle E=90°$, $\overline{AB}=\overline{DF}=10$ cm,
$\overline{AC}=\overline{DE}=7$ cm
이므로 $\triangle ABC \equiv \triangle DFE$ (RHS 합동)
(2) $\triangle ABC$와 $\triangle EFD$에서
$\angle B=\angle F=90°$, $\overline{AC}=\overline{ED}=5$ cm,
$\overline{BC}=\overline{FD}=4$ cm
이므로 $\triangle ABC \equiv \triangle EFD$ (RHS 합동)

4-2 (1) $\triangle ABC$와 $\triangle EFD$에서
$\angle B=\angle F=90°$, $\overline{AC}=\overline{ED}=13$ cm,
$\overline{BC}=\overline{FD}=12$ cm
이므로 $\triangle ABC \equiv \triangle EFD$ (RHS 합동)
$\therefore \overline{EF}=\overline{AB}=5$ cm, 즉 $x=5$
(2) $\triangle ABD$와 $\triangle AED$에서
$\angle B=\angle E=90°$, $\overline{AD}$(빗변)는 공통, $\overline{BD}=\overline{ED}$
이므로 $\triangle ABD \equiv \triangle AED$ (RHS 합동)
$\therefore \overline{AE}=\overline{AB}=7$ cm, 즉 $x=7$

2일 기초 집중 연습 p20 ~ p21

1-1 (가) D (나) ASA
1-2 (가) DFE (나) E (다) RHA
2-1 (1) ㉢ (2) ㉣
2-2 $\triangle ABC \equiv \triangle KLJ$ (RHA 합동)
2-3 희선
2-4 (1) 12 (2) 6 (3) 3
2-5 12
2-6 (1) 5 cm (2) 40°
2-7 (1) $\overline{BC}$, BCE, RHA (2) 8 cm

2-1 (1) ㉠에서 직각삼각형의 나머지 한 내각의 크기가
$90°-60°=30°$
따라서 ㉠과 ㉢에서 빗변의 길이와 한 예각의 크기가 각각 같으므로 두 직각삼각형은 합동이다.
(2) ㉡과 ㉣에서 빗변의 길이와 다른 한 변의 길이가 각각 같으므로 두 직각삼각형은 합동이다.

2-2 $\triangle ABC$에서 $\angle A=90°-40°=50°$
$\triangle ABC$와 $\triangle KLJ$에서
$\angle B=\angle L=90°$, $\overline{AC}=\overline{KJ}=5$ cm,
$\angle A=\angle K=50°$
즉 빗변의 길이와 한 예각의 크기가 각각 같으므로
$\triangle ABC \equiv \triangle KLJ$ (RHA 합동)

2-3 선우 : RHS 합동
희선 : 세 내각의 크기가 각각 같으면 모양은 같아도 크기가 다른 삼각형이 무수히 많으므로 합동 조건이 될 수 없다.
승주 : ASA 합동
수연 : RHA 합동

2-4 (1) $\triangle ABC \equiv \triangle FDE$ (RHA 합동)이므로
$\overline{DE}=\overline{BC}=12$ cm $\therefore x=12$
(2) $\triangle ABC \equiv \triangle CDE$ (RHS 합동)이므로
$\overline{BC}=\overline{DE}=6$ cm $\therefore x=6$

정답과 풀이

(3) $\triangle AEC$와 $\triangle BED$에서
$\angle C=\angle D=90^\circ$, $\overline{AE}=\overline{BE}=5$ cm,
$\angle AEC=\angle BED$ (맞꼭지각)
이므로 $\triangle AEC\equiv\triangle BED$ (RHA 합동)
$\therefore \overline{BD}=\overline{AC}=3$ cm, 즉 $x=3$

2-5 $\triangle AOP$와 $\triangle BOP$에서
$\angle A=\angle B=90^\circ$, $\overline{OP}$(빗변)는 공통,
$\angle AOP=\angle BOP$
이므로 $\triangle AOP\equiv\triangle BOP$ (RHA 합동)
$\therefore \overline{BP}=\overline{AP}=12$ cm, 즉 $x=12$

2-6 (1) $\triangle AED$와 $\triangle ACD$에서
$\angle AED=\angle C=90^\circ$, $\overline{AD}$(빗변)는 공통,
$\overline{AE}=\overline{AC}$
이므로 $\triangle AED\equiv\triangle ACD$ (RHS 합동)
$\therefore \overline{DE}=\overline{DC}=5$ cm
(2) $\triangle AED\equiv\triangle ACD$이므로
$\angle DAE=\angle DAC=25^\circ$
$\triangle ABC$에서
$\angle B=180^\circ-(25^\circ+25^\circ+90^\circ)=40^\circ$

2-7 (2) $\triangle ADB\equiv\triangle BEC$이므로
$\overline{DB}=\overline{EC}=3$ cm, $\overline{BE}=\overline{AD}=5$ cm
$\therefore \overline{DE}=\overline{DB}+\overline{BE}=3+5=8$ (cm)

5. 삼각형과 수직이등분선

개념 원리 확인 p23

1-1 (가) $\overline{PM}$ (나) SAS (다) $\overline{PB}$
1-2 (1) 4 cm (2) 5 cm
2-1 (가) $\overline{OC}$ (나) $\overline{OD}$ (다) RHS (라) $\overline{CD}$
2-2 (1) ○ (2) × (3) ○ (4) ×

1-2 (1) $\overline{AM}=\overline{BM}=\frac{1}{2}\overline{AB}=\frac{1}{2}\times 8=4$ (cm)
(2) $\triangle PAM\equiv\triangle PBM$ (SAS 합동)이므로
$\overline{PB}=\overline{PA}=5$ cm

[다른 풀이]
(2) 점 P는 $\overline{AB}$의 수직이등분선 위의 점이므로
$\overline{PB}=\overline{PA}=5$ cm

2-2 (1) 점 O는 $\overline{AB}$의 수직이등분선 위의 점이므로
$\overline{OA}=\overline{OB}$ ...... ㉠
또 점 O는 $\overline{BC}$의 수직이등분선 위의 점이므로
$\overline{OB}=\overline{OC}$ ...... ㉡
㉠, ㉡에서 $\overline{OA}=\overline{OB}=\overline{OC}$
(2) $\overline{OD}=\overline{OE}$인지는 알 수 없다.
(3) $\triangle AOF\equiv\triangle COF$ (RHS 합동)이므로 $\overline{AF}=\overline{CF}$
(4) $\triangle OBD\equiv\triangle OAD$, $\triangle OBE\equiv\triangle OCE$이지만
$\triangle OBD\equiv\triangle OBE$인지는 알 수 없다.

6. 삼각형의 외심

개념 원리 확인 p25

3-1 (1) $\overline{OB}$, $\overline{OC}$ (2) $\overline{BD}$, $\overline{CE}$, $\overline{CF}$
(3) $\angle OBD$, $\angle OCE$, $\angle OCF$
3-2 (1) ○ (2) × (3) ○ (4) ×
4-1 (1) 10 ➡ 수직이등분선, $\overline{CD}$, 5 (2) 120 ➡ $\overline{OC}$, 30
4-2 (1) 7 (2) 20

3-2 (1) 외심의 성질로부터 $\overline{OA}=\overline{OB}=\overline{OC}$
(2) $\overline{OD}=\overline{OE}=\overline{OF}$인지는 알 수 없다.
(3) $\triangle OBC$에서 $\overline{OB}=\overline{OC}$이므로 $\angle OBE=\angle OCE$
(4) $\angle OAD=\angle OBD$, $\angle OAF=\angle OCF$이지만
$\angle OAD=\angle OAF$인지는 알 수 없다.

4-1 (1) $\overline{AC}=2\overline{AD}=2\times 5=10$ (cm)
$\therefore x=10$
(2) $\triangle OBC$에서 $x^\circ+30^\circ+30^\circ=180^\circ$
$\therefore x=120$

4-2 (1) 삼각형의 외심은 삼각형의 세 변의 수직이등분선의 교점이므로 $\overline{CD}=\overline{BD}=7$ cm
$\therefore x=7$
(2) $\triangle OAB$에서 $\overline{OA}=\overline{OB}$이므로
$\angle OBA=\angle OAB=20^\circ$ $\therefore x=20$

3일 기초 집중 연습 p26 ~ p27

1-1 (1) $\overline{BC}$ (2) $\overline{AD}$
1-2 ⑤
1-3 18 cm
2-1 민성, 려원
2-2 (1) 6 (2) 9 (3) 25
2-3 ③
2-4 40°
2-5 42 cm
2-6 30 cm
2-7 4 cm

1-1 (1) 점 C는 $\overline{AB}$의 수직이등분선 위의 점이므로
$\overline{AC}=\overline{BC}$
(2) 점 D는 $\overline{AB}$의 수직이등분선 위의 점이므로
$\overline{AD}=\overline{BD}$

1-2 ① $\overline{PM}\perp\overline{AB}$이므로 $\angle PMA=\angle PMB=90°$
②, ③, ④ $\triangle PAM\equiv\triangle PBM$ (SAS 합동)이므로
$\overline{PA}=\overline{PB}$, $\angle A=\angle B$, $\angle APM=\angle BPM$
⑤ $\overline{AM}=\overline{PM}$인지는 알 수 없다.

1-3 $\overline{AM}=\overline{BM}=\frac{1}{2}\overline{AB}=\frac{1}{2}\times16=8$ (cm)
점 P는 $\overline{AB}$의 수직이등분선 위의 점이므로
$\overline{PB}=\overline{PA}=10$ cm
$\therefore \overline{AM}+\overline{PB}=8+10=18$ (cm)

2-1 민성 : 점 O는 삼각형의 세 변의 수직이등분선의 교점이므로 외심이다.
려원 : 점 O에서 삼각형의 세 꼭짓점에 이르는 거리가 모두 같으므로 점 O는 외심이다.

2-2 (1) 외심 O는 $\triangle ABC$의 세 변의 수직이등분선의 교점이므로
$\overline{AD}=\overline{BD}=\frac{1}{2}\overline{AB}=\frac{1}{2}\times12=6$ (cm)
$\therefore x=6$
(2) 외심 O에서 $\triangle ABC$의 세 꼭짓점에 이르는 거리는 모두 같으므로 $\overline{OA}=\overline{OC}=9$ cm $\therefore x=9$
(3) $\triangle OBC$에서 $\overline{OB}=\overline{OC}$이므로
$\angle OBC=\angle OCB=\frac{1}{2}\times(180°-130°)=25°$
$\therefore x=25$

2-3 ① 외심 O는 $\triangle ABC$의 세 변의 수직이등분선의 교점이므로 $\overline{AF}=\overline{CF}$
② 점 O가 $\triangle ABC$의 외심이므로 $\overline{OA}=\overline{OB}=\overline{OC}$
③ $\overline{OD}=\overline{OF}$인지는 알 수 없다.
④ $\triangle OAB$는 $\overline{OA}=\overline{OB}$인 이등변삼각형이므로
$\angle OAD=\angle OBD$
⑤ $\triangle OBE\equiv\triangle OCE$ (RHS 합동)
따라서 옳지 않은 것은 ③이다.

2-4 오른쪽 그림과 같이 $\overline{OC}$를 그으면
$\triangle OBC$에서 $\overline{OB}=\overline{OC}$이므로
$\angle OCB=\angle OBC=24°$
$\triangle OCA$에서 $\overline{OC}=\overline{OA}$이므로
$\angle OCA=\angle OAC=16°$
$\therefore \angle BCA=\angle OCB+\angle OCA=24°+16°=40°$

2-5 외심 O는 $\triangle ABC$의 세 변의 수직이등분선의 교점이므로 $\overline{BD}=\overline{AD}=7$ cm, $\overline{CE}=\overline{BE}=8$ cm,
$\overline{CF}=\overline{AF}=6$ cm
$\therefore$ ($\triangle ABC$의 둘레의 길이)$=2\overline{AD}+2\overline{BE}+2\overline{AF}$
$=2\times7+2\times8+2\times6$
$=42$ (cm)

2-6 삼각형의 외심에서 세 꼭짓점에 이르는 거리는 모두 같으므로 $\overline{OA}=\overline{OB}=8$ cm
$\therefore$ ($\triangle OAB$의 둘레의 길이)$=\overline{OA}+\overline{AB}+\overline{OB}$
$=8+14+8=30$ (cm)

2-7 삼각형의 외심에서 세 꼭짓점에 이르는 거리는 모두 같으므로 $\overline{OA}=\overline{OB}=\overline{OC}$
이때 $\triangle OAB$의 둘레의 길이가 13 cm이므로
$\overline{OA}+\overline{AB}+\overline{OB}=13$
$\overline{OA}+5+\overline{OA}=13$
$2\overline{OA}=8$ $\therefore \overline{OA}=4$ (cm)
따라서 외접원의 반지름의 길이는 4 cm이다.

정답과 풀이

7. 삼각형의 외심의 위치

개념 원리 확인 p29

1-1 그림은 풀이 참조 (1) 내부 (2) 중점 (3) 외부

1-2 (1) A (2) C (3) B

2-1 (1) 10 cm (2) 70°

2-2 (1) 8 (2) 26

1-1 (1) 예각삼각형의 외심 O는 오른쪽 그림과 같고 삼각형의 내부에 있다.

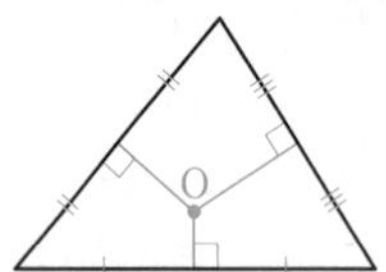

(2) 직각삼각형의 외심 O는 오른쪽 그림과 같고 빗변의 중점에 있다.

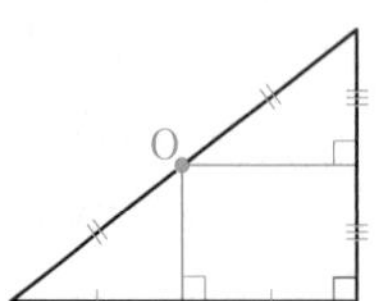

(3) 둔각삼각형의 외심 O는 오른쪽 그림과 같고 삼각형의 외부에 있다.

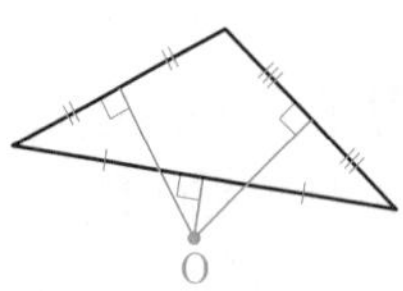

2-1 직각삼각형에서 빗변의 중점과 외심이 일치하므로 점 M은 $\triangle ABC$의 외심이다.

(1) 점 M이 $\triangle ABC$의 외심이므로

$\overline{MA}=\overline{MB}=\overline{MC}=5\text{ cm}$

$\therefore \overline{AB}=2\overline{MA}=2\times5=10\ (\text{cm})$

(2) $\triangle MBC$에서 $\overline{MB}=\overline{MC}$이므로

$\angle MCB=\angle MBC=35^\circ$

$\therefore \angle AMC=\angle MBC+\angle MCB$

$=35^\circ+35^\circ=70^\circ$

2-2 직각삼각형에서 빗변의 중점과 외심이 일치하므로 점 M은 $\triangle ABC$의 외심이다.

(1) $\overline{MA}=\overline{MB}=\overline{MC}=\frac{1}{2}\overline{BC}=\frac{1}{2}\times16=8\ (\text{cm})$

$\therefore x=8$

(2) $\triangle ABM$에서 $\overline{MA}=\overline{MB}$이므로

$\angle MBA=\angle MAB=64^\circ$

$\therefore \angle MBC=90^\circ-\angle MBA=90^\circ-64^\circ=26^\circ$

8. 삼각형의 외심의 성질을 이용하여 각의 크기 구하기

개념 원리 확인 p31

3-1 (1) 40° (2) 31°

3-2 (1) 30° (2) 18°

4-1 (1) 55° (2) 45°

4-2 (1) 80° (2) 100°

3-1 (1) **방법 1** 원리 이용

$\triangle OAB$에서 $\overline{OA}=\overline{OB}$이므로

$\angle OAB=\angle OBA=30^\circ$

$\triangle OBC$에서 $\overline{OB}=\overline{OC}$이므로

$\angle OBC=\angle OCB=20^\circ$

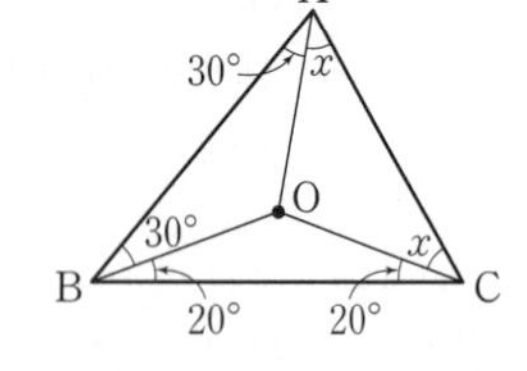

$\triangle OCA$에서 $\overline{OA}=\overline{OC}$이므로

$\angle OCA=\angle OAC=\angle x$

이때 $\triangle ABC$의 세 내각의 크기의 합은 180°이므로

$\angle BAC+\angle ABC+\angle BCA=180^\circ$

$(30^\circ+\angle x)+(30^\circ+20^\circ)+(20^\circ+\angle x)=180^\circ$

$2(\angle x+30^\circ+20^\circ)=180^\circ$

$\angle x+30^\circ+20^\circ=90^\circ \quad \therefore \angle x=40^\circ$

방법 2 공식 이용

$\angle OAC+\angle OBA+\angle OCB=90^\circ$이므로

$\angle x+30^\circ+20^\circ=90^\circ \quad \therefore \angle x=40^\circ$

(2) **방법 1** 원리 이용

$\triangle OAB$에서 $\overline{OA}=\overline{OB}$이므로

$\angle OAB=\angle OBA=34^\circ$

$\triangle OBC$에서 $\overline{OB}=\overline{OC}$이므로

$\angle OCB=\angle OBC=\angle x$

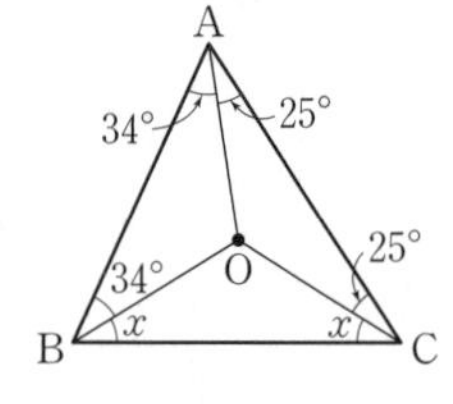

$\triangle OCA$에서 $\overline{OA}=\overline{OC}$이므로

$\angle OAC=\angle OCA=25^\circ$

이때 $\triangle ABC$의 세 내각의 크기의 합은 180°이므로

$\angle BAC+\angle ABC+\angle BCA=180^\circ$

$(34^\circ+25^\circ)+(34^\circ+\angle x)+(\angle x+25^\circ)=180^\circ$

$2(\angle x+34^\circ+25^\circ)=180^\circ$

$\angle x+34^\circ+25^\circ=90^\circ \quad \therefore \angle x=31^\circ$

방법 2 공식 이용

$\triangle OAB$에서 $\overline{OA}=\overline{OB}$이므로

$\angle OAB=\angle OBA=34°$

$\angle OAB+\angle OBC+\angle OCA=90°$이므로

$34°+\angle x+25°=90°$ $\therefore \angle x=31°$

3-2 (1) **방법 1** 원리 이용

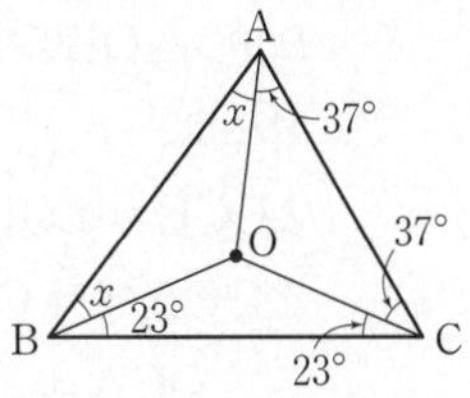

$\triangle OAB$에서 $\overline{OA}=\overline{OB}$

이므로

$\angle OAB=\angle OBA=\angle x$

$\triangle OBC$에서 $\overline{OB}=\overline{OC}$

이므로

$\angle OBC=\angle OCB=23°$

$\triangle OCA$에서 $\overline{OA}=\overline{OC}$이므로

$\angle OCA=\angle OAC=37°$

이때 $\triangle ABC$의 세 내각의 크기의 합은 $180°$이므로

$\angle BAC+\angle ABC+\angle BCA=180°$

$(\angle x+37°)+(\angle x+23°)+(23°+37°)=180°$

$2(\angle x+23°+37°)=180°$

$\angle x+23°+37°=90°$ $\therefore \angle x=30°$

방법 2 공식 이용

$\angle OAC+\angle OBA+\angle OCB=90°$이므로

$37°+\angle x+23°=90°$ $\therefore \angle x=30°$

(2) **방법 1** 원리 이용

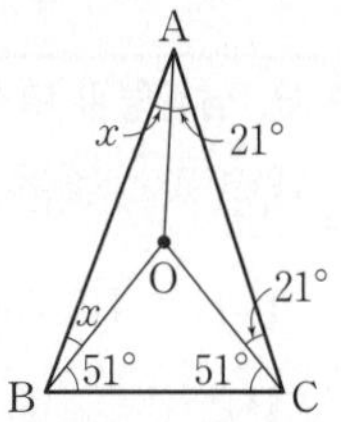

$\triangle OAB$에서 $\overline{OA}=\overline{OB}$이므로

$\angle OBA=\angle OAB=\angle x$

$\triangle OBC$에서 $\overline{OB}=\overline{OC}$이므로

$\angle OBC=\angle OCB=51°$

$\triangle OCA$에서 $\overline{OA}=\overline{OC}$이므로

$\angle OAC=\angle OCA=21°$

이때 $\triangle ABC$의 세 내각의 크기의 합은 $180°$이므로

$\angle BAC+\angle ABC+\angle BCA=180°$

$(\angle x+21°)+(\angle x+51°)+(51°+21°)=180°$

$2(\angle x+51°+21°)=180°$

$\angle x+51°+21°=90°$ $\therefore \angle x=18°$

방법 2 공식 이용

$\triangle OBC$에서 $\overline{OB}=\overline{OC}$이므로

$\angle OBC=\angle OCB=51°$

$\angle OAB+\angle OBC+\angle OCA=90°$이므로

$\angle x+51°+21°=90°$ $\therefore \angle x=18°$

4-1 (1) $\angle BOC=2\angle A$이므로

$110°=2\angle x$ $\therefore \angle x=55°$

(2) $\triangle OAB$에서 $\overline{OA}=\overline{OB}$이므로

$\angle OBA=\angle OAB=15°$

$\triangle OBC$에서 $\overline{OB}=\overline{OC}$이므로

$\angle OBC=\angle OCB=\angle x$

$\therefore \angle ABC=\angle OBA+\angle OBC=15°+\angle x$

이때 $\angle AOC=2\angle ABC$이므로

$120°=2(15°+\angle x)$

$2\angle x=90°$ $\therefore \angle x=45°$

4-2 (1) $\angle BOC=2\angle A$이므로

$\angle x=2\times 40°=80°$

(2) $\triangle OBC$에서 $\overline{OB}=\overline{OC}$이므로

$\angle OCB=\angle OBC=20°$

$\therefore \angle ACB=\angle OCA+\angle OCB=30°+20°=50°$

이때 $\angle AOB=2\angle ACB$이므로

$\angle x=2\times 50°=100°$

4일 기초 집중 연습 p32 ~ p33

1-1 (1) 8 (2) 6 (3) 30 (4) 25

1-2 25π cm^2

2-1 (1) 20° (2) 26° **2-2** 63°

2-3 45° **3-1** (1) 65° (2) 132°

3-2 24° **3-3** 210°

1-1 직각삼각형의 외심은 빗변의 중점이다.

(1) $\overline{OA}=\overline{OB}=\overline{OC}=4$ cm이므로

$\overline{BC}=2\overline{OB}=2\times 4=8$ (cm) $\therefore x=8$

(2) $\overline{OA}=\overline{OB}=\overline{OC}=\frac{1}{2}\overline{BC}=\frac{1}{2}\times 12=6$ (cm)

$\therefore x=6$

(3) $\triangle AOC$에서 $\overline{OA}=\overline{OC}$이므로

$\angle OAC=\angle OCA=60°$

$\therefore \angle OAB=90°-\angle OAC=90°-60°=30°$

$\therefore x=30$

(4) $\triangle$OBC에서 $\overline{OB}=\overline{OC}$이므로
$\angle OBC=\angle OCB=x^\circ$
이때 $\angle AOB=\angle OBC+\angle OCB$이므로
$50^\circ=x^\circ+x^\circ$ $\quad\therefore x=25$

1-2 직각삼각형의 외심은 빗변의 중점이므로
$\triangle$ABC의 외접원의 반지름의 길이는
$\frac{1}{2}\overline{AB}=\frac{1}{2}\times10=5\,(\mathrm{cm})$
$\triangle$ABC의 외접원의 반지름의 길이가 5 cm이므로
그 넓이는 $\pi\times5^2=25\pi\,(\mathrm{cm}^2)$

2-1 (1) $\angle OAB+\angle OBC+\angle OCA=90^\circ$이므로
$\angle x+20^\circ+50^\circ=90^\circ$ $\quad\therefore \angle x=20^\circ$
(2) $\triangle$OBC에서 $\overline{OB}=\overline{OC}$이므로
$\angle OBC=\angle OCB=\angle x$
$\angle OAB+\angle OBC+\angle OCA=90^\circ$이므로
$36^\circ+\angle x+28^\circ=90^\circ$ $\quad\therefore \angle x=26^\circ$

2-2 $\angle OAB+\angle OBC+\angle OCA=90^\circ$이므로
$27^\circ+\angle y+\angle x=90^\circ$ $\quad\therefore \angle x+\angle y=63^\circ$

2-3 오른쪽 그림과 같이 $\overline{OC}$를 그으면 $\triangle$OBC에서 $\overline{OB}=\overline{OC}$이므로
$\angle OCB=\angle OBC=25^\circ$
$\angle OAC+\angle OBA+\angle OCB$
$=90^\circ$이므로
$\angle x+20^\circ+25^\circ=90^\circ$ $\quad\therefore \angle x=45^\circ$

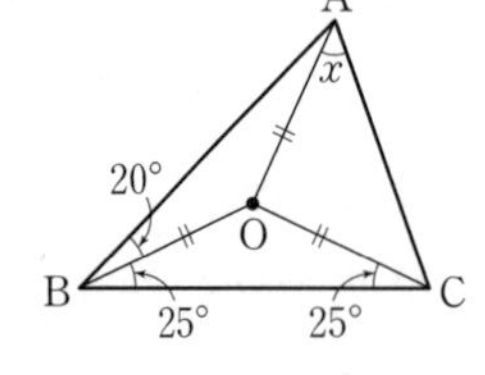

3-1 (1) $\angle BOC=2\angle A$이므로
$130^\circ=2\angle x$ $\quad\therefore \angle x=65^\circ$
(2) $\triangle$OAB에서 $\overline{OA}=\overline{OB}$이므로
$\angle OBA=\angle OAB=44^\circ$
$\triangle$OBC에서 $\overline{OB}=\overline{OC}$이므로
$\angle OBC=\angle OCB=22^\circ$
$\therefore \angle ABC=\angle OBA+\angle OBC=44^\circ+22^\circ=66^\circ$
이때 $\angle AOC=2\angle ABC$이므로
$\angle x=2\times66^\circ=132^\circ$

3-2 $\triangle$OAB에서 $\overline{OA}=\overline{OB}$이므로
$\angle OAB=\angle OBA=\angle x$
$\therefore \angle BAC=\angle OAB+\angle OAC=\angle x+35^\circ$
이때 $\angle BOC=2\angle BAC$이므로
$118^\circ=2(\angle x+35^\circ)$
$2\angle x=48^\circ$ $\quad\therefore \angle x=24^\circ$

3-3 오른쪽 그림과 같이 $\overline{OC}$를 그으면 $\triangle$OBC에서 $\overline{OB}=\overline{OC}$이므로
$\angle OCB=\angle OBC=25^\circ$
$\triangle$OCA에서 $\overline{OA}=\overline{OC}$이므로 $\angle OCA=\angle OAC=45^\circ$
$\therefore \angle x=\angle OCB+\angle OCA=25^\circ+45^\circ=70^\circ$
이때 $\angle AOB=2\angle ACB$이므로
$\angle y=2\angle x=2\times70^\circ=140^\circ$
$\therefore \angle x+\angle y=70^\circ+140^\circ=210^\circ$

5일

9. 삼각형과 내각의 이등분선

개념 원리 확인 p35

1-1 (가) $\overline{IE}$ (나) $\overline{IF}$ (다) RHS (라) $\angle ICF$
1-2 (1) ○ (2) × (3) ○ (4) ○ (5) ×
2-1 40° ➡ 90, 90, 40
2-2 (1) 30° (2) 65°

1-2 (1) 점 I는 $\angle A$, $\angle B$의 이등분선 위의 점이므로
$\overline{ID}=\overline{IE}=\overline{IF}$
(2) $\overline{IA}=\overline{IB}=\overline{IC}$인지는 알 수 없다.
(3), (4) $\triangle ICE\equiv\triangle ICF$ (RHS 합동)이므로
$\angle ICE=\angle ICF$, $\overline{EC}=\overline{FC}$
(5) $\triangle IBE\equiv\triangle IBD$, $\triangle ICE\equiv\triangle ICF$이지만
$\triangle IBE\equiv\triangle ICE$인지는 알 수 없다.

2-2 원의 접선은 그 접점을 지나는 반지름에 수직이다.

(1) $\angle PAO=90^\circ$이므로 $60^\circ+\angle x+90^\circ=180^\circ$

$\therefore \angle x=30^\circ$

(2) $\angle PAO=90^\circ$이므로 $\angle x+25^\circ+90^\circ=180^\circ$

$\therefore \angle x=65^\circ$

10. 삼각형의 내심

개념 원리 확인 p37

3-1 (1) $\overline{IE}$, $\overline{IF}$ (2) $\angle IAF$, $\angle IBE$, $\angle ICF$
(3) $\triangle IAF$, $\triangle IBE$, $\triangle ICF$

3-2 (1) × (2) ○ (3) ○ (4) ×

4-1 (1) 30 ➡ 이등분선, IBC, 30 (2) 4 ➡ 변, 4

4-2 (1) 26 (2) 2

3-2 (1) $\overline{IA}=\overline{IB}=\overline{IC}$인지는 알 수 없다.

(2) 삼각형의 내심의 성질로부터 $\overline{ID}=\overline{IE}=\overline{IF}$

(3) 삼각형의 내심은 세 내각의 이등분선의 교점이므로 $\angle IBD=\angle IBE$

(4) $\triangle IAD\equiv\triangle IAF$, $\triangle IBD\equiv\triangle IBE$이지만 $\triangle IAD\equiv\triangle IBD$인지는 알 수 없다.

4-2 (1) 삼각형의 내심은 세 내각의 이등분선의 교점이므로 $\angle IAB=\angle IAC=26^\circ$ $\therefore x=26$

(2) 삼각형의 내심에서 세 변에 이르는 거리는 모두 같으므로 $\overline{ID}=\overline{IE}=\overline{IF}=2$ cm

$\therefore x=2$

5일 기초 집중 연습 p38 ~ p39

1-1 (1) $\overrightarrow{PA}$ (2) 점 A
1-2 (1) 90° (2) 55°
2-1 ㄴ, ㄹ
2-2 (1) 20° (2) 35°
2-3 (1) 3 (2) 2
2-4 한나
2-5 26°
2-6 20°
2-7 6

1-2 (1) 원의 접선은 그 접점을 지나는 반지름에 수직이므로 $\angle x=90^\circ$

(2) 원의 접선은 그 접점을 지나는 반지름에 수직이므로 $\angle OAP=90^\circ$

$\angle x+90^\circ+35^\circ=180^\circ$ $\therefore \angle x=55^\circ$

2-1 ㄴ 점 I는 삼각형의 세 내각의 이등분선의 교점이므로 내심이다.

ㄹ 점 I에서 삼각형의 세 변에 이르는 거리가 모두 같으므로 점 I는 내심이다.

2-2 삼각형의 내심은 세 내각의 이등분선의 교점이다.

(1) $\angle IBA=\angle IBC$이므로 $\angle x=20^\circ$

(2) $\angle ICB=\angle ICA$이므로 $\angle x=35^\circ$

2-3 (1) 삼각형의 내심의 성질로부터 $\overline{IF}=\overline{IE}=3$ cm

$\therefore x=3$

(2) 삼각형의 내심의 성질로부터 $\overline{IE}=\overline{ID}=2$ cm

$\therefore x=2$

2-4 유하 : 점 I가 $\triangle ABC$의 내심이므로 $\overline{ID}=\overline{IE}=\overline{IF}$

한나 : $\overline{IA}=\overline{IB}=\overline{IC}$인지는 알 수 없다.

경완 : $\triangle IAD\equiv\triangle IAF$ (RHA 합동)이므로 $\angle DIA=\angle FIA$

진호 : $\triangle IBD\equiv\triangle IBE$ (RHA 합동)이므로 $\overline{BD}=\overline{BE}$

성민 : $\triangle ICE\equiv\triangle ICF$ (RHA 합동)

따라서 틀린 말을 한 학생은 한나이다.

2-5 삼각형의 내심은 세 내각의 이등분선의 교점이므로

$\angle IAB=\angle IAC=36^\circ$, $\angle IBA=\angle IBC=\angle x$

$\triangle IAB$에서 $\angle IAB+\angle IBA+\angle BIA=180^\circ$이므로

$36^\circ+\angle x+118^\circ=180^\circ$ $\therefore \angle x=26^\circ$

2-6 삼각형의 내심은 세 내각의 이등분선의 교점이므로

$\angle IBC=\angle IBA=\angle x$, $\angle ICB=\angle ICA=30^\circ$

$\triangle ABC$에서 $\angle A+\angle ABC+\angle BCA=180^\circ$이므로
$80^\circ+(\angle x+\angle x)+(30^\circ+30^\circ)=180^\circ$
$2\angle x=40^\circ \quad \therefore \angle x=20^\circ$

2-7 $\triangle ICE$와 $\triangle ICF$에서
$\angle IEC=\angle IFC=90^\circ$, $\overline{IC}$는 공통, $\angle ICE=\angle ICF$
이므로 $\triangle ICE\equiv\triangle ICF$ (RHA 합동)
$\therefore \overline{CE}=\overline{CF}=6$ cm, 즉 $x=6$

누구나 100점 테스트 p40 ~ p41

01 (1) 65° (2) 55° **02** ②
03 (1) 35° (2) 이등변삼각형 (3) 22 m
04 ④ **05** (1) 12 (2) 55 **06** ⑤
07 (1) 정삼각형 (2) 9 cm **08** 30°
09 $x=3$, $y=32$ **10** ④

01 (1) $\overline{AB}=\overline{AC}$이므로
$\angle x=\angle C=\frac{1}{2}\times(180^\circ-50^\circ)=65^\circ$
(2) $\angle ACB=180^\circ-110^\circ=70^\circ$이고
$\overline{CA}=\overline{CB}$이므로
$\angle x=\angle B=\frac{1}{2}\times(180^\circ-70^\circ)=55^\circ$

02 ⑤ $\triangle ABD$와 $\triangle ACD$에서
$\overline{AB}=\overline{AC}$, $\overline{AD}$는 공통, $\angle BAD=\angle CAD$
이므로 $\triangle ABD\equiv\triangle ACD$ (SAS 합동)
①, ④ $\triangle ABD\equiv\triangle ACD$이므로 $\angle B=\angle C$, $\overline{BD}=\overline{CD}$
③ $\triangle ABD\equiv\triangle ACD$이므로 $\angle ADB=\angle ADC$
이때 $\angle ADB+\angle ADC=180^\circ$이므로
$\angle ADB=\angle ADC=90^\circ$, 즉 $\overline{AD}\perp\overline{BC}$
② $\overline{AB}=\overline{BC}$인지는 알 수 없다.
따라서 옳지 않은 것은 ②이다.

03 (1) $\triangle ABC$에서 $\angle CBD=\angle A+\angle C$이므로
$70^\circ=\angle A+35^\circ \quad \therefore \angle A=35^\circ$
(2) $\angle A=\angle C=35^\circ$, 즉 두 내각의 크기가 같으므로
$\triangle ABC$는 $\overline{AB}=\overline{BC}$인 이등변삼각형이다.
(3) $\overline{AB}=\overline{BC}=22$ m

04 ④ 나머지 한 내각의 크기는 $90^\circ-53^\circ=37^\circ$
즉 빗변의 길이와 한 예각의 크기가 각각 같으므로
두 직각삼각형은 합동이다. (RHA 합동)

05 (1) $\triangle AOP\equiv\triangle BOP$ (RHA 합동)이므로
$\overline{OB}=\overline{OA}=12$ cm $\quad \therefore x=12$
(2) $\triangle AOP\equiv\triangle BOP$ (RHS 합동)이므로
$\angle AOP=\angle BOP=35^\circ$
$\triangle AOP$에서 $\angle APO=180^\circ-(90^\circ+35^\circ)=55^\circ$
$\therefore x=55$

06 ① $\overline{AD}=\overline{BD}$, $\overline{AF}=\overline{CF}$이지만 $\overline{AD}=\overline{AF}$인지는 알 수 없다.
② $\overline{OD}=\overline{OE}$인지는 알 수 없다.
③ $\angle OAB=\angle OBA$, $\angle OBC=\angle OCB$이지만
$\angle OBA=\angle OBC$인지는 알 수 없다.
④ $\triangle OBE\equiv\triangle OCE$, $\triangle OCF\equiv\triangle OAF$이지만
$\triangle OCE\equiv\triangle OCF$인지는 알 수 없다.
⑤ 점 O가 $\triangle ABC$의 외심이므로 $\overline{OA}=\overline{OB}=\overline{OC}$
따라서 옳은 것은 ⑤이다.

07 (1) $\triangle OCA$에서 $\overline{OA}=\overline{OC}$이므로
$\angle OAC=\angle OCA=30^\circ$
$\therefore \angle AOB=30^\circ+30^\circ=60^\circ$
$\triangle OAB$에서 $\overline{OA}=\overline{OB}$이므로
$\angle OAB=\angle OBA=\frac{1}{2}\times(180^\circ-60^\circ)=60^\circ$
즉 $\triangle ABO$는 세 내각의 크기가 모두 60°이므로 정삼각형이다.
(2) 직각삼각형의 외심은 빗변의 중점이므로
$\overline{OA}=\overline{OB}=\overline{OC}=\frac{1}{2}\overline{BC}=\frac{1}{2}\times 6=3$ (cm)
이때 $\triangle ABO$는 정삼각형이므로 세 변의 길이가 모두 같다. 즉 $\overline{AB}=\overline{OA}=\overline{OB}=3$ cm
따라서 $\triangle ABO$의 둘레의 길이는
$\overline{AB}+\overline{OA}+\overline{OB}=3+3+3=9$ (cm)

08 △OAB에서 $\overline{OA}=\overline{OB}$이므로
$\angle OAB=\angle OBA=\angle x$
△OCA에서 $\overline{OA}=\overline{OC}$이므로
$\angle OAC=\angle OCA=20^\circ$
$\therefore \angle BAC=\angle OAB+\angle OAC=\angle x+20^\circ$
이때 $\angle BOC=2\angle BAC$이므로
$100^\circ=2(\angle x+20^\circ)$
$2\angle x=60^\circ \quad \therefore \angle x=30^\circ$

09 삼각형의 내심은 세 내각의 이등분선의 교점이므로
$\angle ICA=\angle ICB=32^\circ \quad \therefore y=32$
내심에서 삼각형의 세 변에 이르는 거리는 모두 같으므로
$\overline{IE}=\overline{ID}=3\text{ cm} \quad \therefore x=3$

10 ①, ③ △IAD와 △IAF에서
$\angle IDA=\angle IFA=90^\circ$, $\overline{IA}$는 공통,
$\angle IAD=\angle IAF$
이므로 $\triangle IAD\equiv\triangle IAF$ (RHA 합동)
$\therefore \overline{AD}=\overline{AF}$
② 삼각형의 내심은 세 내각의 이등분선의 교점이므로
$\angle IBA=\angle IBC$
④ $\overline{IA}=\overline{IB}=\overline{IC}$인지는 알 수 없다.
⑤ 삼각형의 내심의 성질로부터 $\overline{ID}=\overline{IE}=\overline{IF}$
따라서 옳지 않은 것은 ④이다.

특강 | 창의, 융합, 코딩 p42 ~ p47

1 ❶ 밑각 ❷ 수직이등분 ❸ 이등변 ❹ RHS ❺ $\overline{OC}$
2 (1) 6 (2) 6 (3) (6, 6), 보물이 있는 지점은 풀이 참조
3 ①-ㄷ, ②-ㄴ, ③-ㄱ, ④-ㄹ
4 (1) **활동 1**, ㄱ, ㄹ, ㅇ (2) **활동 2**, ㄴ, ㅁ
5 (1) 외심 (2) ㄷ
6 ④

2 (1) △DCA에서 $\overline{DA}=\overline{DC}$이므로
$\angle DCA=\angle A=38^\circ$
$\angle BDC=\angle A+\angle DCA=38^\circ+38^\circ=76^\circ$
$\therefore a=76$
△A′B′C′에서 $\overline{A'B'}=\overline{A'C'}$이므로
$\angle C'=\angle B'=55^\circ$
$\therefore \angle A'=180^\circ-(55^\circ+55^\circ)=70^\circ$
$\therefore b=70$
$\therefore a-b=76-70=6$
(2) 이등변삼각형의 꼭지각의 이등분선은 밑변을 수직이등분하므로
$\overline{HG}=\frac{1}{2}\overline{FG}=\frac{1}{2}\times 30=15\text{ (cm)}$, $\angle EHG=90^\circ$
$\therefore c=15,\ d=90$
$\therefore \frac{d}{c}=\frac{90}{15}=6$
(3) 보물이 있는 지점의 좌표는 (6, 6)이고, 지도 위에 나타내면 다음과 같다.

3

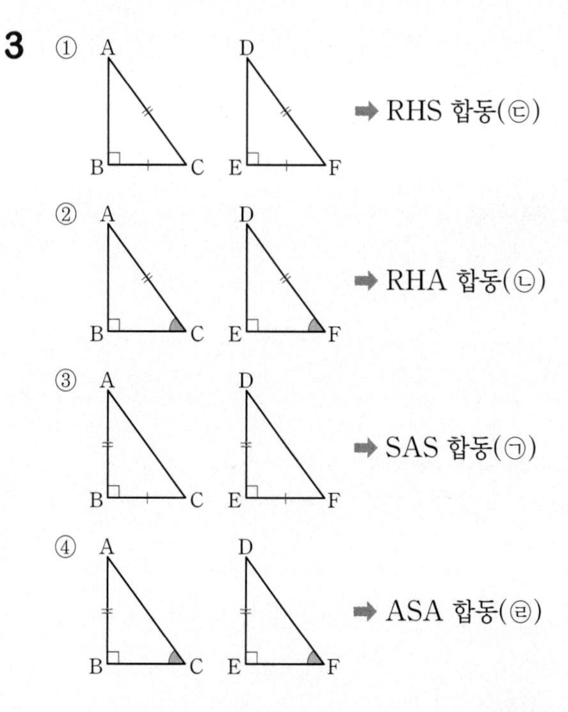

참고 ④ $\angle C=\angle F$이므로
$\angle A=90^\circ-\angle C=90^\circ-\angle F=\angle D$
즉 $\triangle ABC$와 $\triangle DEF$에서
$\angle A=\angle D$, $\overline{AB}=\overline{DE}$, $\angle B=\angle E$
이므로 $\triangle ABC\equiv\triangle DEF$ (ASA 합동)
⑤ 세 내각의 크기가 각각 같으면 모양은 같고 크기가 다른 삼각형이 무수히 많으므로 합동 조건이 될 수 없다.

5 (1) $\triangle ABC$의 외접원의 중심을 찾아야 하므로 $\triangle ABC$의 외심을 찾으면 된다.
(2) $\triangle ABC$의 외심을 찾으려면 세 변의 수직이등분선의 교점을 찾으면 된다.

6 세 도로에서 같은 거리에 있는 지점은 세 도로로 만들어진 삼각형의 내심이므로 삼각형의 세 내각의 이등분선의 교점을 찾으면 된다.

2주

2주에는 무엇을 공부할까? ❷ p50 ~ p51

1-1 42°
1-2 (1) 80° (2) 43°
2-1 (1) 2 (2) 30
2-2 (1) ○ (2) × (3) ○ (4) ×
3-1 (1) 평행사변형 (2) 직사각형
3-2 가 : 정사각형, 나 : 마름모, 다 : 사다리꼴
4-1 (1) 40° (2) 95°
4-2 (1) ○ (2) ×

1-2 (1) $\angle x=30^\circ+50^\circ=80^\circ$
(2) $\angle x=75^\circ-32^\circ=43^\circ$

2-1 (1) 내심 I에서 $\triangle ABC$의 세 변에 이르는 거리는 모두 같으므로 $\overline{ID}=\overline{IE}=\overline{IF}=2$ cm
$\therefore x=2$
(2) 내심 I는 $\triangle ABC$의 세 내각의 이등분선의 교점이므로 $\angle IBC=\angle IBA=30^\circ$
$\therefore x=30$

2-2 (2) $\overline{IA}=\overline{IB}=\overline{IC}$인지는 알 수 없다.
(4) $\angle IAD=\angle IAF$, $\angle IBD=\angle IBE$이지만 $\angle IAD=\angle IBD$인지는 알 수 없다.

3-2 가 : 네 변의 길이가 모두 같고 네 각이 모두 직각이므로 정사각형이다.
나 : 네 변의 길이가 모두 같으므로 마름모이다.
다 : 한 쌍의 마주 보는 변이 서로 평행하므로 사다리꼴이다.

4-1 (1) $l /\!/ m$이므로 $\angle x=40^\circ$ (동위각)
(2) $l /\!/ m$이므로 $\angle x=95^\circ$ (엇각)

4-2 (1) 엇각의 크기가 서로 같으므로 두 직선 l, m은 평행하다.
(2) 크기가 105°인 각의 동위각의 크기는
$180^\circ-85^\circ=95^\circ$
이므로 두 직선 l, m은 평행하지 않다.

1. 삼각형의 내심의 성질을 이용하여 각의 크기 구하기

개념 원리 확인 p53

1-1 (1) $26°$ (2) $20°$

1-2 (1) $35°$ (2) $23°$

2-1 (1) $125°$ (2) $96°$

2-2 (1) $114°$ (2) $62°$

1-1 (1) **방법 1** 원리 이용

점 I가 $\triangle ABC$의 내심이므로

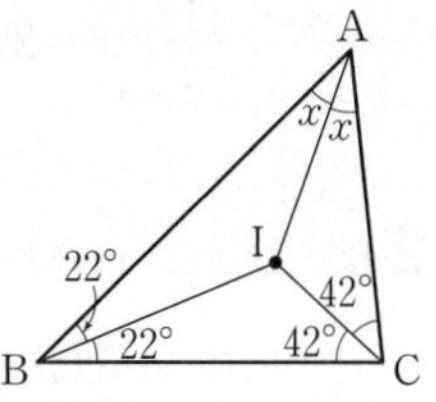

$\angle IAC=\angle IAB=\angle x$,

$\angle IBA=\angle IBC=22°$,

$\angle ICB=\angle ICA=42°$

이때 삼각형의 세 내각의 크기의 합은 $180°$이므로

$2(\angle x+22°+42°)=180°$

$\angle x+22°+42°=90°$ $\therefore \angle x=26°$

방법 2 공식 이용

$\angle IAB+\angle IBC+\angle ICA=90°$이므로

$\angle x+22°+42°=90°$ $\therefore \angle x=26°$

(2) **방법 1** 원리 이용

점 I가 $\triangle ABC$의 내심이므로

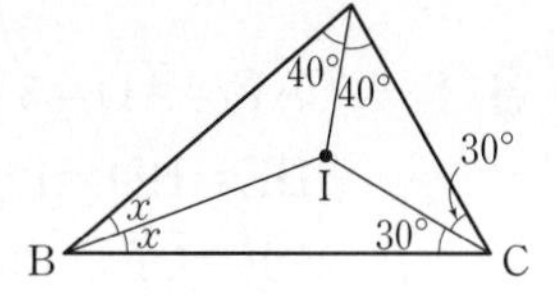

$\angle IAC=\angle IAB=40°$,

$\angle IBC=\angle IBA=\angle x$,

$\angle ICB=\angle ICA=30°$

이때 삼각형의 세 내각의 크기의 합은 $180°$이므로

$2(40°+\angle x+30°)=180°$

$40°+\angle x+30°=90°$ $\therefore \angle x=20°$

방법 2 공식 이용

점 I가 $\triangle ABC$의 내심이므로

$\angle IBC=\angle IBA=\angle x$

$40°+\angle x+30°=90°$이므로 $\angle x=20°$

1-2 (1) $\angle IAB+\angle IBC+\angle ICA=90°$이므로

$\angle x+25°+30°=90°$ $\therefore \angle x=35°$

(2) $\angle IAC+\angle IBA+\angle ICB=90°$이므로

$35°+32°+\angle x=90°$ $\therefore \angle x=23°$

2-1 (1) $\angle BIC=90°+\frac{1}{2}\angle A$이므로

$\angle x=90°+\frac{1}{2}\times 70°=125°$

(2) $\angle BIC=90°+\frac{1}{2}\angle A$이므로

$138°=90°+\frac{1}{2}\angle x$

$\frac{1}{2}\angle x=48°$ $\therefore \angle x=96°$

2-2 (1) $\angle AIB=90°+\frac{1}{2}\angle C$이므로

$\angle x=90°+\frac{1}{2}\times 48°=114°$

(2) $\angle BIC=90°+\frac{1}{2}\angle A$이므로

$121°=90°+\frac{1}{2}\angle x$

$\frac{1}{2}\angle x=31°$ $\therefore \angle x=62°$

2. 삼각형의 내접원의 활용

개념 원리 확인 p55

3-1 $12-x$, $12-x$, 10, 5

3-2 (1) 4 (2) $\frac{15}{2}$

4-1 ICA, 10, 10, 16, 3, 3

4-2 (1) 54 cm^2 (2) 3 cm

3-2 (1) $\overline{AD}=\overline{AF}=x$

$\overline{BD}=\overline{BE}=6$

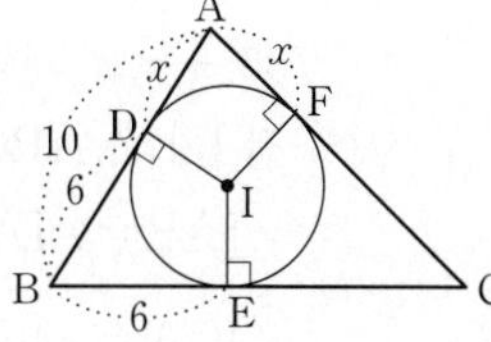

이때 $\overline{AB}=\overline{AD}+\overline{BD}$이므로

$10=x+6$ $\therefore x=4$

(2) $\overline{CE}=\overline{CF}=x$이므로

$\overline{AD}=\overline{AF}=13-x$

$\overline{BD}=\overline{BE}=12-x$

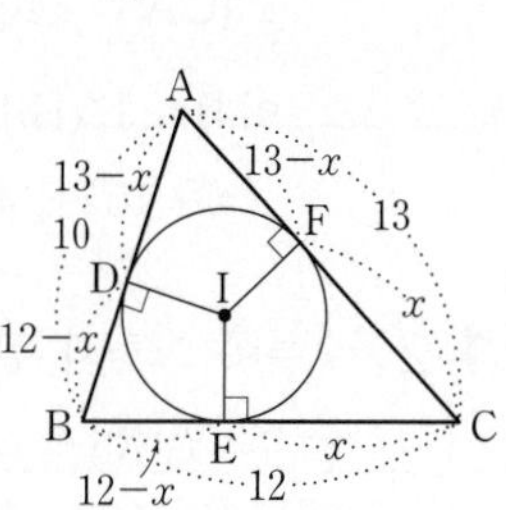

이때 $\overline{AB}=\overline{AD}+\overline{BD}$이므로

$10=(13-x)+(12-x)$

$2x=15$ $\therefore x=\frac{15}{2}$

4-2 (1) $\triangle ABC=\triangle IAB+\triangle IBC+\triangle ICA$

$=\frac{1}{2}\times 9\times 3+\frac{1}{2}\times 15\times 3+\frac{1}{2}\times 12\times 3$

$=\frac{1}{2}\times 3\times (9+15+12)=54\ (cm^2)$

(2) 내접원 I의 반지름의 길이를 r cm라고 하면

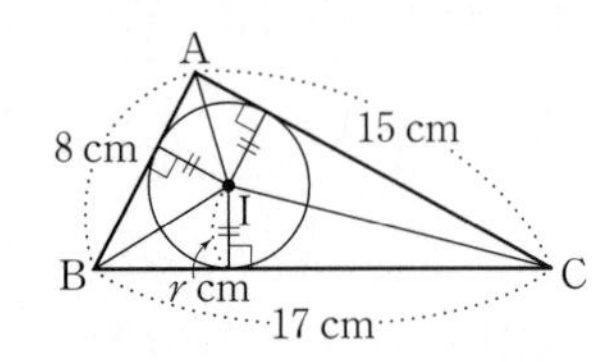

$\triangle ABC=\triangle IAB+\triangle IBC+\triangle ICA$

$=\frac{1}{2}\times 8\times r+\frac{1}{2}\times 17\times r+\frac{1}{2}\times 15\times r$

$=\frac{1}{2}\times r\times (8+17+15)=20r$

즉 $20r=60$이므로 $r=3$

따라서 내접원 I의 반지름의 길이는 3 cm이다.

1일 기초 집중 연습 p56 ~ p57

1-1 (1) 37° (2) 45°	**1-2** 92°
2-1 (1) 115° (2) 44°	**2-2** 60°
2-3 119°	**3-1** (1) 12 (2) 7
3-2 7	**4-1** $\frac{3}{2}$ cm
4-2 (1) 6 cm² (2) 1 cm	

1-1 (1) 점 I가 $\triangle ABC$의 내심이므로

$\angle IBA=\angle IBC=\angle x$

이때 $\angle IAC+\angle IBA+\angle ICB=90°$이므로

$35°+\angle x+18°=90°$ $\therefore \angle x=37°$

(2) 점 I가 $\triangle ABC$의 내심이므로

$\angle IAB=\angle IAC=\angle x$

$\angle ICA=\angle ICB=\frac{1}{2}\angle BCA=\frac{1}{2}\times 60°=30°$

이때 $\angle IAB+\angle IBC+\angle ICA=90°$이므로

$\angle x+15°+30°=90°$ $\therefore \angle x=45°$

1-2 오른쪽 그림과 같이 $\overline{IA}$를 그으면 점 I가 $\triangle ABC$의 내심이므로

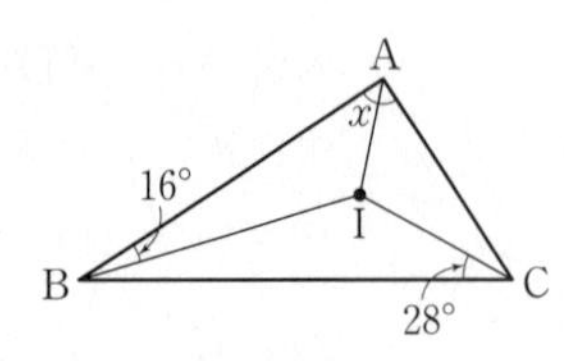

$\angle IAB=\angle IAC=\frac{1}{2}\angle x$

이때 $\angle IAC+\angle IBA+\angle ICB=90°$이므로

$\frac{1}{2}\angle x+16°+28°=90°$

$\frac{1}{2}\angle x=46°$ $\therefore \angle x=92°$

2-1 (1) $\angle BIC=90°+\frac{1}{2}\angle A$이므로

$\angle x=90°+\frac{1}{2}\times 50°=115°$

(2) $\angle BIC=90°+\frac{1}{2}\angle A$이므로

$112°=90°+\frac{1}{2}\angle x$

$\frac{1}{2}\angle x=22°$ $\therefore \angle x=44°$

2-2 점 I가 $\triangle ABC$의 내심이므로 $\angle ACB=2\angle x$

이때 $\angle AIB=90°+\frac{1}{2}\angle ACB$이므로

$150°=90°+\frac{1}{2}\times 2\angle x$ $\therefore \angle x=60°$

2-3 점 I가 $\triangle ABC$의 내심이므로 $\angle BAC=2\times 29°=58°$

이때 $\angle BIC=90°+\frac{1}{2}\angle BAC$이므로

$\angle x=90°+\frac{1}{2}\times 58°=119°$

3-1 (1) $\overline{AF}=\overline{AD}=5$ cm이므로

$\overline{BE}=\overline{BD}=12-5=7\ (cm)$

$\overline{CE}=\overline{CF}=10-5=5\ (cm)$

이때 $\overline{BC}=\overline{BE}+\overline{CE}$이므로

$x=7+5=12$

(2) $\overline{AD}=\overline{AF}=3$ cm이므로

$\overline{BE}=\overline{BD}=8-3=5\ (cm)$

또 $\overline{CE}=\overline{CF}=2$ cm

이때 $\overline{BC}=\overline{BE}+\overline{CE}$이므로

$x=5+2=7$

3-2 $\overline{BD}=\overline{BE}=x$ cm이므로

$\overline{AF}=\overline{AD}=11-x\ (cm)$, $\overline{CF}=\overline{CE}=12-x\ (cm)$

이때 $\overline{AC}=\overline{AF}+\overline{CF}$이므로

$9=(11-x)+(12-x)$

$2x=14$ $\therefore x=7$

4-1 내접원의 반지름의 길이를 r cm라고 하면
△ABC의 넓이가 12 cm^2이므로
$\frac{1}{2}\times r\times(5+5+6)=12$
$8r=12 \quad \therefore r=\frac{3}{2}$
따라서 내접원의 반지름의 길이는 $\frac{3}{2}$ cm이다.

4-2 (1) $\triangle ABC=\frac{1}{2}\times 4\times 3=6\ (cm^2)$
(2) 내접원 I의 반지름의 길이를 r cm라고 하면
$\frac{1}{2}\times r\times(5+4+3)=6$
$6r=6 \quad \therefore r=1$
따라서 내접원 I의 반지름의 길이는 1 cm이다.

3. 평행사변형의 대변, 대각의 성질

개념 원리 확인 p59

1-1 (1) $\overline{DC}$ (2) $\overline{BC}$ (3) $\overline{DC}$ (4) $\angle D$
1-2 (1) $\overline{DC}$, 같으므로, 45° (2) $\overline{BC}$, 같으므로, 35°
2-1 (1) $x=5, y=4$ (2) $x=3$ (3) $x=60, y=120$
2-2 (1) $x=9, y=12$ (2) $x=9, y=3$ (3) $x=105, y=75$

2-1 (1) 평행사변형에서 두 쌍의 대변의 길이는 각각 같다.
$\overline{AD}=\overline{BC}$이므로 $x=5$
$\overline{AB}=\overline{DC}$이므로 $y=4$
(2) $\overline{AB}=\overline{DC}$이므로 $5=2x-1$
$2x=6 \quad \therefore x=3$
(3) 평행사변형에서 두 쌍의 대각의 크기는 각각 같다.
$\angle B=\angle D$이므로 $x=60$
$\angle A=\angle C$이므로 $y=120$

2-2 (1) $\overline{AB}=\overline{DC}$이므로 $x=9$
$\overline{AD}=\overline{BC}$이므로 $y=12$
(2) $\overline{AD}=\overline{BC}$이므로 $10=x+1 \quad \therefore x=9$
$\overline{AB}=\overline{DC}$이므로 $6=3y-3$
$3y=9 \quad \therefore y=3$
(3) $\angle C=\angle A$이므로 $x=105$
$\angle A+\angle B=180°$이므로
$105°+y°=180° \quad \therefore y=75$

참고 평행사변형 ABCD에서 두 쌍의 대변은 각각 평행하므로 이웃하는 두 내각의 크기의 합은 180°이다.

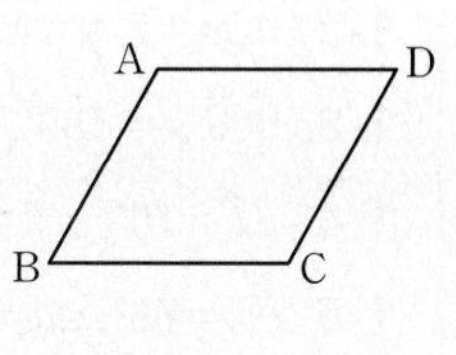

➡ $\angle A+\angle B=180°$, $\angle B+\angle C=180°$
$\angle C+\angle D=180°$, $\angle A+\angle D=180°$

4. 평행사변형의 대각선의 성질과 넓이

개념 원리 확인 p61

3-1 (1) $x=5, y=3$ (2) $x=3, y=4$
3-2 (1) $x=3, y=3$ (2) $x=7, y=8$
4-1 (1) 18 cm^2 (2) 9 cm^2
4-2 (1) 12 cm^2 (2) 6 cm^2

3-1 (1) 평행사변형의 두 대각선은 서로 다른 것을 이등분한다.
$\overline{OA}=\overline{OC}$이므로 $y=3$
$\overline{OB}=\overline{OD}$이므로 $x=5$
(2) $\overline{OA}=\overline{OC}$이므로 $x=3$
$\overline{OB}=\overline{OD}=\frac{1}{2}\overline{BD}=\frac{1}{2}\times 8=4 \quad \therefore y=4$

3-2 (1) $\overline{OA}=\overline{OC}$이므로 $x=3$
$\overline{OB}=\overline{OD}$이므로 $y+1=4 \quad \therefore y=3$
(2) $\overline{OB}=\overline{OD}=\frac{1}{2}\overline{BD}=\frac{1}{2}\times 14=7 \quad \therefore x=7$
$\overline{AC}=2\overline{OA}=2\times 4=8 \quad \therefore y=8$

4-1 (1) $\triangle ABC=\frac{1}{2}\square ABCD=\frac{1}{2}\times 36=18\ (cm^2)$
(2) $\triangle DOC=\frac{1}{4}\square ABCD=\frac{1}{4}\times 36=9\ (cm^2)$

4-2 (1) $\triangle BCD=\frac{1}{2}\square ABCD=\frac{1}{2}\times 24=12\ (cm^2)$
(2) $\triangle AOD=\frac{1}{4}\square ABCD=\frac{1}{4}\times 24=6\ (cm^2)$

2일 기초 집중 연습 p62 ~ p63

1-1 $\angle x=30^\circ$, $\angle y=48^\circ$

1-2 (1) $x=7, y=11$ (2) $x=3, y=5$

1-3 (1) $\angle x=100^\circ$, $\angle y=80^\circ$ (2) $\angle x=40^\circ$, $\angle y=55^\circ$

1-4 $\angle x=70^\circ$, $\angle y=60^\circ$

1-5 $\angle x=65^\circ$, $\angle y=80^\circ$

1-6 52, 52, 52, 76, 76

1-7 (1) $x=8, y=14$ (2) $x=3, y=12$ (3) $x=105, y=3$

2-1 14 cm^2

2-2 30 cm^2

2-3 64 cm^2

1-1 $\overline{AD}/\!/\overline{BC}$이므로 $\angle x=30^\circ$ (엇각)
$\overline{AB}/\!/\overline{DC}$이므로 $\angle y=48^\circ$ (엇각)

1-2 (1) $\overline{AB}=\overline{DC}$이므로 $x=7$
$\overline{AD}=\overline{BC}$이므로 $y=11$
(2) $\overline{AD}=\overline{BC}$이므로 $x+10=13$ $\therefore x=3$
$\overline{AB}=\overline{DC}$이므로 $10=2y$ $\therefore y=5$

1-3 (1) $\angle A=\angle C$이므로 $\angle x=100^\circ$
$\angle A+\angle D=180^\circ$이므로
$100^\circ+\angle y=180^\circ$ $\therefore \angle y=80^\circ$
(2) $\angle B=\angle D$이므로 $\angle x=40^\circ$
$\overline{AD}/\!/\overline{BC}$이므로 $\angle y=55^\circ$ (엇각)

1-4 $\overline{AB}/\!/\overline{DC}$이므로 $\angle x=70^\circ$ (엇각)
$\angle BAD+\angle B=180^\circ$이므로
$(70^\circ+\angle y)+50^\circ=180^\circ$ $\therefore \angle y=60^\circ$

1-5 $\angle BAD=\angle C$이므로
$\angle x+35^\circ=100^\circ$ $\therefore \angle x=65^\circ$
$\angle C+\angle D=180^\circ$이므로
$100^\circ+\angle y=180^\circ$ $\therefore \angle y=80^\circ$

1-7 (1) $\overline{OD}=\frac{1}{2}\overline{BD}=\frac{1}{2}\times16=8$ $\therefore x=8$
$\overline{AC}=2\overline{OC}=2\times7=14$ $\therefore y=14$
(2) $\overline{AB}=\overline{DC}$이므로 $4x-3=9$
$4x=12$ $\therefore x=3$
$\overline{BD}=2\overline{OB}=2\times6=12$ $\therefore y=12$
(3) $\triangle ABD$에서
$\angle BAD=180^\circ-(40^\circ+35^\circ)=105^\circ$
이때 $\angle BCD=\angle BAD$이므로 $x=105$
$\overline{OA}=\frac{1}{2}\overline{AC}=\frac{1}{2}\times6=3$ $\therefore y=3$

2-1 $\triangle ABD=\frac{1}{2}\square ABCD=\frac{1}{2}\times28=14\ (cm^2)$

2-2 $\triangle OAB=\triangle OCD$
$=\frac{1}{4}\square ABCD$
$=\frac{1}{4}\times60=15\ (cm^2)$
$\therefore \triangle OAB+\triangle OCD=15+15=30\ (cm^2)$

2-3 $\square ABCD=4\triangle OAB=4\times16=64\ (cm^2)$

3일

5. 평행사변형이 되는 조건

개념 원리 확인 p65

1-1 (1) 대변 (2) 대각 (3) 이등분 (4) 대변

1-2 (1) ○ (2) × (3) ○ (4) × (5) × (6) ○ (7) × (8) ○

1-2 (1) 두 쌍의 대변의 길이가 각각 같으므로 평행사변형이다.
(2) 대변의 길이가 같지 않으므로 평행사변형이 아니다.
(3) 두 쌍의 대각의 크기가 각각 같으므로 평행사변형이다.
(4) 대각의 크기가 같지 않으므로 평행사변형이 아니다.
(5) 평행하지 않은 대변의 길이가 같으므로 평행사변형이 아니다.
(6) 한 쌍의 대변이 평행하고 그 길이가 같으므로 평행사변형이다.
(7) 두 대각선이 서로 다른 것을 이등분하지 않으므로 평행사변형이 아니다.
(8) 두 대각선이 서로 다른 것을 이등분하므로 평행사변형이다.

6. 직사각형의 성질

개념 원리 확인 p67

2-1 (1) × (2) ○ (3) ○ (4) ×

2-2 (1) $x=40$, $y=50$ (2) $x=18$, $y=9$

3-1 (1) $90°$ (2) $44°$

3-2 (1) 63 (2) 12

2-2 (1) $\angle\text{ABC}=90°$이므로 $\triangle\text{ABC}$에서

$50°+90°+x°=180°$ $\therefore x=40$

$\angle\text{BCD}=90°$이므로

$40°+y°=90°$ $\therefore y=50$

(2) $\overline{\text{BD}}=\overline{\text{AC}}=18\text{ cm}$ $\therefore x=18$

$\overline{\text{CO}}=\frac{1}{2}\overline{\text{AC}}=\frac{1}{2}\times18=9\,(\text{cm})$ $\therefore y=9$

3-1 (2) $\angle\text{ABC}=90°$이어야 하므로

$\angle\text{ABD}+\angle\text{DBC}=90°$에서

$\angle\text{ABD}+46°=90°$ $\therefore \angle\text{ABD}=44°$

3-2 (1) $\angle\text{BCD}=90°$이어야 하므로

$\angle\text{ACB}+\angle\text{ACD}=90°$에서

$27°+x°=90°$ $\therefore x=63$

(2) $\overline{\text{AC}}=\overline{\text{BD}}$이어야 하므로 $x=12$

3일 기초 집중 연습 p68 ~ p69

1-1 (1) $\overline{\text{DC}}$, $\overline{\text{BC}}$ (2) $\angle\text{BCD}$, $\angle\text{ADC}$ (3) $\overline{\text{DC}}$, $\overline{\text{BC}}$
(4) $\overline{\text{DC}}$, $\overline{\text{DC}}$ (5) $\overline{\text{BC}}$, $\overline{\text{AD}}$ (6) $\overline{\text{OC}}$, $\overline{\text{OD}}$

1-2 (1) $x=9$, $y=6$ (2) $x=108$, $y=72$ (3) $x=28$, $y=8$

1-3 소희

1-4 ②

2-1 $x=8$, $y=5$

2-2 $\angle x=30°$, $\angle y=60°$

2-3 42

2-4 ③

1-2 (1) $\overline{\text{AB}}=\overline{\text{DC}}$, $\overline{\text{AD}}=\overline{\text{BC}}$이어야 하므로

$x=9$, $y=6$

(2) $\angle\text{A}=\angle\text{C}$, $\angle\text{B}=\angle\text{D}$이어야 하므로

$x=108$, $y=72$

(3) $\overline{\text{AD}}/\!/\overline{\text{BC}}$이어야 하므로 $\angle\text{ADB}=\angle\text{DBC}=28°$

$\therefore x=28$

$\overline{\text{AD}}=\overline{\text{BC}}$이어야 하므로 $y=8$

1-3 성진 : 두 쌍의 대변의 길이가 각각 같으므로 □ABCD는 평행사변형이다.

주리 : $\angle\text{D}=360°-(130°+50°+130°)=50°$이므로 $\angle\text{B}=\angle\text{D}$

즉 두 쌍의 대각의 크기가 각각 같으므로 □ABCD는 평행사변형이다.

지영 : $\angle\text{BAC}=\angle\text{ACD}=75°$(엇각)이므로 $\overline{\text{AB}}/\!/\overline{\text{DC}}$

즉 한 쌍의 대변이 평행하고 그 길이가 같으므로 □ABCD는 평행사변형이다.

지훈 : 두 대각선이 서로 다른 것을 이등분하므로 □ABCD는 평행사변형이다.

소희 : $\angle\text{ABD}=\angle\text{BDC}=50°$(엇각)이므로 $\overline{\text{AB}}/\!/\overline{\text{DC}}$

즉 평행한 대변의 길이가 같은지 알 수 없으므로 □ABCD는 평행사변형이라고 할 수 없다.

1-4 ① $\overline{\text{AB}}\neq\overline{\text{DC}}$, $\overline{\text{AD}}\neq\overline{\text{BC}}$

즉 두 쌍의 대변의 길이가 각각 같지 않으므로 □ABCD는 평행사변형이 아니다.

② $\angle\text{ADC}=360°-(100°+80°+100°)=80°$이므로 $\angle\text{ABC}=\angle\text{ADC}$

즉 두 쌍의 대각의 크기가 각각 같으므로 □ABCD는 평행사변형이다.

③ $\overline{\text{OA}}\neq\overline{\text{OC}}$, $\overline{\text{OB}}\neq\overline{\text{OD}}$

즉 두 대각선이 서로 다른 것을 이등분하지 않으므로 □ABCD는 평행사변형이 아니다.

④ 오른쪽 그림과 같은 □ABCD는 $\overline{\text{AB}}/\!/\overline{\text{DC}}$, $\overline{\text{AD}}=4\text{ cm}$, $\overline{\text{BC}}=4\text{ cm}$이지만 평행사변형이 아니다.

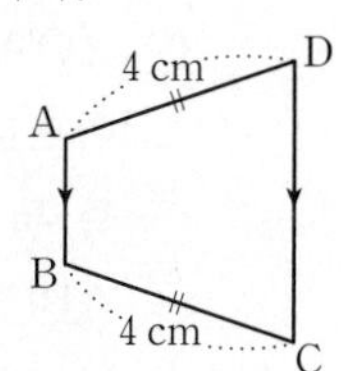

⑤ 오른쪽 그림과 같은 □ABCD는 $\angle\text{B}=\angle\text{C}$, $\overline{\text{AB}}=\overline{\text{DC}}=6\text{ cm}$이지만 평행사변형이 아니다.

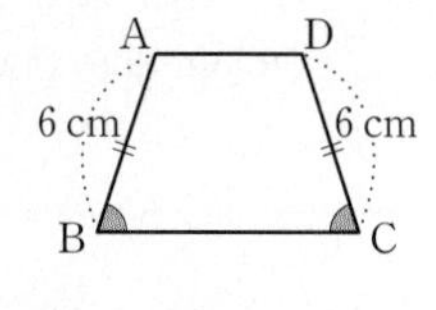

따라서 □ABCD가 평행사변형이 되는 것은 ②이다.

2-1 $\overline{AD}=\overline{BC}=8$ cm이므로 $x=8$
$\overline{BD}=\overline{AC}=10$ cm이므로
$\overline{BO}=\frac{1}{2}\overline{BD}=\frac{1}{2}\times 10=5$ (cm)
$\therefore y=5$

2-2 $\triangle AOD$에서 $\overline{AO}=\overline{DO}$이므로
$\angle ODA=\angle OAD=30^\circ$ $\therefore \angle x=30^\circ$
삼각형의 외각의 성질로부터
$\angle DOC=30^\circ+30^\circ=60^\circ$ $\therefore \angle y=60^\circ$

2-3 $\overline{AC}=\overline{BD}=8$ cm이므로
$\overline{AO}=\frac{1}{2}\overline{AC}=\frac{1}{2}\times 8=4$ (cm)
$\therefore x=4$
$\angle DAB=90^\circ$이므로 $\angle DAC=90^\circ-52^\circ=38^\circ$
$\triangle AOD$에서 $\overline{AO}=\overline{DO}$이므로
$\angle ODA=\angle OAD=38^\circ$ $\therefore y=38$
$\therefore x+y=4+38=42$

2-4 ① 한 내각이 직각이므로 평행사변형 ABCD는 직사각형이 된다.
② $\overline{AO}=\overline{BO}$이면 $\overline{AC}=2\overline{AO}=2\overline{BO}=\overline{BD}$
즉 두 대각선의 길이가 같으므로 평행사변형 ABCD는 직사각형이 된다.
④ □ABCD는 평행사변형이므로
$\angle DAB+\angle ABC=180^\circ$
이때 $\angle DAB=\angle ABC$이면
$\angle DAB=\angle ABC=90^\circ$
즉 한 내각이 직각이므로 평행사변형 ABCD는 직사각형이 된다.
⑤ $\angle OAD=\angle ODA$이면 $\triangle ODA$에서 $\overline{AO}=\overline{DO}$이므로 $\overline{AC}=\overline{BD}$
즉 두 대각선의 길이가 같으므로 평행사변형 ABCD는 직사각형이 된다.
따라서 평행사변형 ABCD가 직사각형이 되는 조건이 아닌 것은 ③이다.

7. 마름모의 성질

개념 원리 확인 p71

1-1 (1) ○ (2) × (3) ○ (4) ×
1-2 (1) $x=12$, $y=6$ (2) $x=90$, $y=50$
2-1 (1) 29° (2) 61°
2-2 (1) $x=8$, $y=8$ (2) $x=90$, $y=48$

1-2 (1) 마름모는 네 변의 길이가 모두 같은 사각형이므로
$\overline{BC}=\overline{AB}=12$ cm $\therefore x=12$
마름모의 두 대각선은 서로 다른 것을 이등분하므로 $\overline{CO}=\overline{AO}=6$ cm $\therefore y=6$
(2) $\overline{AC}\perp\overline{BD}$이므로 $\angle AOD=90^\circ$
$\therefore x=90$
$\triangle ABC$에서 $\overline{BA}=\overline{BC}$이므로
$\angle BCA=\angle BAC=50^\circ$ $\therefore y=50$

2-1 (1) $\overline{AB}=\overline{BC}$이어야 하므로 $\triangle ABC$에서
$\angle BAC=\angle BCA=29^\circ$
(2) $\overline{AC}\perp\overline{BD}$이어야 하므로 $\angle BOC=90^\circ$
따라서 $\triangle OBC$에서
$\angle OBC=180^\circ-(29^\circ+90^\circ)=61^\circ$

2-2 (1) $\overline{AD}=\overline{BC}$이므로 $x=8$
$\overline{AD}=\overline{DC}$이어야 하므로 $y=8$
(2) $\overline{AC}\perp\overline{BD}$이어야 하므로 $\angle AOD=90^\circ$
$\therefore x=90$
$\overline{AB}=\overline{AD}$이어야 하므로 $\triangle ABD$에서
$\angle ADB=\angle ABD=48^\circ$ $\therefore y=48$

8. 정사각형의 성질

개념 원리 확인 p73

3-1 (1) ○ (2) ○ (3) ○ (4) ○ (5) ×
3-2 (1) $x=4$, $y=90$ (2) $x=90$, $y=5$
4-1 (1) 6 (2) 90
4-2 (1) 5 (2) 90

3-2 (1) 정사각형은 네 내각의 크기가 모두 같고, 네 변의 길이가 모두 같으므로
$\overline{BC}=\overline{DC}=4$ cm, $\angle B=90°$
$\therefore x=4, y=90$
(2) $\overline{AC}\perp\overline{BD}$이므로 $\angle AOB=90°$
$\therefore x=90$
$\overline{AC}=\overline{BD}=10$ cm이므로
$\overline{AO}=\frac{1}{2}\overline{AC}=\frac{1}{2}\times10=5$ (cm) $\quad\therefore y=5$

4-1 (1) 이웃하는 두 변의 길이가 같아야 하므로
$\overline{BC}=\overline{DC}=6$ cm
(2) $\overline{AC}\perp\overline{BD}$이어야 하므로 $\angle DOC=90°$

4-2 (1) 두 대각선의 길이가 같아야 하므로
$\overline{BD}=\overline{AC}=5$ cm
(2) 한 내각이 직각이어야 하므로 $\angle ABC=90°$

4일 기초 집중 연습 p74 ~ p75

1-1 (1) $x=63, y=27$ (2) $x=34, y=9$
1-2 $116°$ **1-3** 24 cm^2
1-4 $x=2, y=\frac{7}{2}$ **1-5** ①, ③
2-1 (1) $x=10, y=90$ (2) $x=12, y=45$
2-2 (1) 8 cm (2) 16 cm^2 (3) 32 cm^2
3-1 $x=9, y=90$ **3-2** ②, ④

1-1 (1) $\overline{AC}\perp\overline{BD}$이므로 $\angle AOB=90°$
$\triangle ABO$에서
$\angle OAB=180°-(27°+90°)=63°$ $\quad\therefore x=63$
$\triangle ABD$에서 $\overline{AB}=\overline{AD}$이므로
$\angle ADB=\angle ABD=27°$ $\quad\therefore y=27$
(2) $\overline{AB}/\!/\overline{DC}$이므로 $\angle BAC=\angle ACD=56°$ (엇각)
$\overline{AC}\perp\overline{BD}$이므로 $\angle AOB=90°$
$\triangle ABO$에서
$\angle ABO=180°-(56°+90°)=34°$ $\quad\therefore x=34$
$\overline{OD}=\overline{OB}=9$ cm이므로 $y=9$

1-2 $\triangle ABD$에서 $\overline{AB}=\overline{AD}$이므로
$\angle ADB=\angle ABD=32°$
$\angle A=180°-(32°+32°)=116°$
$\therefore \angle C=\angle A=116°$

1-3 $\overline{AO}=\frac{1}{2}\overline{AC}=\frac{1}{2}\times12=6$ (cm)
$\overline{BO}=\frac{1}{2}\overline{BD}=\frac{1}{2}\times16=8$ (cm)
이때 $\overline{AC}\perp\overline{BD}$이므로 $\triangle ABO$는 $\angle AOB=90°$인 직각삼각형이다.
$\therefore \triangle ABO=\frac{1}{2}\times\overline{BO}\times\overline{AO}$
$=\frac{1}{2}\times8\times6=24$ (cm^2)

1-4 $\overline{AB}=\overline{DC}$이므로 $3x+2=8$
$3x=6 \quad\therefore x=2$
$\overline{BC}=\overline{DC}$이어야 하므로 $2y+1=8$
$2y=7 \quad\therefore y=\frac{7}{2}$

1-5 ① 이웃하는 두 변의 길이가 같으므로 평행사변형 ABCD는 마름모가 된다.
② 두 대각선의 길이가 같으므로 평행사변형 ABCD는 직사각형이 된다.
③ 두 대각선이 서로 수직이므로 평행사변형 ABCD는 마름모가 된다.
④ 한 내각이 직각이므로 평행사변형 ABCD는 직사각형이 된다.
⑤ □ABCD가 평행사변형이므로
$\angle DAB+\angle ABC=180°$
이때 $\angle DAB=\angle ABC$이면
$\angle DAB=\angle ABC=90°$
즉 한 내각이 직각이므로 평행사변형 ABCD는 직사각형이 된다.
따라서 평행사변형 ABCD가 마름모가 되는 조건은 ①, ③이다.

2-1 (1) $\overline{DC}=\overline{AD}=10$ cm이므로 $x=10$
$\angle B=90°$이므로 $y=90$
(2) $\overline{BD}=\overline{AC}=2\overline{AO}=2\times6=12$ (cm)이므로
$x=12$

$\triangle$OBC에서 $\overline{OB}=\overline{OC}$이고 $\angle BOC=90^\circ$이므로

$\angle OCB=\frac{1}{2}\times(180^\circ-90^\circ)=45^\circ$ $\quad\therefore y=45$

2-2 (1) $\overline{BD}=\overline{AC}=2\overline{AO}=2\times4=8$ (cm)

(2) $\angle AOD=90^\circ$이므로

$\triangle ABD=\frac{1}{2}\times\overline{BD}\times\overline{AO}$

$=\frac{1}{2}\times8\times4=16$ (cm^2)

(3) 정사각형은 평행사변형이고 평행사변형의 넓이는 한 대각선에 의하여 이등분되므로

$\square ABCD=2\triangle ABD=2\times16=32$ (cm^2)

3-1 $\overline{BC}=\overline{CD}$이어야 하므로 $x=9$

$\overline{AC}\perp\overline{BD}$이어야 하므로 $\angle AOD=90^\circ$

$\therefore y=90$

3-2 ① 두 대각선의 길이가 같으므로 마름모 ABCD는 정사각형이 된다.

③ 한 내각이 직각이므로 마름모 ABCD는 정사각형이 된다.

⑤ □ABCD가 평행사변형이므로

$\angle BCD+\angle CDA=180^\circ$

이때 $\angle BCD=\angle CDA$이면

$\angle BCD=\angle CDA=90^\circ$

즉 한 내각이 직각이므로 마름모 ABCD는 정사각형이 된다.

따라서 마름모 ABCD가 정사각형이 되는 조건이 아닌 것은 ②, ④이다.

5일

9. 여러 가지 사각형 사이의 관계

개념 원리 확인 p77

1-1 (1) × (2) ○

1-2 (1) 직사각형 (2) 마름모 (3) 직사각형 (4) 정사각형

2-1 (가) ㉠, ㉣ (나) ㉡, ㉢ (다) ㉡, ㉢ (라) ㉠, ㉣

3-1 풀이 참조

1-1 (1) 이웃하는 두 변의 길이가 같으면 마름모가 된다.

(2) $\angle AOB=90^\circ$이면 $\overline{AC}\perp\overline{BD}$

즉 두 대각선이 서로 수직이므로 마름모가 된다.

1-2 (1) 두 대각선의 길이가 같으므로 직사각형이 된다.

(2) 두 대각선이 서로 수직이므로 마름모가 된다.

(3) 한 내각이 직각이므로 직사각형이 된다.

(4) 두 대각선의 길이가 같고, 두 대각선이 서로 수직이므로 정사각형이 된다.

3-1

성질	사다리꼴	평행사변형	직사각형	마름모	정사각형
(1)	×	○	○	○	○
(2)	×	○	○	○	○
(3)	×	○	○	○	○
(4)	×	○	○	○	○
(5)	×	×	○	×	○
(6)	×	×	×	○	○

10. 평행선과 삼각형의 넓이

개념 원리 확인 p79

4-1 (1) 40 cm^2 ➡ ABC, 8, 40 (2) 27 cm^2

4-2 (1) 14 cm^2 (2) 48 cm^2

5-1 (1) $\triangle$DBC (2) $\triangle$ABD (3) $\triangle$DOC

5-2 30 cm^2

4-1 (2) $\triangle ABD=\triangle ACD=\frac{1}{2}\times9\times6=27$ (cm^2)

4-2 (1) $\triangle ABC=\triangle DBC=\frac{1}{2}\times7\times4=14$ (cm^2)

(2) $\triangle ACD=\triangle ABD=\frac{1}{2}\times12\times8=48$ (cm^2)

5-1 (1) $\triangle$ABC와 $\triangle$DBC는 밑변이 $\overline{BC}$로 같고 $\overline{AD}/\!/\overline{BC}$이므로 높이가 같다.

따라서 두 삼각형의 넓이도 같다.

(2) $\triangle$ACD와 $\triangle$ABD는 밑변이 $\overline{AD}$로 같고 $\overline{AD}/\!/\overline{BC}$이므로 높이가 같다.

따라서 두 삼각형의 넓이도 같다.

(3) $\triangle ABD = \triangle ACD$이므로

$\triangle ABO = \triangle ABD - \triangle AOD$
$= \triangle ACD - \triangle AOD$
$= \triangle DOC$

5-2 $\overline{AD} /\!/ \overline{BC}$이므로 $\triangle DBC = \triangle ABC = 45\text{ cm}^2$

$\therefore \triangle OBC = \triangle DBC - \triangle DOC$
$= 45 - 15 = 30\ (\text{cm}^2)$

5일 기초 집중 연습 p80 ~ p81

1-1 ①, ⑤

1-2 (1) ㉡, ㉢, ㉤ (2) ㉠, ㉢, ㉣, ㉤ (3) ㉣, ㉤ (4) ㉤

1-3 정사각형

2-1 (1) 15 cm^2 (2) 12 cm^2

2-2 (1) $\triangle ACE$ (2) 18 cm^2

2-3 40 cm^2

2-4 $\overline{CD}$, 2, 5, 2, 40

1-1 ②, ⑤ $\angle BAD = 90^\circ$ 또는 $\overline{AC} = \overline{BD}$

③, ④ $\overline{AB} = \overline{BC}$ 또는 $\overline{AC} \perp \overline{BD}$

1-3 [1단계]를 거치면 두 쌍의 대변의 길이가 각각 같아지므로 □ABCD는 평행사변형이 된다.
[2단계]를 거치면 두 대각선의 길이가 같아지므로 평행사변형 ABCD는 직사각형이 된다.
[3단계]를 거치면 두 대각선이 서로 수직이 되므로 직사각형 ABCD는 정사각형이 된다.
따라서 나오는 사각형은 정사각형이다.

2-1 (1) $\overline{AD} /\!/ \overline{BC}$이므로 $\triangle DBC = \triangle ABC = 35\text{ cm}^2$

$\therefore \triangle DOC = \triangle DBC - \triangle OBC$
$= 35 - 20 = 15\ (\text{cm}^2)$

(2) $\overline{AD} /\!/ \overline{BC}$이므로 $\triangle ABD = \triangle ACD = 18\text{ cm}^2$

$\therefore \triangle ABO = \triangle ABD - \triangle AOD$
$= 18 - 6 = 12\ (\text{cm}^2)$

2-2 (1) $\overline{AC} /\!/ \overline{DE}$이므로 $\triangle ACD = \triangle ACE$

(2) $\square ABCD = \triangle ABC + \triangle ACD$
$= \triangle ABC + \triangle ACE$
$= \triangle ABE = 18\text{ cm}^2$

2-3 $\overline{AC} /\!/ \overline{DE}$이므로 $\triangle ACE = \triangle ACD$

$\therefore \triangle ABE = \triangle ABC + \triangle ACE$
$= \triangle ABC + \triangle ACD$
$= \square ABCD = 40\text{ cm}^2$

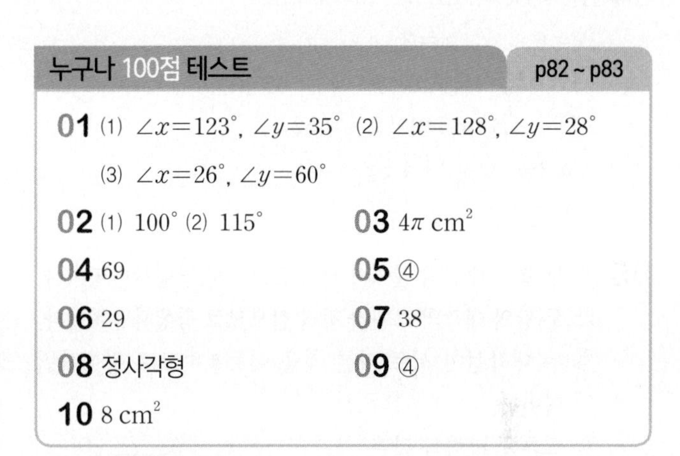

누구나 100점 테스트 p82 ~ p83

01 (1) $\angle x = 123^\circ$, $\angle y = 35^\circ$ (2) $\angle x = 128^\circ$, $\angle y = 28^\circ$
(3) $\angle x = 26^\circ$, $\angle y = 60^\circ$

02 (1) 100° (2) 115°

03 $4\pi\text{ cm}^2$

04 69

05 ④

06 29

07 38

08 정사각형

09 ④

10 8 cm^2

01 (1) 점 I가 $\triangle ABC$의 내심이므로

$\angle IBC = \angle IBA = \angle y$

$33^\circ + \angle y + 22^\circ = 90^\circ$이므로 $\angle y = 35^\circ$

$\angle x = 90^\circ + \frac{1}{2}\angle BAC$
$= 90^\circ + \angle IAB$
$= 90^\circ + 33^\circ = 123^\circ$

(2) $\angle x = 90^\circ + \frac{1}{2} \times 76^\circ = 128^\circ$

$\triangle IAB$에서

$\angle y = 180^\circ - (24^\circ + 128^\circ) = 28^\circ$

(3) $120^\circ = 90^\circ + \frac{1}{2}\angle y$이므로 $\frac{1}{2}\angle y = 30^\circ$

$\therefore \angle y = 60^\circ$

점 I가 $\triangle ABC$의 내심이므로

$\angle IBC = \angle IBA = \angle x$, $\angle ICB = \angle ICA = 34^\circ$

$\triangle IBC$에서

$\angle x = 180^\circ - (120^\circ + 34^\circ) = 26^\circ$

02 (1) $\angle BOC=2\angle A=2\times 50^\circ=100^\circ$

(2) $\angle BIC=90^\circ+\frac{1}{2}\angle A=90^\circ+\frac{1}{2}\times 50^\circ=115^\circ$

03 $\triangle ABC=\frac{1}{2}\times 8\times 6=24\ (cm^2)$

$\triangle ABC$의 내접원의 반지름의 길이를 r cm라고 하면

$\frac{1}{2}\times r\times(10+8+6)=24$

$12r=24 \quad \therefore r=2$

따라서 $\triangle ABC$의 내접원의 반지름의 길이가 2 cm이므로 그 넓이는 $\pi\times 2^2=4\pi\ (cm^2)$

04 $\overline{AD}=\overline{BC}$이므로 $3x-3=x+3$

$2x=6 \quad \therefore x=3$

$\overline{AB}=\overline{DC}$이므로 $5=y+1 \quad \therefore y=4$

$\angle D=\angle B=62^\circ$이므로 $z=62$

$\therefore x+y+z=3+4+62=69$

05 ① 두 쌍의 대변의 길이가 각각 같으므로 평행사변형이다.

② 두 쌍의 대각의 크기가 각각 같으므로 평행사변형이다.

③ 두 대각선이 서로 다른 것을 이등분하므로 평행사변형이다.

④ 오른쪽 그림과 같은 $\square ABCD$는 $\overline{AD}/\!/\overline{BC}$, $\overline{AB}=\overline{DC}=3$ cm이지만 평행사변형이 아니다.

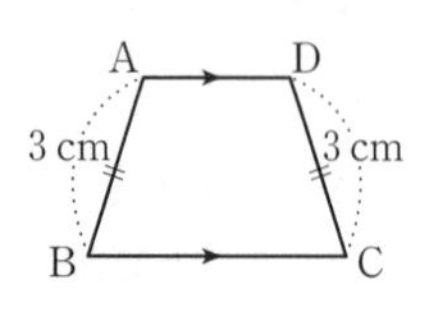

⑤ $\angle BAC=\angle ACD$(엇각)이므로 $\overline{AB}/\!/\overline{DC}$

$\angle DAC=\angle ACB$(엇각)이므로 $\overline{AD}/\!/\overline{BC}$

즉 두 쌍의 대변이 각각 평행하므로 평행사변형이다.

따라서 $\square ABCD$가 평행사변형이 될 수 없는 것은 ④이다.

06 $\overline{AC}=\overline{BD}=2\overline{BO}=2\times 9=18\ (cm) \quad \therefore x=18$

$\angle ABC=90^\circ$이므로 $\angle OBA=90^\circ-43^\circ=47^\circ$

$\triangle OAB$에서 $\overline{OA}=\overline{OB}$이므로

$\angle OAB=\angle OBA=47^\circ \quad \therefore y=47$

$\therefore y-x=47-18=29$

07 $\overline{AB}=\overline{BC}=13$ cm이므로 $x=13$

$\overline{AC}\perp\overline{BD}$이므로 $\angle AOB=90^\circ$

$\triangle ABO$에서

$\angle ABO=180^\circ-(90^\circ+65^\circ)=25^\circ$

이때 $\overline{AB}/\!/\overline{DC}$이므로 $\angle CDO=\angle ABO=25^\circ$ (엇각)

$\therefore y=25$

$\therefore x+y=13+25=38$

08 목격자 A에 의해 범인은 평행사변형임을 알 수 있다.

목격자 B에 의해 범인은 직사각형임을 알 수 있다.

목격자 C에 의해 범인은 정사각형임을 알 수 있다.

09 ① $\overline{AB}=\overline{BC}$이면 $\square ABCD$는 마름모이다.

② $\overline{AC}=\overline{BD}$, $\overline{AC}\perp\overline{BD}$이면 $\square ABCD$는 정사각형이다.

③ $\angle BAD=90^\circ$이면 $\square ABCD$는 직사각형이다.

⑤ $\overline{AC}=\overline{BD}$이면 $\square ABCD$는 직사각형이다.

따라서 옳은 것은 ④이다.

10 $\overline{AD}/\!/\overline{BC}$이므로 $\triangle ACD=\triangle ABD=32\ cm^2$

$\therefore \triangle AOD=\triangle ACD-\triangle DOC=32-24=8\ (cm^2)$

특강 | 창의, 융합, 코딩 p84 ~ p89

1 ❶ 대변 ❷ $\overline{BD}$ ❸ 이등분 ❹ 90° ❺ 수직이등분

2 (1) 내심 (2) 6 cm

3 (1) 평행사변형 (2) 마름모

4 19 - 10 - 107 - 5

5 (1) 3 (2) 14 (3) 26 (4) 5 (5) 120 (6) 45

그림은 풀이 참조

6 A : 사다리꼴, 등변사다리꼴, B : 평행사변형, 마름모

C : 직사각형, D : 정사각형

2 (2) 삼각형 모양의 나무에 내접하는 원 모양의 시계의 반지름의 길이를 r cm라고 하면 삼각형의 넓이가 240 cm^2이므로

$\frac{1}{2}\times r\times(30+34+16)=240$

$40r=240 \quad \therefore r=6$

따라서 원 모양의 시계의 반지름의 길이는 6 cm이다.

3 (1) 오른쪽 그림과 같이 $\overline{AB}$와 $\overline{DC}$는 한 직사각형 모양의 색종이의 대변의 일부분이므로 $\overline{AB} /\!/ \overline{DC}$
또 $\overline{AD}$와 $\overline{BC}$는 다른 한 직사각형 모양의 색종이의 대변의 일부분이므로 $\overline{AD} /\!/ \overline{BC}$
즉 사각형 ABCD는 두 쌍의 대변이 각각 평행하므로 평행사변형이다.

(2) 오른쪽 그림과 같이 사각형 EFGH의 네 변은 합동인 직각삼각형들의 빗변으로 이루어져 있으므로 그 길이가 모두 같다. 따라서 사각형 EFGH는 마름모이다.

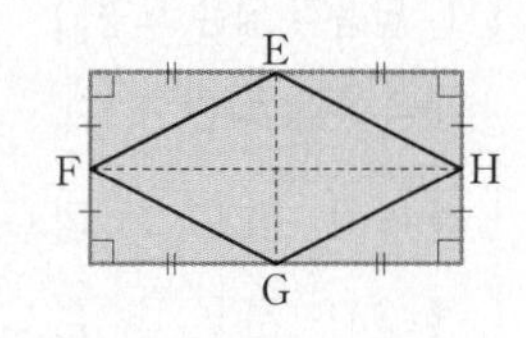

4 (i) $\overline{AD} /\!/ \overline{BC}$이므로 $\angle ADB = \angle DBC = 28^\circ$ (엇각)
$\therefore x=28$
$\overline{AB} /\!/ \overline{DC}$이므로
$\angle ACD = \angle BAC = 47^\circ$ (엇각)
$\therefore y=47$
$\therefore$ (가) $= y-x = 47-28 = 19$

(ii) $\overline{AB} = \overline{DC}$이므로 $x+2 = 8-2x$
$3x=6 \quad \therefore x=2$
$\overline{AD} = \overline{BC}$이므로 $y+2 = 3y-8$
$2y=10 \quad \therefore y=5$
$\therefore$ (나) $= xy = 2\times5 = 10$

(iii) $\triangle ABD$에서
$\angle A = 180^\circ - (43^\circ + 30^\circ) = 107^\circ$
이때 $\angle C = \angle A = 107^\circ$이므로 $x=107$
$\therefore$ (다) $= x = 107$

(iv) 평행사변형의 두 대각선은 서로 다른 것을 이등분하므로 $x=3$, $y=2$
$\therefore$ (라) $= x+y = 3+2 = 5$

따라서 비밀번호는 19 - 10 - 107 - 5이다.

5 (1) $\overline{OC} = \frac{1}{2}\overline{AC} = \frac{1}{2}\times6 = 3\,(\text{cm})$
$\therefore x = \boxed{3}$

(2) $\overline{BD} = \overline{AC} = 2\overline{OC} = 2\times7 = 14\,(\text{cm})$
$\therefore x = \boxed{14}$

(3) $\triangle OBC$에서 $\overline{OB} = \overline{OC}$이므로
$\angle OBC = \angle OCB = 26^\circ \qquad \therefore x = \boxed{26}$

(4) $\overline{BC} = \overline{AB} = 5\text{ cm}$이므로 $x = \boxed{5}$

(5) $\triangle ABD$에서 $\overline{AB} = \overline{AD}$이므로
$\angle ADB = \angle ABD = 30^\circ$
$\therefore \angle BAD = 180^\circ - (30^\circ + 30^\circ) = 120^\circ$
$\therefore x = \boxed{120}$

(6) $\triangle BCD$에서 $\angle C = 90^\circ$이고 $\overline{BC} = \overline{CD}$이므로
$\angle DBC = \frac{1}{2}\times(180^\circ - 90^\circ) = 45^\circ$
$\therefore x = \boxed{45}$

따라서 그림에서 ▢ 안의 수가 있는 칸을 색칠하면 다음과 같다.

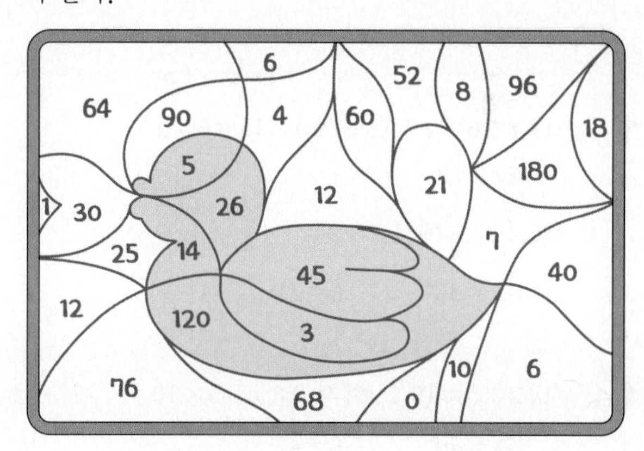

6

[1단계] 두 쌍의 대각의 크기가 각각 같은가? → 아니오 → A : 사다리꼴, 등변사다리꼴

예 ↓ 평행사변형, 직사각형, 마름모, 정사각형

[2단계] 두 대각선의 길이가 같은가? → 아니오 → B : 평행사변형, 마름모

예 ↓ 직사각형, 정사각형

[3단계] 이웃하는 두 변의 길이가 같은가? → 아니오 → C : 직사각형

예 ↓

D : 정사각형

3주

3주에는 무엇을 공부할까? ❷ p92 ~ p93

1-1 (1) 12 (2) 21

1-2 (1) 25 (2) $\frac{24}{5}$ (3) 15 (4) 30

2-1 $\angle x=120°$, $\angle y=60°$

2-2 (1) $\angle x=65°$, $\angle y=115°$ (2) $\angle x=52°$, $\angle y=128°$

3-1 $x=10$, $y=56$

3-2 (1) 7 cm (2) 5 cm (3) 40°

4-1 90 cm^3

4-2 (1) 75π cm^3 (2) 288π cm^3

1-1 (1) $4:6=x:18$에서 $4\times18=6\times x$

$6x=72$ $\quad\therefore x=12$

(2) $\frac{7}{3}=\frac{x}{9}$에서 $7\times9=3\times x$

$3x=63$ $\quad\therefore x=21$

1-2 (1) $2:5=10:x$에서 $2\times x=5\times10$

$2x=50$ $\quad\therefore x=25$

(2) $x:6=4:5$에서 $x\times5=6\times4$

$5x=24$ $\quad\therefore x=\frac{24}{5}$

(3) $\frac{x}{10}=\frac{3}{2}$에서 $x\times2=10\times3$

$2x=30$ $\quad\therefore x=15$

(4) $\frac{5}{6}=\frac{25}{x}$에서 $5\times x=6\times25$

$5x=150$ $\quad\therefore x=30$

2-1 $l /\!/ m$이므로 $\angle x=120°$ (엇각)

$\angle y=180°-120°=60°$

2-2 (1) $l /\!/ m$이므로 $\angle x=65°$ (동위각)

$\angle y=180°-65°=115°$

(2) $l /\!/ m$이므로 $\angle x=52°$ (엇각)

$\angle y=180°-52°=128°$

4-1 (부피)$=3\times5\times6=90$ (cm^3)

4-2 (1) (부피)$=\frac{1}{3}\times\pi\times5^2\times9=75\pi$ (cm^3)

(2) (부피)$=\frac{4}{3}\times\pi\times6^3=288\pi$ (cm^3)

1일

1. 닮음과 닮은 도형

개념 원리 확인 p95

1-1 (1) 점 E (2) 점 G (3) $\overline{EF}$ (4) $\overline{DC}$ (5) $\angle F$ (6) $\angle D$

1-2 (1) 점 E (2) 점 C (3) $\overline{DE}$ (4) $\overline{BC}$ (5) $\angle F$ (6) $\angle A$

2-1 □ABCD∽□KJIH, △EFG∽△MLN

2-2 □ABCD∽□IJKH, △EFG∽△NLM, △OPQ∽△SRT

2. 닮음의 성질

개념 원리 확인 p97

3-1 (1) 4 : 3 ➡ $\overline{FG}$, $\overline{FG}$, 9, 4, 3

(2) 6 cm ➡ 3, 3, 24, 6

(3) 125° ➡ 360, 125

3-2 (1) 5 : 3 (2) 10 cm (3) 40°

4-1 (1) 면 B′E′F′C′ (2) 4 : 3 ➡ $\overline{E'F'}$, 6, 4, 3

(3) $\frac{40}{3}$ cm

4-2 (1) 면 E′F′G′H′ (2) 2 : 3 (3) $x=\frac{15}{2}$, $y=12$

3-2 (1) $\overline{BC}$의 대응변이 $\overline{EF}$이므로 닮음비는

$\overline{BC}:\overline{EF}=15:9=5:3$

(2) $\overline{AB}:\overline{DE}=5:3$이므로 $\overline{AB}:6=5:3$

$3\overline{AB}=30$ $\quad\therefore \overline{AB}=10$ (cm)

(3) $\angle F=\angle C=40°$

4-1 (3) $\overline{CF}:\overline{C'F'}=4:3$이므로 $\overline{CF}:10=4:3$

$3\overline{CF}=40$ $\quad\therefore \overline{CF}=\frac{40}{3}$ (cm)

4-2 (2) $\overline{FG}$에 대응하는 모서리가 $\overline{F'G'}$이므로 닮음비는

$\overline{FG} : \overline{F'G'}=4 : 6=2 : 3$

(3) $\overline{GH} : \overline{G'H'}=2 : 3$이므로 $5 : x=2 : 3$

$2x=15 \quad \therefore x=\frac{15}{2}$

$\overline{DH} : \overline{D'H'}=2 : 3$이므로 $8 : y=2 : 3$

$2y=24 \quad \therefore y=12$

1일 기초 집중 연습 p98 ~ p99

1-1 (1) 점 F (2) $\overline{GH}$ (3) $\angle D$
1-2 다연 **2-1** (1) 10 cm (2) 120°
2-2 27 cm **2-3** ③
3-1 (1) 1 : 2 (2) 10 cm (3) 20 cm
3-2 ③, ⑤ **3-3** 6 cm

1-2 ㉠ 다음 두 직각삼각형은 닮은 도형이 아니다.

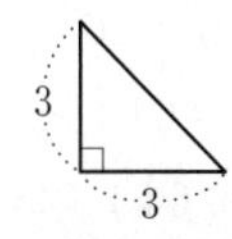

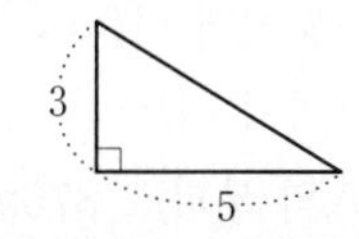

㉡ 다음 두 이등변삼각형은 닮은 도형이 아니다.

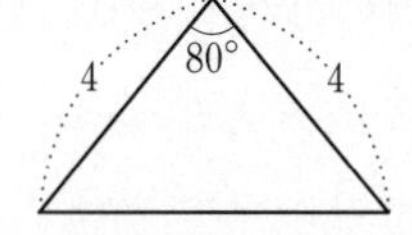

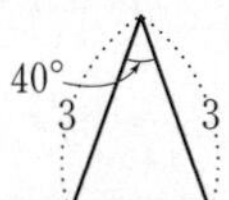

㉤ 다음 두 원뿔은 닮은 도형이 아니다.

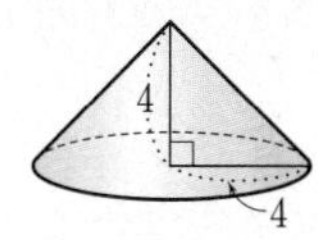

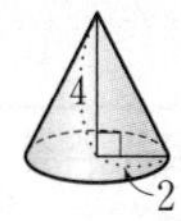

따라서 항상 닮은 도형인 것은 ㉢, ㉣, ㉥이므로 모두 고른 학생은 다연이다.

참고 (1) 항상 닮은 평면도형
① 변의 개수가 같은 모든 정다각형
예 모든 정삼각형, 모든 정사각형, …
② 모든 원
③ 중심각의 크기가 같은 모든 부채꼴
④ 꼭지각의 크기가 같은 모든 이등변삼각형
(2) 항상 닮은 입체도형
① 면의 개수가 같은 모든 정다면체
예 모든 정사면체, 모든 정육면체, …
② 모든 구

2-1 (1) $\overline{AB}$의 대응변이 $\overline{EF}$이므로 닮음비는

$\overline{AB} : \overline{EF}=9 : 6=3 : 2$

$\overline{BC} : \overline{FG}=3 : 2$이므로 $15 : \overline{FG}=3 : 2$

$3\overline{FG}=30 \quad \therefore \overline{FG}=10\ (\text{cm})$

(2) $\angle C=\angle G=85°$이므로 □ABCD에서

$\angle A=360°-(60°+85°+95°)=120°$

2-2 $\overline{AC}$의 대응변이 $\overline{DF}$이므로 닮음비는

$\overline{AC} : \overline{DF}=12 : 16=3 : 4$

$\overline{AB} : \overline{DE}=3 : 4$이므로 $\overline{AB} : 8=3 : 4$

$4\overline{AB}=24 \quad \therefore \overline{AB}=6\ (\text{cm})$

$\overline{BC} : \overline{EF}=3 : 4$이므로 $\overline{BC} : 12=3 : 4$

$4\overline{BC}=36 \quad \therefore \overline{BC}=9\ (\text{cm})$

따라서 △ABC의 둘레의 길이는

$\overline{AB}+\overline{BC}+\overline{CA}=6+9+12=27\ (\text{cm})$

참고 (△ABC의 둘레의 길이)=27 cm
(△DEF의 둘레의 길이)=8+12+16=36 (cm)
즉 △ABC와 △DEF의 둘레의 길이의 비는
27 : 36=3 : 4
이므로 △ABC와 △DEF의 둘레의 길이의 비는 두 도형의 닮음비와 같다.
따라서 닮은 두 평면도형의 닮음비가 $m : n$이면 둘레의 길이의 비도 $m : n$이다.

2-3 ① $\overline{BC}$의 대응변이 $\overline{FG}$이므로 닮음비는

$\overline{BC} : \overline{FG}=15 : 9=5 : 3$

② $\angle H=\angle D=90°$

③ $\angle G$의 대응각은 $\angle C$이다.

④ $\overline{AB} : \overline{EF}=5 : 3$이므로 $10 : \overline{EF}=5 : 3$

$5\overline{EF}=30 \quad \therefore \overline{EF}=6\ (\text{cm})$

⑤ $\overline{EH}$의 대응변은 $\overline{AD}$이다.

따라서 옳지 않은 것은 ③이다.

3-1 (1) $\overline{DH}$에 대응하는 모서리가 $\overline{D'H'}$이므로 닮음비는

$\overline{DH} : \overline{D'H'}=8 : 16=1 : 2$

(2) $\overline{EF}=\overline{GH}=5$ cm이고 $\overline{EF} : \overline{E'F'}=1 : 2$이므로

$5 : \overline{E'F'}=1 : 2 \quad \therefore \overline{E'F'}=10\ (\text{cm})$

(3) $\overline{FG} : \overline{F'G'}=1 : 2$이므로 $10 : \overline{F'G'}=1 : 2$

$\therefore \overline{F'G'}=20\ (\text{cm})$

3-2 ① $\overline{AB}$에 대응하는 모서리가 $\overline{A'B'}$이므로 닮음비는
$\overline{AB} : \overline{A'B'}=8 : 10=4 : 5$
② 두 입체도형의 닮음비가 4 : 5이므로
$\overline{BE} : \overline{B'E'}=4 : 5$
③ $\overline{AD} : \overline{A'D'}=4 : 5$이므로 $\overline{AD} : 12=4 : 5$
$5\overline{AD}=48$ $\quad \therefore \overline{AD}=\frac{48}{5}$ (cm)
④ 닮은 두 입체도형에서 대응하는 면은 닮은 도형이므로 $\square BEFC \backsim \square B'E'F'C'$이다.
⑤ $\triangle ABC \backsim \triangle A'B'C'$이므로 대응각의 크기가 각각 같다.
$\therefore \angle CAB=\angle C'A'B'$
따라서 옳지 않은 것은 ③, ⑤이다.

3-3 두 원기둥의 닮음비는 밑면의 반지름의 길이의 비와 같으므로 작은 원기둥의 높이를 x cm라고 하면
$x : 15=2 : 5$
$5x=30$ $\quad \therefore x=6$
따라서 작은 원기둥의 높이는 6 cm이다.

참고 회전체의 닮음비
(1) 닮은 두 원기둥, 원뿔에서
➡ (닮음비)=(밑면의 반지름의 길이의 비)
=(높이의 비)
=(모선의 길이의 비)
(2) 닮은 두 구에서
➡ (닮음비)=(반지름의 길이의 비)

2일

3. 닮은 도형의 넓이의 비와 부피의 비

개념 원리 확인 p101

1-1 (1) 1 : 2 (2) 1 : 2 (3) 1 : 4
1-2 (1) 4 : 3 (2) 16 : 9 (3) $\frac{27}{4}$ cm^2
2-1 (1) 2 : 3 (2) 4 : 9 (3) 8 : 27
2-2 (1) 4 : 5 (2) 16 : 25 (3) 192π cm^3

1-1 (1) $\overline{BC}$의 대응변은 $\overline{EF}$이므로 닮음비는
$\overline{BC} : \overline{EF}=9 : 18=1 : 2$
(2) (둘레의 길이의 비)=(닮음비)=1 : 2
(3) (넓이의 비)$=1^2 : 2^2=1 : 4$

1-2 (1) $\overline{AB}$의 대응변은 $\overline{EF}$이므로 닮음비는
$\overline{AB} : \overline{EF}=8 : 6=4 : 3$
(2) (넓이의 비)$=4^2 : 3^2=16 : 9$
(3) $\square ABCD$와 $\square EFGH$의 넓이의 비가 16 : 9이므로 $12 : \square EFGH=16 : 9$
$16\square EFGH=108$ $\quad \therefore \square EFGH=\frac{27}{4}$ (cm^2)

2-1 (1) 두 구 O, O'의 닮음비는 반지름의 길이의 비와 같으므로 2 : 3
(2) (겉넓이의 비)$=2^2 : 3^2=4 : 9$
(3) (부피의 비)$=2^3 : 3^3=8 : 27$

2-2 (1) 두 원기둥 A, B의 닮음비는 높이의 비와 같으므로
16 : 20=4 : 5
(2) (겉넓이의 비)$=4^2 : 5^2=16 : 25$
(3) (부피의 비)$=4^3 : 5^3=64 : 125$이므로
(A의 부피) : $375\pi=64 : 125$
$125\times$(A의 부피)$=24000\pi$
$\therefore$ (A의 부피)$=192\pi$ (cm^3)

4. 삼각형의 닮음 조건

개념 원리 확인 p103

3-1 (1) 1, 2, 10, 1, 2, 6, 1, 2, SSS
(2) 2, 1, 9, 2, 1, D, 70, DEF, SAS
(3) A, ADE, 72, ADE, AA
3-2 (1) SSS 닮음 (2) SAS 닮음 (3) AA 닮음
3-3 $\triangle ABC \backsim \triangle DAC$ (SSS 닮음)

3-2 (1) $\triangle ABC$와 $\triangle DEF$에서
$\overline{AB} : \overline{DE}=12 : 9=4 : 3$
$\overline{BC} : \overline{EF}=20 : 15=4 : 3$
$\overline{AC} : \overline{DF}=16 : 12=4 : 3$
$\therefore \triangle ABC \backsim \triangle DEF$ (SSS 닮음)

(2) $\triangle ABC$와 $\triangle DEF$에서
$\overline{BC} : \overline{EF} = 6 : 18 = 1 : 3$
$\overline{AC} : \overline{DF} = 4 : 12 = 1 : 3$
$\angle C = \angle F = 68^\circ$
$\therefore \triangle ABC \backsim \triangle DEF$ (SAS 닮음)
(3) $\triangle DEF$에서 $\angle E = 180^\circ - (38^\circ + 65^\circ) = 77^\circ$
$\triangle ABC$와 $\triangle DEF$에서
$\angle A = \angle D = 38^\circ$, $\angle B = \angle E = 77^\circ$
$\therefore \triangle ABC \backsim \triangle DEF$ (AA 닮음)

3-3 $\triangle ABC$와 $\triangle DAC$에서
$\overline{AB} : \overline{DA} = 9 : 6 = 3 : 2$
$\overline{BC} : \overline{AC} = 18 : 12 = 3 : 2$
$\overline{CA} : \overline{CD} = 12 : 8 = 3 : 2$
$\therefore \triangle ABC \backsim \triangle DAC$ (SSS 닮음)

2일 기초 집중 연습 p104 ~ p105

1-1 (가) 1 : 3 (나) 1 : 9 (다) 126
1-2 256 cm^3
2-1 $\triangle ABC \backsim \triangle KJL$ (SAS 닮음)
$\triangle DEF \backsim \triangle RPQ$ (AA 닮음)
$\triangle GHI \backsim \triangle ONM$ (SSS 닮음)
2-2 8 cm **2-3** ㉢, AA 닮음
3-1 15 cm **3-2** 6
3-3 15 cm **3-4** 10

1-1 $\overline{AC}$의 대응변이 $\overline{DF}$이므로
$\triangle ABC$와 $\triangle DEF$의 닮음비는
$\overline{AC} : \overline{DF} = 7 : 21 =$ (가) 1 : 3
따라서 넓이의 비는 $1^2 : 3^2 =$ (나) 1 : 9 이므로
$14 : \triangle DEF = 1 : 9$ $\therefore \triangle DEF =$ (다) 126 (cm^2)

1-2 두 정사면체 A, B의 닮음비는 $9 : 12 = 3 : 4$
따라서 부피의 비는 $3^3 : 4^3 = 27 : 64$이므로
$108 :$ (B의 부피) $= 27 : 64$
$27 \times$ (B의 부피) $= 6912$
$\therefore$ (B의 부피) $= 256$ (cm^3)

2-1 (i) $\triangle ABC$와 $\triangle KJL$에서
$\overline{AB} : \overline{KJ} = 6 : 3 = 2 : 1$
$\overline{BC} : \overline{JL} = 4 : 2 = 2 : 1$
$\angle B = \angle J = 40^\circ$
$\therefore \triangle ABC \backsim \triangle KJL$ (SAS 닮음)
(ii) $\triangle DEF$와 $\triangle RPQ$에서
$\angle D = \angle R = 90^\circ$
$\angle P = 90^\circ - 40^\circ = 50^\circ$이므로
$\angle E = \angle P = 50^\circ$
$\therefore \triangle DEF \backsim \triangle RPQ$ (AA 닮음)
(iii) $\triangle GHI$와 $\triangle ONM$에서
$\overline{GH} : \overline{ON} = 4 : 6 = 2 : 3$
$\overline{HI} : \overline{NM} = 3 : 4.5 = 2 : 3$
$\overline{IG} : \overline{MO} = 6 : 9 = 2 : 3$
$\therefore \triangle GHI \backsim \triangle ONM$ (SSS 닮음)

2-2 $\overline{BE}$의 대응변이 $\overline{DE}$이므로
$\triangle ABE$와 $\triangle CDE$의 닮음비는
$\overline{BE} : \overline{DE} = 9 : 18 = 1 : 2$
$\overline{AB} : \overline{CD} = 1 : 2$이므로 $\overline{AB} : 16 = 1 : 2$
$2\overline{AB} = 16$ $\therefore \overline{AB} = 8$ (cm)

2-3 ㉢ $\triangle ABC$와 $\triangle DEF$에서
$\angle B = \angle E = 50^\circ$, $\angle C = \angle F = 60^\circ$
$\therefore \triangle ABC \backsim \triangle DEF$ (AA 닮음)

3-1 $\triangle ABC$와 $\triangle AED$에서
$\angle A$는 공통
$\overline{AB} : \overline{AE} = (8+1) : 6 = 3 : 2$
$\overline{AC} : \overline{AD} = (6+6) : 8 = 3 : 2$
$\therefore \triangle ABC \backsim \triangle AED$ (SAS 닮음)
이때 $\triangle ABC$와 $\triangle AED$의 닮음비가 3 : 2이므로
$\overline{BC} : \overline{ED} = 3 : 2$에서 $\overline{BC} : 10 = 3 : 2$
$2\overline{BC} = 30$ $\therefore \overline{BC} = 15$ (cm)

3-2 $\triangle ABC$와 $\triangle DBA$에서
$\angle B$는 공통
$\overline{AB} : \overline{DB} = 12 : 9 = 4 : 3$
$\overline{BC} : \overline{BA} = (9+7) : 12 = 4 : 3$
$\therefore \triangle ABC \backsim \triangle DBA$ (SAS 닮음)

이때 $\triangle ABC$와 $\triangle DBA$의 닮음비가 $4:3$이므로
$\overline{AC}:\overline{DA}=4:3$에서 $8:x=4:3$
$4x=24 \quad \therefore x=6$

3-3 $\triangle ABC$와 $\triangle ADB$에서
$\angle A$는 공통, $\angle C=\angle ABD$
$\therefore \triangle ABC \backsim \triangle ADB$ (AA 닮음)
이때 $\triangle ABC$와 $\triangle ADB$의 닮음비는
$\overline{AB}:\overline{AD}=10:5=2:1$이므로
$\overline{AC}:\overline{AB}=2:1$에서 $\overline{AC}:10=2:1$
$\therefore \overline{AC}=20$ (cm)
$\therefore \overline{DC}=\overline{AC}-\overline{AD}=20-5=15$ (cm)

3-4 $\triangle ABC$와 $\triangle EDC$에서
$\angle C$는 공통, $\angle B=\angle CDE$
$\therefore \triangle ABC \backsim \triangle EDC$ (AA 닮음)
이때 $\triangle ABC$와 $\triangle EDC$의 닮음비는
$\overline{AC}:\overline{EC}=(4+8):6=2:1$이므로
$\overline{BC}:\overline{DC}=2:1$에서 $(x+6):8=2:1$
$x+6=16 \quad \therefore x=10$

5. 삼각형에서 평행선과 선분의 길이의 비(1)

개념 원리 확인 p107

1-1 (1) 8 (2) 10
1-2 (1) $x=12$, $y=6$ (2) $x=9$, $y=12$
2-1 25, 5, 20, 5, =, 평행하다
2-2 (1) × (2) × (3) ○ (4) ○

1-1 (1) $\overline{AB}:\overline{AD}=\overline{AC}:\overline{AE}$이므로
$12:x=9:6$
$9x=72 \quad \therefore x=8$
(2) $\overline{AC}:\overline{AE}=\overline{BC}:\overline{DE}$이므로
$x:5=14:7$
$7x=70 \quad \therefore x=10$

1-2 (1) $\overline{AB}:\overline{AD}=\overline{BC}:\overline{DE}$이므로
$15:10=x:8$
$10x=120 \quad \therefore x=12$
$\overline{AB}:\overline{AD}=\overline{AC}:\overline{AE}$이므로
$15:10=9:y$
$15y=90 \quad \therefore y=6$
(2) $\overline{AB}:\overline{AD}=\overline{AC}:\overline{AE}$이므로
$x:3=6:2$
$2x=18 \quad \therefore x=9$
$\overline{AC}:\overline{AE}=\overline{BC}:\overline{DE}$이므로
$6:2=y:4$
$2y=24 \quad \therefore y=12$

2-2 (1) $\overline{AB}:\overline{AD}=9:4$
$\overline{AC}:\overline{AE}=8:4=1:2$
즉 $\overline{AB}:\overline{AD}\neq\overline{AC}:\overline{AE}$이므로
$\overline{BC}$와 $\overline{DE}$는 평행하지 않다.
(2) $\overline{AB}:\overline{AD}=6:8=3:4$
$\overline{AC}:\overline{AE}=8:12=2:3$
즉 $\overline{AB}:\overline{AD}\neq\overline{AC}:\overline{AE}$이므로
$\overline{BC}$와 $\overline{DE}$는 평행하지 않다.
(3) $\overline{AB}:\overline{AD}=(10-6):6=2:3$
$\overline{AC}:\overline{AE}=(5-3):3=2:3$
즉 $\overline{AB}:\overline{AD}=\overline{AC}:\overline{AE}$이므로
$\overline{BC}$와 $\overline{DE}$는 평행하다.
(4) $\overline{AB}:\overline{AD}=6:2=3:1$
$\overline{AC}:\overline{AE}=(3+6):3=3:1$
즉 $\overline{AB}:\overline{AD}=\overline{AC}:\overline{AE}$이므로
$\overline{BC}$와 $\overline{DE}$는 평행하다.

6. 삼각형에서 평행선과 선분의 길이의 비(2)

개념 원리 확인 p109

3-1 (1) 9 (2) 12
3-2 (1) $\frac{8}{3}$ (2) 9
4-1 4, 1, 6, 2, =, 평행하다
4-2 (1) × (2) ○ (3) × (4) ○

3-1 (1) $\overline{AD}:\overline{DB}=\overline{AE}:\overline{EC}$이므로
$x:3=(8+4):4$
$4x=36 \quad \therefore x=9$
(2) $\overline{AD}:\overline{DB}=\overline{AE}:\overline{EC}$이므로
$10:25=8:(8+x)$
$10(8+x)=200,\ 80+10x=200$
$10x=120 \quad \therefore x=12$

3-2 (1) $\overline{AD}:\overline{DB}=\overline{AE}:\overline{EC}$이므로
$6:4=4:x$
$6x=16 \quad \therefore x=\frac{8}{3}$
(2) $\overline{AD}:\overline{DB}=\overline{AE}:\overline{EC}$이므로
$6:8=x:12$
$8x=72 \quad \therefore x=9$

4-2 (1) $\overline{AD}:\overline{DB}=4:5$
$\overline{AE}:\overline{EC}=3:4$
즉 $\overline{AD}:\overline{DB}\neq\overline{AE}:\overline{EC}$이므로
$\overline{BC}$와 $\overline{DE}$는 평행하지 않다.
(2) $\overline{AD}:\overline{DB}=15:3=5:1$
$\overline{AE}:\overline{EC}=10:2=5:1$
즉 $\overline{AD}:\overline{DB}=\overline{AE}:\overline{EC}$이므로
$\overline{BC}$와 $\overline{DE}$는 평행하다.
(3) $\overline{AD}:\overline{DB}=5:(5+10)=1:3$
$\overline{AE}:\overline{EC}=4:13$
즉 $\overline{AD}:\overline{DB}\neq\overline{AE}:\overline{EC}$이므로
$\overline{BC}$와 $\overline{DE}$는 평행하지 않다.
(4) $\overline{AD}:\overline{DB}=2:\frac{4}{3}=6:4=3:2$
$\overline{AE}:\overline{EC}=3:2$
즉 $\overline{AD}:\overline{DB}=\overline{AE}:\overline{EC}$이므로
$\overline{BC}$와 $\overline{DE}$는 평행하다.

3일 기초 집중 연습 p110 ~ p111

1-1 (1) 9 (2) 8 (3) 10 (4) 12 (5) 15 (6) 18
1-2 16 **1-3** 3
1-4 9 **2-1** ①, ③

1-1 (1) $\overline{AD}:\overline{AB}=\overline{AE}:\overline{AC}$이므로
$x:15=12:20$
$20x=180 \quad \therefore x=9$
(2) $\overline{AB}:\overline{AD}=\overline{BC}:\overline{DE}$이므로
$4:(4+3)=x:14$
$7x=56 \quad \therefore x=8$
(3) $\overline{AB}:\overline{AD}=\overline{BC}:\overline{DE}$이므로
$5:2=x:4$
$2x=20 \quad \therefore x=10$
(4) $\overline{AD}:\overline{DB}=\overline{AE}:\overline{EC}$이므로
$9:6=x:8$
$6x=72 \quad \therefore x=12$
(5) $\overline{AD}:\overline{DB}=\overline{AE}:\overline{EC}$이므로
$8:4=(x-5):5$
$4(x-5)=40,\ 4x-20=40$
$4x=60 \quad \therefore x=15$
(6) $\overline{AD}:\overline{DB}=\overline{AE}:\overline{EC}$이므로
$10:25=(30-x):30$
$25(30-x)=300,\ 750-25x=300$
$25x=450 \quad \therefore x=18$

1-2 $\overline{AD}:\overline{DB}=\overline{AE}:\overline{EC}$이므로
$10:5=8:x$
$10x=40 \quad \therefore x=4$
$\overline{AB}:\overline{AD}=\overline{BC}:\overline{DE}$이므로
$(10+5):10=y:8$
$10y=120 \quad \therefore y=12$
$\therefore x+y=4+12=16$

1-3 $\overline{AD}:\overline{DB}=\overline{AE}:\overline{EC}$이므로
$6:x=4:10$
$4x=60 \quad \therefore x=15$
$\overline{AC}:\overline{AE}=\overline{BC}:\overline{DE}$이므로
$(10-4):4=y:8$
$4y=48 \quad \therefore y=12$
$\therefore x-y=15-12=3$

1-4 $\triangle ABP$에서 $\overline{BP}/\!/\overline{DQ}$이므로
$\overline{AP}:\overline{AQ}=\overline{AB}:\overline{AD}=(4+2):4=3:2$
$\triangle APC$에서 $\overline{PC}/\!/\overline{QE}$이므로
$\overline{PC}:\overline{QE}=\overline{AP}:\overline{AQ}=3:2$
즉 $x:6=3:2,\ 2x=18 \quad \therefore x=9$

2-1 ① $\overline{AB}:\overline{AD}=30:20=3:2$

$\overline{AC}:\overline{AE}=27:18=3:2$

즉 $\overline{AB}:\overline{AD}=\overline{AC}:\overline{AE}$이므로 $\overline{BC}/\!/\overline{DE}$이다.

② $\overline{AD}:\overline{DB}=4:2=2:1$

$\overline{AE}:\overline{EC}=5:3$

즉 $\overline{AD}:\overline{DB}\neq\overline{AE}:\overline{EC}$이므로

$\overline{BC}/\!/\overline{DE}$가 아니다.

③ $\overline{AD}:\overline{DB}=6:4=3:2$

$\overline{AE}:\overline{EC}=9:6=3:2$

즉 $\overline{AD}:\overline{DB}=\overline{AE}:\overline{EC}$이므로 $\overline{BC}/\!/\overline{DE}$이다.

④ $\overline{AB}:\overline{AD}=15:12=5:4$

$\overline{AC}:\overline{AE}=12:9=4:3$

즉 $\overline{AB}:\overline{AD}\neq\overline{AC}:\overline{AE}$이므로

$\overline{BC}/\!/\overline{DE}$가 아니다.

⑤ $\overline{AD}:\overline{DB}=9:5$

$\overline{AE}:\overline{EC}=6:4=3:2$

즉 $\overline{AD}:\overline{DB}\neq\overline{AE}:\overline{EC}$이므로

$\overline{BC}/\!/\overline{DE}$가 아니다.

4일

7. 삼각형의 두 변의 중점을 연결한 선분의 성질

개념 원리 확인 p113

1-1 (1) 16 ➡ $\frac{1}{2}$ (2) 7

1-2 (1) 18 (2) 6

2-1 $x=6$, $y=4$ ➡ $\overline{CN}$, $\overline{CN}$, $\frac{1}{2}$

2-2 (1) $x=7$, $y=\frac{9}{2}$ (2) $x=20$, $y=8$

1-1 (1) $\overline{MN}=\frac{1}{2}\overline{BC}$이므로 $\overline{BC}=2\overline{MN}=2\times8=16$

$\therefore x=16$

(2) $\overline{MN}=\frac{1}{2}\overline{BC}=\frac{1}{2}\times14=7$ $\quad\therefore x=7$

1-2 (1) $\overline{BC}=2\overline{MN}=2\times9=18$ $\quad\therefore x=18$

(2) $\overline{MN}=\frac{1}{2}\overline{BC}=\frac{1}{2}\times12=6$ $\quad\therefore x=6$

2-1 $\overline{AN}=\overline{CN}=\frac{1}{2}\overline{AC}=\frac{1}{2}\times12=6\ (\text{cm})$

$\therefore x=6$

$\overline{MN}=\frac{1}{2}\overline{BC}=\frac{1}{2}\times8=4\ (\text{cm})$

$\therefore y=4$

2-2 (1) $\overline{AN}=\overline{CN}=\frac{1}{2}\overline{AC}=\frac{1}{2}\times14=7$ $\quad\therefore x=7$

$\overline{MN}=\frac{1}{2}\overline{BC}=\frac{1}{2}\times9=\frac{9}{2}$ $\quad\therefore y=\frac{9}{2}$

(2) $\overline{AN}=\overline{CN}$이므로 $\overline{AC}=2\overline{AN}=2\times10=20$

$\therefore x=20$

$\overline{MN}=\frac{1}{2}\overline{BC}=\frac{1}{2}\times16=8$ $\quad\therefore y=8$

8. 평행선 사이의 선분의 길이의 비

개념 원리 확인 p115

3-1 (1) $\frac{42}{5}$ (2) $\frac{21}{2}$ **3-2** (1) $\frac{16}{3}$ (2) $\frac{48}{5}$

4-1 (1) $\frac{18}{5}$ (2) $\frac{15}{2}$ **4-2** (1) 2 (2) $\frac{24}{5}$

3-1 (1) $5:7=6:x$이므로 $5x=42$

$\therefore x=\frac{42}{5}$

(2) $(x-7):7=4:8$이므로 $8(x-7)=28$

$8x-56=28$, $8x=84$

$\therefore x=\frac{21}{2}$

3-2 (1) $3:5=2:(x-2)$이므로 $3(x-2)=10$

$3x-6=10$, $3x=16$

$\therefore x=\frac{16}{3}$

(2) $15:10=(24-x):x$이므로 $15x=10(24-x)$

$15x=240-10x$, $25x=240$

$\therefore x=\frac{48}{5}$

4-1 (1) $3:10=x:12$이므로 $10x=36$

$\therefore x=\frac{18}{5}$

(2) $4:(4+6)=3:x$이므로 $4x=30$

$\therefore x=\frac{15}{2}$

4-2 (1) $x : 6=3 : 9$이므로 $9x=18$

$\therefore x=2$

(2) $10 : 6=8 : x$이므로 $10x=48$

$\therefore x=\frac{24}{5}$

4일 기초 집중 연습 p116 ~ p117

1-1 (가) $\overline{AB}$ (나) $\overline{BC}$ (다) 2 (라) $\frac{1}{2}$

1-2 5

1-3 (1) 4 cm (2) 3 cm (3) 5 cm (4) 12 cm

1-4 9 cm

2-1 (1) 14 cm (2) 12 cm

2-2 $x=7$, $y=16$

3-1 $\frac{22}{3}$

3-2 3, 6, $12-y$, 4

3-3 $x=\frac{15}{2}$, $y=9$

1-2 $\overline{MN}=\frac{1}{2}\overline{BC}=\frac{1}{2}\times10=5\,(cm)$ $\therefore x=5$

1-3 (1) $\overline{DE}=\frac{1}{2}\overline{AC}=\frac{1}{2}\times8=4\,(cm)$

(2) $\overline{EF}=\frac{1}{2}\overline{AB}=\frac{1}{2}\times6=3\,(cm)$

(3) $\overline{DF}=\frac{1}{2}\overline{BC}=\frac{1}{2}\times10=5\,(cm)$

(4) ($\triangle DEF$의 둘레의 길이)$=\overline{DE}+\overline{EF}+\overline{DF}$

$=4+3+5$

$=12\,(cm)$

1-4 $\triangle ABC$에서 $\overline{MN}=\frac{1}{2}\overline{BC}$이므로

$\overline{BC}=2\overline{MN}=2\times9=18\,(cm)$

$\triangle DBC$에서

$\overline{PQ}=\frac{1}{2}\overline{BC}=\frac{1}{2}\times18=9\,(cm)$

2-1 (1) $\overline{AM}=\overline{BM}$, $\overline{MN}\,/\!/\,\overline{BC}$이므로

$\overline{AN}=\overline{CN}=14$ cm

(2) $\overline{MN}=\frac{1}{2}\overline{BC}$이므로

$\overline{BC}=2\overline{MN}=2\times6=12\,(cm)$

2-2 $\overline{BN}=\overline{CN}$, $\overline{MN}\,/\!/\,\overline{AC}$이므로

$\overline{BM}=\overline{AM}=7$ cm $\therefore x=7$

또 $\overline{MN}=\frac{1}{2}\overline{AC}$이므로

$\overline{AC}=2\overline{MN}=2\times8=16\,(cm)$ $\therefore y=16$

3-1 $6 : 9=x : 11$이므로 $9x=66$ $\therefore x=\frac{22}{3}$

3-2 $x : \boxed{3}=4 : 2$이므로 $2x=12$ $\therefore x=\boxed{6}$

$(\boxed{12-y}) : y=4 : 2$이므로 $2(12-y)=4y$

$24-2y=4y$, $6y=24$

$\therefore y=\boxed{4}$

3-3 $10 : x=8 : 6$이므로 $8x=60$

$\therefore x=\frac{15}{2}$

$8 : 6=12 : y$이므로 $8y=72$

$\therefore y=9$

5일

9. 삼각형의 무게중심

개념 원리 확인 p119

1-1 (1) 5 (2) 6

1-2 (1) 5 (2) 4 ➡ 1, $\frac{1}{3}$

2-1 (1) 7 (2) 1, 8, 1, 8, 4 (3) 2, $\frac{2}{3}$, 15, 10

2-2 (1) $x=6$, $y=\frac{21}{2}$ (2) $x=8$, $y=\frac{13}{3}$

1-1 (1) $\overline{AD}=\overline{CD}$이므로 $x=5$

(2) $\overline{BG} : \overline{GD}=2 : 1$이므로 $x : 3=2 : 1$

$\therefore x=6$

1-2 (1) $\overline{AG} : \overline{GD}=2 : 1$이므로 $10 : x=2 : 1$

$2x=10$ $\therefore x=5$

(2) $\overline{CG} : \overline{GD}=2 : 1$이므로

$\overline{GD}=\frac{1}{3}\overline{CD}=\frac{1}{3}\times12=4$ $\therefore x=4$

2-2 (1) $\overline{BD}=\frac{1}{2}\overline{BC}=\frac{1}{2}\times12=6$ $\therefore x=6$

$\overline{BG}:\overline{GE}=2:1$이므로 $\overline{GE}=\frac{1}{3}\overline{BE}$

$\therefore \overline{BE}=3\overline{GE}=3\times\frac{7}{2}=\frac{21}{2}$

$\therefore y=\frac{21}{2}$

(2) $\overline{CD}=\frac{1}{2}\overline{BC}=\frac{1}{2}\times16=8$ $\therefore x=8$

$\overline{AG}:\overline{GD}=2:1$이므로

$\overline{GD}=\frac{1}{3}\overline{AD}=\frac{1}{3}\times13=\frac{13}{3}$ $\therefore y=\frac{13}{3}$

10. 삼각형의 무게중심과 넓이

개념 원리 확인 p121

3-1 6, 6, 3	**3-2** (1) 18 cm^2 (2) 9 cm^2
4-1 15 cm^2	**4-2** 28 cm^2
5-1 24 cm^2	**5-2** 30 cm^2

3-2 (1) $\triangle ABG=\frac{1}{3}\triangle ABC=\frac{1}{3}\times54=18\ (cm^2)$

(2) $\triangle AGE=\frac{1}{6}\triangle ABC=\frac{1}{6}\times54=9\ (cm^2)$

4-1 (색칠한 부분의 넓이)

$=\triangle AFG+\triangle BDG+\triangle CEG$

$=\frac{1}{6}\triangle ABC+\frac{1}{6}\triangle ABC+\frac{1}{6}\triangle ABC$

$=\frac{1}{2}\triangle ABC=\frac{1}{2}\times30=15\ (cm^2)$

4-2 (색칠한 부분의 넓이)

$=\triangle ABG+\triangle DCG+\triangle CEG$

$=\frac{1}{3}\triangle ABC+\frac{1}{6}\triangle ABC+\frac{1}{6}\triangle ABC$

$=\frac{2}{3}\triangle ABC=\frac{2}{3}\times42=28\ (cm^2)$

5-1 $\triangle GBD=\frac{1}{6}\triangle ABC$이므로

$\triangle ABC=6\triangle GBD=6\times4=24\ (cm^2)$

5-2 $\triangle ABG=\frac{1}{3}\triangle ABC$이므로

$\triangle ABC=3\triangle ABG=3\times10=30\ (cm^2)$

5일 기초 집중 연습 p122 ~ p123

1-1 13 cm^2	
1-2 (1) $x=3$, $y=4$ (2) $x=14$, $y=6$	
1-3 5 ➡ 15, 2	
1-4 18 cm	**1-5** $\frac{16}{3}$ cm
2-1 2 cm^2	**2-2** 27 cm^2
2-3 36 cm^2	**2-4** 32 cm^2
2-5 16 cm^2	**2-6** (1) 20 cm^2 (2) 10 cm^2

1-1 $\overline{BD}=\overline{CD}$이므로

$\triangle ACD=\frac{1}{2}\triangle ABC=\frac{1}{2}\times26=13\ (cm^2)$

1-2 (1) $\overline{BD}=\overline{CD}$이므로 $x=3$

$\overline{AG}:\overline{GD}=2:1$이므로

$y:2=2:1$ $\therefore y=4$

(2) $\overline{AG}:\overline{GD}=2:1$이므로

$\overline{AG}=\frac{2}{3}\overline{AD}=\frac{2}{3}\times21=14$ $\therefore x=14$

$\overline{BG}:\overline{GE}=2:1$이므로

$\overline{GE}=\frac{1}{3}\overline{BE}=\frac{1}{3}\times18=6$ $\therefore y=6$

1-3 $\overline{CG}:\overline{GD}=2:1$이고 $\overline{CD}=15$ cm이므로

$\overline{GD}=\frac{1}{3}\overline{CD}=\frac{1}{3}\times15=5\ (cm)$ $\therefore x=5$

1-4 $\overline{AG}:\overline{GD}=2:1$이므로 $6:\overline{GD}=2:1$

$2\overline{GD}=6$ $\therefore \overline{GD}=3\ (cm)$

이때 $\overline{AD}=\overline{AG}+\overline{GD}=6+3=9\ (cm)$이고

점 D는 직각삼각형 ABC의 외심이므로

$\overline{BD}=\overline{CD}=\overline{AD}=9$ cm

$\therefore \overline{BC}=2\times9=18\ (cm)$

1-5 점 G가 △ABC의 무게중심이므로

$\overline{GD}=\frac{1}{3}\overline{AD}=\frac{1}{3}\times24=8\ (cm)$

또 점 G′이 △GBC의 무게중심이므로

$\overline{GG'}=\frac{2}{3}\overline{GD}=\frac{2}{3}\times8=\frac{16}{3}\ (cm)$

2-1 $\triangle GBD=\frac{1}{6}\triangle ABC=\frac{1}{6}\times 12=2\ (cm^2)$

2-2 $\triangle GBC=\frac{1}{3}\triangle ABC$이므로

$\triangle ABC=3\triangle GBC=3\times 9=27\ (cm^2)$

2-3 $\square BDGF=\triangle BGF+\triangle BDG$

$=\frac{1}{6}\triangle ABC+\frac{1}{6}\triangle ABC$

$=\frac{1}{3}\triangle ABC$

$\therefore\ \triangle ABC=3\square BDGF=3\times 12=36\ (cm^2)$

2-4 $\triangle GDC=\frac{1}{6}\triangle ABC$이므로

$\triangle ABC=6\triangle GDC=6\times 16=96\ (cm^2)$

$\therefore\ \triangle ABG=\frac{1}{3}\triangle ABC=\frac{1}{3}\times 96=32\ (cm^2)$

2-5 오른쪽 그림과 같이 $\overline{GC}$를 그으면

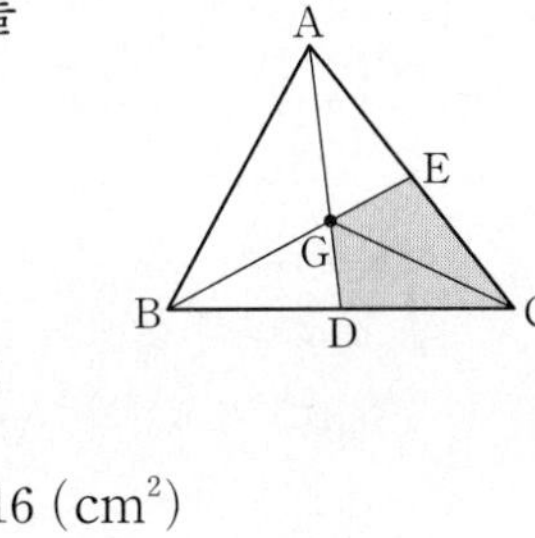

$\square GDCE$

$=\triangle GDC+\triangle GCE$

$=\frac{1}{6}\triangle ABC+\frac{1}{6}\triangle ABC$

$=\frac{1}{3}\triangle ABC=\frac{1}{3}\times 48=16\ (cm^2)$

2-6 (1) $\triangle AGC=\frac{1}{3}\triangle ABC=\frac{1}{3}\times 60=20\ (cm^2)$

(2) $\triangle GCP=\frac{1}{2}\triangle AGC=\frac{1}{2}\times 20=10\ (cm^2)$

누구나 100점 테스트 p124 ~ p125

01 $\overline{CD}=\frac{15}{2}$ cm, $\angle F=80^\circ$

02 연우, 하준 **03** ②

04 (1) $\triangle ABC\backsim\triangle EBD$ (AA 닮음) (2) 8 cm

05 1 **06** ㉡, ㉢

07 19 cm **08** $\frac{18}{5}$

09 22 **10** 19 cm^2

01 $\overline{BC}$의 대응변이 $\overline{FG}$이므로 닮음비는

$\overline{BC}:\overline{FG}=10:8=5:4$

$\overline{CD}:\overline{GH}=5:4$이므로 $\overline{CD}:6=5:4$

$4\overline{CD}=30\qquad\therefore\ \overline{CD}=\frac{15}{2}\ (cm)$

또 $\angle F$의 대응각이 $\angle B$이므로

$\angle F=\angle B=80^\circ$

02 소현 : $\overline{DE}:\overline{D'E'}=\overline{AD}:\overline{A'D'}$이므로

$2:\overline{D'E'}=3:5$

$3\overline{D'E'}=10\qquad\therefore\ \overline{D'E'}=\frac{10}{3}\ (cm)$

연우 : 작은 삼각기둥과 큰 삼각기둥의 닮음비는

$\overline{AD}:\overline{A'D'}=3:5$

하준 : 작은 삼각기둥과 큰 삼각기둥의 부피의 비는

$3^3:5^3=27:125$

따라서 잘못 설명한 학생은 연우, 하준이다.

03 ② 나머지 한 내각의 크기가 $180^\circ-(60^\circ+45^\circ)=75^\circ$

즉 보기 의 삼각형과 두 쌍의 대응각의 크기가 각각 같으므로 AA 닮음이다.

04 (1) $\triangle ABC$와 $\triangle EBD$에서

$\angle B$는 공통, $\angle C=\angle BDE$

$\therefore\ \triangle ABC\backsim\triangle EBD$ (AA 닮음)

(2) $\triangle ABC$와 $\triangle EBD$의 닮음비는

$\overline{BC}:\overline{BD}=(5+7):6=2:1$

$\overline{AC}:\overline{ED}=2:1$이므로 $\overline{AC}:4=2:1$

$\therefore\ \overline{AC}=8\ (cm)$

05 $\overline{AD}:\overline{DB}=\overline{AE}:\overline{EC}$이므로 $x:4=6:3$

$3x=24\qquad\therefore\ x=8$

$\overline{AC}:\overline{AE}=\overline{BC}:\overline{DE}$이므로 $(6+3):6=y:6$

$6y=54\qquad\therefore\ y=9$

$\therefore\ y-x=9-8=1$

06 ㉠ $\overline{AD}:\overline{DB}=12:4=3:1$

$\overline{AE}:\overline{EC}=14:5$

즉 $\overline{AD}:\overline{DB}\neq\overline{AE}:\overline{EC}$이므로 $\overline{BC}\mathbin{/\!/}\overline{DE}$가 아니다.

ⓛ $\overline{AB}:\overline{AD}=8:4=2:1$
$\overline{AC}:\overline{AE}=6:3=2:1$
즉 $\overline{AB}:\overline{AD}=\overline{AC}:\overline{AE}$이므로 $\overline{BC}/\!/\overline{DE}$이다.
ⓒ $\overline{AB}:\overline{BD}=12:3=4:1$
$\overline{AC}:\overline{CE}=8:(10-8)=4:1$
즉 $\overline{AB}:\overline{BD}=\overline{AC}:\overline{CE}$이므로 $\overline{BC}/\!/\overline{DE}$이다.
ⓔ $\overline{AB}:\overline{AD}=10:(15-10)=2:1$
$\overline{AC}:\overline{AE}=15:9=5:3$
즉 $\overline{AB}:\overline{AD}\neq\overline{AC}:\overline{AE}$이므로
$\overline{BC}/\!/\overline{DE}$가 아니다.
따라서 $\overline{BC}/\!/\overline{DE}$인 것은 ⓛ, ⓒ이다.

07 $\overline{DE}=\frac{1}{2}\overline{AC}=\frac{1}{2}\times9=\frac{9}{2}$ (cm)
$\overline{EF}=\frac{1}{2}\overline{AB}=\frac{1}{2}\times16=8$ (cm)
$\overline{FD}=\frac{1}{2}\overline{BC}=\frac{1}{2}\times13=\frac{13}{2}$ (cm)
$\therefore$ (△DEF의 둘레의 길이)$=\overline{DE}+\overline{EF}+\overline{FD}$
$=\frac{9}{2}+8+\frac{13}{2}$
$=19$ (cm)

08 $3:10=x:12$이므로 $10x=36$ $\quad\therefore x=\frac{18}{5}$

09 $\overline{AE}=\overline{BE}$이므로 $\overline{AB}=2\overline{BE}=2\times7=14$
$\therefore x=14$
$\overline{AG}:\overline{GD}=2:1$이므로
$\overline{AG}=\frac{2}{3}\overline{AD}=\frac{2}{3}\times12=8$ $\quad\therefore y=8$
$\therefore x+y=14+8=22$

10 오른쪽 그림과 같이 $\overline{AG}$를 그으면
□AEGD
$=$△AEG$+$△AGD
$=\frac{1}{6}$△ABC$+\frac{1}{6}$△ABC
$=\frac{1}{3}$△ABC
$=\frac{1}{3}\times57=19$ (cm^2)

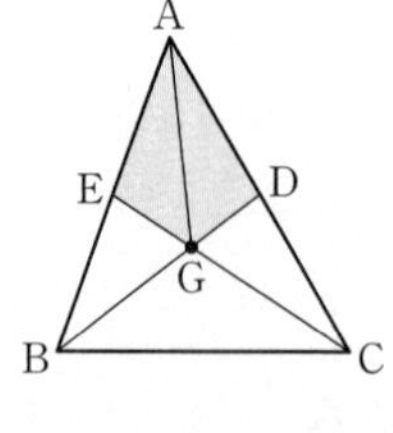

특강 | 창의, 융합, 코딩 p126 ~ p131

1 ❶ 일정 ❷ 닮은 도형 ❸ $m^3:n^3$ ❹ AA ❺ $\overline{DB}$
❻ 2 : 1
2 (1) $\overline{EH}=30$ cm, $\overline{EF}=20$ cm
(2) 5 : 3
(3) 2 : 1
(4) 닮은 도형이 아니다.
이유 : 대응변의 길이의 비가 일정하지 않다.
3 박물관
4 소현 : △ABC → △OMN → △K′L′J′
중기 : △DEF → △B′A′C′ → △D′E′F′
태리 : △GHI → △LJK → △H′G′I′
5 MONKEY
6 (1) 소영 (2) 삼각형의 세 중선의 교점을 찾는다.

2 (1) $\overline{EH}=50-(10+10)=30$ (cm)
$\overline{EF}=40-(10+10)=20$ (cm)
(2) $50:30=5:3$
(3) $40:20=2:1$
(4) 대응변의 길이의 비가 일정하지 않으므로 액자의 바깥쪽 직사각형 ABCD와 안쪽 직사각형 EFGH는 닮은 도형이 아니다.

3

한 도형을 일정한 비율로 확대 또는 축소한 도형이 다른 도형과 합동이면 이 두 도형은 서로 닮음인 관계에 있다.
⬇ Yes
중심각의 크기의 비가 1 : 2인 두 부채꼴은 닮은 도형이다.
⬇ NO
닮은 두 입체도형에서 대응하는 면은 서로 합동이다.
⬇ NO
박물관

4 소현 : △ABC와 △OMN에서
$\angle A=\angle O=35°$
$\overline{AB}:\overline{OM}=\overline{AC}:\overline{ON}=3:1$
$\therefore$ △ABC∽△OMN (SAS 닮음)
△OMN과 △K′L′J′에서
$\angle O=\angle K'=35°$
$\overline{OM}:\overline{K'L'}=\overline{ON}:\overline{K'J'}=1:2$
$\therefore$ △OMN∽△K′L′J′ (SAS 합동)

중기 : $\triangle$DEF와 $\triangle$B'A'C'에서

$\angle D=180°-(70°+45°)=65°$이므로

$\angle D=\angle B'=65°$, $\angle E=\angle A'=70°$

$\therefore \triangle DEF \backsim \triangle B'A'C'$ (AA 닮음)

$\triangle$B'A'C'과 $\triangle$D'E'F'에서

$\angle C'=180°-(70°+65°)=45°$이므로

$\angle A'=\angle E'=70°$, $\angle C'=\angle F'=45°$

$\therefore \triangle B'A'C' \backsim \triangle D'E'F'$ (AA 닮음)

태리 : $\triangle$GHI와 $\triangle$LJK에서

$\overline{GH} : \overline{LJ}=\overline{HI} : \overline{JK}=\overline{IG} : \overline{KL}=2 : 3$

$\therefore \triangle GHI \backsim \triangle LJK$ (SSS 닮음)

$\triangle$LJK와 $\triangle$H'G'I'에서

$\overline{LJ} : \overline{H'G'}=\overline{JK} : \overline{G'I'}=\overline{KL} : \overline{I'H'}=3 : 1$

$\therefore \triangle LJK \backsim \triangle H'G'I'$ (SSS 닮음)

5 ❶ $\overline{AB} : \overline{AD}=\overline{BC} : \overline{DE}$이므로 $x : 14=18 : 12$

$12x=252 \quad \therefore x=21$ ➡ M

❷ $\overline{BN}=\overline{CN}$, $\overline{MN} /\!/ \overline{AC}$이므로 $\overline{BM}=\overline{AM}$

$\therefore \overline{MN}=\frac{1}{2}\overline{AC}=\frac{1}{2}\times 18=9$ (cm)

$\therefore x=9$ ➡ O

❸ $10 : 8=x : (27-x)$이므로 $8x=10(27-x)$

$8x=270-10x$, $18x=270 \quad \therefore x=15$ ➡ N

❹ $x : (15-x)=8 : (20-8)$이므로 $8(15-x)=12x$

$120-8x=12x$, $20x=120 \quad \therefore x=6$ ➡ K

❺ $\overline{AD} : \overline{DB}=\overline{AE} : \overline{EC}$이므로 $8 : x=6 : (6+18)$

$6x=192 \quad \therefore x=32$ ➡ E

❻ $\overline{AD}=\overline{BD}$, $\overline{AE}=\overline{CE}$이므로

$\overline{DE}=\frac{1}{2}\overline{BC}=\frac{1}{2}\times 14=7$ (cm)

$\therefore x=7$ ➡ Y

따라서 알파벳을 해당 번호에 맞게 적으면 MONKEY이다.

6 (1) 삼각형 모양의 팽이를 만들 때, 팽이가 오래 돌게 하려면 축의 위치가 삼각형의 무게중심에 있어야 한다. 따라서 소영이의 팽이가 가장 오래 돈다.

(2) 삼각형의 무게중심을 찾는 방법은 삼각형의 세 중선의 교점을 찾으면 된다.

4주

4주에는 무엇을 공부할까? ❷ p134 ~ p135

1-1 표는 풀이 참조 / 5, 7, 11

1-2 (1) × (2) ○ (3) × (4) ○

2-1 $\frac{17}{20}$

2-2 (1) $\frac{7}{10}$ (2) $\frac{3}{5}$ (3) $\frac{2}{5}$

3-1 (1) $\frac{1}{4}$ (2) $\frac{1}{2}$

3-2 (1) $\frac{1}{2}$ (2) $\frac{3}{4}$

4-1 $\frac{3}{20}$

4-2 $A=0.3$, $B=0.35$, $C=0.2$, $D=0.05$, $E=1$

1-1

세 변의 길이	가장 긴 변의 길이	대소 비교	나머지 두 변의 길이의 합
2, 4, 7	7	>	2+4
5, 7, 11	11	<	5+7
4, 9, 13	13	=	4+9

위의 표에 의해 삼각형을 만들 수 있는 세 변의 길이는 5, 7, 11이다.

1-2 (1) $5>1+3$이므로 삼각형을 만들 수 없다.

(2) $6<2+5$이므로 삼각형을 만들 수 있다.

(3) $15>5+8$이므로 삼각형을 만들 수 없다.

(4) $6<6+6$이므로 삼각형을 만들 수 있다.

2-2 (1) 명중시킨 비율은 $\frac{7}{10}$

(2) 앞면이 나온 비율은 $\frac{12}{20}=\frac{3}{5}$

(3) 눈의 수가 5인 경우가 나온 비율은 $\frac{4}{10}=\frac{2}{5}$

3-1 주머니에 들어 있는 구슬의 총개수는

$1+2+1=4$

(1) 주머니에 흰색 구슬이 1개 들어 있으므로 꺼낸 구슬이 흰색일 가능성은 $\frac{1}{4}$

(2) 꺼낸 구슬이 검은색이 아닐 가능성은 꺼낸 구슬이 흰색 또는 파란색 구슬일 가능성과 같으므로 구하는 가능성은 $\frac{1+1}{4}=\frac{1}{2}$

3-2 (1) 숫자 카드 중 홀수는 1, 3의 2장이므로 뒤집은 카드에 적힌 숫자가 홀수일 가능성은 $\frac{2}{4}=\frac{1}{2}$

(2) 숫자 카드 중 4보다 작은 수는 1, 2, 3의 3장이므로 뒤집은 카드에 적힌 숫자가 4보다 작을 가능성은 $\frac{3}{4}$

4-2 $(\text{어떤 계급의 상대도수})=\frac{(\text{그 계급의 도수})}{(\text{도수의 총합})}$이므로

$A=\frac{12}{40}=0.3$

$B=\frac{14}{40}=0.35$

$C=\frac{8}{40}=0.2$

$D=\frac{2}{40}=0.05$

상대도수의 총합은 항상 1이므로 $E=1$

1일

1. 피타고라스 정리

개념 원리 확인 p137

1-1 (1) 10 (2) 8 **1-2** (1) 5 (2) 5
2-1 15 **2-2** 8
3-1 (1) 5 cm (2) 25 cm²
3-2 (1) 13 cm (2) 12 cm

1-1 (1) $8^2+6^2=x^2$이므로 $x^2=100$
그런데 $x>0$이므로 $x=10$

(2) $15^2+x^2=17^2$이므로 $x^2=64$
그런데 $x>0$이므로 $x=8$

1-2 (1) $4^2+3^2=x^2$이므로 $x^2=25$
그런데 $x>0$이므로 $x=5$

(2) $12^2+x^2=13^2$이므로 $x^2=25$
그런데 $x>0$이므로 $x=5$

2-1 $\overline{BC}^2+\overline{AC}^2=\overline{AB}^2$이므로
$x=10+5=15$

2-2 $\overline{AC}^2+\overline{BC}^2=\overline{AB}^2$이므로
$12+x=20 \quad \therefore x=8$

3-1 (1) $\overline{AH}^2+\overline{AE}^2=\overline{EH}^2$이므로
$\overline{EH}^2=4^2+3^2=25$
그런데 $\overline{EH}>0$이므로 $\overline{EH}=5\,(\text{cm})$

(2) □EFGH는 정사각형이므로 □EFGH의 넓이는 $\overline{EH}^2=5^2=25\,(\text{cm}^2)$

3-2 (1) □EFGH는 정사각형이고 □EFGH의 넓이가 169 cm²이므로 $\overline{EH}^2=169$
그런데 $\overline{EH}>0$이므로 $\overline{EH}=13\,(\text{cm})$

(2) $\overline{AH}^2+\overline{AE}^2=\overline{EH}^2$이므로 $\overline{AH}^2+5^2=13^2$
$\overline{AH}^2=144$
그런데 $\overline{AH}>0$이므로 $\overline{AH}=12\,(\text{cm})$

2. 직각삼각형이 되는 조건

개념 원리 확인 p139

4-1 (1) ≠, 직각삼각형이 아니다
(2) =, 직각삼각형이다
4-2 (1) × (2) ○ (3) × (4) ○
5-1 (1) >, 둔각 (2) <, 예각 (3) =, 직각
5-2 (1) 예각삼각형 (2) 직각삼각형 (3) 둔각삼각형

4-2 (1) $6^2+6^2\neq10^2$이므로 직각삼각형이 아니다.
(2) $3^2+4^2=5^2$이므로 직각삼각형이다.
(3) $4^2+5^2\neq7^2$이므로 직각삼각형이 아니다.
(4) $5^2+12^2=13^2$이므로 직각삼각형이다.

5-2 (1) $11^2<7^2+9^2$이므로 예각삼각형이다.
(2) $25^2=7^2+24^2$이므로 직각삼각형이다.
(3) $20^2>12^2+15^2$이므로 둔각삼각형이다.

1일 기초 집중 연습 p140 ~ p141

1-1 (1) 13 (2) 15　**1-2** (1) 25 cm^2 (2) 5 cm
1-3 20 cm^2　**1-4** 13 cm
2-1 41　**2-2** $x=8$, $y=12$
3-1 직각삼각형이다.　**3-2** ④
4-1 ③　**4-2** ㉠, ㉢
4-3 ④, ⑤

1-1 (1) $12^2+5^2=x^2$이므로 $x^2=169$
그런데 $x>0$이므로 $x=13$
(2) $x^2+20^2=25^2$이므로 $x^2=225$
그런데 $x>0$이므로 $x=15$

1-2 (1) $\square$ACDE$=\overline{AC}^2=16$ cm^2,
$\square$BHIC$=\overline{BC}^2=9$ cm^2
이고 $\overline{AC}^2+\overline{BC}^2=\overline{AB}^2$이므로
$\square$AFGB$=\overline{AB}^2=16+9=25$ (cm^2)
(2) $\overline{AB}^2=25$이고 $\overline{AB}>0$이므로 $\overline{AB}=5$ (cm)

1-3 $\square$EFGH는 정사각형이고 $\square$EFGH$=\overline{EH}^2$
이때 $\overline{EH}^2=\overline{AH}^2+\overline{AE}^2=2^2+4^2=20$이므로
$\square$EFGH의 넓이는 20 cm^{2}이다.

1-4 $\triangle$ABC에서 $\overline{BC}^2+\overline{AB}^2=\overline{AC}^2$이므로
$\overline{AC}^2=3^2+4^2=25$
$\triangle$ACD에서 $\overline{AC}^2+\overline{CD}^2=\overline{AD}^2$이므로
$\overline{AD}^2=25+12^2=169$
그런데 $\overline{AD}>0$이므로 $\overline{AD}=13$ (cm)

2-1 $\triangle$ABD에서 $\overline{BD}^2+\overline{AD}^2=\overline{AB}^2$이므로
$\overline{BD}^2+4^2=5^2$, $\overline{BD}^2=9$
그런데 $\overline{BD}>0$이므로 $\overline{BD}=3$
$\triangle$ADC에서 $\overline{DC}=\overline{BC}-\overline{BD}=8-3=5$
$\overline{DC}^2+\overline{AD}^2=\overline{AC}^2$이므로
$x^2=5^2+4^2=41$

2-2 $\triangle$ABD에서 $\overline{BD}^2+\overline{AB}^2=\overline{AD}^2$이므로
$x^2+15^2=17^2$, $x^2=64$
그런데 $x>0$이므로 $x=8$
$\triangle$ABC에서 $\overline{BC}^2+\overline{AB}^2=\overline{AC}^2$이므로
$\overline{BC}^2+15^2=25^2$, $\overline{BC}^2=400$
그런데 $\overline{BC}>0$이므로 $\overline{BC}=20$
$\therefore y=\overline{BC}-x=20-8=12$

3-1 $12^2+16^2=20^2$이므로 직각삼각형이다.

3-2 ① $2^2+3^2\neq4^2$이므로 직각삼각형이 아니다.
② $6^2+8^2\neq9^2$이므로 직각삼각형이 아니다.
③ $8^2+8^2\neq12^2$이므로 직각삼각형이 아니다.
④ $9^2+12^2=15^2$이므로 직각삼각형이다.
⑤ $10^2+12^2\neq15^2$이므로 직각삼각형이 아니다.
따라서 직각삼각형인 것은 ④이다.

4-1 $7^2>3^2+5^2$이므로 $\triangle$ABC는 오른쪽 그림과 같이 길이가 가장 긴 변 AC의 대각인 $\angle$B가 둔각인 둔각삼각형이다. ($\angle B>90°$)

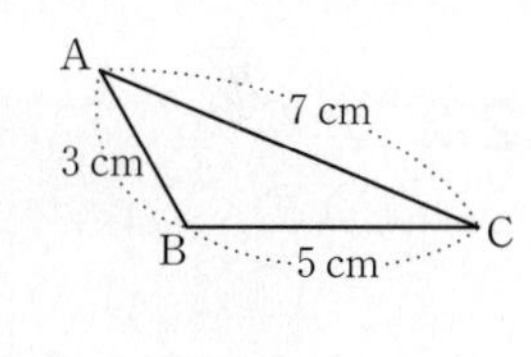

4-2 ㉠ $7^2<5^2+6^2$이므로 예각삼각형이다.
㉡ $10^2>7^2+7^2$이므로 둔각삼각형이다.
㉢ $12^2<8^2+10^2$이므로 예각삼각형이다.
㉣ $25^2=7^2+24^2$이므로 직각삼각형이다.
따라서 예각삼각형인 것은 ㉠, ㉢이다.

4-3 ① $x=5$일 때, $10^2>5^2+6^2$이므로 둔각삼각형이다.
② $x=6$일 때, $10^2>6^2+6^2$이므로 둔각삼각형이다.
③ $x=7$일 때, $10^2>6^2+7^2$이므로 둔각삼각형이다.
④ $x=8$일 때, $10^2=6^2+8^2$이므로 직각삼각형이다.
⑤ $x=9$일 때, $10^2<6^2+9^2$이므로 예각삼각형이다.
따라서 x의 값이 될 수 없는 것은 ④, ⑤이다.

정답과 풀이

3. 사건과 경우의 수

개념 원리 확인 p143

1-1 (1) 2 ➡ 2, 2 (2) 3 ➡ 3, 5, 3

1-2 (1) 2 (2) 2 (3) 3

2-1 뒷면, 뒷면, 앞면, 앞면 (1) 1 (2) 2 (3) 2

2-2 (1) 36 ➡ 풀이 참조 (2) 6 (3) 4

1-2 (1) 짝수는 2, 4이므로 구하는 경우의 수는 2이다.
(2) 소수는 2, 3이므로 구하는 경우의 수는 2이다.
(3) 4의 약수는 1, 2, 4이므로 구하는 경우의 수는 3이다.

2-1 (1) 앞면이 2개 나오는 경우는 (앞면, 앞면)이므로 구하는 경우의 수는 1이다.
(2) 앞면이 1개만 나오는 경우는 (앞면, 뒷면), (뒷면, 앞면)이므로 구하는 경우의 수는 2이다.
(3) 서로 같은 면이 나오는 경우는 (앞면, 앞면), (뒷면, 뒷면)이므로 구하는 경우의 수는 2이다.

2-2 (1)

A \ B	⚀	⚁	⚂	⚃	⚄	⚅
⚀	(1, 1)	(1, 2)	(1, 3)	(1, 4)	(1, 5)	(1, 6)
⚁	(2, 1)	(2, 2)	(2, 3)	(2, 4)	(2, 5)	(2, 6)
⚂	(3, 1)	(3, 2)	(3, 3)	(3, 4)	(3, 5)	(3, 6)
⚃	(4, 1)	(4, 2)	(4, 3)	(4, 4)	(4, 5)	(4, 6)
⚄	(5, 1)	(5, 2)	(5, 3)	(5, 4)	(5, 5)	(5, 6)
⚅	(6, 1)	(6, 2)	(6, 3)	(6, 4)	(6, 5)	(6, 6)

일어나는 모든 경우의 수는 36이다.
(2) 두 눈의 수가 서로 같은 경우는
(1, 1), (2, 2), (3, 3), (4, 4), (5, 5), (6, 6)
이므로 구하는 경우의 수는 6이다.
(3) 두 눈의 수의 합이 5인 경우는
(1, 4), (2, 3), (3, 2), (4, 1)
이므로 구하는 경우의 수는 4이다.

4. 경우의 수의 계산

개념 원리 확인 p145

3-1 (1) 3 (2) 2 (3) 5

3-2 (1) 2 (2) 1 (3) 3

4-1 (1) 1 (2) 3 (3) 3

4-2 (1) 2 (2) 4 (3) 8

3-1 (1) 3의 배수는 3, 6, 9이므로 구하는 경우의 수는 3이다.
(2) 5의 배수는 5, 10이므로 구하는 경우의 수는 2이다.
(3) 1부터 10까지의 자연수 중 3의 배수이면서 5의 배수인 수는 없으므로 구하는 경우의 수는
$3+2=5$

3-2 (1) 눈의 수가 3보다 작은 경우는 1, 2이므로 구하는 경우의 수는 2이다.
(2) 눈의 수가 5보다 큰 경우는 6이므로 구하는 경우의 수는 1이다.
(3) 눈의 수가 3보다 작으면서 5보다 큰 경우는 없으므로 구하는 경우의 수는
$2+1=3$

4-1 (1) 동전에서 앞면이 나오는 경우의 수는 1이다.
(2) 주사위에서 홀수의 눈이 나오는 경우는 1, 3, 5이므로 구하는 경우의 수는 3이다.
(3) 동전은 앞면이 나오고 주사위는 홀수의 눈이 나오는 경우의 수는
$1\times3=3$

4-2 (1) A 주사위에서 3의 배수의 눈이 나오는 경우는 3, 6이므로 구하는 경우의 수는 2이다.
(2) B 주사위에서 4 이하의 수의 눈이 나오는 경우는 1, 2, 3, 4이므로 구하는 경우의 수는 4이다.
(3) A 주사위에서 3의 배수의 눈이 나오고 B 주사위에서 4 이하의 수의 눈이 나오는 경우의 수는
$2\times4=8$

2일 기초 집중 연습 p146 ~ p147

1-1 (1) 2 (2) 5 (3) 4　**1-2** 5
1-3 3　**1-4** (1) 풀이 참조 (2) 3
2-1 7　**2-2** 13
2-3 7　**3-1** 12
3-2 9　**3-3** 12
3-4 20

1-1 (1) 3의 약수는 1, 3이므로 구하는 경우의 수는 2이다.
(2) 5 이상인 수는 5, 6, 7, 8, 9이므로 구하는 경우의 수는 5이다.
(3) 4 이상 8 미만의 수는 4, 5, 6, 7이므로 구하는 경우의 수는 4이다.

1-2 서로 다른 두 개의 주사위를 동시에 던질 때, 나오는 눈의 수를 순서쌍으로 나타내면
두 눈의 수의 합이 6인 경우는
(1, 5), (2, 4), (3, 3), (4, 2), (5, 1)
이므로 구하는 경우의 수는 5이다.

1-3 뒷면이 한 개만 나오는 경우는
(앞면, 앞면, 뒷면), (앞면, 뒷면, 앞면),
(뒷면, 앞면, 앞면)
이므로 구하는 경우의 수는 3이다.

1-4 (1)

1000원짜리 지폐(장)	1	2	3
500원짜리 동전(개)	4	2	0

(2) (1)의 표에 의해 3000원을 지불하는 경우의 수는 3이다.

2-1 면류에서 주문하는 경우의 수는 4
밥류에서 주문하는 경우의 수는 3
따라서 구하는 경우의 수는
$4+3=7$

2-2 4의 배수가 적힌 공이 나오는 경우는
4, 8, 12, 16, 20의 5가지
소수가 적힌 공이 나오는 경우는
2, 3, 5, 7, 11, 13, 17, 19의 8가지
따라서 구하는 경우의 수는
$5+8=13$

2-3 서로 다른 두 개의 주사위를 동시에 던질 때, 나오는 눈의 수를 순서쌍으로 나타내면
두 눈의 수의 합이 4인 경우는
(1, 3), (2, 2), (3, 1)의 3가지
두 눈의 수의 합이 9인 경우는
(3, 6), (4, 5), (5, 4), (6, 3)의 4가지
따라서 구하는 경우의 수는
$3+4=7$

3-1 집에서 도서관까지 가는 경우의 수는 4
도서관에서 학교까지 가는 경우의 수는 3
따라서 구하는 경우의 수는
$4\times3=12$

3-2 자음이 적힌 카드를 고르는 경우의 수는 3
모음이 적힌 카드를 고르는 경우의 수는 3
따라서 구하는 글자의 개수는
$3\times3=9$

3-3 A 주사위에서 3 이하의 수의 눈이 나오는 경우는
1, 2, 3의 3가지
B 주사위에서 6의 약수의 눈이 나오는 경우는
1, 2, 3, 6의 4가지
따라서 구하는 경우의 수는
$3\times4=12$

3-4 바지를 고르는 경우의 수는 5
셔츠를 고르는 경우의 수는 4
따라서 구하는 경우의 수는
$5\times4=20$

5. 한 줄로 세우는 경우의 수

개념 원리 확인 p149

1-1 (1) 2, 1, 6 (2) 3, 2, 6

1-2 (1) 4, 3, 2, 1, 24 (2) 4, 3, 2, 24

2-1 (1) 12 ➡ ❶ 2, 6 ❷ 2, 2 ❸ 6, 12

(2) 12 ➡ ❶ 2, 2, 2 ❷ 3, 1, 6 ❸ 2, 6, 12

2-2 (1) 48 (2) 36

2-2 (1) B, C를 한 명으로 생각하여 A, (B, C), D, E 4명을 한 줄로 세우는 경우의 수는

$4\times3\times2\times1=24$

B, C가 자리를 바꾸는 경우의 수는

$2\times1=2$ ← B, C 2명을 한 줄로 세우는 경우의 수와 같다.

따라서 구하는 경우의 수는

$24\times2=48$

(2) B, C, D를 한 명으로 생각하여

A, (B, C, D), E 3명을 한 줄로 세우는 경우의 수는 $3\times2\times1=6$

B, C, D가 자리를 바꾸는 경우의 수는

$3\times2\times1=6$ ← B, C, D 3명을 한 줄로 세우는 경우의 수와 같다.

따라서 구하는 경우의 수는

$6\times6=36$

6. 자연수의 개수와 대표를 뽑는 경우의 수

개념 원리 확인 p151

3-1 (1) 3, 2, 6 (2) 2, 2, 4

3-2 (1) 4, 3, 2, 24 (2) 3, 3, 2, 18

4-1 (1) 4, 3, 12 (2) B, A, 3, 2, 6

4-2 (1) 4, 3, 2, 24 (2) 3, 2, 6, 4

3일 기초 집중 연습 p152 ~ p153

1-1 (1) 120 (2) 20 (3) 60 (4) 48 (5) 36

1-2 24

1-3 (1) 24 ➡ 3, 2, 1, 24 (2) 6

1-4 144

2-1 (1) 20 (2) 60

2-2 (1) 16 (2) 48

2-3 5

3-1 (1) 20 (2) 60 (3) 10 (4) 10

3-2 56

3-3 15

3-4 12

1-1 (1) $5\times4\times3\times2\times1=120$

(2) $5\times4=20$

(3) $5\times4\times3=60$

(4) (A, C)를 한 명으로 생각하여 4명을 한 줄로 세우는 경우의 수는

$4\times3\times2\times1=24$

A, C가 자리를 바꾸는 경우의 수는

$2\times1=2$

따라서 구하는 경우의 수는

$24\times2=48$

(5) (C, D, E)를 한 명으로 생각하여 3명을 한 줄로 세우는 경우의 수는

$3\times2\times1=6$

C, D, E가 자리를 바꾸는 경우의 수는

$3\times2\times1=6$

따라서 구하는 경우의 수는

$6\times6=36$

1-2 구하는 경우의 수는 4명을 한 줄로 세우는 경우의 수와 같으므로

$4\times3\times2\times1=24$

1-3 (2) [B][ ][ ][ ][D]

B가 맨 앞에, D가 맨 뒤에 고정되었으므로 나머지 A, C, E 3명을 한 줄로 세우는 경우의 수를 구하면 된다.

따라서 구하는 경우의 수는

$3\times2\times1=6$

1-4 (수연, 지우, 창민)을 한 명으로 생각하여 4명을 한 줄로 세우는 경우의 수는
$4\times3\times2\times1=24$
수연, 지우, 창민이 자리를 바꾸는 경우의 수는
$3\times2\times1=6$
따라서 구하는 경우의 수는
$24\times6=144$

2-1 (1) 십의 자리에 올 수 있는 숫자는 5가지
일의 자리에 올 수 있는 숫자는 십의 자리에 온 숫자를 제외한 4가지
따라서 구하는 자연수의 개수는
$5\times4=20$
(2) 백의 자리에 올 수 있는 숫자는 5가지
십의 자리에 올 수 있는 숫자는 백의 자리에 온 숫자를 제외한 4가지
일의 자리에 올 수 있는 숫자는 백의 자리와 십의 자리에 온 숫자를 제외한 3가지
따라서 구하는 자연수의 개수는
$5\times4\times3=60$

2-2 (1) 십의 자리에 올 수 있는 숫자는 0을 제외한 4가지
일의 자리에 올 수 있는 숫자는 십의 자리에 온 숫자를 제외한 4가지
따라서 구하는 자연수의 개수는
$4\times4=16$
(2) 백의 자리에 올 수 있는 숫자는 0을 제외한 4가지
십의 자리에 올 수 있는 숫자는 백의 자리에 온 숫자를 제외한 4가지
일의 자리에 올 수 있는 숫자는 백의 자리와 십의 자리에 온 숫자를 제외한 3가지
따라서 구하는 자연수의 개수는
$4\times4\times3=48$

2-3 짝수이려면 일의 자리의 숫자가 0 또는 2이어야 한다.
(i) □0인 경우 : 10, 20, 30의 3개
(ii) □2인 경우 : 12, 32의 2개
따라서 구하는 짝수의 개수는
$3+2=5$

3-1 (1) $5\times4=20$
(2) $5\times4\times3=60$
(3) $\frac{5\times4}{2}=10$
(4) $\frac{5\times4\times3}{6}=10$

3-2 구하는 경우의 수는 8명 중에서 자격이 다른 대표 2명을 뽑는 경우의 수와 같으므로
$8\times7=56$

3-3 구하는 경우의 수는 6명 중에서 자격이 같은 대표 2명을 뽑는 경우의 수와 같으므로
$\frac{6\times5}{2}=15$

3-4 남학생 4명 중에서 대표 2명을 뽑는 경우의 수는
$\frac{4\times3}{2}=6$
여학생 2명 중에서 대표 1명을 뽑는 경우의 수는 2
따라서 구하는 경우의 수는
$6\times2=12$

7. 확률의 뜻

개념 원리 확인 p155

1-1 (1) $\frac{3}{10}$ ➡ ❶ 20 ❷ 12, 15, 18 / 6 ❸ $\frac{3}{10}$ (2) $\frac{2}{5}$
1-2 (1) $\frac{1}{3}$ (2) $\frac{2}{5}$ (3) $\frac{4}{15}$
2-1 (1) $\frac{5}{36}$ ➡ ❷ (5, 3), (6, 2) / 5 ❸ $\frac{5}{36}$ (2) $\frac{1}{6}$
2-2 (1) $\frac{1}{4}$ (2) $\frac{1}{2}$ (3) $\frac{1}{4}$

1-1 (2) 모든 경우의 수는 20
공에 적힌 수가 소수인 경우는
2, 3, 5, 7, 11, 13, 17, 19의 8가지
따라서 구하는 확률은 $\frac{8}{20}=\frac{2}{5}$

1-2 모든 경우의 수는 $5+6+4=15$

(1) 빨간 공이 나오는 경우의 수는 5이므로

구하는 확률은 $\frac{5}{15}=\frac{1}{3}$

(2) 노란 공이 나오는 경우의 수는 6이므로

구하는 확률은 $\frac{6}{15}=\frac{2}{5}$

(3) 파란 공이 나오는 경우의 수는 4이므로

구하는 확률은 $\frac{4}{15}$

2-1 (2) 모든 경우의 수는 $6\times6=36$

두 눈의 수가 서로 같은 경우는 (1, 1), (2, 2), (3, 3), (4, 4), (5, 5), (6, 6)의 6가지

따라서 구하는 확률은 $\frac{6}{36}=\frac{1}{6}$

2-2 모든 경우의 수는 $2\times2=4$

두 동전을 동시에 던질 때, 나오는 면을 순서쌍 (500원, 100원)으로 나타내자.

(1) 모두 뒷면이 나오는 경우는 (뒷면, 뒷면)의 1가지이므로 구하는 확률은 $\frac{1}{4}$

(2) 한 개만 앞면이 나오는 경우는 (앞면, 뒷면), (뒷면, 앞면)의 2가지이므로

구하는 확률은 $\frac{2}{4}=\frac{1}{2}$

(3) 500원짜리 동전은 앞면이 나오고 100원짜리 동전은 뒷면이 나오는 경우는 (앞면, 뒷면)의 1가지이므로 구하는 확률은 $\frac{1}{4}$

8. 확률의 성질

개념 원리 확인 p157

3-1 (1) $\frac{1}{3}$ (2) 0 (3) 1

3-2 (1) $\frac{3}{5}$ (2) $\frac{2}{5}$ (3) 1 (4) 0

4-1 (1) $\frac{3}{20}$ (2) $\frac{17}{20}$ ➡ $\frac{3}{20}$, $\frac{17}{20}$

4-2 $\frac{1}{6}$

4-3 (1) $\frac{1}{4}$ (2) $\frac{3}{4}$

3-1 모든 경우의 수는 6

(1) 눈의 수가 3의 약수인 경우는 1, 3의 2가지이므로

구하는 확률은 $\frac{2}{6}=\frac{1}{3}$

(2) 눈의 수가 7인 경우는 없으므로 구하는 확률은

$\frac{0}{6}=0$

(3) 눈의 수가 6 이하의 자연수인 경우는 1, 2, 3, 4, 5, 6의 6가지이므로 구하는 확률은 $\frac{6}{6}=1$

3-2 모든 경우의 수는 $3+2=5$

(1) 빨간 공이 나오는 경우의 수는 3이므로

구하는 확률은 $\frac{3}{5}$

(2) 검은 공이 나오는 경우의 수는 2이므로

구하는 확률은 $\frac{2}{5}$

(3) 빨간 공 또는 검은 공이 나오는 경우의 수는

$3+2=5$이므로 구하는 확률은 $\frac{5}{5}=1$

(4) 주머니에서 흰 공이 나오는 경우는 없으므로

구하는 확률은 $\frac{0}{5}=0$

4-1 (1) 모든 경우의 수는 20

6의 배수가 적힌 카드가 나오는 경우는 6, 12, 18의 3가지

따라서 구하는 확률은 $\frac{3}{20}$

4-2 (합격하지 못할 확률)$=1-$(합격할 확률)

$=1-\frac{5}{6}=\frac{1}{6}$

4-3 (1) 모든 경우의 수는 $2\times2=4$

두 동전에서 모두 뒷면이 나오는 경우는 (뒷면, 뒷면)의 1가지

따라서 구하는 확률은 $\frac{1}{4}$

(2) (모두 뒷면이 나오지 않을 확률)

$=1-$(모두 뒷면이 나올 확률)

$=1-\frac{1}{4}=\frac{3}{4}$

4일 기초 집중 연습 p158 ~ p159

1-1 (1) $\frac{1}{2}$ (2) $\frac{2}{3}$　**1-2** $\frac{7}{15}$

1-3 $\frac{1}{2}$　**1-4** $\frac{1}{3}$

1-5 ❶ 10 ❷ 4 ❸ $\frac{2}{5}$　**1-6** $\frac{2}{5}$

2-1 (1) ○ (2) $\frac{1}{6}$ (3) 0　**2-2** ④

3-1 $\frac{1}{3}$　**3-2** $\frac{5}{6}$

3-3 (1) $\frac{1}{8}$ (2) $\frac{7}{8}$

1-1 모든 경우의 수는 6

(1) 눈의 수가 2의 배수인 경우는 2, 4, 6의 3가지이므로 구하는 확률은 $\frac{3}{6}=\frac{1}{2}$

(2) 눈의 수가 6의 약수인 경우는 1, 2, 3, 6의 4가지이므로 구하는 확률은 $\frac{4}{6}=\frac{2}{3}$

1-2 모든 경우의 수는 $3+5+7=15$
파란 공이 나오는 경우의 수는 7
따라서 구하는 확률은 $\frac{7}{15}$

1-3 모든 경우의 수는 $2\times2=4$
두 동전에서 서로 같은 면이 나오는 경우는
(앞면, 앞면), (뒷면, 뒷면)의 2가지
따라서 구하는 확률은 $\frac{2}{4}=\frac{1}{2}$

1-4 모든 경우의 수는 $3\times3=9$
선아와 지호가 가위, 바위, 보를 내는 것을 순서쌍 (선아, 지호)로 나타내면 선아가 이기는 경우는
(가위, 보), (바위, 가위), (보, 바위)의 3가지
따라서 구하는 확률은 $\frac{3}{9}=\frac{1}{3}$

1-6 십의 자리에 올 수 있는 숫자는 5가지, 일의 자리에 올 수 있는 숫자는 십의 자리에 온 숫자를 제외한 4가지이므로 만들 수 있는 두 자리 자연수의 개수는
$5\times4=20$
이때 만든 두 자리 자연수가 짝수이려면 일의 자리의 숫자가 2 또는 4이어야 한다.
(i) □2인 경우 : 12, 32, 42, 52의 4개
(ii) □4인 경우 : 14, 24, 34, 54의 4개
(i), (ii)에서 짝수인 두 자리 자연수의 개수는
$4+4=8$
따라서 구하는 확률은 $\frac{8}{20}=\frac{2}{5}$

2-1 (1) 주사위의 눈의 수는 항상 1 이상의 자연수이므로 구하는 확률은 1이다.

(2) 모든 경우의 수는 6이고 눈의 수가 6 이상인 경우는 6의 1가지이므로 구하는 확률은 $\frac{1}{6}$이다.

(3) 주머니에는 검은 구슬이 없으므로 구하는 확률은 0이다.

2-2 모든 경우의 수는 $2+5=7$

① 빨간 공이 나오는 경우의 수는 2이므로 빨간 공이 나올 확률은 $\frac{2}{7}$이다.

② 주머니에는 노란 공이 없으므로 노란 공이 나올 확률은 0이다.

③ 파란 공이 나오는 경우의 수는 5이므로 파란 공이 나올 확률은 $\frac{5}{7}$이다.

④ 주머니에는 빨간 공과 파란 공뿐이므로 빨간 공 또는 파란 공이 나올 확률은 1이다.

⑤ ①, ③에서 빨간 공과 파란 공이 나올 확률은 다르다.

따라서 옳은 것은 ④이다.

3-1 (내일 비가 오지 않을 확률)$=1-$(내일 비가 올 확률)
$=1-\frac{2}{3}=\frac{1}{3}$

3-2 모든 경우의 수는 $6\times6=36$
두 주사위의 눈의 수가 서로 같은 경우는
(1, 1), (2, 2), (3, 3), (4, 4), (5, 5), (6, 6)의 6가지이므로 두 주사위의 눈의 수가 서로 같을 확률은 $\frac{6}{36}=\frac{1}{6}$

$\therefore$ (두 주사위의 눈의 수가 서로 다를 확률)

$=1-$(두 주사위의 눈의 수가 서로 같을 확률)

$=1-\frac{1}{6}=\frac{5}{6}$

3-3 모든 경우의 수는 $2\times2\times2=8$

(1) 세 동전에서 모두 뒷면이 나오는 경우는

(뒷면, 뒷면, 뒷면)의 1가지

이므로 구하는 확률은 $\frac{1}{8}$

(2) (적어도 한 개는 앞면이 나올 확률)

$=1-$(모두 뒷면이 나올 확률)

$=1-\frac{1}{8}=\frac{7}{8}$

5일

9. 사건 A 또는 사건 B가 일어날 확률

개념 원리 확인 p161

1-1 (1) $\frac{1}{4}$ (2) $\frac{1}{3}$ (3) $\frac{7}{12}$

1-2 (1) $\frac{1}{5}$ (2) $\frac{3}{20}$ (3) $\frac{7}{20}$

2-1 (1) $\frac{1}{3}$ (2) $\frac{1}{2}$ (3) $\frac{5}{6}$

2-2 (1) $\frac{1}{18}$ (2) $\frac{1}{6}$ (3) $\frac{2}{9}$

3-1 $\frac{1}{3}$

3-2 $\frac{1}{2}$

1-1 모든 경우의 수는 $3+5+4=12$

(1) 흰 공이 나오는 경우의 수는 3이므로 구하는 확률은 $\frac{3}{12}=\frac{1}{4}$

(2) 파란 공이 나오는 경우의 수는 4이므로 구하는 확률은 $\frac{4}{12}=\frac{1}{3}$

(3) 두 사건은 동시에 일어나지 않으므로 구하는 확률은 $\frac{1}{4}+\frac{1}{3}=\frac{7}{12}$

1-2 모든 경우의 수는 20

(1) 5의 배수가 적힌 카드가 나오는 경우는 5, 10, 15, 20의 4가지이므로 구하는 확률은 $\frac{4}{20}=\frac{1}{5}$

(2) 6의 배수가 적힌 카드가 나오는 경우는 6, 12, 18의 3가지이므로 구하는 확률은 $\frac{3}{20}$

(3) 두 사건은 동시에 일어나지 않으므로 구하는 확률은 $\frac{1}{5}+\frac{3}{20}=\frac{7}{20}$

2-1 모든 경우의 수는 6

(1) 눈의 수가 2 이하인 경우는 1, 2의 2가지이므로 구하는 확률은 $\frac{2}{6}=\frac{1}{3}$

(2) 눈의 수가 4 이상인 경우는 4, 5, 6의 3가지이므로 구하는 확률은 $\frac{3}{6}=\frac{1}{2}$

(3) 두 사건은 동시에 일어나지 않으므로 구하는 확률은 $\frac{1}{3}+\frac{1}{2}=\frac{5}{6}$

2-2 모든 경우의 수는 $6\times6=36$

(1) 두 눈의 수의 합이 3인 경우는

(1, 2), (2, 1)의 2가지

이므로 구하는 확률은 $\frac{2}{36}=\frac{1}{18}$

(2) 두 눈의 수의 합이 7인 경우는

(1, 6), (2, 5), (3, 4), (4, 3), (5, 2), (6, 1)의 6가지

이므로 구하는 확률은 $\frac{6}{36}=\frac{1}{6}$

(3) 두 사건은 동시에 일어나지 않으므로 구하는 확률은 $\frac{1}{18}+\frac{1}{6}=\frac{2}{9}$

3-1 혈액형이 O형일 확률은 $\frac{9}{36}=\frac{1}{4}$

혈액형이 AB형일 확률은 $\frac{3}{36}=\frac{1}{12}$

따라서 혈액형이 O형 또는 AB형일 확률은

$\frac{1}{4}+\frac{1}{12}=\frac{1}{3}$

3-2 좋아하는 색이 노랑일 확률은 $\frac{6}{30}=\frac{1}{5}$

좋아하는 색이 보라일 확률은 $\frac{9}{30}=\frac{3}{10}$

따라서 좋아하는 색이 노랑 또는 보라일 확률은

$\frac{1}{5}+\frac{3}{10}=\frac{1}{2}$

10. 사건 A와 사건 B가 동시에 일어날 확률

개념 원리 확인 p163

4-1 $\frac{1}{4}$ ➡ ❷ $\frac{1}{2}$ ❸ $\frac{1}{2}$, $\frac{1}{4}$

4-2 (1) $\frac{1}{4}$ (2) $\frac{1}{3}$

5-1 $\frac{4}{27}$ ➡ ❷ $\frac{1}{3}$ ❸ $\frac{1}{3}$, $\frac{4}{27}$

5-2 (1) $\frac{20}{49}$ (2) $\frac{15}{49}$

4-2 (1) 동전에서 앞면이 나올 확률은 $\frac{1}{2}$

주사위에서 홀수의 눈이 나오는 경우는 1, 3, 5의 3가지이므로 그 확률은 $\frac{3}{6}=\frac{1}{2}$

따라서 구하는 확률은

$\frac{1}{2}\times\frac{1}{2}=\frac{1}{4}$

(2) 동전에서 뒷면이 나올 확률은 $\frac{1}{2}$

주사위에서 6의 약수의 눈이 나오는 경우는 1, 2, 3, 6의 4가지이므로 그 확률은 $\frac{4}{6}=\frac{2}{3}$

따라서 구하는 확률은

$\frac{1}{2}\times\frac{2}{3}=\frac{1}{3}$

5-2 (1) A 주머니에 들어 있는 공의 개수는 $3+4=7$

A 주머니에는 흰 공이 4개 들어 있으므로

A 주머니에서 흰 공이 나올 확률은 $\frac{4}{7}$

B 주머니에 들어 있는 공의 개수는 $5+2=7$

B 주머니에는 검은 공이 5개 들어 있으므로

B 주머니에서 검은 공이 나올 확률은 $\frac{5}{7}$

따라서 구하는 확률은

$\frac{4}{7}\times\frac{5}{7}=\frac{20}{49}$

(2) A 주머니에서 검은 공이 나올 확률은 $\frac{3}{7}$

B 주머니에서 검은 공이 나올 확률은 $\frac{5}{7}$

따라서 구하는 확률은

$\frac{3}{7}\times\frac{5}{7}=\frac{15}{49}$

5일 기초 집중 연습 p164 ~ p165

1-1 (1) $\frac{3}{5}$ (2) $\frac{1}{2}$ (3) $\frac{1}{2}$ **1-2** $\frac{1}{9}$

1-3 $\frac{3}{10}$ **1-4** $\frac{4}{5}$

1-5 (1) $\frac{1}{4}$ (2) $\frac{1}{4}$ (3) $\frac{1}{2}$ **2-1** (1) $\frac{1}{9}$ (2) $\frac{1}{6}$

2-2 $\frac{1}{8}$ **2-3** $\frac{3}{25}$

2-4 (1) $\frac{1}{4}$ (2) $\frac{1}{6}$ (3) $\frac{5}{6}$ **2-5** $\frac{3}{25}$

1-1 모든 경우의 수는 10

(1) 공에 적힌 수가 4보다 작은 경우는 1, 2, 3의 3가지이므로 그 확률은 $\frac{3}{10}$

공에 적힌 수가 8 이상인 경우는 8, 9, 10의 3가지이므로 그 확률은 $\frac{3}{10}$

따라서 구하는 확률은

$\frac{3}{10}+\frac{3}{10}=\frac{3}{5}$

(2) 공에 적힌 수가 1일 확률은 $\frac{1}{10}$

공에 적힌 수가 소수인 경우는 2, 3, 5, 7의 4가지이므로 그 확률은 $\frac{4}{10}=\frac{2}{5}$

따라서 구하는 확률은

$\frac{1}{10}+\frac{2}{5}=\frac{1}{2}$

(3) 공에 적힌 수가 3의 배수인 경우는 3, 6, 9의 3가지이므로 그 확률은 $\frac{3}{10}$

공에 적힌 수가 5의 배수인 경우는 5, 10의 2가지이므로 그 확률은 $\frac{2}{10}=\frac{1}{5}$

따라서 구하는 확률은

$\frac{3}{10}+\frac{1}{5}=\frac{1}{2}$

1-2 모든 경우의 수는 $6\times6=36$
두 눈의 수의 합이 4인 경우는 (1, 3), (2, 2), (3, 1)의 3가지이므로 그 확률은 $\frac{3}{36}=\frac{1}{12}$
두 눈의 수의 합이 12인 경우는 (6, 6)의 1가지이므로 그 확률은 $\frac{1}{36}$
따라서 구하는 확률은
$\frac{1}{12}+\frac{1}{36}=\frac{1}{9}$

1-3 모든 경우의 수는 30
화요일을 선택하는 경우는 2일, 9일, 16일, 23일, 30일의 5가지이므로 그 확률은 $\frac{5}{30}=\frac{1}{6}$
목요일을 선택하는 경우는 4일, 11일, 18일, 25일의 4가지이므로 그 확률은 $\frac{4}{30}=\frac{2}{15}$
따라서 구하는 확률은
$\frac{1}{6}+\frac{2}{15}=\frac{3}{10}$

1-4 보따리의 총개수는 $5+12+8=25$
금도끼가 들어 있는 보따리의 개수는 8이므로
금도끼를 얻을 확률은 $\frac{8}{25}$
은도끼가 들어 있는 보따리의 개수는 12이므로
은도끼를 얻을 확률은 $\frac{12}{25}$
따라서 구하는 확률은
$\frac{8}{25}+\frac{12}{25}=\frac{4}{5}$

1-5 모든 경우의 수는 $4\times3\times2\times1=24$
(1) 수호가 맨 앞에 서는 경우의 수는 수호를 제외한 나머지 3명을 한 줄로 세우는 경우의 수와 같으므로 $3\times2\times1=6$
따라서 구하는 확률은 $\frac{6}{24}=\frac{1}{4}$
(2) 유나가 맨 앞에 서는 경우의 수는 유나를 제외한 나머지 3명을 한 줄로 세우는 경우의 수와 같으므로 $3\times2\times1=6$
따라서 구하는 확률은 $\frac{6}{24}=\frac{1}{4}$
(3) 두 사건은 동시에 일어나지 않으므로 구하는 확률은 $\frac{1}{4}+\frac{1}{4}=\frac{1}{2}$

2-1 (1) A 주사위에서 5의 약수의 눈이 나오는 경우는 1, 5의 2가지이므로 그 확률은 $\frac{2}{6}=\frac{1}{3}$
B 주사위에서 3의 배수의 눈이 나오는 경우는 3, 6의 2가지이므로 그 확률은 $\frac{2}{6}=\frac{1}{3}$
따라서 구하는 확률은
$\frac{1}{3}\times\frac{1}{3}=\frac{1}{9}$
(2) A 주사위에서 소수의 눈이 나오는 경우는 2, 3, 5의 3가지이므로 그 확률은 $\frac{3}{6}=\frac{1}{2}$
B 주사위에서 5 이상인 수의 눈이 나오는 경우는 5, 6의 2가지이므로 그 확률은 $\frac{2}{6}=\frac{1}{3}$
따라서 구하는 확률은
$\frac{1}{2}\times\frac{1}{3}=\frac{1}{6}$

2-2 두 동전에서 나올 수 있는 모든 경우의 수는
$2\times2=4$
동전에서 앞면이 2개 나오는 경우는 (앞면, 앞면)의 1가지이므로 그 확률은 $\frac{1}{4}$
주사위에서 짝수의 눈이 나오는 경우는 2, 4, 6의 3가지이므로 그 확률은 $\frac{3}{6}=\frac{1}{2}$
따라서 구하는 확률은
$\frac{1}{4}\times\frac{1}{2}=\frac{1}{8}$

2-3 A 주머니에서 당첨 제비를 뽑을 확률은 $\frac{2}{10}=\frac{1}{5}$
B 주머니에서 당첨 제비를 뽑을 확률은 $\frac{3}{5}$
따라서 두 주머니에서 모두 당첨 제비를 뽑을 확률은
$\frac{1}{5}\times\frac{3}{5}=\frac{3}{25}$

2-4 (1) $\frac{1}{3}\times\frac{3}{4}=\frac{1}{4}$
(2) A 문제를 맞히지 못할 확률은 $1-\frac{1}{3}=\frac{2}{3}$
B 문제를 맞히지 못할 확률은 $1-\frac{3}{4}=\frac{1}{4}$
따라서 두 문제를 모두 맞히지 못할 확률은
$\frac{2}{3}\times\frac{1}{4}=\frac{1}{6}$

(3) (적어도 한 문제는 맞힐 확률)

$=1-$(두 문제 모두 맞히지 못할 확률)

$=1-\frac{1}{6}=\frac{5}{6}$

2-5 이번 주 토요일에 비가 올 확률은 $\frac{1}{5}$

일요일에 비가 오지 않을 확률은 $1-\frac{2}{5}=\frac{3}{5}$

따라서 이번 주 토요일에 비가 오고, 일요일에는 비가 오지 않을 확률은

$\frac{1}{5}\times\frac{3}{5}=\frac{3}{25}$

누구나 100점 테스트

p166 ~ p167

01 6 cm	**02** 5 cm	**03** ⑤	**04** ②
05 24	**06** ④	**07** ②	**08** ⑤
09 ④	**10** ③		

01 $\overline{AC}^2+\overline{BC}^2=\overline{AB}^2$이므로 $\overline{AC}^2+45=81$

$\overline{AC}^2=36$ $\quad\therefore \overline{AC}=6\,(\text{cm})\ (\because \overline{AC}>0)$

02 $\triangle$ABD에서 $\overline{BD}^2=1^2+7^2=50$

$\triangle$BCD에서 $\overline{BC}=\overline{CD}=x$ cm라고 하면

$x^2+x^2=50$, $2x^2=50$

$x^2=25$ $\quad\therefore x=5\ (\because x>0)$

따라서 $\overline{BC}$의 길이는 5 cm이다.

03 ① $5^2+6^2\neq8^2$이므로 직각삼각형이 아니다.

② $5^2+7^2\neq8^2$이므로 직각삼각형이 아니다.

③ $6^2+9^2\neq12^2$이므로 직각삼각형이 아니다.

④ $7^2+21^2\neq24^2$이므로 직각삼각형이 아니다.

⑤ $9^2+12^2=15^2$이므로 직각삼각형이다.

따라서 직각삼각형인 것은 ⑤이다.

04 두 눈의 수의 합이 7인 경우는

(1, 6), (2, 5), (3, 4), (4, 3), (5, 2), (6, 1)의 6가지

두 눈의 수의 합이 11인 경우는

(5, 6), (6, 5)의 2가지

따라서 구하는 경우의 수는

$6+2=8$

05 컵 종류를 선택하는 경우의 수는 3

아이스크림 종류를 선택하는 경우의 수는 8

따라서 구하는 경우의 수는

$3\times8=24$

06 (어머니, 아버지)를 한 명으로 생각하여 5명이 한 줄로 앉는 경우의 수는

$5\times4\times3\times2\times1=120$

어머니, 아버지가 자리를 바꾸는 경우의 수는

$2\times1=2$

따라서 구하는 경우의 수는

$120\times2=240$

07 6명 중에서 회장 1명, 부회장 1명을 뽑는 경우의 수는

$6\times5=30$ $\quad\therefore x=30$

6명 중에서 대표 2명을 뽑는 경우의 수는

$\frac{6\times5}{2}=15$ $\quad\therefore y=15$

$\therefore x-y=30-15=15$

08 ① 짝수의 눈이 나오는 경우는 2, 4, 6의 3가지이므로 구하는 확률은 $\frac{3}{6}=\frac{1}{2}$

② 동전 한 개를 던질 때, 앞면이 나올 확률은 $\frac{1}{2}$

③ 모든 경우의 수는 $2\times2=4$

서로 다른 면이 나오는 경우는 (앞면, 뒷면), (뒷면, 앞면)의 2가지이므로 구하는 확률은 $\frac{2}{4}=\frac{1}{2}$

④ 8의 약수의 눈이 나오는 경우는 1, 2, 4의 3가지이므로 구하는 확률은 $\frac{3}{6}=\frac{1}{2}$

⑤ 4명이 한 줄로 서는 경우의 수는

$4\times3\times2\times1=24$

A가 맨 뒤에 서는 경우의 수는 $3\times2\times1=6$이므로

그 확률은 $\frac{6}{24}=\frac{1}{4}$

$\therefore$ (A가 맨 뒤에 서지 않을 확률)

$=1-$(A가 맨 뒤에 설 확률)

$=1-\frac{1}{4}=\frac{3}{4}$

따라서 확률이 나머지 넷과 다른 하나는 ⑤이다.

09 모든 경우의 수는 $4\times4=16$

두 상자 A, B에서 각각 한 장의 카드를 임의로 꺼낼 때, 꺼낸 카드에 적힌 수를 순서쌍 (A, B)로 나타내면

두 수의 합이 6인 경우는 (0, 6), (1, 5), (2, 4)의 3가지이므로 그 확률은 $\frac{3}{16}$

두 수의 합이 9인 경우는 (2, 7), (3, 6)의 2가지이므로 그 확률은 $\frac{2}{16}=\frac{1}{8}$

따라서 구하는 확률은

$\frac{3}{16}+\frac{1}{8}=\frac{5}{16}$

10 두 사람이 함께 영화를 보려면 두 사람 모두 약속을 지켜야 하므로 두 사람이 모두 약속을 지킬 확률은

$\frac{4}{5}\times\frac{1}{3}=\frac{4}{15}$

특강 | 창의, 융합, 코딩 p168 ~ p173

1 ❶ 직각 ❷ × ❸ 1 ❹ 1 ❺ $p+q$

2 댄스 동아리

3 (1) (등, 등, 배, 등), (등, 배, 등, 등), (배, 등, 등, 등) / 4

(2) (등, 배, 등, 배), (등, 배, 배, 등), (배, 등, 등, 배), (배, 등, 배, 등), (배, 배, 등, 등) / 6

(3) (배, 등, 배, 배), (배, 배, 등, 배), (배, 배, 배, 등) / 4

(4) (배, 배, 배, 배) / 1

(5) (등, 등, 등, 등) / 1

4 (1) 2 (2) 10 (3) 8 (4) 24 (5) 3 / 소

5 (1) $\frac{1}{18}$ (2) $\frac{5}{36}$ (3) $\frac{1}{9}$ (4) 대성이의 말

6 $\frac{1}{100}$

2

출발

$3^2+4^2=5^2$

3, 4, 5 → 4, 5, 6 → 6, 6, 6 → 연극 동아리

$6^2+8^2=10^2$

5, 5, 7 → 6, 8, 10 → 7, 8, 12 → 밴드 동아리

$5^2+5^2\neq7^2$

$7^2+24^2=25^2$

5, 12, 13 → 8, 15, 16 → 7, 24, 25 → 미술 동아리

$8^2+15^2\neq16^2$

독서 동아리 사물놀이 동아리 댄스 동아리

3 (1) '도'가 나오는 경우는

(등, 등, 등, 배), (등, 등, 배, 등), (등, 배, 등, 등), (배, 등, 등, 등)

이므로 구하는 경우의 수는 4이다.

(2) '개'가 나오는 경우는

(등, 등, 배, 배), (등, 배, 등, 배), (등, 배, 배, 등), (배, 등, 등, 배), (배, 등, 배, 등), (배, 배, 등, 등)

이므로 구하는 경우의 수는 6이다.

(3) '걸'이 나오는 경우는

(등, 배, 배, 배), (배, 등, 배, 배), (배, 배, 등, 배), (배, 배, 배, 등)

이므로 구하는 경우의 수는 4이다.

(4) '윷'이 나오는 경우는 (배, 배, 배, 배)이므로 구하는 경우의 수는 1이다.

(5) '모'가 나오는 경우는 (등, 등, 등, 등)이므로 구하는 경우의 수는 1이다.

4 (1) 눈의 수가 5 이상인 경우는 5, 6이므로 구하는 경우의 수는 2이다.

(2) 두 눈의 수의 합이 5인 경우는

(1, 4), (2, 3), (3, 2), (4, 1)의 4가지

두 눈의 수의 합이 7인 경우는

(1, 6), (2, 5), (3, 4), (4, 3), (5, 2), (6, 1)의 6가지

따라서 구하는 경우의 수는 $4+6=10$

(3) $4\times2=8$

(4) A를 맨 마지막에 고정시키고 나머지 4명을 한 줄로 세우는 경우의 수를 구하면 되므로
$4\times3\times2\times1=24$

(5) 승부가 나지 않는 경우는
(가위, 가위), (바위, 바위), (보, 보)이므로 구하는 경우의 수는 3이다.

따라서 숫자판에 ▢ 안에 해당하는 수가 있는 칸을 색칠하면 다음과 같고, '소'자가 나타난다.

1	6	4	3	15	42	36
42	16	8	7	24	4	25
36	24	25	7	9	3	1
2	6	13	42	13	15	10
6	9	16	3	6	13	25
7	15	42	10	4	7	16
24	3	8	24	2	3	8
1	25	15	4	1	13	36

5 모든 경우의 수는 $6\times6=36$

(1) 소영이의 말이 무인도에 가려면 두 눈의 수의 합이 3이어야 한다.
두 눈의 수의 합이 3인 경우는 (1, 2), (2, 1)의 2가지이므로 구하는 확률은
$\frac{2}{36}=\frac{1}{18}$

(2) 대성이의 말이 무인도에 가려면 두 눈의 수의 합이 8이어야 한다.
두 눈의 수의 합이 8인 경우는 (2, 6), (3, 5), (4, 4), (5, 3), (6, 2)의 5가지이므로 구하는 확률은
$\frac{5}{36}$

(3) 시온이의 말이 무인도에 가려면 두 눈의 수의 합이 5이어야 한다.
두 눈의 수의 합이 5인 경우는 (1, 4), (2, 3), (3, 2), (4, 1)의 4가지이므로 구하는 확률은
$\frac{4}{36}=\frac{1}{9}$

(4) $\frac{1}{18}<\frac{1}{9}<\frac{5}{36}$이므로 무인도에 가게 될 가능성이 가장 높은 것은 대성이의 말이다.

6 민호는 사물함 비밀번호의 첫 번째, 두 번째 자리의 숫자는 알고 있으므로 세 번째, 네 번째 자리의 숫자만 맞히면 된다.

민호가 사물함 비밀번호의 세 번째 자리의 숫자를 한 번에 맞힐 확률은 $\frac{1}{10}$이고, 네 번째 자리의 숫자를 한 번에 맞힐 확률은 $\frac{1}{10}$이다.

따라서 구하는 확률은
$\frac{1}{10}\times\frac{1}{10}=\frac{1}{100}$

Memo

피곤한 눈을 맑고 개운하게!
눈 스트레칭

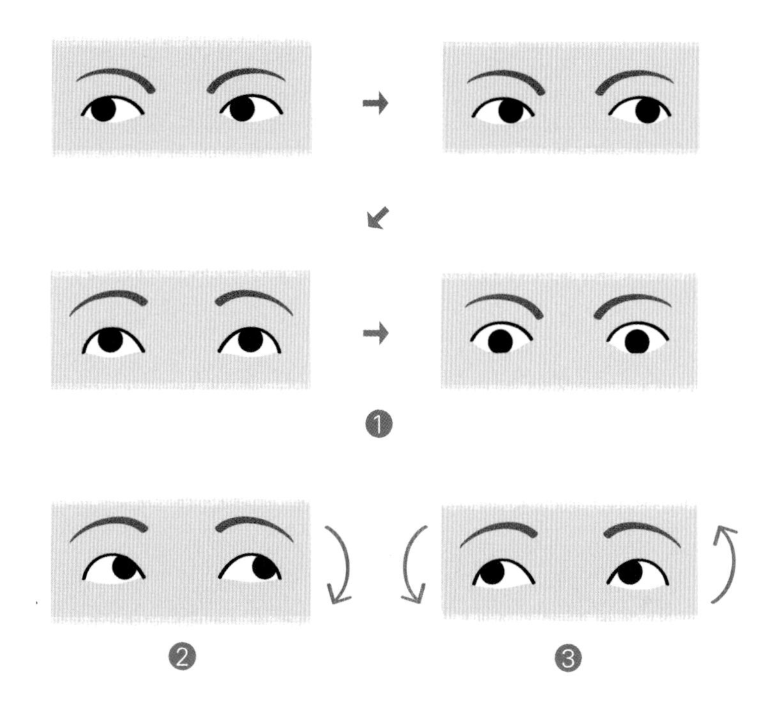

눈이 피곤하면 집중력도 떨어지고, 심한 경우 두통이 생기기도 합니다. 꾸준한 눈 스트레칭으로 눈의 피로를 꼭 풀어주세요. 눈 스트레칭을 할 때 목은 고정하고 눈동자만 움직여야 효과가 좋아진다는 것! 잊지 마세요.

❶ 눈동자를 다음과 같은 순서로 움직여보세요. 한 방향당 10초 간 머물러야 합니다.
왼쪽 ➜ 오른쪽 ➜ 위쪽 ➜ 아래쪽

❷ 눈동자를 시계 방향으로 한 바퀴 돌려주세요.

❸ 눈동자를 시계 반대 방향으로 한 바퀴 돌려주세요.

※ 스트레칭 후에도 눈에 피곤함이 남아 있다면, 2~3회 반복해 주세요.

정답은
이안에
있어!

시작은 하루 중학 영어

- 문법 1, 2, 3
- 어휘 1, 2, 3

이 교재도 추천해요!

- G코치 (Grammar Coach)
- 3초 보카

시작은 하루 중학 사회 / 역사

- 사회 ①, ②
- 역사 ①, ②

시작은 하루 중학 과학

- 1-1, 1-2
- 2-1, 2-2
- 3-1, 3-2

배움으로 행복한 내일을 꿈꾸는

천재교육 커뮤니티 안내

교재 안내부터 구매까지 한 번에!

천재교육 홈페이지

천재교육 홈페이지에서는 자사가 발행하는 참고서,
교과서에 대한 소개는 물론 도서 구매도 할 수 있습니다.
회원에게 지급되는 별을 모아 다양한 상품 응모에도
도전해 보세요.

구독, 좋아요는 필수! 핵유용 정보 가득한

천재교육 유튜브 <천재TV>

신간에 대한 자세한 정보가 궁금하세요?
참고서를 어떻게 활용해야 할지 고민인가요?
공부 외 다양한 고민을 해결해 줄 채널이 필요한가요?
학생들에게 꼭 필요한 콘텐츠로 가득한 천재TV로 놀러 오세요!

다양한 교육 꿀팁에 깜짝 이벤트는 덤!

천재교육 인스타그램

천재교육의 새롭고 중요한 소식을 가장 먼저 접하고 싶다면?
천재교육 인스타그램 팔로우가 필수!
누구보다 빠르고 재미있게 천재교육의 소식을 전달합니다.
깜짝 이벤트도 수시로 진행되니 놓치지 마세요!